COLLECTION PASSEURS DE TEXTES

Français 2de

Livre unique

SOUS LA DIRECTION DE Corinne Abensour

Agnès Castiglione, maître de conférences en langue et littérature françaises, IUFM de Lyon
Adrien David, agrégé de Lettres modernes, lycée Louise Michel, Champigny-sur-Marne
Daphné Deron, agrégée de Lettres modernes, lycée de l'Essouriau, Les Ulis
Alice Fauchon, agrégée de Lettres modernes, lycée Colbert, Paris
Gilles Guilleron, agrégé de Lettres modernes
Marie-Pierre Lafargue, animatrice formatrice cinéma
Etienne Leterrier, agrégé de Lettres modernes
David Martin, agrégé de Lettres modernes, lycée Adolphe Chérioux, Vitry-sur-Seine
Martine Rodde, certifiée de Lettres classiques
Edith Wolf, agrégée de Lettres modernes, lycée Jean-Baptiste Say, Paris

Activités TICE
SOUS LA DIRECTION DE Caroline d'Atabekian

Françoise André
Catherine Briat
Jean-Michel Cavrois
Sylvie Contant
Céline Dunoyer
Corinne Durand Degranges

Isabelle Farizon
Jean-Eudes Gadenne
Sylvie Maillot
Sandra Montant
Marie-Laure Tres-Guillaume

Membres de l'association WebLettres

WebLettres   leRobert

MANUEL RELU PAR

Sandra Galand-Lecardonnel, certifiée de Lettres modernes,
lycée Mireille-Grenet, Compiègne

David Galand, agrégé de Lettres modernes,
lycée Mireille-Grenet, Compiègne

Stavroula Kefallonitis, maître de conférences
en langues anciennes, Université Jean Monnet,
Saint-Étienne

Laurent Müller, professeur en classes préparatoires aux grandes écoles,
lycée Jean-Baptiste Say, Paris

Avec la collaboration de la revue DADA pour les pages Histoire des Arts.

Conception graphique et mise en pages : Hokus-Pokus et Courant d'idées
Couverture : Laurence Durandau
Iconographie : Agnès Schwab

© Le Robert, 25 avenue Pierre de Courbertin 75211 Paris Cedex 13
ISBN 978-2-84-902953-4

AVANT-PROPOS

Nous sommes heureux de vous présenter « Passeurs de textes 2de », un manuel conforme au nouveau programme de français mis en œuvre dans les lycées à la rentrée 2011.

Livre unique pour l'apprentissage du français en classe de 2de, il propose **en un seul volume** pour chacun des quatre objets d'étude, des **séquences problématisées** intégrant **les outils de la langue et de l'analyse littéraire, l'histoire des arts** et **l'histoire littéraire.**

Chaque objet d'étude est complété de pages de **préparation au bac,** d'**ateliers d'écriture** et d'un **atelier cinéma.**

L'ouvrage s'enrichit au fil des pages d'**activités numériques** :

Cinquante activités TICE (Technologies de l'Information et de la Communication pour l'Education), s'appuient sur des supports variés : sites web, images, vidéos en ligne, exercices interactifs, outils d'analyse de textes, expositions virtuelles, logiciels simples ou courants.

Cent exercices sur les outils de la langue et de l'analyse littéraire.

Des activités de sensibilisation à la culture musicale.

> Ces contenus sont accessibles aux élèves sur **le site élève du manuel** :
> **www.passeursdetextes-eleve2.fr**

Pour l'enseignant, des **compléments pédagogiques** sont disponibles sur le site compagnon de l'ouvrage, qui lui est réservé.

D'autres **ressources multimédia** sont disponibles sur le CD-Rom enseignant.

Nous avons souhaité, en réalisant « Passeurs de textes 2de », participer de façon originale et novatrice à la transmission de la littérature et de la langue française, telle que souhaitée par le nouveau programme de 2de.

Nous espérons vivement que l'ouvrage vous accompagnera dans l'accomplissement de cet objectif.

L'équipe des auteurs Le Robert et WebLettres

La tragédie et la comédie au XVIIe siècle : le classicisme

SOMMAIRE

OBJET D'ÉTUDE

Genres et formes de l'argumentation : XVIIᵉ et XVIIIᵉ siècles

SOMMAIRE

Le roman et la nouvelle au XIXᵉ siècle : réalisme et naturalisme

SOMMAIRE

SOMMAIRE

ACTIVITÉS TICE

Retrouvez ces activités à l'adresse suivante :
http://www.passeursdetextes-eleves2.fr

SOMMAIRE

GEORGES DE LA TOUR, détail du tableau *Le Tricheur à l'as de carreau*,
vers 1625 (160 cm x 146 cm). Paris, musée du Louvre.

La tragédie et la comédie au XVIIᵉ siècle : le classicisme

OBJET D'ÉTUDE

15

Le XVIIe siècle

La France est au XVIIe siècle l'une des grandes puissances politiques et militaires de l'Europe. Les arts et les sciences, soutenus par le pouvoir royal, se développent. Pourtant, de nombreux conflits marquent ce « siècle d'or », à l'intérieur comme à l'extérieur du royaume.

LA NAISSANCE DE LA MONARCHIE ABSOLUE

Après l'assassinat d'Henri IV en 1610, Marie de Médicis assure la régence, en attendant que le dauphin, Louis XIII, soit assez âgé pour exercer le pouvoir. La noblesse en profite pour tenter de s'émanciper du pouvoir royal. Lorsqu'il prend le pouvoir en 1617, Louis XIII se heurte à de nombreux complots et doit, avec l'aide de Richelieu, utiliser la force pour rétablir son autorité. À sa mort précoce, en 1643, le pays connaît une nouvelle période de régence exercée par Anne d'Autriche, assistée de Mazarin qui devient alors l'homme le plus puissant du royaume. De 1648 à 1653, Anne d'Autriche se heurte à la fronde des parlementaires, puis à celle des princes qui veulent limiter le pouvoir royal. Louis XIV, alors enfant, tire leçon de cette révolte. Dès son accession au trône, il renforce son pouvoir. Représentant de Dieu sur terre, monarque absolu, « Roi-soleil », Louis XIV ne rend de comptes à personne et dirige seul le pays (« l'État, c'est moi »). Afin d'éviter une nouvelle fronde de la noblesse, le roi s'emploie à la domestiquer en l'éloignant à la fois de ses terres et de Paris, lieu propice à la sédition. Délaissant le Louvre pour le château de Versailles, dont l'embellissement se poursuit tout au long de son règne, il impose une vie de cour et transforme les nobles en serviteurs zélés dont le sort ne dépend que de la faveur royale.

Hyacinthe Rigaud, *Louis XIV en costume de sacre*, 1701. Paris, musée du Louvre.

Le bassin d'Apollon dans les jardins de Versailles. Dieu grec de la lumière, Apollon est à la fois guerrier et protecteur des arts. Le char d'Apollon sortant de l'eau représente le soleil qui se lève.

LA SOCIÉTÉ FRANÇAISE AU XVIIe SIÈCLE

La société du XVIIe siècle reste organisée en trois ordres : noblesse, clergé et tiers état. Les deux premiers ordres sont privilégiés par rapport au troisième. La bourgeoisie, qui appartient au tiers état, prend cependant de plus en plus d'importance. Louis XIV s'entoure par exemple de ministres bourgeois, comme Colbert, pour affaiblir l'influence des grands. Cependant, l'anoblissement reste l'objectif de cette haute bourgeoisie. Molière en fait d'ailleurs la caricature dans *Le Bourgeois gentilhomme*.

La paysannerie constitue le groupe social le plus nombreux. Si certains paysans parviennent à s'enrichir, la plupart d'entre eux sont pauvres. Ils cultivent des terres appartenant à la noblesse ou au clergé et sont accablés de taxes et de corvées diverses. Les famines, provoquées par de mauvaises récoltes dues au climat ou aux guerres, sont fréquentes et provoquent des révoltes, notamment en 1693-1694. Or les caisses de l'État sont vides, car Louis XIV privilégie le financement de l'armée pour mener une politique d'expansion guerrière.

Louis Le Nain, *Une famille de paysans.*
Paris, musée du Louvre.

Louis XIV roi de guerre.
Le passage du Rhin, lors de la guerre contre les Pays-Bas protestants (1672-1678). Tableau de A. Van der Meulein, musée national du château de Versailles.

LES GUERRES

La puissance du Roi-soleil doit être reconnue à l'extérieur du royaume : Louis XIV mène une politique de conquêtes ambitieuse, mais coûteuse et très impopulaire. La France avait déjà pris part à la guerre de Trente Ans (1618-1648), menée contre l'Espagne. Pour des questions de succession ou de pouvoir économique, Louis XIV s'engage dans d'autres conflits, comme la guerre de Hollande (1672-1679) ou la guerre de la ligue d'Augsbourg (1688-1697).

LES CONFLITS RELIGIEUX

Le XVIe siècle a été marqué par les guerres de religion entre catholiques et protestants. L'édit de Nantes (1598), proclamé par Henri IV, avait mis un terme à ces conflits en reconnaissant la liberté de culte des protestants. Mais cette réconciliation reste fragile et de courte durée : Louis XIII, de 1620 à 1628, fait la guerre aux protestants. Il reconnaît leur liberté de culte mais détruit leurs places fortes. Louis XIV, soucieux d'unifier le pays autour de sa personne, n'accepte pas le protestantisme. Sous son règne, les huguenots sont pourchassés, et l'édit de Nantes est révoqué en 1685.

Un autre mouvement religieux inquiète la religion officielle : le jansénisme. Cette doctrine chrétienne affirme que tous les hommes sont corrompus par le péché originel, et qu'ils sont prédestinés à être sauvés ou non par Dieu, quelles que soient leurs actions durant leur vie. Le jansénisme refuse donc l'idée du libre-arbitre. Pascal soutient ce courant religieux, de même que Racine, bien que ce dernier finisse par s'en éloigner. En effet, le jansénisme rejette toute forme de divertissement, notamment le théâtre.

Entrée de Louis XIII à la Rochelle (détail), 1er novembre 1628.
La Rochelle, musée d'Orbigny-Bernon.

Un héros tragique de l'Antiquité au xxᵉ siècle : Oreste

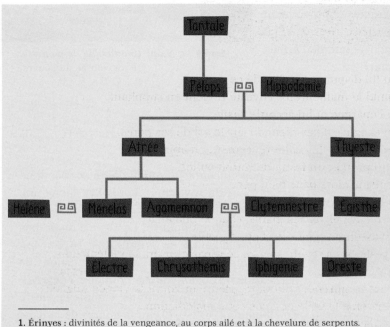

L'*Orestie* est un ensemble de trois tragédies en vers qui racontent le destin d'Oreste, fils d'Agamemnon et de Clytemnestre. Ce personnage de la mythologie grecque appartient à la famille des Atrides. *Agamemnon*, la première tragédie, raconte le meurtre du roi d'Argos. La deuxième pièce a pour titre *Les Choéphores*, « porteuses de libations », parce qu'au début de la pièce le Chœur porte des offrandes funèbres sur le tombeau d'Agamemnon. Eschyle y met en scène le châtiment des meurtriers d'Agamemnon par Oreste, qui tue ainsi sa mère Clytemnestre, et l'amant de celle-ci, Égisthe. La dernière tragédie s'intitule *Les Euménides* – « les bienveillantes » – et relate le jugement d'Oreste dans le sanctuaire d'Apollon où les Érinyes[1] l'ont poursuivi. Il est finalement acquitté : les Érinyes renoncent au harcèlement du héros et deviennent ainsi « bienveillantes ».

---

1. **Érinyes** : divinités de la vengeance, au corps ailé et à la chevelure de serpents. Elles persécutent ceux qui ont commis un crime dans leur famille.

Eschyle, *Agamemnon* (458 av. J.-C.)

Le récit effrayant de la malédiction des Atrides

ESCHYLE
(525-456 AV. J.-C.)
NOTICE BIOGRAPHIQUE, P. 467

TEXTE 1

Agamemnon raconte le meurtre du roi d'Argos, commandant en chef des troupes grecques, à son retour de la guerre de Troie. Il est tué par sa femme Clytemnestre, qui ne lui a pas pardonné le sacrifice de leur fille Iphigénie. La reine est aidée de son amant Égisthe, lui-même cousin d'Agamemnon. Dans cet épisode de la fin de la pièce, Égisthe, devant le corps sans vie d'Agamemnon, explique au chef du Chœur (le Coryphée) pourquoi il l'a tué.

ÉGISTHE

Ô lumière juste du jour justicier.

C'est vrai, les dieux vengent les mortels :

Rien n'échappe à leur regard.

Couché dans la toile des Érinyes,

5 Il paie pour le crime de son père –

Voilà ma joie !

Oui, son père a banni mon père,

Atrée a banni son frère Thyeste, mon propre père,

Agamemnon d'Eschyle mis en scène par Ariane Mnouchkine en 1990 au Théâtre du Soleil de la Cartoucherie de Vincennes.

Qui lui disputait le trône de ce pays.
10 Quand le malheureux Thyeste revient en suppliant,
On l'épargne et lui accorde l'asile.
Son sang n'est pas répandu sur le sol de ses pères.
Atrée l'accueille chaleureusement en apparence
Et lui promet un festin de retrouvailles.
15 Il cuisine alors pour mon père
Un repas fait de la chair de ses propres enfants.
Il broie les pieds, les mains, chaque phalange
Et il assoit mon père en bout de table.
Thyeste, sans savoir, mange ce repas qui sera la malédiction
                                        des Atrides.
20 Puis il comprend, s'effondre, pleure et vomit la viande saignée ;
Il renverse la table et lance cette malédiction :
Que meurent tous les descendants d'Atrée !

Voilà pourquoi il est couché, ici.
J'avais le droit d'accomplir ce meurtre.
25 Moi, le plus jeune des treize enfants de Thyeste, j'ai survécu ;
Nourrisson, j'ai été banni avec mon père
Et c'est Diké, la Justice, qui m'a ramené ici à l'âge adulte.
J'ai tramé sa mort, j'ai tressé le piège, moi !
Il gît dans la toile de la justice, je peux mourir en paix.

ESCHYLE, *Agamemnon* (458 av. J.-C.), traduit par Olivier Py, 2008.

PREMIÈRE LECTURE

a. Comment le spectateur est-il doublement confronté à la violence dans cette scène ?
b. Quels sentiments peut-on éprouver pour Égisthe ?

LECTURE ANALYTIQUE

Une scène horrible
1. Comment Égisthe raconte-t-il son histoire (temps verbal utilisé, précisions données, etc.) ?
2. Quels sentiments éprouve-t-il devant le meurtre d'Agamemnon ?
3. En quoi le crime d'Atrée est-il particulièrement inhumain ?

Le poids du destin
4. Quelle malédiction Égisthe évoque-t-il et de quelle manière se réalise-t-elle ? Pourquoi peut-on parler alors de destin tragique pour les Atrides ?
5. Relevez le vocabulaire de la justice dans le discours d'Égisthe : quel est son but ? Êtes-vous convaincu qu'il ait raison ? Justifiez votre réponse.

RECHERCHE

Recherchez l'histoire de Cronos (Saturne pour les Romains) : quel point commun y a-t-il avec l'histoire d'Atrée ?

Aristote, *Poétique*
Jacqueline de Romilly, *La Tragédie grecque*
▶ Les origines de la tragédie

TEXTE 1   La définition de la tragédie selon Aristote

Aristote est un philosophe grec du IVe siècle avant J.-C. Dans ce que nous avons conservé de la *Poétique*, il s'intéresse en particulier à la tragédie, dont il présente les grandes caractéristiques.

La tragédie est l'imitation d'une action sérieuse et complète ; elle a une juste grandeur ; son langage est agréable et les éléments en diffèrent selon les parties ; les événements y sont joués par des personnages et non racontés en un récit ; enfin, elle provoque la pitié et la crainte et, par là, elle effectue une véritable purgation
5 de ces deux sortes de sentiments. J'appelle « langage agréable » celui qui a rythme, mélodie et chant ; la différence de ces éléments selon les parties consiste en ce que tantôt le vers est employé seul et tantôt le chant s'y ajoute.

ARISTOTE, *Poétique*, traduit du grec par Jacques Schérer.

TEXTE 2   La représentation des tragédies

Jacqueline de Romilly est une spécialiste de la Grèce antique. Après avoir expliqué l'origine religieuse de la tragédie, jouée lors de fêtes consacrées au dieu Dionysos, elle présente le cadre dans lequel se déroulaient ces représentations.

On n'allait pas au théâtre, chez les Grecs, comme on peut y aller de nos jours – en choisissant son jour et son spectacle, et en assistant à une représentation répétée chaque jour tout au long de l'année. Il y avait deux fêtes annuelles où se donnaient des tragédies. Chaque fête comportait un concours, qui durait trois jours ; et, chaque
5 jour, un auteur, sélectionné longtemps à l'avance, faisait représenter, à la suite, trois tragédies. La représentation était prévue et organisée par les soins de l'État, puisque c'était un des hauts magistrats de la cité qui devait choisir les poètes et choisir, également, les citoyens riches chargés de pourvoir à tous les frais. Enfin, le jour de la représentation, tout le peuple était invité à venir au spectacle.

JACQUELINE DE ROMILLY, *La Tragédie grecque*, 1970.

ACTIVITÉ TICE
UN GLOSSAIRE INTERACTIF
DE LA TRAGÉDIE

Créez avec votre classe un glossaire collectif des termes de la tragédie classique sous la forme d'un livre numérique.

Téléchargez la fiche élève n° 01, « Un glossaire interactif de la tragédie » sur le site du manuel.

QUESTIONS

1. Quelles sont les vertus de la tragédie selon Aristote ?
2. Dans quel cadre les tragédies se déroulaient-elles dans l'Antiquité ?
3. Outre le caractère festif, quelle était, selon vous, la fonction du théâtre ?

Histoire des Arts

Une vision effroyable

FRANCISCO GOYA, *Saturne dévorant un de ses enfants,* peinture murale transférée sur toile (H. 146 cm x L. 83 cm), 1819-1823. Madrid, musée du Prado.

Pour garder le pouvoir, Saturne doit tuer ses héritiers car, d'après une prophétie, ils voudront un jour le détrôner. Le titan dévore donc ici le corps d'un de ses fils.

À la fin de sa vie, Goya s'installe dans une villa des environs de Madrid, baptisée la « Demeure du sourd ». Gravement malade et hanté par les atrocités de la guerre d'indépendance, le peintre s'isole et vit avec les visions de plus en plus sombres qui le tourmentent. Goya tente de s'en délivrer en les plaquant sur les murs de sa villa : *Saturne dévorant ses enfants* fait partie de ces « peintures noires ». Il s'inspire d'un mythe antique mais surtout de ses propres cauchemars.

QUESTIONS

1. Analysez les procédés qui suscitent l'horreur dans le tableau de Goya : quel est le sujet représenté ?

2. Quelles couleurs dominent ?

3. Combien y a-t-il de plans et quel est le fond du tableau ?

4. Comment est représenté Saturne ?

5. Quelle est l'expression de son visage ?

Eschyle,
Les Choéphores (458 av. J.-C.)

Le matricide :
le tragique à son comble

ESCHYLE
(525-456 AV. J.-C.)
NOTICE BIOGRAPHIQUE, P. 467

TEXTE 2

Oreste, accompagné de son ami Pylade, revient à Argos après un long exil. Il apprend par sa sœur Électre que son père Agamemnon a été tué par sa mère Clytemnestre, aidée de l'amant de celle-ci, Égisthe. Pour venger son père, il tue d'abord Égisthe, puis annonce son projet de punir aussi sa mère. Le passage qui suit se trouve à la fin de la pièce, alors qu'Oreste se retrouve face à sa mère.

ORESTE. – Je te cherchais.

L'autre a son compte.

CLYTEMNESTRE. – Ah ! Tu es mort,

Égisthe, mon amour.

5 ORESTE. – Tu l'aimes ?

Tu lui seras fidèle dans la tombe.

CLYTEMNESTRE. – Mon fils, non.

Tu as dormi sur ce sein.

Il t'a nourri de son lait.

10 Respecte-le.

ORESTE. – Pylade, je ne peux pas.

On ne peut pas tuer sa mère.

PYLADE. – Apollon a parlé.

Au sanctuaire de Pythô[1], tu as entendu sa menace.

15 Tu as juré d'accomplir son oracle.

Mieux vaut trahir l'humanité que les dieux.

ORESTE. – Oui, c'est vrai, tu as raison, c'est justice.

Viens, je vais t'égorger près de lui.

Vivant, tu l'as préféré à mon père.

20 Couche avec lui, dans la mort :

Tu l'aimes et tu haïssais celui que tu devais aimer.

CLYTEMNESTRE. – Je t'ai nourri, je veux vieillir avec toi.

ORESTE. – Tu as tué mon père, et tu veux vivre avec moi ?

CLYTEMNESTRE. – C'est le destin qui est coupable.

25 ORESTE. – Alors c'est le destin qui te tue. [...]

CLYTEMNESTRE. – Tu veux tuer ta mère ?

ORESTE. – Pas moi, toi. C'est toi qui te tues.

CLYTEMNESTRE. – Tu n'as pas peur des Érinyes[2] qui vengeront ta mère.

ORESTE. – Comment fuir celles qui veulent venger mon père ?

30 CLYTEMNESTRE. – Je suis là, je suis vivante –

Inutile de prier un tombeau.

ORESTE. – Et le tombeau de mon père te condamne.

CLYTEMNESTRE. – J'ai accouché d'un serpent. J'ai nourri un serpent[3].

ORESTE. – La vérité est venue dans ce cauchemar.

35 Tu as commis l'interdit, meurs d'un crime interdit.

Ils sortent.

CORYPHÉE. – Je pleure sur vos deux destins.

Mais Oreste, dans la douleur,

Avec ce sang versé, a achevé le cycle du sang.

C'est ce qui devait arriver de mieux,

L'œil de la maison est sauvé.

ESCHYLE, *Les Choéphores* (458 av. J.-C.),
traduction d'Olivier Py, 2008.

_____

1. Pythô : c'est l'un des sanctuaires où Apollon rendait ses oracles.
Il a ordonné à Oreste de venger la mort de son père en tuant les meurtriers.
2. Érinyes : divinités de la vengeance qui persécutent les criminels.
3. Au début de la pièce, Clytemnestre a rêvé qu'elle enfantait un serpent.

L'Orestie dans la mise en scène d'Olivier Py à l'Odéon-Théâtre de l'Europe, en 2008.

PREMIÈRE LECTURE

Quels éléments montrent d'emblée qu'il s'agit
d'une tragédie antique ?

LECTURE ANALYTIQUE

Un moment de grande tension

1. Repérez les différents arguments de Clytemnestre et
imaginez les gestes qu'elle peut faire : que recherche-t-elle ?
2. Quel est le rôle du Coryphée dans le passage ? À quel
registre sa réaction appartient-elle ?

Une scène tragique

3. Relevez l'argument de Pylade et dites quel est
son effet. Quelle conception de l'homme implique-t-il ?
Quelles autres répliques y renvoient par la suite ?

4. Nommez le crime dont Oreste se rend coupable.
En quoi est-ce particulièrement effrayant ?
5. Comment sont suscitées, dans cette scène,
les émotions tragiques : terreur et pitié ?

ÉCRITURE D'INVENTION

Pylade évoque les oracles d'Apollon à Pythô.
Imaginez la scène dans laquelle Oreste s'est rendu
au sanctuaire pour connaître son destin.
Racontez ce moment sous la forme d'un dialogue
de théâtre comprenant des didascalies, une tirade
d'Apollon et les réactions d'Oreste.

Bernard-Marie Koltès, *Roberto Zucco* (1990)
Un matricide moderne

Bernard-Marie Koltès (1948-1989) est un dramaturge français. Sa pièce *Roberto Zucco* a fait scandale car elle s'inspire d'un fait divers tragique. Le héros est un dangereux criminel, sans foi ni loi, que Koltès élève au rang de mythe par la fascination qu'il suscite. Au début de l'histoire, Roberto Zucco, après avoir tué son père, s'échappe de prison et se rend chez sa mère.

LA MÈRE. – [...] Ne m'approche pas, Roberto. Je porte encore le deuil de ton père, est-ce que tu vas me tuer à mon tour ?

ZUCCO. – N'aie pas peur de moi, maman. J'ai toujours été doux et gentil avec toi. Pourquoi aurais-tu peur de moi ? Pourquoi est-ce que tu ne me donnerais pas mon
5 treillis[1] ? J'en ai besoin, maman, j'en ai besoin.

LA MÈRE. – Ne sois pas gentil avec moi, Roberto. Comment veux-tu que j'oublie que tu as tué ton père, que tu l'as jeté par la fenêtre, comme on jette une cigarette ? Et maintenant, tu es gentil avec moi. Je ne veux pas oublier que tu as tué ton père, et ta douceur me ferait tout oublier, Roberto.

10 ZUCCO. – Oublie, maman. Donne-moi mon treillis, ma chemise kaki et mon pantalon de combat ; même sales, même froissés, donne-les-moi. Et puis je partirai, je te le jure.

LA MÈRE. – Est-ce moi, Roberto, est-ce moi qui t'ai accouché ? Est-ce de moi que tu es sorti ? Si je n'avais pas accouché de toi ici, si je ne t'avais pas vu sortir, et suivi des yeux jusqu'à ce qu'on te pose dans ton berceau ; si je n'avais pas posé, depuis le
15 berceau, mon regard sur toi sans te lâcher, et surveillé chaque changement de ton corps au point que je n'ai pas vu les changements se faire et que je te vois là, pareil à celui qui est sorti de moi dans ce lit, je croirais que ce n'est pas mon fils que j'ai devant moi. Pourtant, je te reconnais, Roberto. Je reconnais la forme de ton corps, ta taille, la couleur de tes cheveux, la couleur de tes yeux, la forme de tes mains,
20 ces grandes mains fortes qui n'ont jamais servi qu'à caresser le cou de ta mère, qu'à serrer celui de ton père, que tu as tué. Pourquoi cet enfant, si sage pendant vingt-quatre ans, est-il devenu fou brusquement ? Comment as-tu quitté les rails, Roberto ? Qui a posé un tronc d'arbre sur ce chemin si droit pour te faire tomber dans l'abîme ? Roberto, Roberto, une voiture qui s'est écrasée au fond d'un ravin,
25 on ne la répare pas. Un train qui a déraillé, on n'essaie pas de le remettre sur ses rails. On l'abandonne, on l'oublie. Je t'oublie, Roberto, je t'ai oublié.

ZUCCO. – Avant de m'oublier, dis-moi où est mon treillis.

LA MÈRE. – Il est là, dans le panier. Il est sale et tout froissé. (*Zucco sort le treillis.*) Et maintenant va-t'en, tu me l'as juré.

ZUCCO. – Oui, je l'ai juré.

Il s'approche, la caresse, l'embrasse, la serre ; elle gémit.
Il la lâche et elle tombe, étranglée.
Zucco se déshabille, enfile son treillis et sort.

BENARD-MARIE KOLTÈS, *Roberto Zucco*, 1990.

---

1. **Treillis** : vêtement militaire.

LECTURE COMPLÉMENTAIRE

WILLIAM SHAKESPEARE, *Hamlet* (1600-1601)

Comme Oreste, Hamlet se voit contraint de venger le meurtre de son père, détrôné par son oncle qui a ensuite épousé sa mère.

Lisez cette pièce. En quoi est-elle tragique ? Qu'est-ce qui rapproche Hamlet d'Oreste ?

Jean Racine, *Andromaque* (1667)

L'accomplissement d'un destin terrifiant

RACINE
(1639-1699)
NOTICE BIOGRAPHIQUE, P. 470

TEXTE 3

L'action d'*Andromaque* se situe après la guerre de Troie dans le camp des vainqueurs. Le Grec Pyrrhus, roi d'Épire, tombe amoureux de sa captive troyenne, la belle Andromaque, et délaisse sa promise Hermione. Oreste, qui aime Hermione depuis toujours, espère alors gagner son cœur. Celle-ci lui promet de partir avec lui à condition qu'il tue Pyrrhus. Oreste, aidé de ses Grecs, accomplit ce crime mais, loin de l'en récompenser, Hermione, qui aimait passionnément Pyrrhus, l'en blâme et se tue. Dans cette dernière scène de la pièce, Oreste, désespéré, maudit son sort funeste.

ORESTE

Grâce aux Dieux ! Mon malheur passe[1] mon espérance.
Oui, je te loue, ô Ciel ! de ta persévérance.
Appliqué sans relâche au soin de me punir,
Au comble des douleurs tu m'as fait parvenir.
5 Ta haine a pris plaisir à former ma misère,
J'étais né pour servir d'exemple à ta colère,
Pour être du malheur un modèle accompli ;
Hé bien, je meurs content, et mon sort est rempli.
Où sont ces deux amants[2] ? Pour couronner ma joie,
10 Dans leur sang, dans le mien, il faut que je me noie :

1. **Passe** : dépasse.
2. **Ces deux amants** : Hermione et Pyrrhus, qu'Oreste voit unis dans la mort.

L'un et l'autre en mourant, je les veux regarder.
Réunissons trois cœurs, qui n'ont pu s'accorder,
Mais quelle épaisse nuit tout à coup m'environne ?
De quel côté sortir ? D'où vient que je frissonne ?
15 Quelle horreur me saisit ? Grâce au Ciel, j'entrevoi[3].
Dieux ! quels ruisseaux de sang coulent autour de moi !

PYLADE

Ah Seigneur !

ORESTE

      Quoi, Pyrrhus, je te rencontre encore ?
Trouverai-je partout un Rival que j'abhorre[4] ?
Percé de tant de coups comment t'es-tu sauvé ?
20 Tiens, tiens, voilà le coup que je t'ai réservé.
Mais que vois-je ? À mes yeux Hermione l'embrasse !
Elle vient l'arracher au coup qui le menace ?
Dieux, quels affreux regards elle jette sur moi !
Quels Démons, quels serpents traîne-t-elle après soi ?
25 Eh bien, Filles d'Enfer[5], vos mains sont-elles prêtes ?
Pour qui sont ces Serpents qui sifflent sur vos têtes ?
À qui destinez-vous l'appareil[6] qui vous suit ?
Venez-vous m'enlever dans l'éternelle Nuit ?
Venez, à vos fureurs Oreste s'abandonne.
30 Mais non, retirez-vous, laissez faire Hermione ;
L'Ingrate mieux que vous saura me déchirer,
Et je lui porte enfin mon cœur à dévorer.

JEAN RACINE, *Andromaque*, acte V, scène 5, 1667.

Oreste

---

3. **J'entrevoi** : forme en accord avec l'étymologie, qui crée une « rime pour l'œil » avec « moi ».
4. **Que j'abhorre** : que je déteste.
5. **Filles d'enfer** : les Érinyes, déesses de la vengeance aux cheveux de serpents qui poursuivent les criminels.
6. **L'appareil** : le cortège infernal qui suit les Érinyes.

PREMIÈRE LECTURE

a. Qu'arrive-t-il à Oreste dans ce dénouement ?
b. Comment doit-on comprendre les deux premiers vers ?

LECTURE ANALYTIQUE

Du désespoir à la folie
1. Observez à qui s'adresse successivement Oreste. Qu'est-ce que cela révèle ?
2. Observez l'évolution des types de phrases et du rythme des vers (relevez les signes de ponctuation qui ont une place inattendue dans l'alexandrin). Quel est, d'après vous, l'effet recherché ?
3. Repérez le moment où Oreste bascule dans la folie et analysez les images surnaturelles et les sonorités qui traduisent ses hallucinations.

Un dénouement tragique et pathétique
4. Quel rôle Oreste attribue-t-il au destin et aux dieux dans son malheur ? Comment est-il châtié à la fin ?
5. Relevez toutes les marques des registres tragique et pathétique dans ce dénouement.
6. En quoi les visions évoquées peuvent-elles susciter la terreur du spectateur ? Sachant qu'Oreste s'est rendu coupable du meurtre du roi, quelle leçon peut-on tirer de la pièce ?

VERS LE COMMENTAIRE

En vous aidant du paratexte et des axes de lecture suggérés par la lecture analytique, rédigez l'introduction de ce commentaire. Vous respecterez les étapes suivantes :
a. Présentation de Racine et de son œuvre.
b. Présentation d'*Andromaque* et situation du passage.
c. Présentation du projet de lecture : en quoi le sort d'Oreste permet-il un dénouement spectaculaire ?
d. Annonce du plan.

Oreste en peinture

William Bouguereau est un pur produit de l'académisme et de l'art officiel. Alors qu'au xixᵉ siècle, la peinture ne cesse d'évoluer, il reste attaché à la tradition classique.

Le peintre s'est concentré sur les personnages. On ne discerne rien d'autre que ce premier plan fortement éclairé. Clytemnestre, toge rouge sang et poignard planté dans le cœur, rappelle au spectateur le crime abominable de son fils, tandis que les trois furies déchaînées la désignent, main tendue, au meurtrier. La musculature d'Oreste, les quatre corps féminins, leurs drapés antiques sont autant de prétextes offerts au peintre pour déployer toute l'étendue de sa technique et de son talent.

WILLIAM BOUGUEREAU, *Oreste poursuivi par les Furies* (H. 231 cm x L. 278 cm), 1862.
Norfolk, Chrysler Museum of Art.

QUESTIONS

1. Observez le tableau de William Bouguereau : qu'est-ce qui caractérise l'attitude d'Oreste ?
2. Trouvez-vous que le tableau représente bien la scène évoquée chez Racine ?

Jean-Paul Sartre, *Les Mouches* (1943)

Oreste, années 1940

JEAN-PAUL SARTRE
(1905-1980)
NOTICE BIOGRAPHIQUE, P. 471

TEXTE 4

Dans *Les Mouches*, Sartre revisite le mythe des Atrides pour dénoncer la politique du gouvernement de son époque (collaboration du régime de Vichy avec l'occupant allemand). Au début de la pièce, Oreste, après quinze ans d'exil, revient dans sa ville natale. Son père, le roi Agamemnon, a été tué par sa femme Clytemnestre aidée de son amant Égisthe. Oreste, qui cache sa véritable identité, cherche à comprendre pourquoi la ville est infestée de mouches mais personne n'ose lui parler. Il croise un voyageur, Démétrios, qui est en réalité le dieu Jupiter.

ORESTE. – Vous semblez fort renseigné sur Argos.

JUPITER. – J'y viens souvent. J'étais là, savez-vous, au retour du roi Agamemnon, quand la flotte victorieuse des Grecs mouilla dans la rade de Nauplie. On pouvait apercevoir les voiles blanches du haut des
5 remparts. *(Il chasse les mouches.)* Il n'y avait pas encore de mouches, alors. Argos n'était qu'une petite ville de province, qui s'ennuyait indolemment sous le soleil. Je suis monté sur le chemin de ronde avec les autres, les jours qui suivirent, et nous avons longuement regardé le cortège royal qui cheminait dans la plaine. Au soir du deuxième jour
10 la reine Clytemnestre parut sur les remparts, accompagnée d'Égisthe, le roi actuel. Les gens d'Argos virent leurs visages rougis par le soleil couchant ; ils les virent se pencher au-dessus des créneaux et regarder longtemps vers la mer ; et ils pensèrent : « Il va y avoir du vilain. » Mais ils ne dirent rien. Égisthe, vous devez le savoir, c'était l'amant
15 de la reine Clytemnestre. Un ruffian[1] qui, à l'époque, avait déjà de la propension à la mélancolie. Vous semblez fatigué ?

ORESTE. – C'est la longue marche que j'ai faite et cette maudite chaleur. Mais vous m'intéressez.

JUPITER. – Agamemnon était bon homme, mais il eut un grand tort,
20 voyez-vous. Il n'avait pas permis que les exécutions capitales eussent lieu en public. C'est dommage. Une bonne pendaison, cela distrait, en province, et cela blase un peu les gens sur la mort. Les gens d'ici n'ont rien dit, parce qu'ils s'ennuyaient et qu'ils voulaient voir une mort violente. Ils n'ont rien dit quand ils ont vu leur roi paraître aux portes
25 de la ville. Et quand ils ont vu Clytemnestre lui tendre ses beaux bras parfumés, ils n'ont rien dit. À ce moment-là il aurait suffi d'un mot, d'un seul mot, mais ils se sont tus, et chacun d'eux avait, dans sa tête, l'image d'un grand cadavre à la face éclatée.

ORESTE. – Et vous, vous n'avez rien dit ?

30 JUPITER. – Cela vous fâche, jeune homme ? J'en suis fort aise ; voilà qui prouve vos bons sentiments. Eh bien non, je n'ai pas parlé : je ne suis pas d'ici, et ce n'étaient pas mes affaires. Quant aux gens d'Argos, le lendemain, quand ils ont entendu leur roi hurler de douleur dans le palais, ils n'ont rien dit encore, ils ont baissé leurs paupières sur
35 leurs yeux retournés de volupté, et la ville tout entière était comme une femme en rut.

ACTIVITÉ TICE
ORESTE ET LES ATRIDES
Créez une diapositive illustrée pour mettre en évidence les différentes représentations d'un même personnage de l'Antiquité à travers l'histoire littéraire.

Téléchargez la fiche élève n° 02 « Oreste et les Atrides » sur le site du manuel.

ORESTE. – Et l'assassin règne. Il a connu quinze ans de bonheur. Je croyais les Dieux justes.

JUPITER. – Hé là ! N'incriminez pas les Dieux si vite. Faut-il donc
40   toujours punir ? Valait-il pas mieux tourner ce tumulte au profit de l'ordre moral² ?

ORESTE. – C'est ce qu'ils ont fait ?

JUPITER. – Ils ont envoyé les mouches.

JEAN-PAUL SARTRE, *Les Mouches* recueilli dans *Huit Clos*,
acte I, scène 1, 1943.

---

1. **Ruffian** : homme débauché.
2. **Ordre moral** : Jupiter a en effet culpabilisé les habitants pour qu'ils se repentissent. Cela peut faire penser au gouvernement de Vichy qui a cherché à rendre les Français et le Front populaire responsables de la défaite.

PREMIÈRE LECTURE

a. À quoi voit-on tout de suite qu'il s'agit d'une version modernisée du mythe des Atrides ?
b. Que peuvent représenter les mouches ? Pourquoi avoir choisi cet insecte ?

LECTURE ANALYTIQUE

Une scène d'exposition dynamique
1. Détaillez les informations données à Oreste et au spectateur : déduisez-en le rôle de cette scène dans la pièce.
2. Citez les détails visuels dans le récit de Jupiter. Comment ce récit ménage-t-il l'attente du public ?

Un regard nouveau sur le mythe
3. Dans les répliques de Jupiter, relevez les expressions courantes. Ce langage est-il celui qu'on attend d'un dieu ? Que peut-on en conclure sur la façon dont Sartre aborde ce mythe ?
4. Dans l'évocation des dieux et des citoyens, quels éléments de critique peut-on trouver ? Faites un lien avec la date d'écriture de la pièce (1943).

VERS LA DISSERTATION

Quels peuvent être les différents intérêts de la réécriture d'un mythe antique ? Vous rechercherez au moins deux arguments que vous illustrerez d'exemples (choisis dans ce corpus de textes ou dans votre culture personnelle).

TEXTE COMPLÉMENTAIRE

Jacques Offenbach, *La Belle Hélène* (1864)
Une parodie des héros antiques

Jacques Offenbach (1819-1880) est un compositeur français d'origine allemande. Ses opérettes sont réputées pour leur gaieté et leur drôlerie, jouant sur la parodie et le pastiche. Dans *La Belle Hélène*, il évoque les vaillants héros de la guerre de Troie. La scène suivante se situe vers la fin du premier acte.

SCÈNE XI : CALCHAS, ORESTE, PARTHÉNIS, LÉÆNA, *puis, et successivement,*
LES DEUX AJAX, ACHILLE, MÉNÉLAS, AGAMEMNON, *Gardes, Musiciens, Peuple,* puis
HÉLÈNE, *et enfin* PÂRIS.

CHŒUR

Voici les rois de la Grèce !
Il faut que chacun s'empresse
De les nommer par leur nom...

Ménélas, homme tranquille

5   Avec le bouillant Achille[1]

Et le grand Agamemnon.

Pendant le chœur, on a disposé des sièges à droite. Les rois entrent successivement. [...]

III

MÉNÉLAS, *entrant*

Je suis l'époux de la reine,

-poux de la reine, -poux de la reine,

Le roi Ménélas !

ORESTE, ACHILLE, LES DEUX AJAX, CALCHAS

10   Le Mé-, le Ménélas !

MÉNÉLAS

Je crains bien qu'un jour Hélène,

Qu'un jour Hélène, qu'un jour Hélène,

Je le dis tout bas...

TOUS

Il le dit tout, tout bas...

MÉNÉLAS

15   ... Ne me fasse de la peine[2],

N'anticipons pas.

Je suis l'époux de la reine,

-poux de la reine, -poux de la reine,

Le roi Ménélas, le Mé-, le Ménélas !

JACQUES OFFENBACH, *La Belle Hélène*, acte I, scène 11. Opéra-bouffe de 1864.

---

1. **Achille** est célèbre pour ses colères.
2. Allusion à l'enlèvement d'Hélène par le beau Pâris tombé amoureux d'elle. Cet événement déclenche la guerre de Troie.

QUESTIONS

1. Comment chacun des personnages est-il caractérisé ? Dans quelle mesure s'agit-il d'une caricature ?
2. Relevez toutes les formes de comique dans cette scène.
3. Après avoir écouté la scène sur le lien proposé, expliquez comment la musique et les chants accentuent le côté parodique.

ÉCOUTER SUR DEEZER. COM
Écoutez la « Marche et couplets des rois », scène de *La Belle Hélène* d'Offenbach dans la version de Marc Minkowski.

à retenir

Oreste, comme Œdipe, présente toutes les caractéristiques du héros de tragédie. Descendant d'Atrée, il subit la malédiction qui pèse sur la lignée. Il est contraint de se plier aux ordres des dieux qui lui demandent de venger le meurtre de son père en tuant sa mère. Et ce sont ces mêmes dieux, par l'entremise des Érinyes, qui le persécutent une fois qu'il leur a obéi. Son histoire est donc touchée de près ou de loin par des actes transgressifs – l'anthropophagie, le matricide – particulièrement violents et horribles. C'est le propre de la tragédie antique de mettre en scène cette cruauté afin de provoquer la *catharsis,* la « purgation des passions », chez le spectateur, en lui faisant éprouver crainte et pitié pour les personnages. Par la suite, dans les réécritures du mythe, Oreste incarne tantôt un être faible et condamné au malheur, comme chez Racine, tantôt une force de résistance à la fatalité imposée par les dieux, comme chez Sartre.

OUTILS DE LA LANGUE ET DE L'ANALYSE LITTÉRAIRE ▸ L'ÉNONCIATION AU THÉÂTRE

1. Les deux types d'énoncés dans le texte théâtral

• Le texte théâtral est composé de **dialogues** (échange de **répliques** entre les personnages qui sont sur scène).

• Il comporte souvent des **didascalies** (mot issu du grec et signifiant « renseignement ») : ce sont des indications écrites, souvent en italiques, non prononcées, et destinées à fournir au lecteur, au metteur en scène et à l'acteur des renseignements en vue de la représentation. On appelle **didascalie d'ouverture** la didascalie qui donne des indications sur le lieu et le décor au début de la pièce.

> **EXEMPLE**
> « Je te cherchais. L'autre a son compte. » [...]
> *Ils sortent.* (Eschyle, *Les Choéphores*)
> La didascalie, en italiques, indique le mouvement des acteurs.

2. La double énonciation au théâtre

Au théâtre, les personnages parlent entre eux mais leurs paroles sont destinées au public présent dans la salle.

> **EXEMPLE** Dans le texte 1, Égisthe s'adresse au Coryphée en lui disant : « Couché dans la toile des Érinyes, il paye pour le crime de son père – Voilà ma joie. », et son récit permet au public de comprendre pourquoi il hait Agamemnon et lui rappelle l'histoire des Atrides.

3. Les formes du discours théâtral

	DÉFINITION	BUT	EXEMPLE
TIRADE	longue réplique adressée à un personnage	raconter, s'expliquer, se défendre, exprimer son émotion	La première réplique d'Oreste est une tirade où il déplore son sort. (Racine, *Andromaque*)
MONOLOGUE	texte dit par un personnage seul en scène	donner des informations, exprimer son émotion, délibérer avant d'agir	Harpagon exprime son trouble dans un monologue comique après le vol de sa cassette. (Molière, *L'Avare*)
APARTÉ	réplique d'un personnage dite à part et que seul le spectateur est censé entendre	montrer que l'échange est difficile, montrer les pensées cachées d'un personnage, créer une complicité avec le spectateur	« Dorine (*en soi-même*) ». La réplique révèle que Dorine n'est pas dupe de l'hypocrisie de Tartuffe. (Molière, *Le Tartuffe*)
STICHOMYTHIE	échange de courtes répliques, vers à vers ou phrase à phrase	exprimer la tension dramatique et l'émotion des personnages	Oreste va tuer sa mère, elle le conjure de ne pas le faire : les répliques courtes et alternées traduisent l'émotion des protagonistes. (Eschyle, *Les Choéphores*)

EXERCICE
a. Relevez un passage où la double énonciation est mise au service de l'exposition théâtrale.
b. Imaginez une didascalie d'ouverture qui présente un décor permettant de comprendre la dimension contemporaine de la pièce.
c. Ajoutez dans les répliques des didascalies destinées à aider l'acteur qui interprète le rôle.

JUPITER : – [...] Égisthe, vous devez le savoir, c'était l'amant de la reine Clytemnestre. Un ruffian qui, à l'époque, avait déjà de la propension à la mélancolie. Vous semblez fatigué ?

ORESTE. – C'est la longue marche que j'ai faite et cette maudite chaleur. Mais vous m'intéressez.

JUPITER. – [...] Et quand ils ont vu Clytemnestre lui tendre ses beaux bras parfumés, ils n'ont rien dit. À ce moment-là il aurait suffi d'un mot, d'un seul mot, mais ils se sont tus, et chacun d'eux avait, dans sa tête, l'image d'un grand cadavre à la face éclatée.

ORESTE. – Et vous, vous n'avez rien dit ?

JEAN-PAUL SARTRE, *Les Mouches*, 1943.

> **EXERCICES SUPPLÉMENTAIRES**
> À retrouver sur le site du manuel.

La tragédie

Masque tragique, en bronze.
Musée archéologique du Pirée.

LA NAISSANCE DE LA TRAGÉDIE

La tragédie est un genre théâtral né dans l'Athènes antique, dans le cadre de fêtes religieuses. Outre sa fonction religieuse initiale, la tragédie a un rôle politique, celui de célébrer et d'assurer la cohésion de la cité.

Au IVe siècle avant J.-C., Aristote rédige la *Poétique*, traité de théorie littéraire dans lequel il définit la tragédie comme « l'imitation d'une action de caractère élevé et complète, [...] faite par un personnage en action et non au moyen d'un récit, et qui, suscitant pitié et crainte, opère la purgation (catharsis) propre à de pareilles émotions. »

LA TRAGÉDIE AU XVIIE SIÈCLE

Au XVIIe siècle, le théâtre est soutenu par le pouvoir royal. Le spectacle théâtral est un moyen pour les puissants de se mettre en scène : les spectateurs de la plus haute noblesse ne sont pas assis dans la salle, mais sur le côté de la scène, pour être visibles des autres spectateurs.

Les auteurs s'inspirent de la tragédie antique. Jean de Rotrou écrit une nouvelle version d'*Antigone* (1636), s'inspirant des auteurs grecs de tragédies, Sophocle et Euripide, tandis que Corneille rédige une *Médée* (1635), s'inspirant de l'auteur latin Sénèque.

Des théoriciens rédigent des règles et des principes clairs, inspirés de ceux d'Aristote. Nicolas Boileau les a fixés dans son *Art poétique* :

– la règle des trois unités (unité d'action, de temps et de lieu) impose qu'une tragédie présente une action principale à laquelle sont subordonnées les autres, se déroulant en une journée dans un seul lieu ;

– le principe de vraisemblance : une tragédie ne doit pas présenter d'incohérence, que ce soit au niveau de l'intrigue ou de la psychologie des personnages ;

– le principe de la bienséance : la tragédie ne doit pas choquer le public ; certaines actions ne doivent pas être représentées sur scène : on ne se bat pas, on ne mange pas et on ne se tue pas devant les spectateurs ; certains mots, considérés comme vulgaires, sont bannis.

LE HÉROS TRAGIQUE

Le héros de la tragédie peut être défini par trois traits :

– la noblesse : le héros est souvent issu de la mythologie ou de l'histoire antiques. Il est confronté la plupart du temps à un dilemme d'ordre politique ou religieux ;

– le poids de son destin : il est soumis à la fatalité, à des forces qui le dépassent, souvent divines. Il ne contrôle pas son destin et est parfois contraint d'accomplir des actes condamnables pour plaire aux dieux. Au XVIIe siècle, le poids du destin prend aussi la forme d'un conflit entre valeurs morales et sentiments (*Horace* de Pierre Corneille) ou celle d'une passion dévorante (*Phèdre* de Jean Racine) ;

– l'orgueil (*hybris*, en grec) : le héros tragique aspire souvent à la gloire. À la noblesse de son âme font pendant son orgueil et son ambition démesurés, qui précipitent sa perte. Le héros tragique est soumis à ses passions, elles aussi violentes.

Une comédie latine et ses réécritures : *Amphitryon*

Plaute,
Amphitryon (187 av. J.-C.) | ## Sosie et son double

PLAUTE
(254-184 AV. J.-C.)
NOTICE BIOGRAPHIQUE, P. 470

TEXTE 1

L'histoire d'Amphitryon, qui apparaît dès l'Antiquité grecque, raconte la naissance légendaire du demi-dieu Hercule, fils de Jupiter et d'une simple mortelle, Alcmène. La scène est à Thèbes. Amphitryon est parti à la guerre. Jupiter, amoureux de sa femme Alcmène, prend la forme d'Amphitryon pour la séduire. De cette nuit d'amour naît Hercule. Dans la première scène, Sosie, l'esclave d'Amphitryon, est envoyé par son maître annoncer à sa femme son retour. Mais Mercure, au service de Jupiter, a pour mission de s'interposer afin de permettre au maître des dieux de prolonger sa nuit d'amour avec Alcmène. Il imagine lui aussi de se transformer, en prenant les traits du serviteur, Sosie, et de le malmener quelque peu.

MERCURE. – Tu as l'audace de dire que tu es Sosie[1], alors que c'est moi ?

SOSIE. – Je suis mort.

MERCURE. – Tu restes bien en deçà de ce qui va t'arriver ! Quel est ton
5 maître, maintenant ?

SOSIE. – Toi, car je t'appartiens du droit de tes poings. Au secours, citoyens de Thèbes !

MERCURE. – Tu cries encore, bourreau ? Parle, pourquoi es-tu venu ?

SOSIE. – Pour que tu aies quelqu'un à frapper de tes poings.

10 MERCURE. – Quel est ton maître ?

SOSIE. – Amphitryon, te dis-je, je suis Sosie.

MERCURE. – Eh bien, tu en recevras davantage, pour ne pas dire la vérité. C'est moi Sosie, ce n'est pas toi. [...]

SOSIE. – Comme il te plaît, fais ce que tu voudras, puisque tes poings
15 sont plus forts que les miens. Mais, quoi que tu puisses me faire, je ne pourrai point ne pas dire cela.

MERCURE. – Toi vivant, aujourd'hui, tu ne feras pas en sorte que je ne sois pas Sosie.

SOSIE. – Mais, par Pollux, tu ne m'empêcheras pas d'être moi-même,
20 et d'appartenir à mon maître ; d'ailleurs chez nous, à part moi, il n'y a pas d'esclave qui s'appelle Sosie. Moi, qui, avec Amphitryon, étais parti d'ici pour aller à l'armée.

MERCURE. – Cet individu n'a pas tout son bon sens.

SOSIE. – Le compliment que tu me fais te revient. Quoi, malheur, je ne
25 suis pas Sosie, l'esclave d'Amphitryon ? Est-ce que, cette nuit même, notre bateau ne m'a pas amené ici, depuis le port Persique ? Est-ce que mon maître ne m'a pas envoyé ici ? Est-ce que je ne me trouve pas maintenant devant notre maison ? N'ai-je pas une lanterne à la main ?

---

1. Le nom propre de Sosie est à l'origine du nom commun en français pour désigner un double.

Ne parlé-je pas ? Ne suis-je pas éveillé ? Est-ce que cet individu ne
30 vient pas de me frapper à coups de poings ? Il l'a fait, par Hercule[2], et,
pauvre de moi, j'en ai encore mal aux mâchoires. Pourquoi douter ?
Pourquoi ne rentrerai-je pas dans notre maison ?

MERCURE. – Quoi, votre maison ?

SOSIE. – Eh bien oui.

35 MERCURE. – Tout ce que tu viens de dire, c'est autant de mensonges.
Oui, Sosie, l'esclave d'Amphitryon, c'est moi.

PLAUTE, *Amphitryon*, acte I, scène 1, 187 av. J.-C.,
traduit du latin par Henri Clouart, 1971.

---

2. L'expression est amusante, car Hercule n'est pas encore né et est même en train d'être conçu !

PREMIÈRE LECTURE

Quelle réaction cette scène cherche-t-elle à provoquer ?
Justifiez votre réponse.

LECTURE ANALYTIQUE

Une scène comique
1. Relevez les différentes formes de comique (de gestes,
de situation, de mots et de caractère) présentes dans
cette scène. Dans quel genre théâtral trouve-t-on
souvent des coups de bâton ou des disputes ?
2. Comparez le début et la fin de la scène : l'intrigue
a-t-elle progressé ? Quelle est donc la visée de
cette scène ?

Une rencontre inquiétante
3. Des lignes 24 à 32, montrez que le ton devient plus
grave : à quoi ce passage peut-il donner à réfléchir ?
4. Si Mercure a pris l'apparence de Sosie, il n'en a pas
le caractère : étudiez les différences entre eux. À travers
ce personnage, quelle image des dieux est proposée ?

RECHERCHE

a. Documentez-vous sur le mythe d'Hercule (Héraclès,
chez les Grecs) : sa naissance, les travaux qu'il a effectués
et la façon dont il est mort. Faites-en une fiche
de synthèse.
b. Dans un dictionnaire des noms communs, cherchez
la définition du mot « amphitryon ».

Amphitryon, de Molière, mise en scène de Jannelle Bérangère au Théâtre
des Abbesses à Paris en 2010, avec Olivier Balazuc dans le rôle de Sosie
(au premier plan) et Ismael Ruggiero dans celui de Mercure.

Molière, *Amphitryon* (1668)

Dialogue de sourds entre maître et valet

MOLIÈRE
(1622-1673)
NOTICE BIOGRAPHIQUE, P. 469

TEXTE 2

Amoureux d'Alcmène, Jupiter a pris pour la séduire l'apparence de son mari Amphitryon, parti à la guerre. De retour, Amphitryon a envoyé son valet Sosie annoncer son arrivée à sa femme et il est tout étonné d'apprendre que cette mission n'a pas été accomplie. Il interroge Sosie qui déclare en avoir été empêché par son double.

AMPHITRYON. – On t'a battu ?

SOSIE. –   Vraiment.

AMPHITRYON. –   Et qui ?

SOSIE. –   Moi.

AMPHITRYON. –   Toi, te battre ?

SOSIE. –   Oui, moi : non pas le moi d'ici,
Mais le moi du logis, qui frappe comme quatre.

AMPHITRYON. – Te confonde le Ciel de me parler ainsi !

5 SOSIE. –   Ce ne sont point des badinages.
       Le moi que j'ai trouvé tantôt
Sur le moi qui vous parle a de grands avantages :
      Il a le bras fort, le cœur haut[1] ;
      J'en ai reçu des témoignages,

10 Et ce diable de moi m'a rossé comme il faut :
      C'est un drôle qui fait des rages[2].

AMPHITRYON. – Achevons. As-tu vu ma femme ?

SOSIE. –   Non.

AMPHITRYON. –   Pourquoi ?

SOSIE. –   Par une raison assez forte.

AMPHITRYON. – Qui t'a fait y manquer, maraud ? Explique-toi.

15 SOSIE. – Faut-il le répéter vingt fois de même sorte ?
Moi, vous dis-je, ce moi plus robuste que moi,
Ce moi qui s'est de force emparé de la porte,
    Ce moi qui m'a fait filer doux,
    Ce moi qui le seul moi veut être,

20   Ce moi de moi-même jaloux,
    Ce moi vaillant, dont le courroux
    Au moi poltron s'est fait connaître,
    Enfin ce moi qui suis chez nous,
    Ce moi qui s'est montré mon maître,

25   Ce moi qui m'a roué de coups.

AMPHITRYON. – Il faut que ce matin, à force de trop boire,
    Il se soit troublé le cerveau.

MOLIÈRE, *Amphitryon*, acte II, scène 1, 1668.

---

1. **Le cœur haut :** être très courageux.
2. **Qui fait des rages :** qui accomplit des exploits, en bien ou en mal.

PREMIÈRE LECTURE

a. Citez des éléments qui prouvent que Molière s'est inspiré de Plaute.
b. Quelle est la particularité du premier vers ? Quelle impression est ainsi donnée ? Combien de types de vers différents relève-t-on dans cette scène ? Quel effet cela produit-il ?

LECTURE ANALYTIQUE

Un dialogue de sourds

1. Quel mot empêche les deux personnages de se comprendre ? Expliquez l'origine du malentendu et l'effet qu'il produit.
2. Montrez que le rang social de chaque personnage entraîne une façon de parler, un caractère et une manière de considérer l'autre bien spécifiques.

La théâtralité comique

3. Recensez toutes les formes de comique dans la scène. Que ressent le spectateur à l'égard de chaque personnage ?
4. Quels conseils pourriez-vous donner à l'acteur qui jouerait Sosie pour rendre tout le comique de cette scène ?

ÉCRITURE D'INVENTION

Réécrivez ce dialogue en prose : vous adopterez un niveau de langue courant et vous moderniserez le vocabulaire. Puis vous le développerez en imaginant comment les protagonistes sortent de ce quiproquo.

Jean Giraudoux,
Amphitryon 38 (1929) | Une scène de séduction

JEAN GIRAUDOUX
(1882-1944)
NOTICE BIOGRAPHIQUE, P. 467

TEXTE 3

La pièce est ainsi nommée car elle serait, d'après Giraudoux, la trente-huitième version du mythe depuis l'Antiquité. Jupiter, tombé amoureux de la belle Alcmène, prend l'apparence d'Amphitryon, le mari de celle-ci, parti à la guerre. Au cours de la nuit qu'il passe avec elle, le dieu tente de persuader la jeune femme de la grandeur de Jupiter, espérant être admiré et aimé pour ce qu'il est réellement. Mais Alcmène, elle, paraît peu convaincue et préfère la simplicité.

JUPITER. – Tu n'as jamais désiré être déesse, ou presque déesse ?

ALCMÈNE. – Certes non. Pour quoi faire ?

JUPITER. – Pour être honorée et révérée de tous.

ALCMÈNE. – Je le suis comme simple femme, c'est plus méritoire.

5 JUPITER. – Pour être d'une chair plus légère, pour marcher sur les airs, sur les eaux.

ALCMÈNE. – C'est ce que fait toute épouse, alourdie d'un bon mari.

JUPITER. – Pour comprendre les raisons des choses, des autres mondes.

ALCMÈNE. – Les voisins ne m'ont jamais intéressée.

10 JUPITER. – Alors, pour être immortelle !

ALCMÈNE. – Immortelle ? À quoi bon ? À quoi cela sert-il ?

JUPITER. – Comment, à quoi ! Mais à ne pas mourir !

ALCMÈNE. – Et que ferai-je, si je ne meurs pas ?

JUPITER. – Tu vivras éternellement, chère Alcmène, changée en astre ;

15 tu scintilleras dans la nuit jusqu'à la fin du monde.

ALCMÈNE. – Qui aura lieu ?

JUPITER. – Jamais.

ALCMÈNE. – Charmante soirée ! Et toi, que feras-tu ?

JUPITER. – Ombre sans voix, fondue dans les brumes de l'enfer, je me

20 réjouirai de penser que mon épouse flamboie là-haut, dans l'air sec.

ALCMÈNE. – Tu préfères d'habitude les plaisirs mieux partagés... Non, chéri, que les dieux ne comptent pas sur moi pour cet office... L'air de la nuit ne vaut d'ailleurs rien à mon teint de blonde... Ce que je serais crevassée, au fond de l'éternité !

25 JUPITER. – Mais que tu seras froide et vaine, au fond de la mort !

ALCÈME. – Je ne crains pas la mort. C'est l'enjeu de la vie. Puisque ton Jupiter, à tort ou à raison, a créé la mort sur la terre, je me solidarise avec mon astre. Je sens trop mes fibres continuer celles des autres hommes, des animaux, même des plantes, pour ne pas suivre leur sort. Ne me

30 parle pas de ne pas mourir tant qu'il n'y aura pas un légume immortel. Devenir immortel, c'est trahir, pour un humain. D'ailleurs, si je pense au grand repos que donnera la mort à toutes nos petites fatigues, à nos ennuis de second ordre, je lui suis reconnaissante de sa plénitude, de son abondance même... S'être impatienté soixante ans pour des

35 vêtements mal teints, des repas mal réussis, et avoir enfin la mort, la constante, l'étale mort, c'est une récompense hors de toute proportion... Pourquoi me regardes-tu soudain de cet air respectueux ?

JUPITER. – C'est que tu es le premier être vraiment humain que je rencontre...

JEAN GIRAUDOUX, *Amphitryon 38*, acte II, scène 2, 1929.

PREMIÈRE LECTURE

a. Observez la progression de la longueur des répliques. Que peut-on en conclure sur l'importance de chaque personnage ? Cela correspond-il à leur place dans le monde ?
b. Que recherche Jupiter ? Obtient-il satisfaction ?

LECTURE ANALYTIQUE

Un quiproquo comique
1. À quoi voit-on qu'Alcmène croit parler à son mari ? Soulignez l'effet comique qui en résulte.
2. Montrez la portée poétique du discours de Jupiter et le côté terre à terre de celui d'Alcmène.
3. Au début du passage, quel personnage suscite le rire ? Est-ce toujours le cas à la fin ? Pourquoi ?

Un éloge paradoxal de l'humain
4. Observez les différents arguments avancés par Jupiter pour convaincre Alcmène. Comment y répond-elle ? Qui l'emporte finalement ? Comment peut-on qualifier ce dialogue ?

5. En quoi la dernière réplique d'Alcmène se distingue-t-elle des précédentes ? Analysez sa façon de parler et les sujets qu'elle traite. Que célèbre-t-elle ?
6. En quoi la dernière réplique de Jupiter donne-t-elle la clé du passage ? Formulez la leçon qu'on peut tirer de ce dialogue.

VERS LE COMMENTAIRE

Rédigez une partie du commentaire de ce texte en vous appuyant sur les axes de lecture analytique. D'abord vous annoncerez le thème de la partie. Ensuite vous développerez votre analyse à partir des citations du texte que vous interpréterez. Enfin, vous rédigerez une phrase de conclusion.

Le mythe (du grec *mythos* : récit, fable) raconte le destin exceptionnel d'êtres incarnant des forces de la nature et des aspects de la condition humaine. À cet égard, l'histoire d'Amphitryon relève bien du mythe : elle rapporte d'abord la conception extraordinaire d'un héros de légende, Hercule (Héraclès), dont les exploits (les douze travaux) consistent essentiellement à tuer des monstres et ont donc une fonction civilisatrice. Elle comporte ensuite une portée philo-

sophique car elle interroge les rapports de l'homme avec le divin, comme on le voit par exemple dans le texte de Giraudoux. Mais le mythe d'Amphitryon possède surtout une originalité : il est source de comique. On y trouve en effet la figure du mari trompé et une multiplicité de quiproquos causés par les sosies. C'est sans doute cette double dimension, réflexive et comique, qui explique son succès de l'Antiquité à nos jours.

LE VOCABULAIRE DE L'ANALYSE THÉÂTRALE

1. Les étapes de l'action dramatique

• **L'exposition** permet, au début de la pièce, de comprendre la situation de départ (lieu, époque, personnages, intrigue). Elle occupe les premières scènes de la pièce, appelées pour cela « scènes d'exposition ».

• **Le nœud de l'action** est la partie de la pièce où se développe le conflit et où apparaissent les obstacles qui vont contre la volonté des héros.

• **Les péripéties** sont les événements successifs qui font avancer l'action.

• **Le dénouement** occupe les dernières scènes et fixe le sort des personnages.

2. La dramatisation de l'action

• **Le coup de théâtre** est un événement inattendu qui fait changer le cours de l'action. Au moment du dénouement, le dernier coup de théâtre, s'il est très invraisemblable, est comparable au *deus ex machina* des pièces antiques où un dieu descend du ciel par une machinerie pour régler tous les confits.

• **Le quiproquo** est un malentendu entre les personnages. Cette méprise est comprise par le spectateur. Ce procédé est souvent employé dans la comédie où il fait rire.

> EXEMPLE Dans la scène d'*Amphitryon 38*, Alcmène croit parler à son mari alors qu'elle s'adresse à Jupiter.

• **Le dilemme** est l'impossibilité éprouvée par le héros de choisir dans une alternative qui n'offre aucune issue satisfaisante.

> EXEMPLE Dans *Le Cid*, Rodrigue doit choisir entre son amour pour Chimène et son devoir de fils.

3. L'illusion théâtrale

Rien n'est réel au théâtre mais le spectateur se prête au jeu et fait semblant d'y croire. L'illusion est créée par le décor, les costumes, et repose sur des conventions qui touchent à la fois à l'écriture et à la représentation.

• **L'espace scénique** est l'espace représenté sur la scène. Le décor peut imiter un espace réel ou avoir une dimension symbolique.

• **L'espace dramatique** est l'espace fictif auquel renvoient les répliques des personnages : il ne se limite pas à la scène et comprend aussi tous les autres lieux évoqués par les personnages. Dans la tragédie classique, les scènes violentes s'y déroulent et sont connues du spectateur par des récits. (Par exemple, le récit du combat contre les Maures dans *Le Cid* est raconté mais n'est pas montré sur la scène.)

> EXEMPLE Dans l'*Amphitryon* de Plaute, l'espace scénique se situe « devant la maison d'Amphitryon », l'espace dramatique s'étend à Thèbes, la Grèce et l'Olympe.

EXERCICE
a. Découpez l'histoire d'Orphée en trois actes pour l'adapter au théâtre.
b. Précisez quelles informations devront être fournies dans l'exposition.
c. Quel sera le nœud de l'histoire ? Quelles péripéties pourrez-vous ajouter ? Quel pourrait être le dénouement ?

EXERCICES SUPPLÉMENTAIRES
À retrouver sur le site du manuel.

Le mythe d'Orphée raconte le destin d'un poète et musicien dont la femme est morte d'une morsure de serpent le jour de leur mariage. Orphée fut autorisé par les dieux à descendre aux Enfers pour aller y chercher Eurydice, son épouse. Mais il ne devait ni la regarder, ni lui parler avant d'avoir rejoint le monde des vivants. Au moment de quitter les Enfers, Orphée se retourne pourtant et Eurydice lui est à nouveau enlevée.

Le soldat fanfaron de l'Antiquité à nos jours

Plaute, *Le Soldat fanfaron* (env. 190 av. J-C.)

PLAUTE
(254 - 184 av. J-C.)
NOTICE BIOGRAPHIQUE, P. 470

Un personnage de la comédie latine

TEXTE 1

La date exacte de composition de cette comédie de Plaute demeure inconnue. Le personnage du soldat fanfaron, sans doute inspiré de comédies grecques, est, à la suite de cette pièce, devenu un type : celui du soldat vaniteux bien que lâche, ridicule en amour comme à la guerre. Dans cette comédie, il est incarné par Pyrgopolinice, nom qui signifie en grec « vainqueur de tours et de villes ». L'histoire raconte comment il enlève une belle Athénienne dont il est amoureux. Le jeune Pleusiclès, qui aime lui aussi la jeune femme, va tout faire pour la délivrer en jouant des tours au fanfaron. Au début de la pièce, on découvre le caractère de Pyrgopolinice dans un dialogue avec Artotrogus, son serviteur.

PYRGOPOLINICE, ARTOTROGUS[1], *suite du militaire.*

PYRGOPOLINICE. – Soignez mon bouclier ; que son éclat soit plus resplendissant que les rayons du soleil dans un ciel pur. Il faut qu'au jour de la bataille, les ennemis, dans le feu de la mêlée, aient la vue éblouie par ses feux. Et toi, mon épée, console-toi, ne te lamente pas
5 tant, ne laisse point abattre ton courage, s'il y a trop longtemps que je te porte oisive à mon côté, tandis que tu frémis d'impatience de faire un hachis d'ennemis. Mais où est Artotrogus ? Ah, le voici.

ARTOTROGUS. – Il est là, le fidèle compagnon d'un guerrier courageux, intrépide, beau comme un roi, vaillant comme un héros. Mars
10 n'oserait, pour vanter ses vertus, les comparer aux tiennes.

PYRGOPOLINICE. – Tu te souviens du garçon que je sauvai dans les champs Curculioniens[2], où commandait en chef Bombomachidès Clutomistaridysarchidès[3], petit-fils de Neptune ?

ARTOTROGUS. – Je m'en souviens ; tu veux parler de ce guerrier aux
15 armes d'or, dont tu dispersas d'un souffle les légions, comme le vent dissipe les feuilles ou le chaume des toits.

PYRGOPOLINICE. – Cela n'est rien, par Pollux !

ARTOTROGUS. – Rien, par Hercule, au prix de toutes les autres prouesses… (*À part.*) que tu n'as jamais faites. S'il existe un plus effronté
20 menteur, un glorieux plus vain, eh bien, je me vendrai à lui en toute propriété ; sinon, on se paiera une orgie de confitures d'olives.

PYRGOPOLINICE. – Où es-tu ?

ARTOTROGUS. – Me voici. Et dans l'Inde, par Pollux, comme tu cassas, d'un coup de poing, le bras à un éléphant !

1. **Artotrogrus** : ce nom signifie littéralement « ronge-pain ». Il est donc une sorte de parasite.

2. **Curculioniens** : l'adjectif renvoie à la famille des charançons, insectes qui nuisent aux récoltes.

3. **Bombomachidès Clutomistaridysarchidès** : nom inventé qui se veut terrible par sa longueur et ses sonorités.

4. **Tribulations** : ennuis.

5. **Pour que mes dents ne s'allongent pas** : pour que je ne meure pas de faim

ACTIVITÉ TICE

**LA RÉÉCRITURE
ET LES EFFETS COMIQUES**

Découvrez en visualisant des extraits de mise en scène comment deux dramaturges modernes ont détourné la pièce de Shakespeare *Macbeth*.

Téléchargez la fiche élève n° 03 « La réécriture et les effets comiques » sur le site du manuel.

25 PYRGOPOLINICE. – Comment le bras ?

ARTOTROGUS. – Je voulais dire la cuisse.

PYRGOPOLINICE. – Et j'y allais négligemment.

ARTOTROGUS. – Si tu y avais mis toute ta force, par Pollux, tu aurais traversé le cuir, le ventre, la mâchoire de l'éléphant avec ton bras.

30 PYRGOPOLINICE. – Je ne veux pas entendre parler de tout cela pour le moment.

ARTOTROGUS. – Par Hercule, tu n'as pas besoin de me raconter tes hauts faits, à moi qui les connais si bien. (*À part.*) C'est mon ventre qui me cause toutes ces tribulations[4] ; il faut que mes oreilles les subissent, 35 pour que mes dents ne s'allongent pas[5] ; et je suis obligé d'applaudir à tous les mensonges qu'il lui plaît d'inventer.

PLAUTE, *Le Soldat fanfaron*, acte I, scène 1,
Traduit du latin par Henri Clouard, 1936.

PREMIÈRE LECTURE

a. À la lecture de cet extrait, que comprenez-vous du titre de la pièce ?
b. Cette première scène ne présente aucune action : quel est donc son rôle ?

LECTURE ANALYTIQUE

Un dialogue comique
1. Quel rapport entretiennent les deux personnages ? Relevez en particulier tous les termes qui visent à flatter Pyrgopolinice. En quoi les apartés d'Artotrogus sont-ils comiques ?
2. Relevez toutes les formes du comique de mots dans ce dialogue : quelle figure de style revient le plus souvent ? Avec quel effet ?

La satire d'un type
3. À qui Pyrgopolinice s'adresse-t-il successivement ? Quel est chaque fois l'unique sujet de son discours ? Quels procédés ses exploits mettent-ils en valeur ?
4. À quels indices voit-on que les exploits rapportés sont inventés ? Comment Pyrgopolinice est-il finalement ridiculisé ?

ÉCRITURE D'INVENTION

En transposant le type dans la vie moderne, imaginez un personnage qui fanfaronne face à un autre qui n'est pas dupe. Votre texte prendra la forme d'un dialogue de théâtre.

Pierre Corneille,
L'Illusion comique (1636)

Un soldat fanfaron
au XVIIᵉ siècle

PIERRE CORNEILLE
(1606-1684)
NOTICE BIOGRAPHIQUE, P. 466

 TEXTE 2

L'Illusion comique est une comédie que Corneille qualifie d'« étrange monstre », par son histoire « bizarre et extravagante ». La pièce mêle à des scènes tragiques des scènes comiques et célèbre les pouvoirs du théâtre en montrant sur scène des personnages eux-mêmes acteurs d'une pièce. Dans l'acte I, Pridamant souhaite avoir des nouvelles de son fils, Clindor, avec lequel il s'est disputé. On lui présente Alcandre, un magicien qui vit retiré dans une grotte. D'un coup de baguette, le magicien fait surgir des images animées qui montrent au père les péripéties que vit son fils. Dans l'acte II commence ainsi une pièce dans la pièce, où Clindor apparaît au service d'un soldat vantard et ridicule du nom de Matamore, amoureux comme lui de la belle Isabelle.

L'Illusion comique, mise en scène de Galin Stoev à la Comédie-Française en 2008. Denis Podalydès tient le rôle de Matamore et Clindor est interprété par Loic Corbery.

MATAMORE, CLINDOR.

CLINDOR

Quoi ! Monsieur, vous rêvez ! et cette âme hautaine,
Après tant de beaux faits, semble être encore en peine !
N'êtes-vous point lassé d'abattre des guerriers ?
Et vous faut-il encor quelques nouveaux lauriers ?

MATAMORE

5 Il est vrai que je rêve, et ne saurais résoudre
Lequel je dois des deux le premier mettre en poudre,
Du grand Sophi de Perse, ou bien du grand Mogor[1].

CLINDOR

Eh de grâce, Monsieur, laissez-les vivre encor !
Qu'ajouterait leur perte à votre renommée ?
10 D'ailleurs quand auriez-vous rassemblé votre armée ?

MATAMORE

Mon armée ? Ah, poltron ! ah, traître ! pour leur mort
Tu crois donc que ce bras ne soit pas assez fort ?
Le seul bruit de mon nom renverse les murailles,
Défait les escadrons et gagne les batailles.
15 Mon courage invaincu contre les empereurs :
N'arme que la moitié de ses moindres fureurs ;
D'un seul commandement que je fais aux trois Parques[2],
Je dépeuple l'État des plus heureux monarques ;
Le foudre[3] est mon canon, les Destins mes soldats ;
20 Je couche d'un revers mille ennemis à bas,
D'un souffle je réduis leurs projets en fumée,
Et tu m'oses parler cependant d'une armée !
Tu n'auras plus l'honneur de voir un second Mars,
Je vais t'assassiner d'un seul de mes regards,

1. Noms donnés autrefois au roi de Perse et au souverain de l'empire mongol.
2. **Parques** : trois divinités (*Moires*, en grec) qui maîtrisent le fil de la vie humaine : Clotho le file (naissance), Lachésis l'enroule sur le fuseau (cours de la vie) et Atropos le coupe (mort).
3. **Le foudre** : le mot « foudre » peut être masculin au XVIIe siècle.

Projet de costume de Clindor.
Christian Bérard,
Comédie-Française, 1937.

25   Veillaque[4]. Toutefois, je songe à ma maîtresse,
Le penser m'adoucit ; va, ma colère cesse,
Et ce petit archer qui dompte tous les Dieux[5]
Vient de chasser la mort qui logeait dans mes yeux.
Regarde, j'ai quitté cette effroyable mine
30   Qui massacre, détruit, brise, brûle, extermine,
Et, pensant au bel œil qui tient ma liberté,
Je ne suis plus qu'amour, que grâce, que beauté.

CLINDOR

Ô Dieux ! en un moment que tout vous est possible !
Je vous vois aussi beau que vous êtes terrible,
35   Et ne crois point d'objet[6] si ferme en sa rigueur,
Qu'il puisse constamment vous refuser son cœur.

MATAMORE

Je te le dis encor, ne sois plus en alarme :
Quand je veux, j'épouvante ; et quand je veux, je charme ;
Et, selon qu'il me plaît, je remplis tour à tour
Les hommes de terreur, et les femmes d'amour.

PIERRE CORNEILLE, *L'Illusion comique*, acte II, scène 2, 1636.

---

4. Veillaque : maraud, coquin.
5. Il s'agit de Cupidon (ou Éros), dieu de l'Amour qui perce les cœurs de ses flèches.
6. Objet : terme poétique pour désigner une femme qui donne de l'amour.

PREMIÈRE LECTURE

Dans un dictionnaire, cherchez le sens et l'origine du mot « matamore ». Le personnage correspond-il à cette définition ? Justifiez votre réponse.

LECTURE ANALYTIQUE

Un personnage type de comédie
1. Lisez le texte de Plaute (p. 41). Quels sont les points communs entre Pyrgopolinice et Matamore ?
2. Relevez le vocabulaire héroïque emprunté à l'épopée. Repérez aussi les procédés de style (rythme ternaire, questions rhétoriques, périphrases poétiques) qui montrent l'éloquence de Matamore.
3. Quels sont les procédés d'amplification (emphase, hyperboles, superlatifs, gradations) dans le discours de Matamore ? Quel est l'effet produit ?

Un être profondément théâtral
4. Quel double sens peut-on donner au verbe « rêver » dans la première réplique de Clindor ? Retrouve-t-on cette ambiguïté dans l'emploi qu'en fait Matamore au vers 5 ? Quel rapprochement peut-on faire avec le titre de la pièce ?

5. Quels sont les deux visages que montre Matamore dans sa tirade ? Repérez les antithèses qui l'illustrent. Ce changement d'humeur est-il crédible ? Dans quelle mesure peut-on dire que Matamore joue un rôle ?
6. Par quels procédés Clindor cherche-t-il à conforter son maître dans son illusion ? Analysez précisément le rôle de ses interventions. En quoi peut-on dire qu'il joue un rôle lui aussi ?

ÉCRITURE D'INVENTION

Imaginez la scène suivante : la femme aimée de Matamore entre en scène et le fier-à-bras se transforme soudain en amant timide. Écrivez cette scène en cultivant les effets comiques et les jeux de constraste.

VERS LE COMMENTAIRE

En vous aidant de vos réponses aux questions posées, faites un plan détaillé du commentaire de cet extrait.

Miguel de Cervantès, *Don Quichotte* (1605)
Un chevalier imaginaire

Chef-d'œuvre de l'écrivain espagnol Cervantès (1547-1616), le roman *L'Ingénieux Hidalgo Don Quichotte de la Manche* se moque des récits de chevalerie alors à la mode en les parodiant. Le héros, Don Quichotte, perd la raison pour avoir trop lu ce genre de romans. Dans sa folie, il imagine de se faire chevalier errant et de partir à l'aventure afin d'affronter les plus grands périls et de se montrer digne de sa dame imaginaire, la belle Dulcinée. Accompagné de son fidèle écuyer, Sancho Panza, il aperçoit ici des moulins à vent.

En ce moment ils découvrirent trente ou quarante moulins à vent qu'il y a dans cette plaine, et, dès que don Quichotte les vit, il dit à son écuyer : « La fortune conduit nos affaires mieux que ne pourrait y réussir notre désir même. Regarde, ami Sancho ; voilà devant nous au moins trente démesurés géants, auxquels je pense livrer bataille et ôter la vie à tous tant
5 qu'ils sont. Avec leurs dépouilles, nous commencerons à nous enrichir ; car c'est prise de bonne guerre, et c'est grandement servir Dieu que de faire disparaître si mauvaise engeance[1] de la face de la terre.

– Quels géants ? demanda Sancho Panza.

– Ceux que tu vois là-bas, lui répondit son maître, avec leurs grands bras, car il y en a
10 qui les ont de presque deux lieues de long.

– Prenez donc garde, répliqua Sancho ; ce que nous voyons là-bas ne sont pas des géants, mais des moulins à vent, et ce qui paraît leurs bras, ce sont leurs ailes, qui, tournées par le vent, font tourner à leur tour la meule du moulin.

– On voit bien, répondit don Quichotte, que tu n'es pas expert en fait d'aventures : ce sont
15 des géants, te dis-je ; si tu as peur, ôte-toi de là, et va te mettre en oraison[2] pendant que je leur livrerai une inégale et terrible bataille.

MIGUEL DE CERVANTÈS, *L'Ingénieux Hidalgo Don Quichotte de la Manche*, 1605,
Traduit de l'espagnol par Louis Viardot.

---

1. Engeance : personnes détestables et dignes de mépris.
2. En oraison : en prière.

QUESTIONS

1. Par quelles attitudes don Quichotte imite-t-il le comportement d'un parfait chevalier ? Quels éléments le ridiculisent ensuite ?
2. En quoi peut-on rapprocher le personnage de don Quichotte de celui de Matamore ? Pouvez-vous néanmoins trouver un élément qui les distingue ? Lequel ?

LECTURE COMPLÉMENTAIRE

ALPHONSE DAUDET, *Tartarin de Tarascon*, 1872
Comme Matamore, Tartarin est vantard et mythomane. Il invente sans cesse des exploits qu'il n'a pas accomplis.

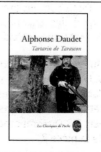

Lisez ce récit. Jusqu'où peut-on comparer les deux personnages ? De qui Daudet fait-il la satire à travers le personnage de Tartarin ?

Alfred Jarry, *Ubu roi* (1896)

ALFRED JARRY
(1873-1907)
NOTICE BIOGRAPHIQUE, P. 468

Un soldat grotesque

TEXTE 3

Ubu roi (1896) raconte les aventures grotesques du Père Ubu et de sa femme, Mère Ubu, qui pousse son mari à renverser le roi de Pologne pour prendre sa place. Ubu monte alors une conspiration et massacre la famille royale, à l'exception du jeune Bougrelas, fils du roi déchu, qui promet de se venger. Arrivé au pouvoir, Ubu agit en tyran et cherche à amasser le plus d'argent possible. La révolte gronde dans le pays. Les partisans du roi légitime font appel au tsar pour entrer en guerre contre Ubu et le faire tomber. Attaqué par les Russes, Ubu tremble de peur sur le champ de bataille.

Il se sauve, le Czar[1] le poursuit.

PÈRE UBU. – Sainte Vierge, cet enragé me poursuit ! Qu'ai-je fait, grand Dieu ! Ah ! bon, il y a encore le fossé à repasser. Ah ! je le sens derrière moi et le fossé devant ! Courage, fermons les yeux !

Il saute le fossé. Le Czar y tombe.

LE CZAR. – Bon, je suis dedans.

5 POLONAIS. – Hurrah ! le Czar est à bas !

PÈRE UBU. – Ah ! j'ose à peine me retourner ! Il est dedans. Ah ! c'est bien fait et on tape dessus. Allons, Polonais, allez-y à tour de bras, il a bon dos le misérable ! Moi je n'ose pas le regarder ! Et cependant notre prédiction s'est complètement réalisée, le bâton à physique[2] a fait merveilles et nul

10 doute que je ne l'eusse complètement tué si une inexplicable terreur n'était venue combattre et annuler en nous les effets de notre courage. Mais nous avons dû soudainement tourner casaque[3], et nous n'avons dû notre salut qu'à notre habileté comme cavalier ainsi qu'à la solidité des jarrets de notre cheval à finances[4], dont la rapidité n'a d'égale que la

15 stabilité et dont la légèreté fait la célébrité, ainsi qu'à la profondeur du fossé qui s'est trouvé fort à propos sous les pas de l'ennemi de nous l'ici présent Maître des Phynances. Tout ceci est fort beau, mais personne ne m'écoute. Allons ! bon, ça recommence !

Les dragons russes font une charge et délivrent le Czar.

LE GÉNÉRAL LASCY. – Cette fois, c'est la débandade.

20 PÈRE UBU. – Ah ! voici l'occasion de se tirer des pieds[5]. Or donc, Messieurs les Polonais, en avant ! ou plutôt en arrière !

POLONAIS. – Sauve qui peut !

PÈRE UBU. – Allons ! en route. Quel tas de gens, quelle fuite, quelle multitude, comment me tirer de ce gâchis ? *(Il est bousculé.)* Ah ! mais

25 toi ! fais attention, ou tu vas expérimenter la bouillante valeur du Maître des Phynances. Ah ! il est parti, sauvons-nous et vivement pendant que Lascy ne nous voit pas.

1. *Czar* : souverain de Russie (Tsar).
2. **Bâton à physique** : attribut fantaisiste du père Ubu, qu'il utilise comme une arme.
3. **Tourner casaque** : nous enfuir.
4. **Cheval à finances** : expression là encore typique d'Ubu qui fait allusion à sa cupidité. Il porte lui-même le titre de « Maître des Phynances ».
5. **Se tirer des pieds** : s'échapper, s'enfuir.
6. **Pile et Cotice** sont des compagnons du Père Ubu.
7. **Monsieuye** : mot déformé comme on en trouve plusieurs dans la bouche de Cotice, peut-être pour imiter son accent.
8. **La fuite** : jeu de mots pour signifier qu'Ubu a la colique tellement il a eu peur !
9. **Oneille** : déformation enfantine de « oreille ».

Il sort, ensuite on voit passer le Czar *et l'armée russe poursuivant les Polonais.*

ACTE IV, SCÈNE 5
Une caverne en Lituanie. Il neige.
PÈRE UBU, PILE, COTICE

PÈRE UBU. – Ah ! le chien de temps, il gèle à pierre à fendre et la personne du Maître des Phynances s'en trouve fort endommagée.

30 PILE[6]. – Hon ! Monsieuye[7] Ubu, êtes-vous remis de votre terreur et de votre fuite ?

PÈRE UBU. – Oui ! Je n'ai plus peur, mais j'ai encore la fuite[8].

COTICE, *à part.* – Quel pourceau.

PÈRE UBU. – Eh ! sire Cotice, votre oneille[9], comment va-t-elle ?

35 COTICE. – Aussi bien, Monsieuye, qu'elle peut aller tout en allant très mal. Par conséiquent de quoye, le plomb la penche vers la terre et je n'ai pu extraire la balle.

PÈRE UBU. – Tiens, c'est bien fait ! Toi, aussi, tu voulais toujours taper les autres. Moi j'ai déployé la plus grande valeur, et sans m'exposer

40 j'ai massacré quatre ennemis de ma propre main, sans compter tous ceux qui étaient déjà morts et que nous avons achevés.

ALFRED JARRY, *Ubu roi*, acte IV, scènes 4 et 5, 1896.

Ubu roi, mis en scène par Jean-Pierre Vincent à la Comédie-Française en 2009. Le Père Ubu est interprété par Serge Begdassarian.

PREMIÈRE LECTURE
a. Quelle réaction est censée produire cette scène chez le spectateur ?
b. Pourquoi peut-on rapprocher le Père Ubu du type du soldat fanfaron ?

LECTURE ANALYTIQUE

La parodie d'une scène épique
1. Identifiez tous les éléments qui rattachent cette scène au registre épique.
2. Quels éléments relèvent aussi de la farce et plus généralement du registre comique ?

Un personnage grotesque
3. Le comportement du Père Ubu est-il celui que l'on attend d'un chef de guerre ? Intéressez-vous à son caractère, à ses actions et à son attitude envers ses compagnons pour justifier votre réponse. Quel pronom utilise-t-il pour parler de lui-même ?
4. Montrez l'originalité du langage d'Ubu en repérant des néologismes, des expressions familières, un jeu de mot, une tirade de registre soutenu. Comment appelle-t-on le registre défini par ce décalage entre le rang élevé d'un personnage et sa façon souvent vulgaire de s'exprimer ?

ÉTUDE COMPARÉE

Comparez cette scène épique avec le récit que fait Rodrigue de la bataille contre les Maures (Corneille, *Le Cid*, acte IV, scène 3, pages 52-53). Quel procédé chaque auteur choisit-il pour représenter la bataille ? Le registre épique est-il traité de la même façon ? Quels sentiments chaque scène cherche-t-elle à susciter chez le spectateur ?

à retenir

À l'origine, le « soldat fanfaron » est le titre d'une comédie latine de Plaute. L'expression désigne un personnage qui se vante de sa valeur militaire alors même qu'il est peureux, lâche et qu'il invente ses exploits. C'est donc un faux héros, dont les exagérations et les mensonges font rire. À travers lui s'exprime aussi la satire de l'héroïsme militaire. Par la suite, il devient un type littéraire car on retrouve ses caractéristiques chez de nombreux personnages au fil des siècles, en particulier en Espagne et en Italie avec le Capitan ou le Matamore. Plus proches de nous, le *Capitaine Fracasse* de Théophile Gautier et dans une certaine mesure le Père Ubu en sont des exemples modernes.

▶ LA TRAGÉDIE CLASSIQUE

Le Cid (1637), naissance d'un héros

PIERRE CORNEILLE
(1606-1684)
NOTICE BIOGRAPHIQUE, P. 466

---

1. **Avoir du cœur** : avoir du courage.
2. **Courroux** : colère.
3. **Soufflet** : gifle.
4. **Ce fer** : cette épée.

EXTRAIT 1   L'appel à la vengeance

Le Cid se déroule à Séville, à la cour de Don Fernand, premier roi de Castille. Rodrigue et Chimène s'aiment et leurs familles ont décidé de les unir. Mais une querelle survient entre les deux pères : le vieux Don Diègue, père de Rodrigue, est choisi par le roi pour être le gouverneur de son fils. Le père de Chimène, plus jeune, est très jaloux car il espérait obtenir cet honneur. Irrité, il se dispute avec Don Diègue et finit par le gifler, portant ainsi atteinte à son honneur. Don Diègue, affaibli par l'âge, ne parvient pas à se défendre et fait appel à son fils Rodrigue pour venger son honneur.

DON DIÈGUE, DON RODRIGUE.

DON DIÈGUE

Rodrigue, as-tu du cœur[1] ?

DON RODRIGUE

        Tout autre que mon père

L'éprouverait sur l'heure.

DON DIÈGUE

        Agréable colère !

Digne ressentiment à ma douleur bien doux !

Je reconnais mon sang à ce noble courroux[2],

5 Ma jeunesse revit en cette ardeur si prompte,

Viens, mon fils, viens, mon sang, viens réparer ma honte,

Viens me venger.

DON RODRIGUE

        De quoi ?

DON DIÈGUE

        D'un affront si cruel

Qu'à l'honneur de tous deux il porte un coup mortel,

D'un soufflet[3]. L'insolent en eût perdu la vie,

10 Mais mon âge a trompé ma généreuse envie,

Et ce fer[4] que mon bras ne peut plus soutenir,

Je le remets au tien pour venger et punir.

Va contre un arrogant éprouver ton courage ;

Ce n'est que dans le sang qu'on lave un tel outrage.

15 Meurs, ou tue. Au surplus, pour ne te point flatter,

Je te donne à combattre un homme à redouter,

Je l'ai vu, tout couvert de sang et de poussière,

Porter partout l'effroi dans une armée entière.

J'ai vu par sa valeur cent escadrons rompus ;

20 Et pour t'en dire encor quelque chose de plus,

Plus que brave soldat, plus que grand Capitaine,

C'est...

DON RODRIGUE

De grâce, achevez.

Le Cid mis en scène par Wissam Arbache au théâtre de Gennevilliers en 2007, avec Nazim Boudjenah dans le rôle de Rodrigue et Jean-Pierre Jorris dans celui de Don Diègue.

DON DIÈGUE
Le père de Chimène.
DON RODRIGUE
Le...

DON DIÈGUE
Ne réplique point, je connais ton amour,
Mais qui peut vivre infâme est indigne du jour,
25 Plus l'offenseur est cher⁵, et plus grande est l'offense :
Enfin tu sais l'affront, et tu tiens la vengeance,
Je ne te dis plus rien, venge-moi, venge-toi,
Montre-toi digne fils d'un tel père tel que moi ;
Accablé des malheurs où le destin me range
Je m'en vais les pleurer. Va, cours, vole, et nous venge.

PIERRE CORNEILLE, *Le Cid*, acte I, scène 5, 1637 (texte revu en 1660).

_____

5. Cher : important, de valeur.

Le Cid mis en scène par Thomas
Le Douarec au théâtre Comedia,
en 2009, avec Olivier Benard dans
le rôle de Rodrigue et Jean-Pierre
Bernard dans celui de Don Diègue.

_____

1. Il s'agit ici de stances, c'est-à-dire d'une
succession de strophes de composition
irrégulière au ton lyrique et grave.
2. Mon feu : ma flamme, mon amour.
3. Mon amour va à l'encontre de mon
honneur.

EXTRAIT 2   Le dilemme entre l'amour et l'honneur
À la demande de son père, Rodrigue doit donc aller tuer le père de sa bien-
aimée. Il hésite.

DON RODRIGUE, *seul*¹.

Percé jusques au fond du cœur
D'une atteinte imprévue aussi bien que mortelle,
Misérable vengeur d'une juste querelle,
Et malheureux objet d'une injuste rigueur,
5   Je demeure immobile, et mon âme abattue
Cède au coup qui me tue.
Si près de voir mon feu² récompensé,
Ô Dieu ! l'étrange peine !
En cet affront mon père est l'offensé,
10   Et l'offenseur le père de Chimène.

Que je sens de rudes combats !
Contre mon propre honneur mon amour s'intéresse³,
Il faut venger un père, et perdre une maîtresse,
L'un m'anime le cœur, l'autre retient mon bras,
15   Réduit au triste choix ou de trahir ma flamme,
Ou de vivre en infâme,
Des deux côtés mon mal est infini.
Ô Dieu ! l'étrange peine !
Faut-il laisser un affront impuni ?
20   Faut-il punir le père de Chimène ?

Père, maîtresse, honneur, amour,
Noble et dure contrainte, aimable tyrannie,
Tous mes plaisirs sont morts, ou ma gloire ternie.
L'un me rend malheureux, l'autre indigne du jour.
25 Cher et cruel espoir d'une âme généreuse,
Mais ensemble amoureuse,
Digne ennemi de mon plus grand bonheur,
Fer qui causes ma peine,
M'es-tu donné pour venger mon honneur ?
30 M'es-tu donné pour perdre ma Chimène ?

Il vaut mieux courir au trépas.
Je dois à ma maîtresse aussi bien qu'à mon père,
J'attire en me vengeant sa haine et sa colère,
J'attire ses mépris en ne me vengeant pas.
35 À mon plus doux espoir l'un me rend infidèle,
Et l'autre indigne d'elle.
Mon mal augmente à le vouloir guérir,
Tout redouble ma peine.
Allons, mon âme, et puisqu'il faut mourir,
40 Mourons du moins sans offenser Chimène.

Mourir sans tirer ma raison !
Rechercher un trépas si mortel à ma gloire !
Endurer que l'Espagne impute à ma mémoire
D'avoir mal soutenu l'honneur de ma maison !
45 Respecter un amour dont mon âme égarée
Voit la perte assurée !
N'écoutons plus ce penser[4] suborneur
Qui ne sert qu'à ma peine.
Allons, mon bras, sauvons du moins l'honneur,
50 Puisqu'après tout il faut perdre Chimène.

Oui, mon esprit s'était déçu.
Je dois tout à mon père avant qu'à ma maîtresse :
Que je meure au combat ou meure de tristesse,
Je rendrai mon sang pur comme je l'ai reçu.
55 Je m'accuse déjà de trop de négligence :
Courons à la vengeance ;
Et tout honteux d'avoir tant balancé,
Ne soyons plus en peine,
Puisqu'aujourd'hui mon père est l'offensé,
Si l'offenseur est père de Chimène.

PIERRE CORNEILLE, *Le Cid*, acte I, scène 6, 1637 (texte revu en 1660).

4. **Penser suborneur** : pensée trompeuse, qui détourne du devoir.

ACTIVITÉ TICE

LE VOCABULAIRE DE LA PASSION ET DE L'HONNEUR AU XVIIᵉ SIÈCLE

Réalisez un lexique collectif du vocabulaire de la passion à l'aide d'un Wiki et d'un dictionnaire du XVIIᵉ siècle.

Téléchargez la fiche élève n° 04 « Le vocabulaire de la passion et de l'honneur au XVIIᵉ siècle » sur le site du manuel.

a. Comment l'attitude de Rodrigue évolue-t-elle au cours de ces deux scènes (extraits 1 et 2) ?
b. Dans la scène 6, comment appelle-t-on la situation dans laquelle se trouve Rodrigue ?

Argumenter pour convaincre et se convaincre

1. Observez la longueur des répliques de chaque personnage dans la scène 5 : que constatez-vous et qu'est-ce que cela traduit ?
2. Quels sont les différents arguments de Don Diègue ? À quelles valeurs morales fait-il référence pour convaincre et persuader son fils ?
3. Pourquoi Don Diègue dévoile-t-il si tard l'identité de son agresseur ? Comment le désigne-t-il et quel est l'effet produit ?
4. Comment appelle-t-on le type de discours argumentatif que prononce Rodrigue dans la scène 6 ? Quelles en sont les caractéristiques ?

Le conflit entre amour et honneur

5. Observez le premier vers des deux scènes : quels sont les deux sens du mot « cœur » ? Montrez que ces deux significations s'opposent dans l'esprit de Rodrigue.
6. Quelle antithèse traduit le conflit ressenti par Rodrigue dans la scène 6 ? Don Diègue l'utilise également dans la scène 5 : relevez-en des occurrences. Est-il en proie aux mêmes sentiments ?
7. Quelle est la fonction de ces stances, par rapport à l'intrigue et par rapport au personnage ?
8. Relevez les différents types de vers présents dans la scène 6. Quels sont les différents schémas de rimes (suivies, croisées, embrassées) que l'on trouve ? En quoi le dilemme est-il mis en valeur grâce à cette construction ?

Vous êtes, comme Rodrigue, confronté à un dilemme grave. Écrivez un monologue en prose au cours duquel vous exposez votre dilemme, vous pesez votre choix, puis vous prenez votre décision.

Le Cid mis en scène par Thomas Le Douarec au théâtre Comedia, en 2009, avec Olivier Bénard dans le rôle de Rodrigue et Clio Van de Walle dans celui de Chimène.

EXTRAIT 3 Une scène d'amour

Contraint de venger l'honneur bafoué de Don Diègue, son père, Rodrigue a tué le père de Chimène en duel. Chimène, folle de douleur, vient demander justice au roi tandis que Don Diègue défend le bon droit de son fils. Dans l'attente d'une délibération, Chimène refuse l'aide de Don Sanche, amoureux d'elle, qui propose d'aller se battre en duel contre Rodrigue pour la venger. Elle avoue alors à sa suivante Elvire qu'elle aime encore Rodrigue malgré son crime. Soudain, Rodrigue entre chez elle : désespéré, il vient lui offrir son épée pour être tué de sa main.

Don Rodrigue, Chimène, Elvire.

Don Rodrigue
Au nom d'un père mort, ou de notre amitié[1],
Punis-moi par vengeance, ou du moins par pitié.
Ton malheureux amant aura bien moins de peine
À mourir par ta main qu'à vivre avec ta haine.
Chimène
5 Va, je ne te hais point[2].
Don Rodrigue
Tu le dois.
Chimène
Je ne puis.

Le Cid dans une mise en scène
d'Alain Olivier au théâtre Gérard
Philipe de Saint-Denis en 2007.
Claire Sermonne est Chimène et
Thibaut Corrion est Rodrigue.

DON RODRIGUE

Crains-tu si peu le blâme, et si peu les faux bruits[3] ?
Quand on saura mon crime et que ta flamme dure,
Que ne publieront[4] point l'envie et l'imposture !
Force-les au silence et sans plus discourir
10 Sauve ta renommée en me faisant mourir.

CHIMÈNE

Elle éclate bien mieux en te laissant la vie
Et je veux que la voix de la plus noire envie
Élève au ciel ma gloire et plaigne mes ennuis,
Sachant que je t'adore et que je te poursuis.
15 Va-t'en, ne montre plus à ma douleur extrême
Ce qu'il faut que je perde, encore que je l'aime[5].
Dans l'ombre de la nuit cache bien ton départ :
Si l'on te voit sortir, mon honneur court hasard[6].
La seule occasion qu'aura la médisance,
20 C'est de savoir qu'ici j'ai souffert ta présence[7] :
Ne lui donne point lieu d'attaquer ma vertu.

DON RODRIGUE

Que je meure !

CHIMÈNE

Va-t'en.

DON RODRIGUE

À quoi te résous-tu ?

CHIMÈNE

Malgré des feux si beaux qui troublent ma colère,
Je ferai mon possible à bien venger mon père ;
25 Mais malgré la rigueur d'un si cruel devoir,
Mon unique souhait est de ne rien pouvoir.

DON RODRIGUE

Ô miracle d'amour !

CHIMÈNE

Ô comble de misères !

DON RODRIGUE

Que de maux et de pleurs nous coûteront nos pères !

CHIMÈNE

Rodrigue, qui l'eût cru ?

DON RODRIGUE

Chimène, qui l'eût dit ?

CHIMÈNE

30 Que notre heur[8] fût si proche et sitôt se perdît ?

DON RODRIGUE

Et que si près du port[9], contre toute apparence,
Un orage si prompt brisât notre espérance ?

CHIMÈNE

Ah ! mortelles douleurs !

DON RODRIGUE

Ah ! regrets superflus !

---

1. Amitié : affection très forte. Ici, amour.
2. Vers très célèbre où Chimène suggère qu'elle aime encore Rodrigue.
3. Les faux bruits : les rumeurs.
4. Publieront : rendront public.
5. Encore que je l'aime : bien que je l'aime.
6. Court hasard : court des risques.
7. J'ai souffert ta présence : j'ai toléré ta présence.
8. Heur : bonheur.
9. Si près du port : si près du but.

CHIMÈNE

Va-t'en, encore un coup, je ne t'écoute plus.

DON RODRIGUE

35 Adieu, je vais traîner une mourante vie,
    Tant que[10] par ta poursuite elle me soit ravie.

CHIMÈNE

    Si j'en obtiens l'effet, je t'engage ma foi
    De ne respirer pas un moment après toi.
    Adieu, sors, et surtout garde bien qu'on te voie.

ELVIRE

40 Madame, quelques maux que le ciel nous envoie...

CHIMÈNE

    Ne m'importune plus, laisse-moi soupirer,
    Je cherche le silence et la nuit pour pleurer.

PIERRE CORNEILLE, *Le Cid*, acte III, scène 4, 1637 (texte revu en 1660).

10. **Tant que par ta poursuite** : jusqu'à ce
    que, à cause des poursuites judiciaires
    que tu as engagées...

Chimène interprétée
par Camille Cottin et
Rodrigue par Nicolas Martinez
dans une mise en scène de
Bénédicte Budan au théâtre
Silvia Monfort en 2009.

PREMIÈRE LECTURE

a. Où et quand cette scène a-t-elle lieu ? Pourquoi n'est-ce pas vraisemblable ?
b. En quoi ce passage peut-il choquer la bienséance ?

LECTURE ANALYTIQUE

Des personnages déchirés

1. Quel vers révèle à Rodrigue les véritables sentiments de Chimène ? Comment cette figure de style s'appelle-t-elle ? Pourquoi l'utilise-t-elle ?
2. Quels sentiments et quelles valeurs sont mis en avant par les personnages ? En quoi s'opposent-ils ?
3. Que vient chercher Rodrigue dans cette scène ? L'obtient-il ? Quel sort Chimène se réserve-t-elle ? Quel type de dénouement se profile ?

Un duo lyrique

4. Repérez les hyperboles qui qualifient les sentiments des personnages. Quel signe de ponctuation souligne à plusieurs reprises l'intensité de l'émotion ?
5. Relevez les parallélismes entre les répliques des deux amants. Observez la progression de ces échos, de l'opposition à l'harmonie.
6. Relevez le lexique de la plainte et du regret à la fin du passage. Quels sentiments cette scène suscite-t-elle chez le spectateur ?

VERS LE COMMENTAIRE

En vous servant du plan de lecture analyptique, rédigez une partie du commentaire de l'extrait 3.

Le Cid mis en scène par Thomas Le Douarec au théâtre Comedia en 2009, avec Olivier Benard dans le rôle de Rodrigue.

EXTRAIT 4 Le combat contre les Maures

Après son entrevue avec Chimène, Rodrigue apprend de son père, à la fin de l'acte III, que les Maures menacent la ville : il faut les combattre. À l'acte IV, on apprend la victoire de Rodrigue et son armée. Dans la scène 3, le roi félicite le héros et lui demande de raconter la bataille.

DON FERNAND, DON DIÈGUE, DON ARIAS, DON RODRIGUE, DON SANCHE.

DON RODRIGUE

Sous moi[1] donc cette troupe s'avance,
Et porte sur le front une mâle assurance.
Nous partîmes cinq cents ; mais par un prompt renfort
Nous nous vîmes trois mille en arrivant au port,
5 Tant, à nous voir marcher avec un tel visage,
Les plus épouvantés reprenaient leur courage !
J'en cache les deux tiers, aussitôt qu'arrivés,
Dans le fond des vaisseaux qui lors furent trouvés ;
Le reste, dont le nombre augmentait à toute heure,
10 Brûlant d'impatience autour de moi demeure,
Se couche contre terre, et sans faire aucun bruit,
Passe une bonne part d'une si belle nuit.
Par mon commandement la garde en fait de même,
Et se tenant cachée, aide à mon stratagème ;
15 Et je feins hardiment d'avoir reçu de vous
L'ordre qu'on me voit suivre et que je donne à tous.
Cette obscure clarté qui tombe des étoiles
Enfin avec le flux nous fait voir trente voiles ;
L'onde s'enfle dessous, et d'un commun effort
20 Les Maures et la mer montent jusques au port.
On les laisse passer ; tout leur paraît tranquille :
Point de soldats au port, point aux murs de la ville.
Notre profond silence abusant leurs esprits,
Ils n'osent plus douter de nous avoir surpris ;
25 Ils abordent sans peur, ils ancrent, ils descendent,
Et courent se livrer aux mains qui les attendent.
Nous nous levons alors, et tous en même temps
Poussons jusques au ciel mille cris éclatants.
Les nôtres, à ces cris, de nos vaisseaux répondent ;
30 Ils paraissent armés, les Maures se confondent[2],
L'épouvante les prend à demi descendus ;
Avant que de combattre ils s'estiment perdus.
Ils couraient au pillage, et rencontrent la guerre ;
Nous les pressons sur l'eau, nous les pressons sur terre,
35 Et nous faisons courir des ruisseaux de leur sang,
Avant qu'aucun résiste ou reprenne son rang. [...]
Ils gagnent leurs vaisseaux, ils en coupent les câbles,
Poussent jusques aux cieux des cris épouvantables,
Font retraite en tumulte, et sans considérer
40 Si leurs rois avec eux peuvent se retirer.

---

1. Sous moi : sous mes ordres.
2. Se confondent : s'affolent.

Pour souffrir[3] ce devoir leur frayeur est trop forte :
Le flux les apporta, le reflux les remporte,
Cependant que leurs rois, engagés parmi nous,
Et quelque peu des leurs, tous percés de nos coups,
45 Disputent vaillamment et vendent bien leur vie.
À se rendre moi-même en vain je les convie :
Le cimeterre[4] au poing ils ne m'écoutent pas ;
Mais voyant à leurs pieds tomber tous leurs soldats,
Et que seuls désormais en vain ils se défendent,
50 Ils demandent le chef ; je me nomme, ils se rendent.
Je vous les envoyai tous deux en même temps ;
Et le combat cessa faute de combattants.

PIERRE CORNEILLE, *Le Cid*, acte IV, scène 3, 1637 (texte revu en 1660).

3. **Souffrir** : supporter.
4. **Cimeterre** : sabre.

Le Cid dans une mise
en scène de Wissam Arbache
au théâtre de Gennevilliers en 2007.
Nazim Boudjenah est Rodrigue.

PREMIÈRE LECTURE

Quelle règle Corneille respecte-t-il en ne représentant pas la bataille sur la scène ?

LECTURE ANALYTIQUE

Un tableau vivant de la bataille
1. Quel est le temps majoritairement employé par Rodrigue ? Repérez les verbes d'action : y en a-t-il beaucoup ? Quel est l'effet recherché ?
2. Quels vers peignent le décor et l'atmosphère de la bataille ? Quelles notations de couleurs et de sons pouvez-vous trouver ? Quel est l'effet produit ?
3. Analysez la dimension poétique de ce récit en identifiant les figures de style et les jeux de sonorité des vers 17, 20, 22, 34 et 42.

Un récit épique
4. Quelles sont les différentes étapes de la bataille racontée par Rodrigue ? Comment rend-il son récit haletant ?
5. Relevez les figures de style qui amplifient le récit de la bataille et les actes de bravoure.
6. Comment sont répartis les pronoms de la première personne du singulier et du pluriel ? Qui apparaît de ce fait comme le véritable vainqueur de cette bataille ?

VERS LA DISSERTATION

Comparez le récit de Rodrigue à celui de Théramène racontant la mort d'Hippolyte dans *Phèdre* (voir page 86). Quelles sont selon vous les qualités respectives du héros cornélien et du héros racinien ? Quelles émotions chaque texte suscite-t-il ? Écrivez un paragraphe argumentatif dans lequel vous justifiez lequel de ces deux héros a votre préférence.

Georges de Scudéry, *Observations sur le Cid* (1637)
Nicolas Boileau, *Art poétique* (1674)

▶ *Le Cid* et la question des règles

TEXTE 1   Une critique du *Cid*

Georges de Scudéry (1601-1667) est le frère de Madeleine de Scudéry, auteur à succès de romans-fleuves influencés par la préciosité. Georges de Scudéry a d'ailleurs collaboré à ces romans, mais a également écrit des pièces de théâtre. Il est surtout connu pour sa critique du *Cid* de Corneille en 1637.

Et véritablement toutes ces belles actions que fit le Cid en plusieurs années sont tellement assemblées par force en cette pièce, pour la mettre dans les vingt-quatre heures, que les personnages y semblent des dieux de machine, qui tombent du Ciel en terre : car enfin, dans le court espace d'un jour naturel, on élit un Gouverneur
5   au Prince de Castille ; il se fait une querelle et un combat entre Don Diègue et le Comte, un autre combat de Rodrigue et du Comte, un autre de Rodrigue contre les Maures ; un autre contre Don Sanche ; et le mariage se conclut entre Rodrigue et Chimène : je vous laisse à juger, si ne voilà pas un jour bien employé, et si l'on n'aurait pas grand tort d'accuser tous ces personnages de paresse ? [...]
10   C'est pourquoi j'ajoute [...] qu'il est vrai que Chimène épousa le Cid, mais qu'il n'est point vraisemblable qu'une fille d'honneur épouse le meurtrier de son père. Cet événement était bon pour l'historien, mais il ne valait rien pour le poète ; et je ne crois pas qu'il suffise de donner des répugnances à Chimène ; de faire combattre le devoir contre l'amour ; de lui mettre en la bouche mille antithèses sur ce sujet ;
15   ni de faire intervenir l'autorité d'un Roi ; car enfin, tout cela n'empêche pas qu'elle ne se rende parricide, en se résolvant d'épouser le meurtrier de son père.

GEORGES DE SCUDÉRY, *Observations sur le Cid*, 1637.

TEXTE 2   Règles et principes de la tragédie classique

Nicolas Boileau (1636-1711), auteur de satires et d'épîtres, fait dans son *Art poétique* la synthèse de la doctrine classique déjà illustrée par de nombreux auteurs comme Corneille, Racine ou Malherbe. Dans le chant III, il énonce les règles de la tragédie classique.

Le secret est d'abord de plaire et de toucher :
Inventez des ressorts[1] qui puissent m'attacher.
            Que dès les premiers vers, l'action préparée
Sans peine du sujet aplanisse l'entrée[2]. [...]
5   Nous voulons qu'avec art l'action se ménage ;
Qu'en un lieu, qu'en un jour, un seul fait accompli
Tienne jusqu'à la fin le théâtre rempli.
            Jamais au spectateur n'offrez rien d'incroyable.
Le vrai peut quelquefois n'être pas vraisemblable.

10 Une merveille absurde est pour moi sans appas :
L'esprit n'est point ému de ce qu'il ne croit pas.
        Ce qu'on ne doit point voir, qu'un récit nous l'expose ;
Les yeux, en le voyant, saisiraient mieux la chose.
Mais il est des objets que l'art judicieux
Doit offrir à l'oreille et reculer des yeux.

NICOLAS BOILEAU, *Art poétique*, chant III, 1674.

―――――――
1. **Ressorts** : les péripéties de l'intrigue.
2. **Sans peine du sujet aplanisse l'entrée** : que la présentation de l'action, dès les premiers vers, facilite la compréhension de l'intrigue.

QUESTIONS

1. Lisez d'abord le texte de Boileau et dégagez les différents principes ou règles que doit respecter une tragédie classique.

2. À quelle règle se réfère chacun des extraits de Scudéry ? Pour chaque extrait, reformulez en une phrase la critique que Scudéry adresse à la pièce de Corneille.

Une représentation théâtrale à Versailles. Gravure du XVIIᵉ siècle.

ACTIVITÉ TICE
LES RÈGLES DE LA TRAGÉDIE CLASSIQUE

Présentez, sous la forme d'une carte heuristique, les règles de la tragédie formulées par Nicolas Boileau dans son *Art poétique*.

Téléchargez la fiche élève n° 05 « Les règles de la tragédie classique » sur le site du manuel.

à retenir

Le Cid a certes suscité des critiques lors de sa parution, parce que la pièce, avec son sujet romanesque, ses unités assez lâches et certaines entorses à la bienséance, n'était pas encore tout à fait une tragédie « classique ». Mais les éloges ont été bien plus nombreux que les réticences. Ce qui a séduit le public, ce sont les nobles qualités de Chimène et de Rodrigue, qui vont désormais définir l'héroïsme cornélien (tel qu'on le retrouve par exemple dans *Horace, Cinna,* ou encore *Polyeucte*). Le personnage, de haut rang, se voit confronté à une situation d'exception où il doit choisir entre deux valeurs opposées (le plus souvent l'honneur et l'amour). Face à ce dilemme, le héros, après une longue délibération, préfère la voie du devoir à celle du cœur. Il fait preuve de ce sens moral, de cette générosité et de cet orgueil qu'admire l'aristocratie du XVIIᵉ siècle. Et bien souvent, la gloire que le héros acquiert ainsi lui permet de préserver l'amour : Chimène, loin de reprocher à Rodrigue d'avoir vengé l'honneur de son père, l'en admire et l'en aime plus encore. C'est pourquoi le dénouement des tragédies de Corneille est souvent heureux : il témoigne de la foi que Corneille a en l'homme.

Analyse de mises en scène
Le rôle de l'accessoire dans *Le Cid*

Mise en scène de Bénédicte Budan au théâtre
Silvia Monfort en 2009. Camille Cottin est Chimène,
Antoine Cegarra, Rodrigue.

Mise en scène de Thomas Le Douarec au théâtre
Comedia à Paris en 2009. Olivier Benard interprète
Rodrigue et Clio Van de Walle, Chimène.

Mise en scène de Jean Vilar en 1954 au Théâtre National
de Chaillot avec Silvia Monfort et Gérard Philipe.

QUESTIONS

1. Décrivez la position et l'expression des visages des deux personnages sur chacune des photographies : que traduisent-elles ?

2. Qui tient l'épée dans les différentes photos ?

3. Qu'exprime le geste de ce personnage dans chaque cas ?

La querelle du *Cid*

Le Cid illustré par J.-M. Moreau en 1637.

LES CONSÉQUENCES D'UN SUCCÈS

La première représentation du *Cid* a lieu en janvier 1637 au Théâtre du Marais et le succès est immédiat : tout Paris récite Corneille et l'expression « Cela est beau comme *Le Cid* » devient proverbiale. Mais ce succès retentissant agace et attise les jalousies. Des confrères attaquent la pièce : on reproche en particulier à son auteur d'avoir plagié *Les Enfances du Cid*, pièce de l'auteur espagnol Guillén de Castro. En avril 1637, l'écrivain Georges de Scudéry entre dans le débat et publie un véritable réquisitoire contre *Le Cid*.

Corneille réagit en écrivant une *Lettre apologétique* (une lettre de défense), dans laquelle il affirme que le succès de sa pièce le dispense de toute justification.

LES REPROCHES FAITS À LA PIÈCE

Les arguments des détracteurs de la pièce sont variés :
– la pièce ne respecte pas l'unité d'action : l'intrigue mettant en scène l'infante est trop éloignée de l'intrigue principale entre Rodrigue et Chimène ;
– l'unité de lieu n'est pas respectée : on peut citer la place publique devant le palais royal, ou la maison de Chimène parmi les différents lieux où se déroule l'action ;
– l'unité de temps est respectée, mais pas la règle de vraisemblance : en vingt-quatre heures ont lieu deux duels, une bataille et un procès ;
– le sujet même de la pièce est jugé invraisemblable par Georges de Scudéry : il est peu concevable et malséant qu'une fille épouse le meurtrier de son père ;
– le sous-titre « tragi-comédie » serait inapproprié : la noblesse des personnages correspond plus à la tragédie qu'à la tragi-comédie.
En octobre 1637, Richelieu demande à l'Académie française d'examiner la pièce et d'arbitrer le débat. L'Académie a été fondée par Richelieu en 1635 et a depuis pour mission de fixer les règles de la langue française et d'encourager les arts littéraires. En décembre 1637, l'Académie rend un verdict mitigé, se montrant tantôt favorable à Pierre Corneille, donnant tantôt raison aux critiques.

PHILIPPE DE CHAMPAIGNE, *Le Cardinal de Richelieu*.

LES PROLONGEMENTS DE LA QUERELLE

En 1648, Pierre Corneille propose une nouvelle édition du *Cid*, qu'il qualifie de « tragédie », et qu'il fait précéder d'un avertissement où il démontre que les critiques de l'Académie ne sont pas fondées. Il modifie certains passages du premier acte afin de se rapprocher de la tragédie et de s'éloigner de la tragi-comédie. Enfin, en 1660, dernier épisode de la bataille, Pierre Corneille publie un *Examen du Cid* où il concède qu'il a pris certaines libertés vis-à-vis des règles, mais où il réaffirme aussi que le plus important est de plaire : « Bien que ce soit celui de tous mes ouvrages réguliers où je me suis permis le plus de licence, il passe encore pour le plus beau auprès de ceux qui ne s'attachent pas à la dernière sévérité des règles. »

LE LEXIQUE DE LA TRAGÉDIE CLASSIQUE

La tragédie classique emploie un vocabulaire soutenu ; certains termes sont récurrents et ont au XVIIe siècle un sens différent de celui d'aujourd'hui, un sens souvent plus fort.

1. Le lexique de l'honneur chez Corneille

Cœur : courage, énergie morale. « Rodrigue, as-tu du cœur ? »

Siège du sentiment d'amour et des autres passions. « Percé jusques au fond du cœur ».

Devoir : obligation morale. « Mais malgré la rigueur d'un si cruel devoir ».

Généreux : capable des sentiments purs et élevés qui conviennent à une race noble. « mon âme généreuse ».

Gloire : haute idée que l'on a de soi-même. Rodrigue ne veut pas voir sa « gloire ternie ».

Honneur : sentiment qui fait que l'on veut conserver la considération de soi-même et des autres. Don Diègue veut que Rodrigue « venge » son « honneur » et « répare [sa] honte ».

Vengeance : réparation d'une « offense ». L'« offenseur » est le père de Chimène, l'« offensé » est Don Diègue ; « Plus l'offenseur est grand et plus grande est l'offense. »

Infâme : insupportable et contraire à l'honneur : « Mais qui peut vivre infâme est indigne du jour ».

Sang : Le sang signifie la famille. « viens mon fils, viens mon sang » ; on doit soutenir son honneur. C'est aussi le sang répandu : « Et nous faisons courir des ruisseaux de leur sang. »

2. Le lexique des sentiments et des passions chez Corneille

Courroux : vive colère. « Je reconnais mon sang à ce noble courroux ».

Ennui : tristesse profonde, tourment.

Envie : jalousie. « Et je veux que la voix de la plus noire envie / Élève au ciel ma gloire et plaigne mes ennuis. »

Flamme : sentiment amoureux ; on trouve aussi le mot « feux ». Rodrigue craint de « trahir [sa] flamme ».

Maîtresse : femme aimée (on trouve aussi en ce sens « amant / amante »), sans idée de contact charnel. « Je dois à ma maîtresse aussi bien qu'à mon père » ; « Ton malheureux amant ».

Querelle : dispute, différend. « Misérable vengeur d'une juste querelle ».

Souffrir : supporter ; « j'ai souffert ta présence ».

Triste : qui cause ou exprime une affliction mortelle : « réduit au triste choix » ; « Que je meure au combat ou meure de tristesse ».

EXERCICE

a. Relevez dans la tirade de Chimène le lexique de l'honneur.

b. Quels vers utilisent le lexique amoureux et renvoient au sentiment éprouvé par les jeunes gens ?

Ton honneur t'est plus cher que je ne te suis chère,
Puisqu'il trempe tes mains dans le sang de mon père,
Et te fit renoncer malgré ta passion,
À l'espoir le plus doux de ma possession :
5 Je t'en vois cependant faire si peu de compte,
Que sans rendre combat tu veux qu'on te surmonte.
Quelle inégalité ravale ta vertu ?
Pourquoi ne l'as-tu plus ? ou pourquoi l'avais-tu ?
Quoi ? n'es-tu généreux que pour me faire outrage ?
10 S'il ne faut m'offenser n'as-tu point de courage ?
Et traites-tu mon père avec tant de rigueur
Qu'après l'avoir vaincu tu souffres un vainqueur ?
Non sans vouloir mourir, laisse-moi te poursuivre,
Et défends ton honneur si tu ne veux plus vivre.

PIERRE CORNEILLE, *Le Cid*, acte V, scène 1,
(texte revu en 1660) 1637.

Chimène

EXERCICES SUPPLÉMENTAIRES
À retrouver sur le site du manuel.

▶ LA TRAGÉDIE CLASSIQUE

Le pouvoir des femmes dans les tragédies de Corneille

Pierre Corneille, *Médée* (1635)

PIERRE CORNEILLE
(1606-1684)
NOTICE BIOGRAPHIQUE, P. 466

Un monologue vengeur

💿 TEXTE 1

Corneille s'est inspiré des tragédies du Grec Euripide et surtout du Latin Sénèque pour mettre en scène l'un des personnages les plus fascinants de la mythologie : la magicienne Médée. Fille du roi de Colchide, elle aide Jason, dont elle est amoureuse, à conquérir la Toison d'or et s'enfuit avec lui à Corinthe. Là règne Créon qui souhaite faire de Jason son successeur en lui donnant sa fille Créuse pour épouse. La pièce de Corneille commence alors que Jason a accepté la proposition de Créon et répudié Médée, pourtant mère de ses enfants. L'extrait suivant constitue la première apparition de la magicienne.

MÉDÉE, seule.

Jason me répudie ! et qui l'aurait pu croire ?
S'il a manqué d'amour, manque-t-il de mémoire ?
Me peut-il bien quitter après tant de bienfaits ?
M'ose-t-il bien quitter après tant de forfaits ?
5 Sachant ce que je puis, ayant vu ce que j'ose,
Croit-il que m'offenser ce soit si peu de chose ?
Quoi ? mon père trahi[1], les éléments forcés,
D'un frère dans la mer les membres dispersés[2],
Lui font-ils présumer mon audace épuisée ?
10 Lui font-ils présumer qu'à mon tour méprisée,
Ma rage contre lui n'ait par où s'assouvir,
Et que tout mon pouvoir se borne à le servir ?
Tu t'abuses, Jason, je suis encor moi-même,
Tout ce qu'en ta faveur fit mon amour extrême,
15 Je le ferai par haine, et je veux pour le moins
Qu'un forfait[3] nous sépare, ainsi qu'il nous a joints ;
Que mon sanglant divorce, en meurtres, en carnage,
S'égale aux premiers jours de notre mariage,
Et que notre union que rompt ton changement
20 Trouve une fin pareille à son commencement.
Déchirer par morceaux l'enfant aux yeux du père
N'est que le moindre effet qui suivra ma colère.
Des crimes si légers furent mes coups d'essai,
Il faut bien autrement montrer ce que je sai[4],
25 Il faut faire un chef-d'œuvre, et qu'un dernier ouvrage
Surpasse de bien loin ce faible apprentissage.

PIERRE CORNEILLE, Médée, acte I, scène 3, 1635.

1. Mon père trahi : Éétès, roi de Colchide. C'est lui qui a posé les conditions de la conquête de la Toison d'or. Médée l'a « trahi » en mettant ses pouvoirs magiques au service de Jason.

2. Pour retarder la poursuite lancée par Éétès, Jason et Médée égorgent et dépècent Absyrthe, le frère de Médée.

3. Un forfait : une faute, un crime.

Sai : forme conforme à l'étymologie et qui crée une « rime pour l'œil » avec « essai ».

PREMIÈRE LECTURE

a. Quelle impression vous fait le personnage de Médée dans cet extrait ?
b. À quel moment de la tragédie intervient ce discours ? Quel est donc son rôle ?

LECTURE ANALYTIQUE

L'expression d'une frénésie criminelle

1. Dans quel état se trouve Médée ? Observez la ponctuation et les figures d'insistance.
2. Repérez les termes qu'elle emploie elle-même pour le qualifier.
3. En étudiant les temps verbaux et les adresses au destinataire, distinguez les deux grands moments de ce monologue. Donnez un titre à chacun d'eux.
4. Quel champ lexical est associé aux actions de Médée ? Que traduit-il ?

La tragédie en marche

5. Quelle figure de style exprime le passage de l'amour à la haine chez Médée ? Relevez plusieurs exemples.
6. Comment est exprimée la démesure du personnage ? Relevez le vocabulaire et la figure de style qui la traduisent. De quelles actions particulièrement impressionnantes Médée est-elle capable ?
7. Médée n'annonce pas explicitement en quoi va consister sa vengeance : quel mot s'y substitue ? En quoi est-ce inquiétant ?

RECHERCHE

Retracez l'histoire de Jason et Médée et expliquez en quoi va consister la vengeance de la magicienne.

TEXTE COMPLÉMENTAIRE

Max Rouquette, *Médée* (2003)
Une mère meurtrière en proie au doute

Médée de Max Rouquette.

Max Rouquette (1908-2005) est un écrivain du sud de la France qui a écrit toute son œuvre (poésie, théâtre, récit) en langue occitane. Sa pièce *Médée* reprend la tradition antique d'alternance entre passages chantés (des psaumes ici) et passages dialogués. À la scène XIII, Médée a commencé sa vengeance contre Jason en s'en prenant à Créuse et affirme sa personnalité effrayante, capable de tuer ses enfants.

MÉDÉE, LA VIEILLE.

MÉDÉE. – [...] Maintenant je suis Médée. Je ne sais de l'herbe que le poison. Je ne sais du monde que le venin.

Et maintenant voici que je regarde mes
5 enfants avec des yeux qui ne sont plus ceux d'une mère. Et je peux me reconnaître.

Tu irais t'attendrir à l'instant d'atteindre à la plus haute vengeance... t'abandonner à l'instinct de la bête qui a mis bas ?

10 Parce qu'au ventre tu reçus la semence de Jason, irais-tu l'adorer comme jaillie du rut d'un demi-dieu ? *(Un silence)*

Ils ne savent pas, les enfants, qui est Médée. Ils ne voient le monde qu'à travers moi. Ils se reposent en moi des soucis du monde, et leur sourire, au matin,
15 leurs mains sur mon visage, sont la confiance qu'ils accordent à la terre entière, à demain, aux bêtes sauvages, aux éléments, aux hommes cruels, à la nuit, au désert.

Ils ont mis en moi leur confiance et je les trahirais... La chair de ma chair, l'espérance de mes matins.

20 Oh ! pourquoi devoir toujours choisir ? Quand je n'ai pour les regarder que le temps d'un soleil à un autre soleil, quand on me chasse comme une chienne dont on garde les petits, faute du courage de les noyer.

Quand je n'ai plus qu'à hurler à la lune, sur mes enfants arrachés à mes bras, et qu'il aura, lui, la vie entière pour se consoler de sa reine morte et de son veuvage sans
25 nuit de noces.

Il leur faut mourir, pauvres petits loups, écartelés entre père et mère, poisseux de sang, dès le berceau.

Car moins innocents que mon frère[1], ils sont de la race de Jason : voilà le péché. Ferme les yeux, Médée, à toute autre pensée.

MAX ROUQUETTE, *Médée*, scène XIII, 2003.

───────────

1. Médée a tué et dépecé son frère pour ralentir la poursuite lancée par son père contre Jason et elle, après l'épisode de la Toison d'or.

───

QUESTIONS

1. Relevez toutes les références au comportement animal. Comment Médée s'en sert-elle pour justifier ce qu'elle s'apprête à faire ?

2. Comment comprenez-vous la première phrase ? Quel lien pouvez-vous y voir avec la résolution de tuer ses enfants ?

3. Relisez les quatre dernières lignes. En quoi sont-elles en opposition avec le début du texte ?

4. Quelle image de Médée ce texte propose-t-il ?

Médée de Max Rouquette, mise en scène par Jean-Louis Martinelli, Théâtre des Amandiers, 2003.

Histoire des Arts

Médée vue par Delacroix

Pour un peintre romantique, Médée est un morceau de choix. Rien d'étonnant à ce que Delacroix l'ait beaucoup étudiée, avec cette toile mais aussi une trentaine de dessins. L'histoire de cette héroïne tragique a de quoi faire frémir : sa passion dévorante pour Jason, sa répudiation puis le meurtre de leurs enfants sont autant de sujets parfaits pour exalter les sentiments, thème préféré des romantiques. Delacroix s'est inspiré des nombreuses adaptations théâtrales du drame. Mais à la différence de Corneille, le peintre laisse planer le doute sur la folie meurtrière de son héroïne. Essaie-t-elle de fuir pour protéger ses enfants ou s'écarte-t-elle pour les tuer ?

Tout dans la toile révèle une telle ambiguïté. Elle étreint ses enfants, mais à tel point qu'elle n'est pas loin de les étouffer. Elle les enlace avec l'un de ses bras, mais tient dans l'autre main sa dague avec fermeté. Même le visage de Médée porte cette ambivalence, à moitié dans la lumière, à moitié dans l'ombre. Le peintre romantique sculpte la mère et ses deux enfants en un groupe compact, comme s'il voulait mieux les rendre inséparables malgré la tragédie qui les rattrape.

QUESTIONS

1. Comment Médée est-elle vêtue ? Proposez une interprétation de ce choix.

2. Vous semble-t-il que ce tableau est plus proche de la Médée de Corneille ou de celle de Max Rouquette ? Justifiez votre réponse par une analyse précise.

EUGÈNE DELACROIX, *Médée furieuse*, huile sur toile (H. 122,5 cm x L. 84,5 cm), 1838. Palais des Beaux-Arts de Lille.

Pierre Corneille, *Horace* (1640)

PIERRE CORNEILLE
(1606-1684)
NOTICE BIOGRAPHIQUE, P. 466

La révolte d'une sœur

TEXTE 2

L'action se déroule à Rome, sous le règne de Tulle (Tullus Hostilius), roi légendaire du VIIᵉ siècle avant J.-C. Horace le Romain et Curiace l'Albain sont doublement liés : ils sont à la fois amis et amoureux tous deux de la sœur de l'autre, respectivement Sabine et Camille. Mais la rivalité entre Rome et Albe s'intensifie : pour éviter trop de pertes humaines, il est décidé que des champions des deux cités s'affronteront. Ce sont les deux amis et leurs frères qui sont choisis : les trois Horaces vont devoir se battre à mort contre les trois Curiaces ! Après bien des péripéties, c'est l'un des Horaces qui triomphe de ses ennemis et qui donne ainsi la victoire à Rome. Camille revoit ici son frère pour la première fois depuis son succès.

HORACE, CAMILLE, PROCULE[1].

CAMILLE

Donne-moi donc, barbare, un cœur comme le tien,
Et si tu veux enfin que je t'ouvre mon âme,
Rends-moi mon Curiace, ou laisse agir ma flamme,
Ma joie et mes douleurs dépendaient de son sort,
5   Je l'adorais vivant, et je le pleure mort.
Ne cherche plus ta sœur où tu l'avais laissée,
Tu ne revois en moi qu'une amante offensée,
Qui comme une Furie[2] attachée à tes pas
Te veut incessamment reprocher son trépas.
10   Tigre altéré de sang, qui me défends les larmes,
Qui veux que dans sa mort je trouve encor des charmes,
Et que jusques au Ciel élevant tes exploits,
Moi-même je le tue une seconde fois !
Puissent tant de malheurs accompagner ta vie
15   Que tu tombes au point de me porter envie[3],
Et toi[4], bientôt souiller par quelque lâcheté
Cette gloire si chère à ta brutalité.

HORACE

Ô ciel ! qui vit jamais une pareille rage !
Crois-tu donc que je sois insensible à l'outrage,
20   Que je souffre en mon sang ce mortel déshonneur ?
Aime, aime cette mort qui fait notre bonheur,
Et préfère du moins au souvenir d'un homme
Ce que doit ta naissance aux intérêts de Rome.

CAMILLE

Rome, l'unique objet de mon ressentiment !
25   Rome, à qui vient ton bras d'immoler[5] mon amant !
Rome, qui t'a vu naître, et que ton cœur adore !
Rome, enfin que je hais parce qu'elle t'honore !
Puissent tous ses voisins ensemble conjurés
Saper ses fondements encor mal assurés !
30   Et si ce n'est assez de toute l'Italie,

---

1. **Procule**, soldat romain, ne parle pas dans cette scène mais une didascalie initiale indique qu'il « *porte en sa main les trois épées des Curiaces* ».
2. **Furies :** dans la mythologie, les furies étaient les divinités de la vengeance.
3. **Au point de me porter envie :** au point que mon sort à moi te paraisse préférable.
4. **Et toi :** et puisses-tu.
5. **Immoler :** ici, sacrifier.

Pierre Corneille, *Cinna* (1641)

PIERRE CORNEILLE
(1606-1684)
NOTICE BIOGRAPHIQUE, P. 466

Une femme contre un tyran

TEXTE 3

Cinna ou la Clémence d'Auguste fut le plus grand succès de Corneille. Cette tragédie à fin heureuse a pour sujet la question du tyrannicide. Auguste a fait assassiner, du temps où il n'était pas encore empereur et s'appelait Octave, son tuteur Toranius. Parvenu au pouvoir, il est pris de remords et voue une affection presque paternelle à la fille de Toranius, Émilie. Mais celle-ci s'est jurée de venger la mort de son père et organise une conspiration. Amoureuse de Cinna, elle a promis de l'épouser s'il tuait Auguste. C'est ce qu'elle explique à sa confidente Fulvie.

ÉMILIE

Joignons à la douceur de venger nos parents
La gloire qu'on remporte à punir les Tyrans,
Et faisons publier par toute l'Italie,
« La liberté de Rome est l'œuvre d'Émilie :
5 On a touché son âme, et son cœur s'est épris ;
Mais elle n'a donné son amour qu'à ce prix. »

FULVIE

Votre amour à ce prix n'est qu'un présent funeste
Qui porte à votre amant sa perte manifeste.
Pensez mieux, Émilie, à quoi vous l'exposez,
10 Combien à cet écueil[1] se sont déjà brisés,
Ne vous aveuglez point, quand sa mort est visible.

ÉMILIE

Ah ! tu sais me frapper par où je suis sensible.
Quand je songe aux dangers que je lui fais courir,
La crainte de sa mort me fait déjà mourir,
15 Mon esprit en désordre à soi-même s'oppose ;
Je veux, et ne veux pas, je m'emporte et je n'ose,
Et mon devoir confus, languissant, étonné[2],
Cède aux rébellions de mon cœur mutiné[3].
Tout beau, ma passion, deviens un peu moins forte,

1. **Écueil** : au sens premier, rocher contre lequel un navire peut s'échouer. Par extension, piège, danger.
2. **Étonné** : troublé par une violente émotion.
3. **Mutiné** : révolté.

Silvia Monfort et Jean Vilar dans *Cinna*. Mise en scène au T.N.P. en 1954.

20 Tu vois bien des hasards[4], ils sont grands, mais n'importe,
   Cinna n'est pas perdu pour être hasardé.
   De quelques légions qu'Auguste soit gardé,
   Quelque soin qu'il se donne et quelque ordre qu'il tienne,
   Qui méprise sa vie est maître de la sienne[5] ;
25 Plus le péril est grand, plus doux en est le fruit,
   La vertu nous y jette, et la gloire le suit.
   Quoi qu'il en soit, qu'Auguste ou que Cinna périsse,
   Aux Mânes[6] paternels je dois ce sacrifice,
   Cinna me l'a promis en recevant ma foi[7] ;
30 Et ce coup seul aussi le rend digne de moi.
   Il est tard après tout de m'en vouloir dédire,
   Aujourd'hui l'on s'assemble, aujourd'hui l'on conspire,
   L'heure, le lieu, le bras se choisit[8] aujourd'hui,
   Et c'est à faire enfin à mourir après lui[9].

PIERRE CORNEILLE, *Cinna*, acte I, scène 2, 1641.

---

4. Des hasards : des risques, des dangers.
5. Celui qui n'a pas peur de mourir est maître de la vie de son ennemi.
6. Mânes : âmes des morts.
7. Ma foi : ma promesse de mariage.
8. Comme en latin, l'accord, à l'époque classique, peut ne se faire qu'avec le dernier élément.
9. Et il me reste enfin à me préparer à mourir après lui.

PREMIÈRE LECTURE

Quel rôle joue Fulvie dans cette scène ?

LECTURE ANALYTIQUE

Une délibération

1. Repérez les différentes étapes de ce dialogue selon les variations de la volonté d'Émilie (entre doute et assurance). Quelle décision prend-elle finalement ?
2. Dans sa tirade, Émilie personnifie différents éléments. Lesquels ? De quel conflit est-ce le signe ?

La victoire de l'orgueil et du devoir

3. Quels enjeux politiques et moraux justifient le meurtre d'Auguste ? Que sacrifie Émilie à ces intérêts ?

4. Certains vers d'Émilie résonnent comme des maximes ou des sentences. Lesquels ? Sur quel ton Émilie peut-elle prononcer ces affirmations ?
5. Quels vers trahissent l'orgueil d'Émilie ? Commentez en particulier la formulation des vers 4 à 6.

VERS LA DISSERTATION

Paul Bénichou, dans son essai *Morales du Grand Siècle* (1948), traduit ainsi la pensée de Corneille sur la tragédie : « L'amour ne doit pas avoir la première place et tout conduire dans une tragédie. » Votre lecture des textes du corpus et plus généralement des tragédies de Corneille confirme-t-elle ce point de vue ?
Trouvez deux arguments qui l'illustrent avant d'en trouver deux autres qui permettent de nuancer.

à retenir

Les personnages féminins chez Corneille jouent un rôle déterminant dans la tragédie. Ce sont Médée ou Émilie, par exemple, qui lancent l'action des pièces, tandis que Camille oblige son frère à un coup de théâtre tragique. Ensuite parce qu'elles possèdent une force de caractère hors du commun, qui leur permet ou bien de résister à l'oppression (Camille), ou de sacrifier leur passion à l'enjeu politique (Émilie), ou encore d'accomplir des actes inhumains (Médée). Enfin, parce que certaines sont habitées par l'ambition politique (Émilie) quand d'autres se montrent capables de défier les plus grands héros (Médée et Camille). Par là, les héroïnes cornéliennes s'avèrent des modèles – ou des contre-modèles – de gloire féminine.

Pierre Corneille lisant une de ses pièces chez la marquise de Rambouillet, gravure de Philippoteaux, XIXᵉ siècle.

La violence de l'amour dans les tragédies de Racine

Jean Racine, *Andromaque* (1667)

JEAN RACINE
(1639-1699)
NOTICE BIOGRAPHIQUE, P. 470

Hermione

---

1. **Transport** : émotion violente, due à la passion.
2. Sans même faire semblant d'être triste.
3. **Ennui** : tristesse profonde (le mot a un sens très fort au XVIIᵉ siècle).
4. **S'intéresse pour** : prend parti pour.
5. Ne changeons pas la décision que m'a fait prendre ma colère.
6. Il aurait dû le prévoir.

Un monologue désespéré

TEXTE 1

L'action se situe en Épire, au retour de la guerre de Troie. Pyrrhus, vainqueur avec les Grecs de la guerre contre Troie, a posé un ultimatum à Andromaque, sa captive troyenne : elle l'épousera ou elle perdra Astyanax, le fils qu'elle a eu du prince troyen Hector. Andromaque refuse et Pyrrhus promet alors sa main à Hermione, qui l'aime depuis toujours. Mais Andromaque change d'avis et Pyrrhus rompt avec Hermione. Celle-ci, folle de rage, demande alors à Oreste, épris d'elle, de la venger en tuant Pyrrhus. Au début de l'acte V, elle exprime son désespoir dans un monologue.

HERMIONE, *seule.*

Où suis-je ? Qu'ai-je fait ? Que dois-je faire encore ?
Quel transport[1] me saisit ? Quel chagrin me dévore ?
Errante, et sans dessein, je cours dans ce palais.
Ah ! ne puis-je savoir si j'aime, ou si je hais ?
5 Le cruel ! De quel œil il m'a congédiée !
Sans pitié, sans douleur, au moins étudiée[2].
L'ai-je vu se troubler et me plaindre un moment ?
En ai-je pu tirer un seul gémissement ?
Muet à mes soupirs, tranquille à mes alarmes,
10 Semblait-il seulement qu'il eût part à mes larmes ?
Et je le plains encore ? Et pour comble d'ennui[3]
Mon cœur, mon lâche cœur s'intéresse pour[4] lui ?
Je tremble au seul penser du coup qui le menace ?
Et prête à me venger je lui fais déjà grâce ?
15 Non, ne révoquons point l'arrêt de mon courroux[5].
Qu'il périsse. Aussi bien il ne vit plus pour nous.
Le perfide triomphe, et se rit de ma rage.
Il pense voir en pleurs dissiper cet orage.
Il croit que toujours faible et d'un cœur incertain,
20 Je parerai d'un bras les coups de l'autre main.
Il juge encor de moi par mes bontés passées.
Mais plutôt le perfide a bien d'autres pensées :
Triomphant dans le temple, il ne s'informe pas
Si l'on souhaite ailleurs sa vie, ou son trépas.
25 Il me laisse, l'ingrat ! cet embarras funeste.
Non, non, encore un coup, laissons agir Oreste.
Qu'il meure, puisqu'enfin il a dû[6] le prévoir,
Et puisqu'il m'a forcée enfin à le vouloir.

À le vouloir ? Hé quoi ? C'est donc moi qui l'ordonne ?
30 Sa mort sera l'effet de l'amour d'Hermione ?
Ce prince, dont mon cœur se faisait autrefois,
Avec tant de plaisir, redire les exploits,
À qui même en secret je m'étais destinée,
Avant qu'on eût conclu ce fatal hyménée[7],
35 Je n'ai donc traversé tant de mers, tant d'États,
Que pour venir si loin préparer son trépas,
L'assassiner, le perdre ? Ah ! devant qu'il expire[8]...

7. **Hyménée** : mariage.
8. Avant qu'il ne meure...

JEAN RACINE, *Andromaque*, acte V, scène 1, 1667.

PREMIÈRE LECTURE

Êtes-vous touché(e) par la douleur d'Hermione ? Justifiez votre réponse.

LECTURE ANALYTIQUE

Un monologue délibératif
1. Quels sont les deux sentiments principaux qu'éprouve Hermione ?
2. Quelle figure de style traduit son égarement dans les quatre premiers vers ?
3. Quels sont les différents arguments avancés par Hermione ? Montrez qu'ils s'opposent. Cette réflexion aboutit-elle à une résolution ? Justifiez votre réponse.

Un désespoir tragique
4. Comment la jalousie d'Hermione se manifeste-t-elle ? Analysez en particulier la ponctuation et la façon dont elle imagine les actions de Pyrrhus.

5. Qu'est-ce qui guide les pensées du personnage ? Ses réactions vous paraissent-elles nobles ? Justifiez votre réponse.

ORAL

a. Faites le décompte syllabique des vers 18 à 20 : dans quel cas prononcez-vous le « e » caduc (ou muet) et pourquoi ? Faites ensuite le décompte des syllabes du vers 30 : que remarquez-vous et comment s'appelle ce procédé ?
b. Entraînez-vous à réciter ce monologue à voix haute : respectez la longueur des vers, la ponctuation, et pensez à varier le ton en fonction des différentes émotions du personnage. Vous pouvez aussi imaginer les différents gestes et déplacements utiles à leur expression.

Jean Racine,
Britannicus (1669)

Un coup de foudre inquiétant

JEAN RACINE
(1639-1699)
NOTICE BIOGRAPHIQUE, P. 470

TEXTE 2

Britannicus est la première tragédie historique de Racine dont le cadre est emprunté à l'histoire romaine. Elle raconte les premières années du règne de Néron, au moment où le jeune empereur s'affranchit de la tutelle de sa mère, Agrippine, pour s'engager dans la voie de la tyrannie et du crime, aidé en cela par le perfide Narcisse. Au début de l'acte II, Néron a fait enlever Junie, la jeune fille dont Britannicus, son demi-frère, est amoureux. Néron veut ainsi empêcher le mariage que sa mère, Agrippine, a projeté pour les jeunes gens. Mais Narcisse s'étonne de voir l'empereur sombre et inquiet.

NÉRON, NARCISSE.

NÉRON

Narcisse, c'en est fait, Néron est amoureux.

Britannicus, mis en scène
par Brigitte Jacques Wajeman
au théâtre du Vieux Colombier,
à Paris, en 2005.

NARCISSE

Vous ?

NÉRON

Depuis un moment, mais pour toute ma vie,
J'aime, que dis-je, aimer ? j'idolâtre Junie !

NARCISSE

Vous l'aimez ?

NÉRON

Excité d'un désir curieux,
5 Cette nuit je l'ai vue arriver en ces lieux,
Triste, levant au Ciel ses yeux mouillés de larmes,
Qui brillaient au travers des flambeaux et des armes,
Belle, sans ornements, dans le simple appareil[1]
D'une Beauté qu'on vient d'arracher au sommeil.
10 Que veux-tu ? Je ne sais si cette négligence,
Les ombres, les flambeaux, les cris et le silence,
Et le farouche aspect de ses fiers[2] ravisseurs
Relevaient de ses yeux les timides douceurs.
Quoi qu'il en soit, ravi d'une si belle vue,
15 J'ai voulu lui parler et ma voix s'est perdue :
Immobile, saisi d'un long étonnement
Je l'ai laissé passer dans son appartement.
J'ai passé dans le mien. C'est là que solitaire
De son image en vain j'ai voulu me distraire.
20 Trop présente à mes yeux je croyais lui parler.
J'aimais jusqu'à ses pleurs que je faisais couler.
Quelquefois, mais trop tard, je lui demandais grâce ;
J'employais les soupirs, et même la menace.
Voilà comme occupé de mon nouvel amour
Mes yeux sans se fermer ont attendu le jour.

JEAN RACINE, *Britannicus*, acte II, scène 2, 1669.

---

1. **Dans le simple appareil** : peu vêtue.
2. **Fiers** : féroces.

PREMIÈRE LECTURE

Quel sentiment vous inspire le personnage de Néron
dans cet extrait ? Le comprenez-vous ?

LECTURE ANALYTIQUE

Le tableau d'un coup de foudre
1. Relevez le champ lexical de la vue. Qui regarde ?
Quelle évolution apparaît ?
2. Par quels signes physiques la fascination de Néron se
manifeste-t-elle ?
3. Observez les jeux d'opposition entre l'ombre et la
lumière. Comment s'appelle cette technique picturale ?
Quel est son effet dans cette scène ?

« Un monstre naissant »
4. À quoi voit-on, dans l'aveu de Néron au premier vers
et dans la réaction de Narcisse, que Néron connaît un
bouleversement profond ?
5. Analysez le mélange du lexique de la beauté et de la
douleur.
6. Qui souffre dans cet extrait ? Est-ce logique ?

VERS LE COMMENTAIRE

En vous aidant des questions et des axes de lecture
proposés, faites un plan détaillé du commentaire et
rédigez-en une partie.

Roland Barthes,
Fragments d'un discours amoureux (1977)
Le coup de foudre

Roland Barthes (1915-1980) est un critique français qui a publié plusieurs essais sur l'écriture et sur le langage. Dans *Fragments d'un discours amoureux* (1977), il fait le « portrait » de l'amoureux, à travers les mots qu'il emploie pour dire son sentiment.

RAVISSEMENT. Épisode réputé initial (mais il peut être reconstruit après coup) au cours duquel le sujet amoureux se trouve « ravi » (capturé et enchanté) par l'image de l'objet aimé (nom populaire : *coup de foudre* ; nom savant : *énamoration*).

1. La langue (le vocabulaire) a posé depuis longtemps l'équivalence de l'amour
5 et de la guerre : dans les deux cas, il s'agit de *conquérir*, de *ravir*, de *capturer*, etc. Chaque fois qu'un sujet « tombe » amoureux, il reconduit un peu du temps archaïque où les hommes devaient enlever les femmes (pour assurer l'exogamie[1]) : tout amoureux qui reçoit le coup de foudre a quelque chose d'une Sabine[2] (ou de n'importe laquelle des enlevées célèbres).
10 Cependant, curieux chassé-croisé : dans le mythe ancien, le ravisseur est actif, il veut saisir sa proie, il est sujet du rapt (dont l'objet est une femme, comme chacun sait, toujours passive) ; dans le mythe moderne (celui de l'amour-passion), c'est le contraire : le ravisseur ne veut rien, ne fait rien ; il est immobile (comme une image), et c'est l'objet ravi qui est le vrai sujet[3] du rapt.

ROLAND BARTHES, article « Ravissement »,
Fragments d'un discours amoureux, 1977.

---

1. Exogamie : mariage entre membres de clans différents.
2. Sabine : selon la légende, Romulus aurait fait enlever les Sabines pour peupler Rome.
3. Sujet : personnage agissant.

QUESTIONS

1. Quels sont les deux sens du mot « ravissement » pour Roland Barthes ?
2. Montrez que l'attitude de Néron, dans le texte 2, est conforme à la fois au « mythe ancien » et au « mythe moderne ».

LECTURE COMPLÉMENTAIRE

CAMUS, *Caligula*, 1944
Dans cette pièce, Camus dresse le portrait d'un autre empereur romain proche de la folie : Caligula.

Lisez cette tragédie moderne. En quoi Caligula est-il lui aussi une figure de la tyrannie et de la cruauté ? Montrez-le par trois exemples. Quel sens donne-t-il à ses actes ?

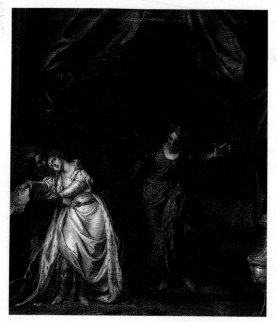
L'évanouissement d'Atalide,
illustration de Charles Antoine Coypel, 1672.

6. Chambre prochaine : chambre
   d'à côté.

ATALIDE

Quoi donc ? Qu'avez-vous résolu ?

ROXANE

D'obéir.

ATALIDE

20 D'obéir !

ROXANE

Et que faire en ce péril extrême ?
Il le faut.

ATALIDE

Quoi ! ce prince aimable… qui vous aime,
Verra finir ses jours qu'il vous a destinés !

ROXANE

Il le faut. Et déjà mes ordres sont donnés.

ATALIDE

Je me meurs.

ZATIME

Elle tombe, et ne vit plus qu'à peine.

ROXANE

25 Allez, conduisez-la dans la chambre prochaine⁶.
Mais au moins observez ses regards, ses discours,
Tout ce qui convaincra leurs perfides amours.

JEAN RACINE, *Bajazet*, acte IV, scène 3, 1672.

PREMIÈRE LECTURE

a. Comment peut-on qualifier l'attitude de Roxane dans
cet extrait ? Quel(s) sentiment(s) inspire Atalide ?
b. En quoi cette scène est-elle tragique ?

LECTURE ANALYTIQUE

Une scène de faux-semblants
1. Montrez que chaque femme dissimule quelque chose
à l'autre. Laquelle des deux en sait le plus et domine
l'échange ?
2. Comment sont révélés les véritables sentiments
d'Atalide ? Observez pour cela les arguments qu'elle
avance, l'aparté et son attitude à la fin du passage.

Un échange cruel et tragique
3. Par quels procédés Roxane cherche-t-elle à
impressionner Atalide ? Quel rôle la lettre joue-t-elle ?
Justifie-t-elle sa décision ?

VERS LA DISSERTATION

Qu'ils soient issus de l'Antiquité (mythologie grecque ou
histoire romaine), ou qu'ils viennent de pays lointains
(l'Orient), les personnages de Racine semblent différents
de nous. Pensez-vous que cet éloignement nous les rende
étrangers ?
Vous rédigerez un paragraphe argumenté.
a. Vous pourrez d'abord montrer que les personnages
raciniens sont en effet très éloignés de nous (par leur
origine, par leur statut social, par l'excès de leurs
passions, etc.).
b. Vous vous demanderez ensuite ce qui nous les rend
néanmoins proches (situations et sentiments universels,
humanité des réactions, émotions qu'ils provoquent chez
nous).

Jean Racine, *Iphigénie* (1674)

JEAN RACINE
(1639-1699)
NOTICE BIOGRAPHIQUE, P. 470

___

1. Ægine : femme de la suite de Clytemnestre.
2. Altéré : assoiffé.
3. Allusion aux amours d'Hélène, la femme du roi grec Ménélas, et de Pâris, prince troyen qui l'a enlevée.

Un plaidoyer déchirant

TEXTE 4

Agamemnon, roi grec, a décidé de partir pour la guerre de Troie. Mais sa flotte est bloquée au port, faute de vent. Le devin Calchas est consulté : les vents seront contraires jusqu'à ce que le roi sacrifie sa fille Iphigénie. Clytemnestre, la reine, ne peut accepter cette décision et met Agamemnon au défi de l'exécuter.

IPHIGÉNIE, AGAMEMNON, CLYTEMNESTRE, ÆGINE[1]

CLYTEMNESTRE

Un Oracle fatal ordonne qu'elle expire.
Un oracle dit-il tout ce qu'il semble dire ?
Le ciel, le juste ciel, par le meurtre honoré
Du sang de l'innocence est-il donc altéré[2] ?
5 Si du crime d'Hélène[3] on punit sa famille,
Faites chercher à Sparte Hermione sa fille.
Laissez à Ménélas racheter d'un tel prix
Sa coupable moitié, dont il est trop épris.
Mais vous, quelles fureurs vous rendent sa victime ?
10 Pourquoi vous imposer la peine de son crime ?
Pourquoi moi-même enfin me déchirant le flanc,
Payer sa folle amour du plus pur de mon sang ? [...]
Est-ce donc être père ? Ah ! toute ma raison
Cède à la cruauté de cette trahison.

Iphigénie, mise en scène de Yannis Kokkos à la Comédie-Française en 1991.

Iphigénie, dans la mise en scène de Yannis Kokkos,
à la Comédie-Française en 1991.

15 Un prêtre environné d'une foule cruelle,
Portera sur ma fille une main criminelle ?
Déchirera son sein ? Et d'un œil curieux,
Dans son cœur palpitant consultera les dieux ?
Et moi, qui l'amenai triomphante, adorée,
20 Je m'en retournerai, seule et désespérée !
Je verrai les chemins encor tout parfumés
Des fleurs, dont sous ses pas on les avait semés !
Non, je ne l'aurai point amenée au supplice,
Ou vous ferez aux Grecs un double sacrifice.
25 Ni crainte, ni respect ne m'en peut détacher.
De mes bras tout sanglants il faudra l'arracher.
Aussi barbare époux qu'impitoyable père,
Venez, si vous l'osez, la ravir à sa mère.
Et vous, rentrez, ma fille, et du moins à mes lois
Obéissez encor pour la dernière fois.

JEAN RACINE, *Iphigénie,* acte IV,
scène 4, 1674.

PREMIÈRE LECTURE

Qu'est-ce qui rend le discours de Clytemnestre aussi poignant ?

LECTURE ANALYTIQUE

La révolte d'une mère
1. Repérez les différentes questions rhétoriques dans cette tirade : qu'expriment-elles ?
2. Relevez les verbes à l'impératif présent : que révèlent-ils sur le caractère de Clytemnestre et sur sa relation avec son mari ?

Une défense qui fait appel à la raison et aux sentiments
3. Quels sont les différents arguments qu'oppose Clytemnestre à Agamemnon et quelles sont les trois personnes qu'elle accuse successivement ? Est-ce convaincant ? Pourquoi ?

4. Par quels procédés Clytemnestre cherche-t-elle à toucher son interlocuteur vers la fin de son discours ? Analysez en particulier le tableau du sacrifice qu'elle imagine, en repérant le lexique de la souffrance, les oppositions, les termes péjoratifs.
5. Quelle menace ultime rend la scène encore plus pathétique ?

ÉCRITURE D'INVENTION

Imaginez et écrivez en prose (une trentaine de lignes) la réplique argumentative qu'Iphigénie prononce à la suite de ce discours. Elle peut s'adresser à son père comme à sa mère et vous êtes libre d'imaginer sa réaction (elle accepte son sort ou se révolte).

à retenir

Les tragédies raciniennes ont pour héros des personnages animés de sentiments violents : amour, jalousie, haine… Le dramaturge met en effet en scène plusieurs situations dramatiques : la trahison de l'être aimé, le coup de foudre non partagé, la crainte de perdre un être cher. La passion a ici un caractère absolu, dans la mesure où elle ne touche pas que l'esprit, mais a aussi une emprise sur le corps : paralysie de Néron, évanouissement d'Atalide. Son expression est souvent hyperbolique, traduisant la cruauté (Néron, Roxane), le désespoir (Clytemnestre, Atalide), et même la folie (Hermione). Enfin, conséquence ultime, l'alternative pour les personnages est soit de torturer ou de tuer (Hermione, Néron ou Roxane), soit de mourir (Atalide et Clytemnestre).

Le classicisme

UN MOUVEMENT LITTÉRAIRE DE LA SECONDE MOITIÉ DU XVIIᵉ SIÈCLE

Le classicisme est un mouvement qui se développe en France dans la seconde moitié du XVIIᵉ siècle, sous le règne de Louis XIV. Il se caractérise par l'autorité de la raison, comprise comme le bon sens, ce qui pousse à bannir ce qui n'est pas vraisemblable. Ces impératifs de la raison et de la vraisemblance s'incarnent dans des règles strictes qui sont fixées dans des textes théoriques. Le classicisme voit naître la figure de « l'honnête homme » dont le comportement est fait de mesure et de retenue.

LA LANGUE ET L'IDÉAL CLASSIQUES

Le classicisme peut également être défini par son rapport à la langue française. Au XVIIᵉ siècle, cette langue s'impose face au latin chez les élites et les savants. Le classicisme forge alors notre langue moderne.

La langue classique doit être simple, claire et concise. Cette langue nouvelle permet aux auteurs du XVIIᵉ siècle de mieux exprimer leur idéal esthétique d'équilibre et de pureté.

Le poète François de Malherbe joue un rôle essentiel dans cette réflexion sur la langue française qu'il contribue à épurer, ce dont les écrivains de son époque lui ont été redevables.

L'idéal classique est d'abord celui des Anciens. L'imitation des auteurs antiques et le respect des règles de la *Poétique* d'Aristote sont un aspect essentiel du classicisme.

L'IMPORTANCE DU THÉÂTRE CLASSIQUE AU XVIIᵉ SIÈCLE

L'un des arts où l'esthétique classique a le plus d'influence est certainement le théâtre. Le XVIIᵉ siècle est l'âge d'or de ce genre littéraire, pour plusieurs raisons. Le cardinal de Richelieu, ministre de Louis XIII, encourage les dramaturges à développer leur art. Louis XIV fait vivre les auteurs de théâtre grâce à des pensions (subventions), et fait donner de nombreuses représentations à la Cour, dans lesquelles il joue parfois. Ces spectacles servent à divertir les courtisans et à mettre en scène la magnificence royale. Aller au théâtre est un rite social : on s'y rendait pour se montrer aux autres.

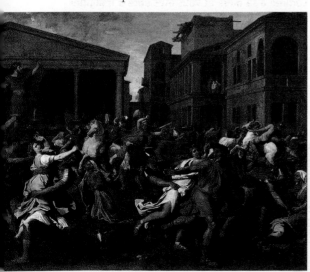

LE CLASSICISME DANS LES AUTRES ARTS

L'idéal esthétique du classicisme ne concerne pas seulement la littérature mais aussi la peinture, la sculpture ou l'architecture. La colonnade du Louvre, de l'architecte Perrault, témoigne de l'imitation de l'Antiquité et de la recherche de simplicité et d'harmonie qui caractérisent l'architecture classique.

En peinture, les tableaux de Georges de La Tour (1593-1652), annoncent la sensibilité classique. Nicolas Poussin (1594-1665) est le représentant majeur du classicisme pictural : il a peint des scènes antiques dans des compositions harmonieuses.

NICOLAS POUSSIN, *L'Enlèvement des Sabines*, vers 1633-1634.

LA LECTURE DE L'ALEXANDRIN CLASSIQUE

Les pièces classiques (les tragédies de Corneille et Racine, les comédies de Molière) sont souvent écrites en alexandrins. Il faut, comme l'acteur, être soucieux d'en maîtriser la diction pour en exprimer toute la portée.

1. La prononciation des syllabes de l'alexandrin

Chaque vers est formé de 12 syllabes prononcées de façon précise.

• **Prononciation du « e » :**

– Le « e » en fin de mot est prononcé comme une syllabe quand il est placé devant une consonne.

– Le « e » en fin de mot est muet (c'est-à-dire qu'on ne le prononce pas) quand il est placé devant une voyelle ou quand il est en fin de vers.

> **EXEMPLE**
> « Que mon sanglant divorc(e), en meurtres, en carnag(e)
> S'égal(e) aux premiers jours de notre mariag(e) » (Corneille, *Médée*)

• **La diérèse** est une suite de deux voyelles qui, pour les besoins du rythme, se prononce en deux syllabes. La diérèse a une fonction expressive : elle met en valeur le nom sur lequel elle porte.

> **EXEMPLE**
> « C'est trop, ma patience à la raison fait place ;
> Va dedans les enfers plaindre ton Curiace. » (Corneille, *Horace*)

2. Le rythme du vers : césures, rejets, contre rejets, enjambements

• **La césure.** Le vers de 12 syllabes est rythmé à l'intérieur par la ponctuation qui détermine les coupes ou césures, c'est-à-dire les moments où la voix marque une pause.

La césure la plus courante se trouve à l'**hémistiche** (ce mot signifie « la moitié du vers ») et crée un rythme régulier de 6 + 6 ; le premier hémistiche est souvent divisé en un rythme 3 + 3.

> **EXEMPLE** « Où suis-je ? // Qu'ai-je fait ? // Que dois-je faire encore ? » (Racine, *Andromaque*)

On obtient des variations de rythme par les rejets et enjambements.

• **Le rejet** est un élément bref d'une phrase qui est rejeté au début du vers suivant (il est ainsi mis en valeur).

> **EXEMPLE**
> « Je verrai les chemins encor tout parfumés
> Des fleurs, dont sous ses pas on les avait semés » (Racine, *Iphigénie*)

• **L'enjambement** est le débordement d'un membre de phrase d'un vers sur l'autre, sans mise en valeur d'un élément particulier.

> **EXEMPLE**
> « Est-ce donc être père ? Ah ! toute ma raison
> Cède à la cruauté de cette trahison » (Racine, *Iphigénie*)

EXERCICE Relisez la tirade de Clytemnestre (texte 4, p. 75).

a. Proposez trois exemples où le [e] en fin de mot est muet et trois exemples où le [e] en fin de mot doit être prononcé et expliquez pourquoi.

b. Dans les vers 15 à 20, repérez une diérèse et commentez-en la valeur expressive.

c. Établissez le rythme des trois derniers vers et commentez-le.

EXERCICES SUPPLÉMENTAIRES
À retrouver sur le site du manuel.

Phèdre (1677), une tragédie de la fatalité

JEAN RACINE
(1639-1699)
NOTICE BIOGRAPHIQUE, P. 470

----

1. **Tes bords dangereux** : Trézène, ville de Grèce, où Phèdre vient de revoir Hippolyte.
2. **Fils d'Égée** : Thésée, son mari, roi d'Athènes.
3. **Transir** : glacer.

Phèdre, mise en scène de Jacques Weber, avec Carole Bouquet dans le rôle de Phèdre et Farida Rahouadj dans le rôle d'Œnone.

🔘 **EXTRAIT 1 L'aveu d'une passion maudite**

Phèdre, fille de Minos, roi de Crète, et de Pasiphaé, fille du Soleil, a épousé Thésée. D'une précédente union avec la reine des Amazones, celui-ci a eu un fils, Hippolyte. Depuis le début de la pièce, Thésée a disparu et Phèdre souffre d'un mal mystérieux. Œnone, sa nourrice, cherche à comprendre ce qui lui arrive.

ŒNONE, PHÈDRE.

ŒNONE

Aimez-vous ?

PHÈDRE

De l'amour j'ai toutes les fureurs.

ŒNONE

Pour qui ?

PHÈDRE

Tu vas ouïr le comble des horreurs.

J'aime... à ce nom fatal, je tremble, je frissonne.
J'aime...

ŒNONE

Qui ?

PHÈDRE

Tu connais ce fils de l'Amazone,

5 Ce Prince si longtemps par moi-même opprimé.

ŒNONE

Hippolyte ? Grands dieux !

PHÈDRE

C'est toi qui l'as nommé !

ŒNONE

Juste ciel ! Tout mon sang dans mes veines se glace.
Ô désespoir ! Ô crime ! Ô déplorable race !
Voyage infortuné ! Rivage malheureux,
10 Fallait-il approcher de tes bords dangereux[1] ?

PHÈDRE

Mon mal vient de plus loin. À peine au fils d'Égée[2]
Sous les lois de l'hymen je m'étais engagée,
Mon repos, mon bonheur semblait être affermi,
Athènes me montra mon superbe ennemi.
15 Je le vis, je rougis, je pâlis à sa vue.
Un trouble s'éleva dans mon âme éperdue.
Mes yeux ne voyaient plus, je ne pouvais parler,
Je sentis tout mon corps et transir[3], et brûler.
Je reconnus Vénus, et ses feux redoutables,

20 D'un sang qu'elle poursuit[4] tourments inévitables.
Par des vœux assidus je crus les détourner,
Je lui bâtis un temple, et pris soin de l'orner.
De victimes moi-même à toute heure entourée,
Je cherchais dans leurs flancs[5] ma raison égarée.
25 D'un incurable amour remèdes impuissants !
En vain sur les autels ma main brûlait l'encens.
Quand ma bouche implorait le nom de la déesse,
J'adorais Hippolyte, et le voyant sans cesse,
Même au pied des autels que je faisais fumer,
30 J'offrais tout à ce dieu, que je n'osais nommer.
Je l'évitais partout. Ô comble de misère !
Mes yeux le retrouvaient dans les traits de son père.
Contre moi-même enfin j'osai me révolter.
J'excitai mon courage à le persécuter.
35 Pour bannir l'ennemi dont j'étais idolâtre,
J'affectai les chagrins d'une injuste marâtre[6],
Je pressai son exil, et mes cris éternels
L'arrachèrent du sein et des bras paternels.
Je respirais, Œnone ; et depuis son absence,
40 Mes jours moins agités coulaient dans l'innocence.
Soumise à mon époux, et cachant mes ennuis,
De son fatal hymen je cultivais les fruits[7].
Vaines précautions ! Cruelle destinée !
Par mon époux lui-même à Trézène amenée
45 J'ai revu l'ennemi que j'avais éloigné.
Ma blessure trop vive aussitôt a saigné.
Ce n'est plus une ardeur dans mes veines cachée ;
C'est Vénus tout entière à sa proie attachée.

JEAN RACINE, *Phèdre,* acte I, scène 3, 1677.

---

4. Vénus s'acharne contre la lignée du Soleil, coupable d'avoir dévoilé son amour adultère avec Mars (sur cette malédiction, voir aussi les vers 8 et 48).
5. Il s'agit des sacrifices pratiqués au temple en l'honneur de Vénus.
6. **Marâtre :** belle-mère.
7. **Les fruits :** les enfants qu'elle a eus avec Thésée.

ACTIVITÉ TICE
LE VOCABULAIRE DE LA SOUFFRANCE DANS LE THÉÂTRE RACINIEN

Découvrez des mots exprimant la souffrance liée à la passion amoureuse et réutilisez-les dans une grille de mots-croisés interactive de votre fabrication.

Téléchargez la fiche élève n° 06 « Le vocabulaire de la souffrance dans le théâtre racinien » sur le site du manuel.

Phèdre dans une mise en scène de Jean Rougerie,
au Carré Silvia Monfort en 1982.
Silvia Monfort interprète Phèdre et Maria Meriko, Œnone

Expliquez le désespoir de Phèdre.

LECTURE ANALYTIQUE

Le récit d'un coup de foudre
1. Qu'est-ce qui fait de ce récit un élément de l'exposition ?
2. Quels sont les trois moments évoqués par Phèdre dans son récit ? Dans quel état se trouve-t-elle chaque fois ?
3. Quels mots Phèdre emploie-t-elle pour désigner son amour et son amant ? Quels effets physiques ressent-elle ?

Un amour interdit et fatal
4. Comment Phèdre s'y prend-elle pour avouer son amour à sa nourrice des vers 1 à 6 ? Qu'est-ce que cela révèle ?
5. Relevez les mots associés à Vénus et le lexique de la religion. Quel est le rôle de la déesse ?

6. Recherchez l'étymologie du mot « passion » : en quoi ce terme s'applique-t-il au sentiment éprouvé par Phèdre ?

RECHERCHE

Faites un arbre généalogique où vous indiquerez qui sont la sœur, les parents et les grands-parents de Phèdre. Qu'est-il arrivé à Pasiphaé et à Ariane ? En vous aidant de la note 4, expliquez pourquoi Vénus semble s'acharner sur cette famille.

ORAL : LE VERS RACINIEN

a. Relisez les premiers vers de la tirade de Phèdre (vers 11 à 20). Quelle est la disposition des rimes ? Où devez-vous chaque fois placer la césure ? Dans quels vers devez-vous prononcer le « e » muet ? Lisez à présent ces mêmes vers à haute voix en marquant la césure et en respectant bien les douze syllabes du vers.
b. Avec un camarade, entraînez-vous à réciter les vers 1 à 10 de l'extrait en faisant bien sentir les émotions.

Phèdre dans une mise en scène de Luc Bondy, avec Valérie Dreville (Phèdre) et Sylvain Jacques (Hippolyte).

EXTRAIT 2 L'aveu à Hippolyte

À la fin de l'acte I, on apprend la mort de Thésée et Œnone suggère à Phèdre qu'il n'y a plus d'obstacle à son amour pour Hippolyte. Alors que le problème de la succession du roi se pose, et que Phèdre vient demander à Hippolyte de protéger son fils, elle se laisse aller à sa passion et trahit son secret.

PHÈDRE, HIPPOLYTE, ŒNONE.

PHÈDRE

Oui, Prince, je languis, je brûle pour Thésée.
Je l'aime, non point tel que l'ont vu les enfers,
Volage adorateur de mille objets divers[1],
Qui va du dieu des morts déshonorer la couche[2] ;
5 Mais fidèle, mais fier, et même un peu farouche,
Charmant, jeune, traînant tous les cœurs après soi,

---

1. Thésée est connu pour ses nombreuses conquêtes féminines.
2. Thésée serait descendu aux Enfers pour enlever Proserpine, femme d'Hadès, le dieu des Morts.

LA RHÉTORIQUE THÉÂTRALE

Certaines figures du discours sont très employées dans l'écriture dramatique et concourent à donner au texte sa force expressive.

1. Les figures d'équivalence

	DÉFINITION	EFFET PRODUIT	EXEMPLE
MÉTAPHORE	Comparaison de deux éléments sans outil grammatical.	Même effet que la comparaison. Développée sur tout un paragraphe, la métaphore est dite filée.	« Holà ! Charlotte, ça n'est pas bien de courir sur le **marché** des autres » (Molière, *Dom Juan*.)
PERSONNIFICATION	Consiste à prêter les traits ou les actions d'une personne à un être inanimé.	Donne vie à l'objet décrit. Lui confère de la valeur.	« **mon pauvre** argent ! **mon cher** argent ! on m'a privé de toi ! » (Molière, *L'Avare*.)
PÉRIPHRASE	Désigne un objet ou une personne par une formule le décrivant.	La périphrase exprime souvent un jugement implicite.	« Je suis amoureux d'une **personne de grande qualité** » (Molière, *Le Bourgeois gentilhomme*.)
PARALLÉLISME	Construction symétrique de deux phrases ou propositions.	Unit les deux passages dans un rapport de sens.	« **L'un** anime mon **cœur**, **l'autre** retient mon **bras** » « Le **flux** les **apporta**, le **reflux** les **emporte** » (Corneille, *Le Cid*.)

2. Les figures d'insistance ou d'atténuation

	DÉFINITION	EFFET	EXEMPLE
GRADATION	Accumulation d'intensité croissante ou décroissante.	Effet rythmique et renforcement du sens.	« **va**, **cours**, **vole** et nous **venge**. » (Corneille, *Le Cid*.)
ANAPHORE	Répétition d'une même expression en tête de vers.	Mise en valeur de cette expression.	« **Rome** qui t'a vu naître [...] **Rome** enfin que je hais, [...]. » (Corneille, *Horace*.)
HYPERBOLE	Expression exagérée d'une pensée.	Marque les états d'esprit extrêmes.	« on m'a **coupé la gorge** » (Molière, *L'Avare*.)
LITOTE	Tournure négative qui en dit moins pour suggérer plus.	Renforce une idée en faisant semblant de l'atténuer.	« Va, **je ne te hais point** » (Corneille, *Le Cid*.)

3. Les figures d'opposition

	DÉFINITION	EFFET	EXEMPLE
ANTITHÈSE	Opposition forte de deux mots ou expressions dans une même phrase.	Met en valeur chacun des termes de l'opposition.	« Rome enfin que je **hais** / parce qu'elle t'**honore** » (Corneille, *Horace*.)
OXYMORE	Opposition de deux termes au sein d'un même groupe nominal.	Crée un effet poétique de contraste.	« Cette **obscure clarté** qui tombe des étoiles » (Corneille, *Le Cid*.)
CHIASME	Construction croisée et symétrique de type AB/BA.	Unit ou oppose les éléments.	« Puisqu'aujourd'hui mon **père** est l'**offensé** Si l'**offenseur** est **père** de Chimène » (Corneille, *Le Cid*.)

EXERCICES SUPPLÉMENTAIRES
À retrouver sur le site du manuel.

EXERCICE Relevez et analysez les figures de rhétorique employées dans les vers 1 à 10 de la tirade d'Hermione (acte V, scène 1, p. 68). Montrez comment elles servent à exprimer la fureur et le désespoir d'Hermione.

▶ # LA COMÉDIE CLASSIQUE

La satire des ridicules dans les comédies de Molière

Molière, *Dom Juan* (1655)

MOLIÈRE
(1622-1673)
NOTICE BIOGRAPHIQUE, P. 469

Un libertin manipulateur

TEXTE 1

Dom Juan[1] dresse le portrait d'un libertin : au XVIIe siècle, ce mot désigne d'abord un homme qui refuse les principes de la religion et qui affiche parfois son impiété ; dans un second sens, c'est aussi un homme qui aime séduire un grand nombre de femmes et qui recherche les plaisirs de l'amour sans se soucier de la morale. L'action de la pièce se déroule en Sicile. Après avoir délaissé Done Elvire qu'il a pourtant fait sortir du couvent pour l'épouser, Don Juan est en quête de nouvelles aventures amoureuses. Dans un village, il est attiré par une jeune paysanne, Mathurine, à qui il promet le mariage, avant d'en rencontrer une autre qui lui plaît tout autant, la jolie Charlotte, à qui il demande aussi de l'épouser. Mais voilà que Mathurine revient et qu'elle surprend Don Juan en compagnie de Charlotte...

DON JUAN, SGANARELLE[2], CHARLOTTE, MATHURINE.

SGANARELLE, *apercevant Mathurine.* – Ah ! ah !

MATHURINE, *à Don Juan.* – Monsieur, que faites-vous donc là avec Charlotte ? Est-ce que vous lui parlez d'amour aussi ?

DON JUAN, *à Mathurine.* – Non, au contraire, c'est elle qui me témoi-
5 gnait une envie d'être ma femme, et je lui répondais que j'étais engagé à vous.

CHARLOTTE. – Qu'est-ce que c'est donc que vous veut Mathurine ?

DON JUAN, *bas, à Charlotte.* – Elle est jalouse de me voir vous parler, et voudrait bien que je l'épousasse ;
10 mais je lui dis que c'est vous que je veux.

MATHURINE. – Quoi ? Charlotte...

DON JUAN, *bas, à Mathurine.* – Tout ce que vous lui direz sera inutile ;
15 elle s'est mis cela dans la tête.

CHARLOTTE. – Quement[3] donc ! Mathurine...

DON JUAN, *bas, à Charlotte.* – C'est en vain que vous lui parlerez ;
20 vous ne lui ôterez point cette fantaisie.

MATHURINE. – Est-ce que... ?

DON JUAN, *bas, à Mathurine.* – Il n'y a pas moyen de lui faire entendre
25 raison.

Dom Juan, mise en scène de Philippe Torreton au Théâtre Marigny en 2007.

Molière, *Le Bourgeois gentilhomme* (1670)

MOLIÈRE
(1622-1673)
NOTICE BIOGRAPHIQUE, P. 469

La folie des grandeurs

 TEXTE 3

Le Bourgeois gentilhomme est une comédie-ballet, genre inventé par Molière qui mêle chant, musique et danse en insérant des passages de ballets entre les actes. Monsieur Jourdain est un bourgeois qui aimerait devenir noble. Pour apprendre les bonnes manières, il suit les leçons de différents professeurs (maître d'armes, maître de musique, maître à danser et maître de philosophie). Dans la scène 4 de l'acte II, il commence par demander à son maître de philosophie de lui apprendre l'orthographe, puis, en l'absence de Madame Jourdain, il lui révèle qu'il est amoureux.

MONSIEUR JOURDAIN, MAÎTRE DE PHILOSOPHIE

MONSIEUR JOURDAIN. – [...] Au reste, il faut que je vous fasse une confidence. Je suis amoureux d'une personne de grande qualité[1], et je souhaiterais que vous m'aidassiez à lui écrire quelque chose dans un petit billet[2] que je veux laisser tomber à ses pieds.

5 MAÎTRE DE PHILOSOPHIE. – Fort bien.

MONSIEUR JOURDAIN. – Cela sera galant, oui.

MAÎTRE DE PHILOSOPHIE. – Sans doute. Sont-ce des vers que vous lui voulez écrire ?

MONSIEUR JOURDAIN. – Non, non, point de vers.

10 MAÎTRE DE PHILOSOPHIE. – Vous ne voulez que de la prose ?

MONSIEUR JOURDAIN. – Non, je ne veux ni prose ni vers.

MAÎTRE DE PHILOSOPHIE. – Il faut bien que ce soit l'un, ou l'autre.

MONSIEUR JOURDAIN. – Pourquoi ?

MAÎTRE DE PHILOSOPHIE. – Par la raison, Monsieur, qu'il n'y a pour s'exprimer que la prose, ou les vers.

MONSIEUR JOURDAIN. – Il n'y a que la prose ou les vers ?

MAÎTRE DE PHILOSOPHIE. – Non, Monsieur : tout ce qui n'est point prose est vers ; et tout ce qui n'est point vers est prose.

MONSIEUR JOURDAIN. – Et comme l'on parle qu'est-ce que c'est donc
20 que cela ?

MAÎTRE DE PHILOSOPHIE. – De la prose.

MONSIEUR JOURDAIN. – Quoi ? quand je dis : « Nicole, apportez-moi mes pantoufles, et me donnez mon bonnet de nuit », c'est de la prose ?

MAÎTRE DE PHILOSOPHIE. – Oui, Monsieur.

25 MONSIEUR JOURDAIN. – Par ma foi ! il y a plus de quarante ans que je dis de la prose sans que j'en susse rien, et je vous suis le plus obligé du monde de m'avoir appris cela. Je voudrais donc lui mettre dans un billet : *Belle Marquise, vos beaux yeux me font mourir d'amour* ; mais je voudrais que cela fût mis d'une manière galante, que cela fût tourné gentiment[3].

30 MAÎTRE DE PHILOSOPHIE. – Mettre que les feux de ses yeux réduisent votre cœur en cendres ; que vous souffrez nuit et jour pour elle les violences d'un...

ACTIVITÉ TICE
LES DIFFÉRENTES FORMES DE COMIQUE AU THÉÂTRE
Découvrez différentes formes de comique au théâtre et leurs procédés à travers trois exercices interactifs de difficulté croissante.

Téléchargez la fiche élève n° 08 « Les différentes formes de comique au théâtre » sur le site du manuel.

Michel Robin interprète Monsieur Jourdain et Jean-Pierre Michael est le Maître de philosophie dans la mise en scène de Jean-Louis Benoît donnée à la Comédie-Française en 2000.

MONSIEUR JOURDAIN. – Non, non, non, je ne veux point tout cela ; je ne veux que ce que je vous ai dit : *Belle Marquise,*
35 *vos beaux yeux me font mourir d'amour.*

MAÎTRE DE PHILOSOPHIE. – Il faut bien étendre un peu la chose.

MONSIEUR JOURDAIN. – Non, vous dis-je, je ne veux que ces seules paroles-là dans le billet ; mais tournées à la
40 mode, bien arrangées comme il faut. Je vous prie de me dire un peu, pour voir, les diverses manières dont on les peut mettre.

MAÎTRE DE PHILOSOPHIE. – On les peut mettre première- ment comme vous avez dit. *Belle Marquise, vos beaux*
45 *yeux me font mourir d'amour.* Ou bien : *D'amour mourir me font, belle Marquise, vos beaux yeux.* Ou bien : *Vos yeux beaux d'amour me font, belle Marquise, mourir.* Ou bien : *Mourir vos beaux yeux, belle Marquise, d'amour me font.* Ou bien : *Me font vos yeux beaux mourir, belle Marquise,*
50 *d'amour.*

MONSIEUR JOURDAIN. – Mais de toutes ces façons-là, laquelle est la meilleure ?

MAÎTRE DE PHILOSOPHIE. – Celle que vous avez dite : *Belle Marquise, vos beaux yeux me font mourir d'amour.*
55 MONSIEUR JOURDAIN. – Cependant je n'ai point étudié, et j'ai fait cela tout du premier coup. Je vous remercie de tout mon cœur, et vous prie de venir demain de bonne heure.

MOLIÈRE, *Le Bourgeois gentilhomme*, acte II, scène 4, 1670.

---

1. De grande qualité : de grande noblesse.
2. Un petit billet : une petite lettre d'amour.
3. Gentiment : noblement (au sens étymologique de « bien né »).

PREMIÈRE LECTURE

a. S'agit-il ici d'une véritable leçon ? Justifiez votre réponse.
b. Qu'est-ce qui fait rire dans cette scène ?

LECTURE ANALYTIQUE

Une parodie de leçon
1. La leçon enseignée correspond-elle à ce que pourrait apporter un maître de philosophie ? Recherchez pour vous aider l'étymologie du mot « philosophie ».
2. Le maître de philosophie a-t-il aidé Monsieur Jourdain à écrire sa lettre ? À la fin de la scène, qu'a appris Monsieur Jourdain ?
3. En quoi les reformulations du maître de philosophie sont-elles comiques ?

Un personnage grotesque
4. Qu'est-ce qui montre dans la scène les prétentions de Monsieur Jourdain à la noblesse ? Qu'est-ce qui montre en même temps sa naïveté ?
5. Quels défauts sont ici tournés en ridicule ?
6. De qui Molière se moque-t-il en faisant la satire de Monsieur Jourdain ? Qui peut-il critiquer à travers le maître de philosophie ?

ÉCRITURE D'INVENTION

Faites la satire d'un personnage imaginaire contemporain de votre choix présentant, comme Monsieur Jourdain, un gros défaut. Votre texte aura la forme d'un dialogue théâtral, accompagné des didascalies nécessaires, et devra contenir des effets comiques.

Eugène Ionesco, *La Leçon* (1951)
▶ Une leçon absurde

Eugène Ionesco (1912-1994) est surtout connu pour son œuvre théâtrale, délibérément inclassable (« antithéâtre », « drame comique », « farce tragique ») et souvent qualifiée d'« absurde ». Dans *La Leçon* (1951), apparaît un professeur dont les explications sont confuses jusqu'à l'absurde et qui perd peu à peu patience face à une élève en proie au mal de dents.

LE PROFESSEUR. – Bien, continuons. Je vous dis continuons… Comment dites-vous, par exemple, en français : « Les roses de ma grand-mère sont aussi jaunes que mon grand-père qui était asiatique » ?

L'ÉLÈVE. – J'ai mal, mal, mal aux dents.

5 LE PROFESSEUR. – Continuons, continuons, dites quand même !

L'ÉLÈVE. – En français ?

LE PROFESSEUR. – En français.

L'ÉLÈVE. – Euh… que je dise en français : « Les roses de ma grand-mère sont… ?

LE PROFESSEUR. – « Aussi jaunes que mon grand-père qui était asiatique… »

10 L'ÉLÈVE. – Eh bien, on dira, en français, je crois : « Les roses… de ma… » comment dit-on « grand-mère », en français ?

LE PROFESSEUR. – En français ? « Grand-mère ».

L'ÉLÈVE. – « Les roses de ma grand-mère sont aussi… jaunes », en français, ça se dit « jaunes » ?

15 LE PROFESSEUR. – Oui, évidemment !

L'ÉLÈVE. – « Sont aussi jaunes que mon grand-père quand il se mettait en colère. »

LE PROFESSEUR. – Non… « qui était a…

L'ÉLÈVE. – « … siatique »… J'ai mal aux dents.

LE PROFESSEUR. – C'est cela.

20 L'ÉLÈVE. – J'ai mal…

LE PROFESSEUR. – Aux dents… tant pis… Continuons ! À présent, traduisez la même phrase en espagnol, puis en néo-espagnol[1]…

EUGÈNE IONESCO, *La Leçon*, Éd. Gallimard, 1951.

---

1. **Néo-espagnol** : langue inventée par Ionesco.

QUESTIONS

1. Quels points communs voyez-vous entre cette scène et celle du *Bourgeois gentilhomme* ?

2. En quoi cette leçon est-elle « absurde » ?

La Leçon, mise en scène de Samuel Sène au Nouveau Théâtre Mouffetard en 2010, avec Christian Bujeau (le professeur) et Claire Baradat (l'élève).

Molière,
Le Malade imaginaire (1673)

Un médecin charlatan et un malade imaginaire

MOLIÈRE
(1622-1673)
NOTICE BIOGRAPHIQUE, P. 469

TEXTE 4

Le Malade imaginaire est la dernière pièce de Molière, qui mourut à l'issue de la quatrième représentation en février 1673. Depuis le début de la pièce, Argan se croit malade alors qu'il ne l'est pas. Il fait ainsi le bonheur – et la richesse ! – de son pharmacien, Monsieur Fleurant, et de son médecin, Monsieur Purgon. Il destine sa fille Angélique à Thomas Diafoirus, jeune homme niais, lui aussi médecin et neveu de Monsieur Purgon. Au cours de l'acte III, son frère Béralde, soutenu par la servante Toinette, essaie de le raisonner et repousse même Monsieur Fleurant venu une seringue à la main administrer à Argan un lavement.

MONSIEUR PURGON, ARGAN, BÉRALDE, TOINETTE.

MONSIEUR PURGON. – Je viens d'apprendre là-bas, à la porte, de jolies nouvelles : qu'on se moque ici de mes ordonnances, et qu'on a fait refus de prendre le remède que j'avais prescrit.

ARGAN. – Monsieur, ce n'est pas...

5 MONSIEUR PURGON. – Voilà une hardiesse bien grande, une étrange rébellion d'un malade contre son médecin.

TOINETTE. – Cela est épouvantable.

MONSIEUR PURGON. – Un clystère[1] que j'avais pris plaisir à composer moi-même.

10 ARGAN. – Ce n'est pas moi...

MONSIEUR PURGON. – Inventé et formé dans toutes les règles de l'art.

TOINETTE. – Il a tort.

MONSIEUR PURGON. – Et qui devait faire dans des entrailles un effet merveilleux.

15 ARGAN. – Mon frère...

MONSIEUR PURGON. – Le renvoyer avec mépris.

ARGAN. – C'est lui...

MONSIEUR PURGON. – C'est une action exorbitante.

TOINETTE. – Cela est vrai.

20 MONSIEUR PURGON. – Un attentat énorme contre la médecine !

ARGAN. – Il est cause...

MONSIEUR PURGON. – Un crime de lèse-Faculté[2], qui ne se peut assez punir.

TOINETTE. – Vous avez raison.

25 MONSIEUR PURGON. – Je vous déclare que je romps commerce avec vous.

ARGAN. – C'est mon frère...

MONSIEUR PURGON. – Que je ne veux plus d'alliance avec vous.

TOINETTE. – Vous ferez bien.

30 MONSIEUR PURGON. – Et que, pour finir toute liaison avec vous, voilà la donation que je faisais à mon neveu, en faveur du mariage.

---

1. Clystère : lavement injecté dans l'intestin avec une grosse seringue pour purger un malade.

2. Lèse-Faculté : jeu de mot sur l'expression « lèse-Majesté » signifiant ici « crime contre la Faculté de médecine ».

La comédie

LA COMÉDIE ANTIQUE

La comédie trouve son origine en Grèce, aux Ve et IVe siècles avant J.-C. Des concours de comédie sont organisés en même temps que les concours de tragédie, lors des fêtes religieuses dédiées à Dionysos. Les sujets des comédies sont alors politiques ou religieux. La comédie grecque inspire au IIIe siècle avant J.-C. les auteurs latins. L'un de ses représentants les plus connus est Plaute. Ses personnages sont des « types » qui incarnent un trait de caractère ou un statut social précis. La comédie doit délivrer un enseignement moral, inciter les spectateurs à corriger leurs défauts.

Molière avec des acteurs français et italiens.

LA FARCE

Au Moyen Âge, la comédie perdure sous la forme de la farce, pièce à l'intrigue sommaire reposant sur un comique de geste (coups de bâton, poursuites, etc.). La farce met en scène des personnages du peuple souvent ridicules, comme le mari trompé. Ce nom vient des conditions de représentation de ces pièces, qui étaient jouées lors des entractes de pièces religieuses nommées « mystères ». La farce, genre comique, venait donc « farcir » un spectacle religieux sérieux. La trivialité et la grossièreté sont indissociables de ce genre, que l'on peut rapprocher de la pratique médiévale du carnaval.

LES COMÉDIES AU XVIIE SIÈCLE

Étymologiquement, « comédie » désigne n'importe quelle pièce de théâtre, et non pas uniquement celles destinées à faire rire. Au début du XVIIe siècle, on appelait donc « comédies » des pièces dont le sujet n'est pas tragique, mais n'est pas nécessairement drôle non plus. On doit à Corneille quelques comédies comme *L'Illusion comique*, *La Veuve* ou *La Place royale*, mais il délaisse ensuite ce genre pour se consacrer à la tragédie. Racine rédige également une comédie farcesque, *Les Plaideurs*, qui a rencontré un très grand succès.

Jean-Baptiste Lully
(1632-1687)

Au XVIIe siècle, Molière donne à la comédie ses lettres de noblesse, en s'inspirant des auteurs antiques. Il écrit des comédies de caractère dénonçant les défauts des hommes (*L'Avare*, *Le Misanthrope*) et des comédies de mœurs, satires des usages de la noblesse et de la bourgeoisie de son temps (*Les Précieuses ridicules*, *Le Bourgeois gentilhomme*). Certaines de ses pièces sont des comédies-ballets, associant le chant, la danse et le théâtre, écrites en collaboration avec les musiciens Jean-Baptiste Lully (*Le Bourgeois gentilhomme*) et Jean-Baptiste Charpentier (*Le Malade imaginaire*).
Le théâtre de Molière mêle le bouffon (il est influencé par la *commedia dell'arte*) et l'analyse très fine des comportements humains. Certaines de ses pièces peuvent être sombres, pessimistes (*Le Misanthrope*, *Dom Juan*), et d'autres sont des farces (*Les Fourberies de Scapin*).

On appelle **registre** la tonalité générale d'un texte. Chaque registre correspond à un certain regard sur le monde et aux émotions (rire, frayeur, pitié…) que provoque un texte chez le lecteur.

1. Le registre tragique

Le registre tragique exprime le sentiment qu'a l'homme d'être soumis à des forces inéluctables (le destin, la fatalité, la mort).

> **EXEMPLE** Phèdre est « l'objet infortuné des vengeances célestes ».

• **Les thèmes tragiques** sont la mort, la souffrance, la faute et la conscience que le héros a de son malheur ; le héros tragique lutte en effet contre le destin, mais ses efforts sont voués à l'échec et l'issue est toujours sombre.

> **EXEMPLE** La lutte inutile de Phèdre contre son amour est effrayante et émouvante.

• **L'écriture tragique** utilise un niveau de langue élevé, analysant les émotions, dans un langage complexe. Elle recourt aux phrases exclamatives et interrogatives pour exprimer l'émotion.

> **EXEMPLE**
> « Dieux ! Qu'est-ce que j'entends ? Madame, oubliez-vous
> Que Thésée est mon père, et qu'il est votre époux ? » (Racine, *Phèdre*)

• On appelle **ironie tragique** le fait qu'un personnage de tragédie contribue à son insu à l'accomplissement de son destin tragique.

> **EXEMPLE**
> Ainsi Thésée appelle sur son fils la vengeance de Neptune : « Je vais moi-même encore au pied de ses autels / Le presser d'accomplir ses serments immortels. » (Racine, *Phèdre*)

2. Le registre comique

Le registre comique a pour fonction de faire rire en libérant de l'angoisse, en critiquant la société, en proposant une morale. On identifie différentes sources de comique au théâtre.

• Le **comique de gestes** est fait de grimaces, mimiques, chutes, coups de bâton…

> **EXEMPLE** Les coups de bâton que Mercure donne à Sosie font rire. (Molière, *Amphitryon*)

• Le **comique de mots, ou comique verbal** comprend tous les jeux sur les mots : le calembour, la contrepèterie.
• Le **comique de répétition** est un comique de mots et de gestes.
• Le **comique de situation** repose sur le caractère amusant d'une rencontre, d'une péripétie (déguisements, quiproquos…).

> **EXEMPLE** La rencontre entre Sosie et Mercure : l'étonnement du valet devant son « double » fait rire.

• Le **comique de caractère** est une peinture comique des défauts d'une catégorie de personnages.

> **EXEMPLE** Harpagon fait rire par son avarice caricaturale.

EXERCICE 1 Expliquez en quoi ce texte appartient au registre comique : étudiez les personnages, le lexique, les différentes formes de comique.

HARPAGON, LA FLÈCHE

LA FLÈCHE. – Vous avez de l'argent caché ?

HARPAGON. – Non, coquin, je ne dis pas cela. (*À part.*) J'enrage. Je demande si malicieusement tu n'irais point faire courir le bruit que j'en ai.

LA FLÈCHE. – Hé ! que nous importe que vous en ayez ou que vous n'en ayez
5 pas, si c'est pour nous la même chose ?

HARPAGON. – Tu fais le raisonneur. Je te baillerai de ce raisonnement-ci par les oreilles. (*Il lève la main pour lui donner un soufflet.*) Sors d'ici, encore une fois.

LA FLÈCHE. – Hé bien ! je sors.

HARPAGON. – Attends. Ne m'emportes-tu rien ?

10 LA FLÈCHE. – Que vous emporterais-je ?

HARPAGON. – Viens çà, que je voie. Montre-moi tes mains.

LA FLÈCHE. – Les voilà.

HARPAGON. – Les autres.

LA FLÈCHE. – Les autres ?

MOLIÈRE, *L'Avare*, acte I, scène 3, 1668.

EXERCICE 2

1. Montrez en quoi ce texte appartient au registre tragique : étudiez les types de personnages, le lexique, les types de phrase.

2. Expliquez l'« ironie tragique » contenue dans les derniers vers.

Le roi Agamemnon doit sacrifier aux dieux sa fille Iphigénie
pour pouvoir partir faire la guerre à Troie.

IPHIGÉNIE

Les dieux daignent surtout prendre soin de vos jours !

AGAMEMNON

Les dieux depuis un temps me sont cruels et sourds.

IPHIGÉNIE

Calchas, dit-on, prépare un pompeux sacrifice.

AGAMEMNON

Puissé-je auparavant fléchir leur injustice !

IPHIGÉNIE

5 L'offrira-t-on bientôt ?

AGAMEMNON

Plus tôt que je ne veux.

IPHIGÉNIE

Me sera-t-il permis de me joindre à vos vœux ?
Verra-t-on à l'autel votre heureuse famille ?

AGAMEMNON

Hélas !

IPHIGÉNIE

Vous vous taisez ?

AGAMEMNON

Vous y serez, ma fille.

Adieu.

JEAN RACINE, *Iphigénie*, acte II, scène 2, 1674.

Mademoiselle Georges
dans le rôle d'Iphigénie, 1674.

EXERCICES SUPPLÉMENTAIRES
À retrouver sur le site du manuel.

Le Tartuffe ou l'Imposteur (1669), dénoncer par le rire

MOLIÈRE
(1622-1673)
NOTICE BIOGRAPHIQUE, P. 469

> Il faut attendre l'année 1669 pour que la pièce du *Tartuffe*, plusieurs fois censurée et remaniée, soit enfin autorisée, après une longue querelle avec les autorités religieuses et politiques. Dans cette œuvre, Molière met en scène un personnage odieux et hypocrite – la pièce a pour sous-titre *L'Imposteur* – qui se fait passer pour pieux et moral alors qu'il cherche à tromper son monde. Orgon, le maître de la maison, s'est laissé séduire par cet homme et l'a introduit chez lui en toute naïveté.

EXTRAIT 1 Le naïf et l'hypocrite

Au début de la pièce, on apprend que l'arrivée de Tartuffe dans la maison d'Orgon en menace l'équilibre. Les avis sur cet homme, qui n'est pas encore apparu sur scène, sont très tranchés : Orgon et sa mère, Mme Pernelle, admirent sa dévotion, sa ferveur religieuse ; en revanche, Elmire, la femme d'Orgon, et leurs enfants, Mariane et Damis, soutenus par la servante Dorine, se méfient de lui. À la scène 4, Orgon, qui était parti en voyage, est de retour.

ORGON, CLÉANTE[1], DORINE.

ORGON

Ah ! mon frère, bonjour.

CLÉANTE

Je sortais, et j'ai joie à vous voir de retour :
La campagne à présent n'est pas beaucoup fleurie.

ORGON

Dorine... Mon beau-frère, attendez, je vous prie.
5 Vous voulez bien souffrir[2], pour m'ôter de souci,
Que je m'informe un peu des nouvelles d'ici.
(*À Dorine*)
Tout s'est-il, ces deux jours, passé de bonne sorte ?
Qu'est-ce qu'on fait céans[3] ? comme[4] est-ce qu'on s'y porte ?

DORINE

Madame eut avant-hier la fièvre jusqu'au soir,
10 Avec un mal de tête étrange à concevoir.

ORGON

Et Tartuffe ?

DORINE

Tartuffe ? Il se porte à merveille.
Gros et gras, le teint frais, et la bouche vermeille.

---

1. **Cléante** est le beau-frère d'Orgon. C'est un homme raisonnable et honnête.
2. **Souffrir** : accepter.
3. **Céans** : ici.
4. **Comme** : comment.

Tartuffe, mis en scène par Jacques Wajeman au Château de Grignan en 2009, avec Pierre Stefan Montagnier (Orgon) et Anne Girouard (Dorine).

ORGON

Le pauvre homme !

DORINE

        Le soir, elle eut un grand dégoût
Et ne put au souper toucher à rien du tout,
15 Tant sa douleur de tête était encor⁵ cruelle !

ORGON

Et Tartuffe ?

DORINE

        Il soupa, lui tout seul, devant elle,
Et fort dévotement il mangea deux perdrix,
Avec une moitié de gigot en hachis.

ORGON

Le pauvre homme !

DORINE

        La nuit se passa tout entière
20 Sans qu'elle pût fermer un moment la paupière ;
Des chaleurs l'empêchaient de pouvoir sommeiller,
Et jusqu'au jour près d'elle il nous fallut veiller.

ORGON

Et Tartuffe ?

DORINE

        Pressé d'un sommeil agréable,
Il passa dans sa chambre au sortir de la table,
25 Et dans son lit bien chaud il se mit tout soudain,
Où sans trouble il dormit jusques au lendemain.

ORGON

Le pauvre homme !

DORINE

        À la fin, par nos raisons gagnée,
Elle se résolut à souffrir la saignée⁶,
Et le soulagement suivit tout aussitôt.

ORGON

30 Et Tartuffe ?

DORINE

        Il reprit courage comme il faut,
Et, contre tous les maux fortifiant son âme,
Pour réparer le sang qu'avait perdu Madame,
But, à son déjeuner, quatre grands coups de vin.

ORGON

Le pauvre homme !

DORINE

        Tous deux se portent bien enfin ;
35 Et je vais à Madame annoncer par avance
La part que vous prenez à sa convalescence.

MOLIÈRE, *Le Tartuffe*, acte I, scène 4, 1664-1669.

---

5. **Encor** : encore.
6. **Saignée** : type de traitement médical de l'époque, qui consistait à évacuer une certaine quantité de sang.

**ACTIVITÉ TICE**
LES COUVERTURES DE *TARTUFFE* DE MOLIÈRE

En groupe, décrivez puis comparez plusieurs couvertures de *Tartuffe* en utilisant un éditeur de texte collaboratif.

Téléchargez la fiche élève n° 09 « Les couvertures de *Tartuffe* de Molière » sur le site du manuel.

a. Quel est le caractère d'Orgon d'après cette scène ?
b. Le spectateur, qui n'a pas encore vu Tartuffe, mais qui a entendu les avis des autres personnages, peut-il partager le regard d'Orgon sur cet homme ? Pourquoi ?

LECTURE ANALYTIQUE

Une scène d'exposition comique
1. En quoi cette scène participe-t-elle à l'exposition ?
2. Repérez les répétitions et les contrastes dans le dialogue et montrez-en le comique.
3. Identifiez les mots ou expressions par lesquels Dorine exagère les états d'Elmire et de Tartuffe : quel est l'effet produit ?
4. En quoi l'attitude d'Orgon fait-elle rire elle aussi ? Comparez l'intérêt qu'il porte à Tartuffe à celui qu'il a pour sa femme.

Une satire des faux dévots
5. Dorine fait un portrait indirect de Tartuffe dans cette scène : quels en sont les différents traits ? Ce portrait correspond-il à l'image que l'on se fait d'un dévot ?

En quoi peut-on parler d'un portrait satirique ?
6. Quelles répliques de Dorine sont ironiques ? Repérez en particulier l'emploi qu'elle fait du mot « dévotement ».
7. Cléante n'intervient pas. Quelle est la raison de sa présence sur scène selon vous ?

RECHERCHE

Pourquoi la pièce de Molière a-t-elle été interdite ? Qu'est-ce que « la querelle du *Tartuffe* » ? Cherchez des exemples contemporains de censure ou de scandale autour d'une œuvre littéraire ou artistique.

ORAL

Quel ton doit avoir Dorine quand elle parle d'Elmire ? et quand elle parle de Tartuffe ? Et Orgon, quels sentiments doit-il exprimer chaque fois qu'il pose une question ? Entraînez-vous à jouer ce dialogue en mettant bien en valeur ces différences de tons.

 EXTRAIT 2   Tartuffe entre en scène

Cette scène correspond à la première apparition de Tartuffe dans la pièce, longtemps attendue. Au cours de l'acte II, on a appris qu'Orgon voulait marier sa fille Mariane à Tartuffe, alors qu'elle est amoureuse de Valère. Dorine, la servante de la maison, est ici chargée d'annoncer à Tartuffe qu'Elmire souhaite lui parler.

TARTUFFE, LAURENT[1], DORINE.

TARTUFFE, *apercevant Dorine.*
Laurent, serrez[2] ma haire avec ma discipline[3],
Et priez que toujours le Ciel vous illumine.
Si l'on vient pour me voir, je vais aux prisonniers
Des aumônes que j'ai partager les deniers[4].

DORINE
5   Que d'affectation et de forfanterie[5] !

TARTUFFE
Que voulez-vous ?

DORINE
Vous dire...

TARTUFFE. *Il tire un mouchoir de sa poche.*
Ah ! mon Dieu, je vous prie,
Avant que de parler, prenez-moi ce mouchoir.

DORINE
Comment ?

---

1. **Laurent :** il s'agit du valet de Tartuffe, qui ne parle jamais dans la pièce.
2. **Serrez :** rangez.
3. **Haire et discipline :** respectivement chemise d'une matière blessante et sorte de fouet utilisés par certains religieux pour faire souffrir leur corps, pensant ainsi se faire pardonner leurs péchés.
4. Partager avec les prisonniers l'argent qu'on m'a donné par charité.
5. **Forfanterie :** vantardise.

TARTUFFE

Couvrez ce sein que je ne saurais voir.
Par de pareils objets les âmes sont blessées,
10 Et cela fait venir de coupables pensées.

DORINE

Vous êtes donc bien tendre[6] à la tentation,
Et la chair sur vos sens fait grande impression !
Certes je ne sais pas quelle chaleur vous monte,
Mais à convoiter, moi, je ne suis point si prompte[7],
15 Et je vous verrais nu du haut jusques en bas,
Que toute votre peau ne me tenterait pas.

TARTUFFE

Mettez dans vos discours un peu de modestie,
Ou je vais sur-le-champ vous quitter la partie.

DORINE

Non, non, c'est moi qui vais vous laisser en repos,
20 Et je n'ai seulement qu'à vous dire deux mots.
Madame va venir dans cette salle basse,
Et d'un mot d'entretien vous demande la grâce.

TARTUFFE

Hélas ! très volontiers.

DORINE, *en soi-même.*

Comme il se radoucit !
Ma foi, je suis toujours pour ce que j'en ai dit[8].

TARTUFFE

25 Viendra-t-elle bientôt ?

DORINE

Je l'entends, ce me semble.
Oui, c'est elle en personne, et je vous laisse ensemble.

MOLIÈRE, *Le Tartuffe*, acte III, scène 2, 1664-1669.

6. **Tendre** : sensible.
7. Mais moi, je ne suis pas aussi rapide pour désirer.
8. Dorine a dit ailleurs que Tartuffe n'était qu'un hypocrite.

PREMIÈRE LECTURE

a. Cette première apparition de Tartuffe correspond-elle à l'idée que l'on se faisait de lui ?
b. Pourquoi Molière, lors de l'entrée en scène de Tartuffe, le met-il face à Dorine ?

LECTURE ANALYTIQUE

La comédie de la dévotion
1. Que révèle sur Tartuffe chacune des deux didascalies précédant ses répliques ?
2. Relevez le lexique de la piété dans la bouche de Tartuffe. Quelles qualités chrétiennes Tartuffe prétend-il avoir ?
3. À quels indices voit-on que Tartuffe est un homme sensuel ? Quelle figure de style au vers 23 met en évidence ses contradictions ?

Un conflit larvé
4. Quelle réplique signale que Dorine n'est pas dupe de l'attitude de Tartuffe ? Comment appelle-t-on ce procédé ?
5. Analysez la tension entre les deux personnages : utilisation de l'impératif, menaces. Qui a le dernier mot ?
6. Dans quelle réplique Dorine se moque-t-elle ouvertement de Tartuffe ? Pourquoi est-ce drôle ?

ÉCRITURE D'INVENTION

En vous inspirant de cette scène de Molière, écrivez une scène de comédie dans laquelle quelqu'un cherche à démasquer un hypocrite. Vous inventerez un nouveau type d'hypocrite (par exemple, un homme faussement savant, faussement honnête, faussement amoureux, faussement riche, etc.). Votre scène, écrite en prose, devra comprendre des répliques comiques, un aparté et au moins deux didascalies.

Le *Tartuffe* dans une mise en scène
de Stéphane Braunschweig
au Théâtre de l'Europe en 2008.
Clément Besson interprète Tartuffe
et Pauline Lorillard Elmire.

EXTRAIT 3 Une déclaration d'amour stupéfiante

Elmire a demandé à s'entretenir avec Tartuffe afin de le dissuader d'épouser sa fille Mariane. Mais à sa grande surprise, c'est à elle que le dévot déclare son amour !

ELMIRE, TARTUFFE.

ELMIRE

La déclaration est tout à fait galante ;
Mais elle est, à vrai dire, un peu bien surprenante.
Vous deviez, ce me semble, armer mieux votre sein[1]
Et raisonner un peu sur un pareil dessein[2].
5   Un dévot comme vous, et que partout on nomme...

TARTUFFE

Ah ! pour être dévot, je n'en suis pas moins homme ;
Et lorsqu'on vient à voir vos célestes appas[3],
Un cœur se laisse prendre, et ne raisonne pas.
Je sais qu'un tel discours de moi paraît étrange ;
10 Mais, Madame, après tout, je ne suis pas un ange ;
Et si vous condamnez l'aveu que je vous fais,
Vous devez vous en prendre à vos charmants attraits.
Dès que j'en vis briller la splendeur plus qu'humaine,
De mon intérieur[4] vous fûtes souveraine.
15 De vos regards divins l'ineffable douceur
Força la résistance où s'obstinait mon cœur ;
Elle surmonta tout, jeûnes, prières, larmes,
Et tourna tous mes vœux du côté de vos charmes.
Mes yeux et mes soupirs vous l'ont dit mille fois,
20 Et pour mieux m'expliquer j'emploie ici la voix.
Que si vous contemplez d'une âme un peu bénigne[5]
Les tribulations[6] de votre esclave indigne,
S'il faut que vos bontés veuillent me consoler
Et jusqu'à mon néant daignent se ravaler[7],

1. **Armer mieux votre sein** : mieux protéger votre cœur.
2. **Dessein** : projet.
3. **Appas** : attraits (physiques).
4. **Mon intérieur** : mon âme, mon cœur.
5. **Bénigne** : indulgente, bienveillante.
6. **Les tribulations** : les tourments, les épreuves.
7. Et acceptent de descendre jusqu'à mon humble personne.

25 J'aurai toujours pour vous, ô suave merveille,
Une dévotion à nulle autre pareille.
Votre honneur avec moi ne court point de hasard[8]
Et n'a nulle disgrâce à craindre de ma part.
Tous ces galants de cour dont les femmes sont folles
30 Sont bruyants dans leurs faits et vains dans leurs paroles ;
De leurs progrès sans cesse on les voit se targuer[9] ;
Ils n'ont point de faveurs qu'ils n'aillent divulguer,
Et leur langue indiscrète, en qui l'on se confie,
Déshonore l'autel[10] où leur cœur sacrifie.
35 Mais les gens comme nous brûlent d'un feu discret,
Avec qui pour toujours on est sûr du secret.
Le soin que nous prenons de notre renommée
Répond de toute chose à la personne aimée,
Et c'est en nous qu'on trouve, acceptant notre cœur,
De l'amour sans scandale et du plaisir sans peur.

8. Ne prend pas de risque.
9. **Se targuer** : se vanter.
10. Métaphore ici pour désigner la femme aimée. L'autel est la table où l'on célèbre la messe.

MOLIÈRE, *Le Tartuffe*, acte III, scène 3, 1664-1669.

PREMIÈRE LECTURE

a. Tartuffe ayant déjà déclaré son amour à Elmire auparavant, quel est le but de cette tirade ?
b. En quoi un tel discours surprend-il de la part d'un homme d'Église ?

LECTURE ANALYTIQUE

Une tentative de séduction inattendue
1. En quoi cette tentative de séduction est-elle une péripétie ?
2. Analysez le registre dominant dans cette tirade.
3. Relevez le lexique de la beauté et les termes mélioratifs, souvent hyperboliques : quel est l'effet recherché ?
4. Par quels termes Tartuffe se rabaisse-t-il et montre-t-il sa souffrance ? Quel sentiment cherche-t-il ainsi à provoquer chez Elmire ?

L'argumentation d'un hypocrite
5. Relevez les arguments où le dévot rend Elmire responsable de son amour. Quel but poursuit-il ici ?
6. Montrez que Tartuffe mêle sans cesse le vocabulaire de la religion et de l'amour. Quelle est par conséquent sa stratégie ?
7. Que recherche Tartuffe en comparant les galants et les dévots ? De quoi Tartuffe se soucie-t-il finalement ? En quoi est-ce immoral ?

VERS LE COMMENTAIRE

En vous aidant de vos réponses aux questions posées et des axes de lecture élaborez un plan détaillé du commentaire puis rédigez-en une partie.

Tartuffe dans une mise en scène de Jacques Charon à la Comédie-Française en 1968. Jacques Charon interprète Orgon.

EXTRAIT 4   Tartuffe démasqué
Orgon, toujours aveuglé par sa passion pour Tartuffe, décide d'en faire son héritier au détriment de son fils. Dans l'acte IV, Elmire veut détromper son mari grâce à un stratagème : Orgon est caché sous une table pendant qu'Elmire fait semblant d'accepter les avances de Tartuffe. La scène se déroule comme prévu, mais Orgon tarde à sortir de sa cachette et Elmire manifeste son impatience en toussant.

TARTUFFE, ELMIRE, ORGON.

TARTUFFE

Vous toussez fort, Madame.

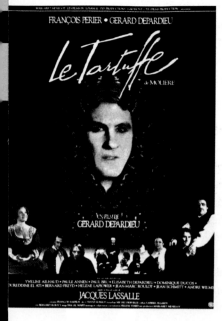

En 2009, Gérard Depardieu adapte
Le Tartuffe au cinéma.

ELMIRE

Oui, je suis au supplice.

TARTUFFE, *présentant à Elmire un cornet de papier.*

Vous plaît-il un morceau de ce jus de réglisse ?

ELMIRE

C'est un rhume obstiné, sans doute, et je vois bien
Que tous les jus du monde ici ne feront rien.

TARTUFFE

5 Cela, certes, est fâcheux.

ELMIRE

Oui, plus qu'on ne peut dire.

TARTUFFE

Enfin votre scrupule est facile à détruire¹ ;
Vous êtes assurée ici d'un plein secret,
Et le mal n'est jamais que dans l'éclat qu'on fait.
Le scandale du monde est ce qui fait l'offense,
10 Et ce n'est pas pécher que pécher en silence. [...]

ELMIRE

Ouvrez un peu la porte, et voyez, je vous prie,
Si mon mari n'est point dans cette galerie.

TARTUFFE

Qu'est-il besoin pour lui du soin que vous prenez ?
C'est un homme, entre nous, à mener par le nez.
15 De tous nos entretiens il est pour faire gloire²,
Et je l'ai mis au point de voir tout sans rien croire.

ELMIRE

Il n'importe. Sortez, je vous prie, un moment,
Et partout là dehors voyez exactement.

Scène 6
ORGON, ELMIRE

ORGON, *sortant de dessous la table.*

Voilà, je vous l'avoue, un abominable homme !
20 Je n'en puis revenir, et tout ceci m'assomme.

ELMIRE

Quoi ! vous sortez sitôt ? vous vous moquez des gens.
Rentrez sous le tapis, il n'est pas encor temps ;
Attendez jusqu'au bout pour voir les choses sûres,
Et ne vous fiez point aux simples conjectures³.

ORGON

25 Non, rien de plus méchant n'est sorti de l'enfer.

---

1. Peu avant, Elmire a dit à Tartuffe
qu'elle craignait d'offenser Dieu
en lui cédant.

2. Il tire vanité.

3. Conjectures : hypothèses.

LA GRAMMAIRE AU SERVICE DE L'EXPRESSION THÉÂTRALE

1. La langue soutenue de la tragédie classique

La tragédie classique, pour exprimer les passions humaines, recourt souvent à un registre de langue soutenu. On trouve des tournures particulières, peu employées dans la langue courante, et parfois propres au XVIIᵉ siècle.

• **L'emploi du mode subjonctif**

Il est parfois l'équivalent d'un conditionnel et exprime un irréel du passé.

> **EXEMPLE**
> « L'insolent en eût perdu la vie
> Mais mon âge a trompé ma généreuse envie » (Corneille, *Le Cid*)

• **L'emploi des pronoms**

Le pronom réfléchi « soi » est utilisé pour « lui, elle ».

> **EXEMPLE**
> « Quels démons, quels serpents traîne-t-elle après soi ? » (Racine, *Andromaque*)
> « Charmant, jeune, traînant tous les cœurs après soi » (Racine, *Phèdre*)

Les pronoms sont souvent placés avant le verbe.

> **EXEMPLE**
> « Jason me répudie et qui l'aurait pu croire » (Corneille, *Médée*)

2. Les registres de langue et la caractérisation des personnages dans la comédie

Les personnages de comédie sont caractérisés en grande partie par leur langage qui les rattache à une catégorie sociale.

Les personnages appartenant à la noblesse ou à la bourgeoisie ont un langage aisé, châtié.

> **EXEMPLE**
> « Elle est jalouse de me voir vous parler et voudrait bien que je l'épousasse » (Molière, *Dom Juan*)

Parallèlement, Molière utilise ce même niveau de langue pour souligner les ridicules de certains personnages ; ceux qui désirent « s'élever » dans l'échelle sociale ou accéder à plus de distinction s'expriment avec une affectation et une maladresse qui les ridiculise.

Pour faire parler les servantes, les paysannes, les valets, Molière utilise non seulement un lexique mais aussi des tournures syntaxiques particulières.

> **EXEMPLE**
> Mathurine et Charlotte (Molière, *Dom Juan*) emploient des mots déformés et patoisants :
> « Quément donc ! Mathurine » ; « vrament ».

EXERCICE 1 Caractérisez le niveau de langue en relevant et en analysant les tournures employées dans le passage suivant ; dites quel est l'effet produit.

Le Romain Cinna a réuni une troupe de conjurés pour tuer l'empereur Auguste et venger ainsi Émilie, qu'il aime.

CINNA (à *Émilie*)

Plût aux dieux que vous-même eussiez vu de quel zèle
Cette troupe entreprend une action si belle !
Au seul nom de César, d'Auguste, et d'empereur,

Vous eussiez vu leurs yeux s'enflammer de fureur,
5 Et dans un même instant, par un effet contraire,
Leur front pâlir d'horreur et rougir de colère.
« Amis, leur ai-je dit, voici le jour heureux
Qui doit conclure enfin nos desseins généreux.

CORNEILLE, *Cinna*, acte I, scène 3, 1639.

EXERCICE 2

**1. Étudiez la façon de parler des précieuses ; analysez le niveau de langue
et dites en quoi il contribue à la satire.
2. Étudiez le langage de Marotte ; expliquez quel est son registre de langue
et dites en quoi il permet de caractériser le personnage.**

Les précieuses ridicules arrivent de province et souhaitent connaître
« le beau monde » parisien.

MAROTTE (*la servante*), CATHOS, MAGDELON (*les précieuses*)

MAROTTE. – Voilà un laquais qui demande si vous êtes au logis, et dit que son maître
vous veut venir voir.

MAGDELON. – Apprenez, sotte, à vous énoncer moins vulgairement. Dites : « Voilà
un nécessaire qui demande si vous êtes en commodité d'être visibles. »

5 MAROTTE. – Dame, je n'entends point le latin, et je n'ai pas appris, comme vous,
la filofie dans le *Grand Cyre*.

MAGDELON. – L'impertinente ! Le moyen de souffrir cela ! Et qui est-il, le maître
de ce laquais ?

MAROTTE. – Il me l'a nommé le marquis de Mascarille.

10 MAGDELON. – Ah ma chère ! un marquis. Oui, allez dire qu'on nous peut voir. C'est
sans doute un bel esprit, qui aura ouï parler de nous.

CATHOS. – Assurément, ma chère.

MAGDELON. – Il faut le recevoir dans cette salle basse, plutôt qu'en
notre chambre. Ajustons un peu nos cheveux au moins, et sou-
15 tenons notre réputation. Vite, venez nous tendre ici dedans le
conseiller des Grâces.

MAROTTE. – Par ma foi, je ne sais point quelle bête c'est là ! il faut
parler chrétien, si vous voulez, que je vous entende.

CATHOS. – Apportez-nous le miroir, ignorante que vous êtes, et
20 gardez-vous bien d'en salir la glace par la communication de
votre image.

MOLIÈRE, *Les Précieuses ridicules*, scène 6, 1659.

**EXERCICES
SUPPLÉMENTAIRES**
À retrouver sur le site
du manuel.

Précieuse

Jean Racine, *Bérénice* (1670)

Titus, empereur romain, aime Bérénice, princesse de Palestine. Mais le peuple romain refuse l'union de leur souverain avec une étrangère. Afin de conserver le pouvoir, Titus demande donc à Bérénice de quitter Rome, bien qu'il l'aime encore. Dans cette scène, Bérénice s'apprête donc à partir.

BÉRÉNICE

C'en est fait. Vous voulez que je parte demain ;
Et moi, j'ai résolu de partir tout à l'heure[1],
Et je pars.

TITUS

Demeurez.

BÉRÉNICE

Ingrat ! que je demeure ?
Et pourquoi ? Pour entendre un peuple injurieux
5 Qui fait de mon malheur retentir tous ces lieux ?
Ne l'entendez-vous pas, cette cruelle joie,
Tandis que dans les pleurs moi seule je me noie ?
Quel crime, quelle offense, a pu les animer ?
Hélas ! et qu'ai-je fait que de vous trop aimer ?

TITUS

10 Écoutez-vous, Madame, une foule insensée ?

BÉRÉNICE

Je ne vois rien ici dont je ne sois blessée.
Tout cet appartement préparé par vos soins,
Ces lieux, de mon amour si longtemps les témoins,
Qui semblaient pour jamais me répondre du vôtre,
15 Ces festons[2], où nos noms enlacés l'un dans l'autre,
À mes tristes regards viennent partout s'offrir,
Sont autant d'imposteurs que je ne puis souffrir.
Allons, Phénice[3].

TITUS

Ô ciel ! Que vous êtes injuste !

BÉRÉNICE

Retournez, retournez vers ce sénat auguste[4]
20 Qui vient vous applaudir de votre cruauté.
Eh bien, avec plaisir l'avez-vous écouté ?
Êtes-vous pleinement content de votre gloire ?
Avez-vous bien promis d'oublier ma mémoire ?
Mais ce n'est pas assez expier vos amours :
25 Avez-vous bien promis de me haïr toujours ?

TITUS

Non, je n'ai rien promis. Moi, que je vous haïsse !
Que je puisse jamais oublier Bérénice !
Ah dieux ! dans quel moment son injuste rigueur
De ce cruel soupçon vient affliger mon cœur !
30 Connaissez-moi, Madame, et depuis cinq années,
Comptez tous les moments et toutes les journées

Où, par plus de transports⁵ et par plus de soupirs,
Je vous ai de mon cœur exprimé les désirs :
Ce jour surpasse tout. Jamais, je le confesse,
35 Vous ne fûtes aimée avec tant de tendresse,
Et jamais...

BÉRÉNICE

Vous m'aimez, vous me le soutenez,
Et cependant je pars, et vous me l'ordonnez !
Quoi ? dans mon désespoir trouvez-vous tant de charmes ?
Craignez-vous que mes yeux versent trop peu de larmes ?
40 Que me sert de ce cœur l'inutile retour ?
Ah, cruel ! par pitié, montrez-moi moins d'amour ;
Ne me rappelez point une trop chère idée,
Et laissez-moi du moins partir persuadée
Que déjà de votre âme exilée en secret,
J'abandonne un ingrat qui me perd sans regret.

JEAN RACINE, *Bérénice*, acte V, scène 5, 1670.

1. **tout à l'heure** : tout de suite.
2. **festons** : bas-reliefs représentant des guirlandes de fleurs.
3. **Phénice** : confidente de Bérénice, présente sur scène, qui doit l'accompagner dans son exil.
4. **auguste** : noble.
5. **transports** : sentiments passionnés.

CONSIGNE

Vous ferez le commentaire littéraire de cette scène, en vous interrogeant sur sa dimension tragique.
Dans une première partie, vous montrerez qu'il s'agit d'une scène d'affrontement tragique. Pour cela, vous étudierez l'expression de l'amertume et de la colère de Bérénice, puis la justification de Titus.
Dans une seconde partie, vous montrerez qu'il s'agit d'une scène d'amour tragique. Vous étudierez ainsi l'expression de la plainte et du regret, avant de montrer l'impuissance de Titus.

1. Dans le tableau ci-dessous associez les citations issues de ce texte (a) à la description du procédé (b) et l'interprétation qui correspondent (c).
2. Rédigez une phrase pour chaque citation, dans laquelle vous intégrerez la description du procédé et

l'interprétation que vous lui avez associée.
Exemple : L'interruption de la réplique « Et jamais... » [citation] de Titus, marquée par les points de suspension [description du procédé], montre que Bérénice dirige le dialogue [interprétation].
3. Classez chacune de ces analyses en fonction du plan qui vous est donné dans la consigne.
4. À partir de la fiche méthode p. 449, rédigez l'introduction du commentaire. Vous pouvez vous aider du chapeau et de la consigne pour présenter le texte.
5. À partir des analyses de la question 2, rédigez le commentaire. Vous devrez étoffer chaque sous-partie à l'aide d'autres exemples commentés que vous relèverez dans le texte.
6. À partir de la fiche méthode p. 469, rédigez la conclusion.

Citations issues du texte (a)	Description du procédé (b)	Interprétations (c)
« Et je pars. // Demeurez. // Ingrat ! que je demeure ? »	antithèse mise en valeur à la rime	Bérénice dirige le dialogue
« Et pourquoi ? / Quoi ? »	phrases non verbales exclamatives	tension tragique
« Ingrat ! / Ah cruel ! / Hélas ! »	stichomythies	expression du regret
« cruelle joie »	répétition d'un verbe à l'impératif	colère de Bérénice
« Et jamais... »	imparfait	exaspération de Bérénice
« qui semblaient pour jamais »	phrase exclamative	surprise et indignation de Titus
« soupirs / désirs »	verbe à l'impératif	passion dévorante
« retournez, retournez »	termes exprimant la passion mis en valeur à la rime	indignation de Bérénice
« Moi, que je vous haïsse ! »	phrases non verbales interrogatives	ordre paradoxal
« Vous m'aimez [...] // Et cependant je pars »	paradoxe	situation paradoxale et douloureuse
« montrez-moi moins d'amour »	points de suspension interrompant une réplique	sentiments passionnés et ambivalents
« amours / haïr toujours »	oxymore	volonté de Bérénice

Molière,
Les Précieuses Ridicules (1659)

Au XVIIᵉ siècle, les précieuses étaient des femmes de haute condition, qui s'intéressaient à la littérature et se réunissaient dans des salons, où elles discutaient d'amour. Ce mouvement, une forme de féminisme avant l'heure, fut toutefois critiqué pour ses excès de superficialité. Molière, dans *Les Précieuses ridicules*, se moque ainsi des précieuses qui refusaient de prononcer des mots qu'elles trouvaient trop vulgaires, et qui avaient inventé des périphrases pour les remplacer.

Magdelon et Cathos sont deux jeunes précieuses qui ont rejeté leurs amants car elles les trouvaient trop vulgaires. Ces derniers envoient Mascarille, un valet, jouer un tour aux deux femmes. Marotte, la servante de Magdelon, annonce ainsi l'arrivée d'un homme inconnu.

Scène 6

MAROTTE, CATHOS, MAGDELON.

MAROTTE

Voilà un laquais qui demande si vous êtes au logis, et dit que son maître vous veut venir voir.

MAGDELON

Apprenez, sotte, à vous énoncer moins vulgairement. Dites : « Voilà un nécessaire qui demande si vous êtes en commodité d'être visibles. »

MAROTTE

5 Dame ! je n'entends point le latin, et je n'ai pas appris, comme vous, la filofie[1] dans le *Grand Cyre*[2].

MAGDELON

L'impertinente ! Le moyen de souffrir[3] cela ! Et qui est-il, le maître de ce laquais ?

MAROTTE

Il me l'a nommé le marquis de Mascarille.

MAGDELON

10 Ah ! ma chère, un marquis ! Oui, allez dire qu'on nous peut voir. C'est sans doute un bel esprit qui aura ouï[4] parler de nous.

CATHOS

Assurément, ma chère.

MAGDELON

Il faut le recevoir dans cette salle basse plutôt qu'en notre chambre. Ajustons un peu nos cheveux au moins, et soutenons notre réputation.
15 Vite, venez nous tendre ici dedans le conseiller des grâces.

MAROTTE

Par ma foi ! je ne sais point quelle bête c'est là ; il faut parler chrétien, si vous voulez que je vous entende.

1. **Filofie :** déformation du mot philosophie.
2. **Le grand Cyre :** *Artamène ou le Grand Cyrus* est un long roman de Madeleine de Scudéry, très lu dans les cercles précieux.
3. **Souffrir :** supporter.
4. **Aura ouï :** aura entendu.

CATHOS

Apportez-nous le miroir, ignorante que vous êtes, et gardez-vous bien d'en salir la glace par la communication de votre image.

Scène 7

MASCARILLE, *deux porteurs.*

MASCARILLE

20 Holà ! porteurs, holà ! Là, là, là, là, là, là. Je pense que ces marauds-là ont dessein de me briser à force de heurter contre les murailles et les pavés.

PREMIER PORTEUR

Dame ! c'est que la porte est étroite ! Vous avez voulu aussi que nous soyons entrés jusqu'ici.

MASCARILLE

25 Je le crois bien. Voudriez-vous, faquins, que j'exposasse l'embonpoint de mes plumes aux inclémences de la saison pluvieuse, et que j'allasse imprimer mes souliers en boue ? Allez, ôtez votre chaise d'ici.

DEUXIÈME PORTEUR

Payez-nous donc, s'il vous plaît, Monsieur.

MASCARILLE

Hem ?

DEUXIÈME PORTEUR

30 Je dis, Monsieur, que vous nous donniez de l'argent, s'il vous plaît.

MASCARILLE

Comment, coquin ! demander de l'argent à une personne de ma qualité !

DEUXIÈME PORTEUR

Est-ce ainsi qu'on paye les pauvres gens ? et votre qualité nous donne-t-elle à dîner ?

MASCARILLE

35 Ah ! ah ! ah ! je vous apprendrai à vous connaître ! Ces canailles-là s'osent jouer à moi !

MOLIÈRE, *Les Précieuses ridicules*, 1659.

CONSIGNE

Vous ferez le commentaire littéraire de ces deux scènes, en vous interrogeant sur leur portée satirique. Dans une première partie, vous étudierez le comique de langage, puis, dans une seconde partie, vous analyserez les rapports entre les maîtres et les valets.

CORPUS
TEXTE A Jean Racine, *Britannicus*, 1669
TEXTE B Molière, *Les Fourberies de Scapin*, 1671
TEXTE C Molière, *Les Femmes savantes*, 1672

TEXTE A   Jean Racine, *Britannicus* (1669)

La scène est à Rome, dans une chambre du palais de Néron

AGRIPPINE, ALBINE.

ALBINE

Quoi ? tandis que Néron s'abandonne au sommeil,
Faut-il que vous veniez attendre son réveil ?
Qu'errant dans le palais sans suite et sans escorte,
La mère de César[1] veille seule à sa porte ?
5   Madame, retournez dans votre appartement.

AGRIPPINE

Albine, il ne faut pas s'éloigner un moment.
Je veux l'attendre ici. Les chagrins qu'il me cause
M'occuperont assez tout le temps qu'il repose.
Tout ce que j'ai prédit n'est que trop assuré :
10   Contre Britannicus Néron s'est déclaré.
L'impatient Néron cesse de se contraindre ;
Las de se faire aimer, il veut se faire craindre.
Britannicus le gêne, Albine, et chaque jour
Je sens que je deviens importune à mon tour.

ALBINE

15   Quoi ? vous à qui Néron doit le jour qu'il respire,
Qui l'avez appelé de si loin à l'Empire ?
Vous qui, déshéritant le fils de Claudius[2],
Avez nommé César l'heureux Domitius[3] ?
Tout lui parle, Madame, en faveur d'Agrippine :
20   Il vous doit son amour.

AGRIPPINE

Il me le doit, Albine ;
Tout, s'il est généreux[4], lui prescrit cette loi ;
Mais tout, s'il est ingrat, lui parle contre moi.

1. **César** : nom donné aux empereurs romains, ici à Néron.
2. **Le fils de Claudius**, premier mari d'Agrippine, est Britannicus.
3. **Domitius** : le nom complet de Néron est Lucius Domitius Claudius Nero.
4. **Généreux** : à l'âme noble et grande.

JEAN RACINE, *Britannicus*, acte I, scène 1, 1669.

TEXTE B Molière, *Les Fourberies de Scapin* (1671)

La scène est à Naples.

OCTAVE, SILVESTRE.

OCTAVE

Ah ! fâcheuses nouvelles pour un cœur amoureux ! Dures extrémités où je me vois réduit ! Tu viens, Silvestre, d'apprendre au port que mon père revient ?

SILVESTRE

Oui.

OCTAVE

5 Qu'il arrive ce matin même ?

SILVESTRE

Ce matin même.

OCTAVE

Et qu'il revient dans la résolution de me marier ?

SILVESTRE

Oui.

OCTAVE

Avec une fille du seigneur Géronte ?

SILVESTRE

10 Du seigneur Géronte.

OCTAVE

Et que cette fille est mandée de Tarente ici pour cela ?

SILVESTRE

Oui.

OCTAVE

Et tu tiens ces nouvelles de mon oncle ?

SILVESTRE

De votre oncle.

OCTAVE

15 À qui mon père les a mandées par une lettre ?

SILVESTRE

Par une lettre.

OCTAVE

Et cet oncle, dis-tu, suit toutes nos affaires.

SILVESTRE

Toutes nos affaires.

OCTAVE

Ah ! parle, si tu veux, et ne te fais point, de la sorte, arracher les mots
20 de la bouche.

SILVESTRE

Qu'ai-je à parler davantage ? Vous n'oubliez aucune circonstance, et vous dites les choses tout justement comme elles sont.

MOLIÈRE, *Les Fourberies de Scapin*, acte I, scène 1, 1671.

TEXTE C Molière, *Les Femmes savantes* (1672)

La scène est à Paris.

ARMANDE, HENRIETTE.

ARMANDE

Quoi ! le beau nom de fille[1] est un titre, ma sœur,
Dont vous voulez quitter la charmante douceur,
Et de vous marier vous osez faire fête ?
Ce vulgaire dessein vous peut monter en tête ?

HENRIETTE

5 Oui, ma sœur.

ARMANDE

Ah ! ce « oui » se peut-il supporter ?
Et sans un mal de cœur saurait-on l'écouter ?

HENRIETTE

Qu'a donc le mariage en soi qui vous oblige[2],
Ma sœur ?...

ARMANDE

Ah ! mon Dieu, fi !

HENRIETTE

Comment ?

ARMANDE

Ah ! fi ! vous dis-je.
Ne concevez-vous point ce que, dès qu'on l'entend,
10 Un tel mot à l'esprit offre de dégoûtant,
De quelle étrange image on est par lui blessée ?
Sur quelle sale vue il traîne la pensée ?
N'en frissonnez-vous point ? et pouvez-vous, ma sœur,
Aux suites de ce mot résoudre votre cœur ?

HENRIETTE

15 Les suites de ce mot, quand je les envisage,
Me font voir un mari, des enfants, un ménage ;
Et je ne vois rien là, si j'en puis raisonner,
Qui blesse la pensée et fasse frissonner.

1. On appelle « fille » une femme qui n'est
pas encore mariée.
2. Qui vous oblige : qui vous gêne.

ARMANDE

De tels attachements, ô Ciel ! sont pour vous plaire !

HENRIETTE

20   Et qu'est-ce qu'à mon âge on a de mieux à faire,
Que d'attacher à soi, par le titre d'époux,
Un homme qui vous aime, et soit aimé de vous,
Et de cette union, de tendresse suivie,
Se faire les douceurs d'une innocente vie ?
25   Ce nœud[3], bien assorti, n'a-t-il pas des appas ?

ARMANDE

Mon Dieu, que votre esprit est d'un étage bas !
Que vous jouez au monde un petit personnage,
De vous claquemurer aux choses du ménage[4],
Et de n'entrevoir point de plaisirs plus touchants
30   Qu'un idole d'époux et des marmots d'enfants !
Laissez aux gens grossiers, aux personnes vulgaires,
Les bas amusements de ces sortes d'affaires.
À de plus hauts objets élevez vos désirs,
Songez à prendre un goût des plus nobles plaisirs,
35   Et, traitant de mépris les sens et la matière,
À l'esprit comme nous donnez-vous toute entière.

3. **Ce nœud** : les liens du mariage.
4. **Vous claquemurer aux choses du ménage** : vous enfermer dans les occupations du mariage.

MOLIÈRE, *Les Femmes savantes*, acte I, scène 1, 1672.

CONSIGNES

I. Après avoir lu attentivement les textes du corpus, vous répondrez d'abord aux questions suivantes. (4 points)

1. Quelles informations délivrent ces trois scènes d'exposition ? Répondez de façon organisée.

2. Trouvez-vous que ces informations sont données au spectateur de façon naturelle ou artificielle ? Justifiez.

3. À quel genre théâtral appartient chaque extrait ? Justifiez votre réponse précisément.

II. Vous traiterez, ensuite, au choix l'un des sujets suivants. (16 points)

1. Écriture d'invention

Écrivez une scène d'exposition de tragédie ou de comédie. Votre texte devra délivrer au spectateur de façon naturelle les informations nécessaires à la compréhension de l'intrigue. La scène, d'une trentaine de lignes, sera écrite en prose dans un langage soutenu ou courant.

2. Écriture de commentaire

Commentez le texte de Racine en montrant d'abord qu'il s'agit d'une scène d'exposition efficace, puis en vous intéressant à l'atmosphère inquiétante qui s'en dégage.

3. Écriture de dissertation

À quelles conditions une scène d'exposition vous paraît-elle réussie ? Vous répondrez à cette question de façon argumentée en vous appuyant sur les textes du corpus, sur les textes étudiés en classe et sur vos lectures personnelles.

La voix, le corps et l'espace

ACTIVITÉ 1 Apprendre à respirer

Entraînez-vous à respirer et parler depuis le bas du corps : placez les mains à la hauteur de l'estomac, gonflez le ventre en inspirant de manière à ce que l'air y entre, puis poussez avec vos mains pour l'en faire sortir. Faites cela deux fois en silence puis trois fois en produisant un son bouche fermée, du plus aigu au plus grave.

ACTIVITÉ 2 Respirer et prononcer

Prononcez en respirant par le ventre les répliques : « Le pauvre homme ! », puis : « Nicole, apportez-moi mes pantoufles et me donnez mon bonnet de nuit. » Entraînez-vous à dire ainsi une partie du monologue d'Harpagon (p. 94).

Retenez cette technique et mettez-la en application dans tous les autres exercices.

ACTIVITÉ 3 Se déplacer

Placez quatre chaises dans un espace non occupé de la classe. Cela définit l'espace de la scène.

Chaque élève arrive à une allure normale jusqu'à cet espace mais doit le traverser très lentement. Ensuite chacun va jusqu'à la scène avec une démarche normale et trouve une manière particulière de traverser l'espace scénique (de dos, en sautillant, en marche arrière, en fermant les yeux, etc.).

ACTIVITÉ 4 Exploiter un espace scénique

Un acteur fait de l'espace scénique un lieu défini (une cuisine, une chambre, une partie de jardin public, une cabine téléphonique) dont les éléments sont mis en place (placards, sièges, lit, fontaine, appareil, etc.) par des gestes précis.

Il joue une scène muette dans cet espace (préparation d'un plat, lecture d'un journal, usage d'un appareil).

Les spectateurs retiennent la disposition donnée et un autre acteur joue à son tour une scène dans le même espace. La scène peut être la même, ce qui compte c'est le respect de la mise en place du premier acteur. Le second acteur peut ajouter des paroles.

Andromaque dans une mise en scène de Declan Donnellan au théâtre des Bouffes du Nord en 2007. Xavier Boiffier interprète Oreste.

Du silence à la parole

ACTIVITÉ 5 Travailler le jeu de scène du monologue d'Harpagon dans *L'Avare*

D'abord, montrez sans parler quatre jeux de scène possibles sur le monologue d'Harpagon.

Ensuite, travaillez à deux : l'un lit le texte à voix haute pendant que l'autre exécute les déplacements, fait les gestes, adopte les expressions qui lui semblent nécessaires. L'acteur muet doit travailler sans arrêt.

Pendant l'exercice, les spectateurs prennent en note les trouvailles qui leur semblent à conserver dans le jeu de l'acteur muet.

Enfin, après plusieurs passages de duos, répartissez les parties du monologue et jouez-le.

ACTIVITÉ 6 Travailler une scène du *Cid*

a) Lisez la scène 6 de l'acte I du *Cid* (p. 47).

b) Après avoir écrit le plus possible de didascalies sur le texte, jouez la scène sans paroles, en exagérant les gestes. Les spectateurs notent les éléments à conserver.

c) Jouez ensuite la scène en y intégrant les idées recueillies.

Prononcer et interpréter le texte

ACTIVITÉ 7 Prononcer vite et sans erreur

Entraînez-vous à prononcer vite et sans erreur les phrases suivantes.

– Combien sont ces six saucissons-ci ? C'est six sous, ces six saucissons-ci.
– Dis-moi petit pot de beurre, quand te dé petit pot de beurreriseras-tu ? Je me dé petit pot de beurreriserai quand tous les petits pots de beurre se dé petit pot de beurreriseront.
– Je veux et j'exige des excuses exquises.
– Le fisc fixe exprès chaque taxe excessive exclusivement au luxe et à l'acquis.

ACTIVITÉ 8 Travailler une réplique du *Bourgeois gentilhomme*

Travaillez sur la réplique du Maître de philosophie dans *Le Bourgeois Gentilhomme* :

« On les peut mettre premièrement comme vous avez dit. Belle Marquise, vos beaux yeux me font mourir d'amour. Ou bien : D'amour mourir me font, belle Marquise, vos beaux Yeux. Ou bien : Vos yeux beaux d'amour me font, belle Marquise, mourir. Ou bien : Mourir vos beaux yeux, belle Marquise d'amour me font. Ou bien : Me font vos yeux beaux mourir, belle Marquise, d'amour. »

a) Apprenez deux versions de la phrase proposée par le Maître de philosophie. Récitez-les d'abord très lentement puis le plus vite possible sans vous tromper.

b) Travaillez à deux : l'un dira seulement la phrase du début et les « Ou bien » qui ponctuent le texte et l'autre dira le reste. À quel moment remarquez-vous une pause ?

c) Apprenez la réplique entière. Cherchez comment la jouer : faut-il varier les tons ou au contraire souligner l'absurdité du texte en disant tout de la même façon ?

Jérôme Savary joue et met en scène
Le Bourgeois gentilhomme au théâtre
de Chaillot en 1996.

ACTIVITÉ 9 Travailler sur l'alexandrin

Voici des alexandrins constitués entièrement ou presque de mots d'une syllabe :

– Le ciel n'est pas plus pur que le fond de mon cœur (Racine, *Phèdre*)

– Je vois trop que vos cœurs n'ont point pour moi de fard (Corneille, *Cinna*)

– Juste ciel ! tout mon sang dans mes veines se glace (Racine, *Phèdre*)

– Je sais ce que je suis et ce que je me dois (Corneille, *Don Sanche d'Aragon*)

– Mon fils, je sais de quoi votre frère est capable (Racine, *Mithridate*)

a) Dites dans quels alexandrins on ne trouve que des mots d'une syllabe.

b) Relevez les mots qui ont plus d'une syllabe prononcée. Dans l'emploi courant, sont-ils dits tous deux de la même façon que dans le vers ? Quelle est la lettre dont la prononciation est différente dans le vers et en prose ?

c) Dites où se trouve la césure (coupe principale) de ces vers. On appelle hémistiche les deux parties de l'alexandrin séparées par la césure.

d) En quoi un vers comme celui-ci : « Homère, sous le poids du destin sombre, expire. » (Victor Hugo, *Toute la lyre*) est-il différent des vers cités ?

ACTIVITÉ 10 Travailler sur une réplique du *Cid*

CHIMÈNE

Malgré des feux si beaux qui troublent ma colère,
Je ferai mon possible à bien venger mon père ;
Mais malgré la rigueur d'un si cruel devoir ;
Mon unique souhait est de ne rien pouvoir.

CORNEILLE, *Le Cid*, acte III, scène 4, 1637.

a) Prononcez les deux derniers vers. Quel mot doit être prononcé en deux syllabes alors qu'habituellement il n'en compte qu'une ?

b) Divisez en deux la réplique en utilisant la ponctuation et la versification.

c) Trouvez deux tons différents, l'un pour la première partie de la réplique, l'autre pour la seconde.

d) Apprenez la réplique et jouez-la en prononçant correctement les vers et en interprétant le texte.

Comprendre, écrire et jouer les différentes parties d'une pièce

ACTIVITÉ 11 Travailler sur le nœud de la pièce d'*Iphigénie*

a) Lisez cette scène d'exposition tirée de *La poudre aux yeux*, d'Eugène Labiche, 1861.

b) Les paroles échangées ont-elles un intérêt pour l'action ou par leur contenu ? Que mettent-elles en place pour le spectateur ?

c) Réécrivez cette scène en en gardant l'esprit ; les personnages sont un frère et une sœur de quinze et seize ans qui sont en perpétuelle rivalité.

Un salon bourgeois chez Malingear : piano à gauche, bureau à droite, guéridon au milieu.

MADAME MALINGEAR, SOPHIE, *un panier sous le bras.*

SOPHIE

Alors, Madame, il ne faudra pas de poissons ?

MADAME MALINGEAR, *assise à droite du guéridon et travaillant.*

Non !... Il a fait du vent toute la semaine, il doit être hors de prix... Mais tâchez que votre filet soit avantageux.

SOPHIE

Et pour les légumes ?... On commence à voir des petits pois.

MADAME MALINGEAR

Vous savez bien que les primeurs n'ont pas de goût... Vous nous ferez un chou farci.

SOPHIE

Comme la semaine dernière ?...

MADAME MALINGEAR

En revenant du marché vous apporterez votre livre... Nous compterons.

SOPHIE

Bien, Madame.

Elle sort à droite.

EUGÈNE LABICHE, *La Poudre aux yeux*, scène 1, 1861.

ACTIVITÉ 12 Travailler la scène d'exposition de *La poudre aux yeux*

a) Relisez la tirade de Clytemnestre, dans la scène 4 de l'acte IV d'*Iphigénie* page 75.

b) Transcrivez sa tirade en prose et en langage courant pour lui faire exprimer les mêmes sentiments.

c) Jouez votre version avec des gestes et des intonations travaillés.

d) Puis apprenez une moitié de la tirade de Racine et jouez-la en conservant les éléments d'interprétation que vous avez trouvés pour la version en prose.

ACTIVITÉ 13 Travailler sur une péripétie du *Malade imaginaire*

Le Malade imaginaire, acte III, scène 5 (p. 99), fin de la scène depuis : « J'ai à vous dire que je vous abandonne... »

a) Mettez-vous à quatre et apprenez les répliques de Monsieur Purgon.

b) Puis jouez la scène de deux façons : d'abord le chœur prononcera à l'unisson les répliques de Monsieur Purgon et un acteur celles d'Argan. Ensuite chaque membre du chœur dira tout à tour une des répliques de Monsieur Purgon et un acteur celles d'Argan.

c) Vous utiliserez ensuite les effets obtenus pour interpréter la scène telle qu'elle a été écrite.

Le Malade imaginaire dans une mise en scène de Claude Stratz à la Comédie-Française en 2001. Avec Alain Pralon (Argan) et Jean Dautremay et Alexandre Pavloff.

▶ *Two Lovers* de James Gray, 2007

New York, aujourd'hui. À 30 ans, Leonard Kraditor (Joaquin Phoenix) vit toujours chez ses parents, un couple de commerçants juifs new-yorkais sur le point de cesser leur activité et qui espèrent voir leur unique fils la reprendre. Fragilisé émotionnellement par la perte d'un premier amour pour de vagues raisons médicales quelques années auparavant, Leonard absorbe ses cachets quotidiens et survit au jour le jour.

Il fait la connaissance de Sandra Cohen (Vinessa Shaw), la fille de l'homme qui s'apprête à racheter la blanchisserie familiale, et s'abandonne à cet amour naissant. Un sentiment entretenu par les deux familles qui rêvent d'unir ainsi leurs enfants et leurs affaires. C'est alors que Michelle Rausch (Gwyneth Paltrow), qui vient d'emménager dans l'immeuble de Leonard, fait irruption dans sa vie. Fasciné par cette jeune femme, que son amour impossible avec un homme marié fragilise et irradie à la fois, Leonard en tombe éperdument amoureux.

James Gray dépeint le dilemme d'un homme partagé entre la raison et une passion dévorante. D'un trait sobre et intense, il instille la douleur au cœur de son personnage et le soumet à une fatalité somptueuse et cruelle.

Récit de la purgation d'une passion, *Two Lovers* réactive de la tragédie classique la dimension cathartique et le caractère volontiers mythologique de figures soumises au poids de la destinée.

Passions et dilemme

Entre l'amour de Sandra...   ...et sa passion pour Michelle   Leonard face à un choix crucial...

... ou ballotté au gré du destin

QUESTIONS

1. Comparez les images 1 et 2. Quelles valeurs et quels modes de vie incarne chacune des deux jeunes femmes ?

2. De quel choix de cadre et d'angle de prise de vue provient l'aspect décisif de l'image 3 ? Que suggère le décor autour de Leonard ?

3. Dans l'image 4, quelle portion d'espace le personnage occupe-t-il ? Quand et où se passe la scène ? Quelle est la couleur dominante ? Quelles sensations se dégagent de ce choix de mise en scène ?

Permanence du mythe

premier baiser de Leonard et Sandra

Rendez-vous avec Michelle sur le toit de l'immeuble

Leonard dans les bras de sa mère

QUESTIONS

4. Que représente l'image 5 ? Quel rapport les personnages entretiennent-ils avec le décor ? Qu'est-ce que cela implique pour leur avenir ?

5. Dans l'image 6, où a lieu la scène ? Sur quel élément naturel la mise en scène insiste-t-elle ? Comment la composition montre-t-elle à la fois le cas de conscience de Leonard et son désir d'absolu ? Qu'est-ce qui rapproche Leonard du héros grec Icare (qui se brûla les ailes en s'élevant vers le soleil) ?

6. Dans l'image 7, quelle est la position des deux corps ? Quelle impression se dégage des couleurs et des expressions des personnages ? À quelles figures mythologiques ou religieuses de la maternité cette image peut-elle faire référence ?

Catharsis

Leonard et Michelle au point de non-retour

À la fin du film, Leonard retourne auprès de Sandra...

QUESTIONS

7. Dans l'image 8, comment les deux personnages se tiennent-ils l'un par rapport à l'autre ? Sur quel motif le décor insiste-t-il ? Comment l'environnement, les couleurs et la lumière traduisent-ils l'état intérieur des personnages ?

8. Que représente l'image 9 ? Quel est l'élément central ? Quelle est la position des personnages ? Quelles impressions se dégagent du décor autour d'eux ? Quel choix de vie Leonard a-t-il fait ?

9. Que représente l'image 10 ? Quelle place occupent Sandra et Leonard dans le groupe ? Que traduisent l'expression des visages et la direction des regards ? Quels sentiments ces personnes expriment-elles ?

... s'inscrire dans l'ordre familial

JEAN-HONORÉ FRAGONARD, *Portrait de Diderot*, 1765.
Paris, musée du Louvre.

Genres et formes
de l'argumentation :
XVIIe et XVIIIe siècles

OBJET D'ÉTUDE

Vivre en société au XVIIᵉ siècle : entre être et paraître

Madeleine de Scudéry, *Clélie* (1654-1660)

MADELEINE DE SCUDÉRY
(1607-1701).
NOTICE BIOGRAPHIQUE, P. 471

Mentir

« Du mensonge » est une conversation extraite du tome IX du roman *Clélie* qui part du prétexte suivant : un groupe d'amis se délasse à la campagne dans une élégante demeure où l'art rivalise avec la nature. Pour guérir Climène de son goût du mensonge, Bélise (double de l'auteur) la fait participer à la visite de son château et à la lecture à voix haute de la « Conversation contre le mensonge ».

TEXTE 1

Cet agréable entretien étant fini, le maître de maison proposa d'aller faire collation, et fit passer la compagnie dans la même salle des orangers ; mais on avait mis au milieu une table toute couverte de corbeilles de fruits admirables, ornés de feuilles et de fleurs. En s'en
5 approchant Climène vit qu'ils étaient de cire, mais si bien contrefaits, qu'il n'y eut jamais rien de pareil.
« Eh bien, dit Bélise, en adressant la parole à Climène, serez-vous contente du mensonge en cette occasion ?
– Si je ne m'étais point promenée, répliqua-t-elle, que j'eusse vu ces
10 fruits contrefaits[1] aussitôt après dîner, je m'en ferais un plaisir ; mais à l'heure qu'il est je me passerais de ce mensonge-là. » Tout le monde rit de la sincérité de Climène, et le maître de la maison les faisant passer dans un autre lieu, ils y trouvèrent une collation effective et magique, servie avec toute la politesse possible, ce qui fit avouer à Climène, qu'en cela la vérité était plus agréable que le mensonge.

MADELEINE DE SCUDÉRY, *Clélie*, 1654-1660.

---
1. Contrefaits : reproduits par imitation.

ACTIVITÉ TICE
LE LANGAGE DES PRÉCIEUSES

Découvrez les spécificités du langage précieux en mettant en valeur certains faits de langue grâce au traitement de texte.

Téléchargez la fiche élève n° 10 « Le langage des précieuses » sur le site de votre manuel.

TEXTE 2

– Pour moi, dit Herminius[1], qui fais une profession particulière d'aimer la vérité, et de haïr le mensonge, je voudrais bien qu'on déterminât absolument qu'il ne faut jamais mentir.
– Ah ! Pour jamais, s'écria Plotine, je ne le crois pas possible ; car enfin
5 il y a de petits mensonges de civilité qu'on ne peut s'empêcher de faire, et dont la bienséance ne veut pas même qu'on s'empêche.
– Il y a aussi des mensonges de générosité, ajouta Amilcar[2], dont il est quelque fois fort à propos de se pouvoir servir.

Madeleine de Scudéry,
gravure de Louis Félix Butavand, 1845.

– Pour les mensonges plaisants, reprit Anacréon[3], je demande
10 grâce pour eux.

– Pour moi, ajouta Clidamire, je consens qu'on mente pour s'ex-
cuser.

– Comme je crains fort la mort, reprit Flavie, je me contente
qu'on mente quand je suis bien malade, et qu'on me dise tou-
15 jours que je guérirai, quoiqu'on ne le croie pas.

– Pour ce qui me regarde, dit Valérie, je ne veux jamais le mensonge, si ce n'est qu'il serve à sauver la vie à quelqu'un.

– Pour mon intérêt, reprit Mérigène, j'aurais bien de la peine
à dire le plus petit mensonge du monde, mais par le com-
20 mandement d'une maîtresse j'avoue que je pourrais peut-être
mentir.

– Tout de bon, dit Bérélise, il y a plus de menteurs que je ne
croyais !

– Il y en a même, reprit Émile, qui le sont sans le penser
25 être.

– Mais puisque nous sommes en humeur de dire la vérité,
reprit Plotine, de grâce établissons des lois qui puissent nous
bien instruire jusques où il est permis de mentir.

MADELEINE DE SCUDÉRY, *Clélie*, 1654-1660.

1. **Herminius** : surnom allégorique de Paul Pellisson, habitué du salon de Mme de
Scudéry avec qui elle noua une relation d'amitié.
2. **Amilcar** : surnom de Jean-François Sarrasin, poète et ami de Mme de Scudéry.
3. **Anacréon** : surnom de Jean de La Fontaine. Anacréon est le nom d'un poète
de l'Antiquité.

PREMIÈRE LECTURE

a. Quel est l'intérêt de la petite épreuve à laquelle est
confrontée Climène dans le premier texte ?
b. Les *Conversations* de Madeleine de Scudéry font
entendre la langue des salons. Comment qualifieriez-
vous le ton qui y est employé ?

LECTURE ANALYTIQUE

Le débat moral
1. Comparez la première et la dernière réplique
du deuxième extrait : soulignez la progression du propos
sur le thème du mensonge. Qu'apporte la réplique de
Plotine ?
2. Qu'en déduisez-vous ? Les personnages sont-ils tous
du même avis ? Qu'est-ce qui distingue essentiellement
la réplique d'Herminius de celle de Plotine ?
3. Que pointe avec malice le personnage nommé Émile ?

L'art de la conversation
4. Différents camps s'opposent. Identifiez-les et analysez
leurs prises de position. Sur quoi les personnages de
Mme de Scudéry se rejoignent-ils cependant ?
5. La « bienséance » est une notion clé de l'idéal classique.
Quel rôle joue-t-elle ici dans l'argumentation sur le
mensonge ? Pouvez-vous la définir grâce à ce texte ?

ÉCRITURE D'INVENTION

L'échange se poursuit et les personnages abordent
la question du mensonge et de la sincérité dans le
domaine des relations amicales et amoureuses.
Vous imaginerez leur conversation. Vous pouvez réduire
le nombre de personnages dans le dialogue que vous
rédigerez.

Molière, *Dom Juan* (1665)

MOLIÈRE
(1622-1673)
NOTICE BIOGRAPHIQUE, P. 469

Manipuler

TEXTE 3

Dom Juan incarne la liberté d'esprit (il brave Dieu et les lois morales ordinaires) et la liberté de mœurs (il trouve plaisir dans la quête de femmes vite abandonnées). Dans la pièce de Molière, au début de l'acte V, Don Juan affirme à son père qu'il est devenu un bon chrétien et un homme vertueux, ne pensant plus qu'au salut de son âme. Dans le dialogue qui l'oppose à son valet Sganarelle, il révèle que c'était en réalité un subterfuge dont il explique l'utilité.

SGANARELLE. – Ah ! Monsieur, que j'ai de joie de vous voir converti ! Il y a longtemps que j'attendais cela, et voilà, grâce au Ciel, tous mes souhaits accomplis.

DON JUAN. – La peste le benêt !

5   SGANARELLE. – Comment, le benêt ?

DON JUAN. – Quoi ? tu prends pour de bon argent ce que je viens de dire, et tu crois que ma bouche était d'accord avec mon cœur ?

SGANARELLE. – Quoi ? ce n'est pas... Vous ne... Votre... Oh ! quel homme ! quel homme ! quel homme !

10   DON JUAN. – Non, non, je ne suis point changé, et mes sentiments sont toujours les mêmes.

SGANARELLE. – Vous ne vous rendez pas à la surprenante merveille de cette statue mouvante et parlante ?

DON JUAN. – Il y a bien quelque chose là-dedans que je ne comprends

15   pas ; mais quoi que ce puisse être, cela n'est pas capable ni de convaincre mon esprit, ni d'ébranler mon âme ; et si j'ai dit que je voulais corriger ma conduite et me jeter dans un train de vie exemplaire, c'est un dessein que j'ai formé par pure politique, un stratagème utile, une grimace nécessaire où je veux me contraindre, pour ménager

20   un père dont j'ai besoin, et me mettre à couvert, du côté des hommes, de cent fâcheuses aventures qui pourraient m'arriver. Je veux bien, Sganarelle, t'en faire confidence, et je suis bien aise d'avoir un témoin du fond de mon âme et des véritables motifs qui m'obligent à faire les choses.

25   SGANARELLE. – Quoi ? vous ne croyez rien du tout, et vous voulez cependant vous ériger en homme de bien ?

DON JUAN. – Et pourquoi non ? Il y en a tant d'autres comme moi, qui se mêlent de ce métier, et qui se servent du même masque pour abuser le monde !

30   SGANARELLE. – Ah ! quel homme ! quel homme !

DON JUAN. – Il n'y a plus de honte maintenant à cela : l'hypocrisie est un vice à la mode, et tous les vices à la mode passent pour vertus. Le personnage d'homme de bien est le meilleur de tous les personnages qu'on puisse jouer aujourd'hui, et la profession d'hypocrite a de mer-

35   veilleux avantages. C'est un art de qui l'imposture est toujours respectée ; et quoiqu'on la découvre, on n'ose rien dire contre elle. Tous

Dom Juan de Molière
dans une mise en scène
de Marc Sussi au théâtre
de la Bastille en 2010
avec Joris Avodo
(Don Juan) et Philippe
Berodot (Sganarelle).

les autres vices des hommes sont exposés à la censure, et chacun a la
liberté de les attaquer hautement ; mais l'hypocrisie est un vice privilégié, qui, de sa main, ferme la bouche à tout le monde, et jouit en
40 repos d'une impunité souveraine. On lie, à force de grimaces, une
société étroite avec tous les gens du parti. Qui en choque un, se les
jette tous sur les bras ; et ceux que l'on sait même agir de bonne foi là-
dessus, et que chacun connaît pour être véritablement touchés[1], ceux-
là, dis-je, sont toujours les dupes des autres ; ils donnent hautement
45 dans le panneau des grimaciers, et appuient aveuglément les singes
de leurs actions. Combien crois-tu que j'en connaisse qui, par ce stratagème, ont rhabillé adroitement les désordres de leur jeunesse, qui se
sont fait un bouclier du manteau de la religion, et, sous cet habit respecté, ont la permission d'être les plus méchants hommes du monde ?
50 On a beau savoir leurs intrigues et les connaître pour ce qu'ils sont,
ils ne laissent pas pour cela d'être en crédit parmi les gens ; et quelque baissement de tête, un soupir mortifié, et deux roulements d'yeux
rajustent dans le monde tout ce qu'ils peuvent faire. C'est sous cet abri
favorable que je veux me sauver, et mettre en sûreté mes affaires.
55 Je ne quitterai point mes douces habitudes ; mais j'aurai soin de me
cacher et me divertirai à petit bruit. Que si je viens à être découvert,
je verrai, sans me remuer, prendre mes intérêts à toute la cabale[2], et
je serai défendu par elle envers et contre tous. Enfin c'est là le vrai
moyen de faire impunément tout ce que je voudrai. Je m'érigerai en
60 censeur des actions d'autrui, jugerai mal de tout le monde, et n'aurai
bonne opinion que de moi. Dès qu'une fois on m'aura choqué tant soit

1. **Touchés** : sous-entendu touchés par
   la foi.
2. **Cabale** : complot.

peu, je ne pardonnerai jamais et garderai tout doucement une haine irréconciliable. Je ferai le vengeur des intérêts du Ciel, et, sous ce prétexte commode, je pousserai mes ennemis, je les accuserai d'impiété,
65 et saurai déchaîner contre eux des zélés indiscrets, qui, sans connaissance de cause, crieront en public contre eux, qui les accableront d'injures, et les damneront hautement de leur autorité privée. C'est ainsi qu'il faut profiter des faiblesses des hommes, et qu'un sage esprit s'accommode aux vices de son siècle.

MOLIÈRE, *Dom Juan*, acte V, scène 2, 1665.

Dom Juan, mise en scène de René Loyon, Théâtre de l'Atalante, 2011.

PREMIÈRE LECTURE
Quelle réaction suscite chez vous la tirade de Don Juan ?

LECTURE ANALYTIQUE

Une scène de révélation
1. À quoi reconnaît-on ici une scène de révélation ? Quelles sont les marques de la fin du malentendu ?
2. Comparez les répliques de Don Juan et de Sganarelle. Qui l'emporte dans ce dialogue ? Pourquoi ?
3. Que représente Sganarelle face à Don Juan ?

Un éloge paradoxal
4. Dégagez le schéma argumentatif de la tirade de Don Juan : où exprime-t-il sa thèse ? Quels exemples utilise-t-il pour l'illustrer ? Qu'en déduit-il ? Quel est, selon lui, l'avantage de l'hypocrisie ?
5. Observez les pronoms personnels : à quel moment

y a-t-il rupture de l'énonciation ? Que signale ce changement ?
6. Montrez que l'image du masque et du déguisement participe à la construction de la tirade de Don Juan en relevant le champ lexical de l'apparence et de la dissimulation ainsi que les métaphores filées.

ÉCRITURE D'INVENTION
Imaginez sous forme de dialogue la rencontre entre Don Juan et Tartuffe (voir *Tartuffe*, acte III, scène 3, p.109). Les deux personnages expliquent quels sont d'après eux les avantages de l'hypocrisie.

VERS LE COMMENTAIRE
Après avoir situé le texte, vous rédigerez une partie de commentaire répondant au projet de lecture : en quoi cet éloge est-il paradoxal ? Réutilisez les réponses aux questions 4, 5 et 6.

Baltasar Gracián, *L'Homme de cour* (1647)
Les tactiques du courtisan

L'Homme de cour (1647) est un livre composé de maximes commentées. Gracián joue constamment avec les mots et les ellipses. Cet auteur espagnol y fait preuve d'une habileté particulière à démonter les mécanismes du pouvoir tout en peignant le visage de l'« homme de qualité ».

Maxime XIII. *Procéder quelquefois finement, quelquefois rondement.*

La vie humaine est un combat contre la malice[1] de l'homme même. L'homme adroit y emploie pour armes les stratagèmes de l'intention[2]. Il ne fait jamais ce qu'il montre avoir envie de faire ; il mire[3] un but, mais c'est pour tromper les yeux qui le regardent. Il jette une parole en l'air, et puis il fait une chose à quoi personne ne
5 pensait. S'il dit un mot, c'est pour amuser l'attention de ses rivaux ; et, dès qu'elle est occupée à ce qu'ils pensent, il exécute aussitôt ce qu'ils ne pensaient pas. Celui donc qui veut se garder d'être trompé prévient la ruse de son compagnon par de bonnes réflexions. Il laisse passer le premier coup, pour attendre de pied ferme le second, ou le troisième. Et puis, quand son artifice est connu, il raffine sa dissimu-
10 lation, en se servant de la vérité même pour tromper. Il change de jeu et de batterie[4], pour changer de ruse. Son artifice est de n'en avoir plus, et toute sa finesse est de passer de la dissimulation précédente à la candeur. Celui qui l'observe, et qui a de la pénétration, connaissant l'adresse de son rival, se tient sur ses gardes, et découvre les ténèbres revêtues de la lumière. Il déchiffre un procédé d'autant plus
15 caché que tout y est sincère. Et c'est ainsi que la finesse de Python combat contre la candeur d'Apollon[5].

BALTASAR GRACIÁN, *L'Homme de cour*, 1647.

1. **Malice** : malignité, méchanceté.
2. **Les stratagèmes de l'intention** : au sens du calcul, de la préméditation.
3. **Mire** : vise.
4. **Batterie** : moyen qu'on emploie pour atteindre un objectif ou faire échouer une tentative. Combinaison, machination, plan.
5. Python est le nom d'un énorme serpent femelle qui rendait des oracles au nom de sa maîtresse Gaia, la Terre. Apollon le tua et donna son nom à sa propre prêtresse, la Pythie, connue pour rendre des oracles exaltés et en apparence incohérents.

QUESTIONS

1. Quelles sont les qualités essentielles de l'homme de cour ?

2. Identifiez des métaphores dans les lignes 1 à 9. Quelle conception de la vie en société illustrent-elles ?

3. En quoi consiste essentiellement la stratégie de « l'homme adroit » ? Comment peut-on s'en défendre ?

4. Montrez le rôle des métaphores de l'ombre et de la lumière à la fin du paragraphe (lignes 12 à 16).

Antonello da Messina,
Portrait d'un homme, Renaissance.

Molière, *Le Misanthrope* (1666)

Dire vrai

MOLIÈRE
(1622-1673)
NOTICE BIOGRAPHIQUE, P. 469

TEXTE 4

La comédie de Molière met en scène un personnage excessif, Alceste, qui déteste ses semblables. Ici il s'oppose à son ami Philinte, homme mesuré et sage, et lui reproche son hypocrisie en société.

PHILINTE
Mais, sérieusement, que voulez-vous qu'on fasse ?

ALCESTE
Je veux qu'on soit sincère, et qu'en homme d'honneur,
On ne lâche aucun mot qui ne parte du cœur.

PHILINTE
Lorsqu'un homme vous vient embrasser avec joie,
5 Il faut bien le payer de la même monnoie[1],
Répondre, comme on peut, à ses empressements,
Et rendre offre pour offre, et serments pour serments.

ALCESTE
Non, je ne puis souffrir cette lâche méthode
Qu'affectent la plupart de vos gens à la mode ;
10 Et je ne hais rien tant que les contorsions
De tous ces grands faiseurs de protestations,
Ces affables donneurs d'embrassades frivoles,
Ces obligeants diseurs d'inutiles paroles,
Qui de civilités avec tous font combat,
15 Et traitent du même air l'honnête homme et le fat[2].
Quel avantage a-t-on qu'un homme vous caresse,
Vous jure amitié, foi, zèle, estime, tendresse,
Et vous fasse de vous un éloge éclatant,
Lorsqu'au premier faquin[3] il court en faire autant ?
20 Non, non, il n'est point d'âme un peu bien située
Qui veuille d'une estime ainsi prostituée ;
Et la plus glorieuse a des régals peu chers,
Dès qu'on voit qu'on nous mêle avec tout l'univers :
Sur quelque préférence une estime se fonde,
25 Et c'est n'estimer rien qu'estimer tout le monde.
Puisque vous y donnez, dans ces vices du temps,
Morbleu ! vous n'êtes pas pour être de mes gens ;
Je refuse d'un cœur la vaste complaisance
Qui ne fait de mérite aucune différence ;
30 Je veux qu'on me distingue ; et pour le trancher net,
L'ami du genre humain n'est point du tout mon fait.

---

1. **Monnoie** : à la place de « monnaie » pour respecter la rime.
2. **Fat** : prétentieux, arrogant.
3. **Faquin** : individu plat, sans valeur, impertinent. Coquin.

Le Misanthrope dans une mise
en scène de Jacques Lassale avec
Alain Libolt (Philinte)
et Andrzej Seweryn (Alceste).

PHILINTE

Mais quand on est du monde, il faut bien que l'on rende
Quelques dehors civils que l'usage demande.

ALCESTE

Non, vous dis-je, on devrait châtier, sans pitié,
35 Ce commerce honteux de semblants d'amitié.
Je veux que l'on soit homme, et qu'en toute rencontre
Le fond de notre cœur dans nos discours se montre,
Que ce soit lui qui parle, et que nos sentiments
Ne se masquent jamais sous de vains compliments.

PHILINTE

40 Il est bien des endroits où la pleine franchise
Deviendrait ridicule et serait peu permise ;
Et parfois, n'en déplaise à votre austère honneur,
Il est bon de cacher ce qu'on a dans le cœur.
Serait-il à propos et de la bienséance
45 De dire à mille gens tout ce que d'eux on pense ?
Et quand on a quelqu'un qu'on hait ou qui déplaît,
Lui doit-on déclarer la chose comme elle est ?

ALCESTE

Oui.

MOLIÈRE, *Le Misanthrope*, acte I, scène 1, 1666.

PREMIÈRE LECTURE

De quel personnage vous sentez-vous le plus proche ?
Justifiez votre réponse.

LECTURE ANALYTIQUE

Idéalisme d'Alceste : le blâme de l'hypocrisie
1. Relevez dans la tirade d'Alceste (vers 8 à 31) des mots
à valeur péjorative. Que blâme-t-il ?
2. Observez attentivement les vers 16 à 31.
– Identifiez les temps et les modes des verbes. Quelle en
est la valeur ?
– Quelle est la valeur du pronom « on » (vers 16) ?
– En vous servant de ces observations, montrez que les
critiques d'Alceste ne s'adressent pas qu'à Philinte mais
possèdent une portée universelle.
3. Quel ton Alceste emploie-t-il ? Relevez des expressions
qui justifient votre réponse. Quelle phrase de la fin de sa
tirade donne un éclairage nouveau sur le personnage et
les raisons de son emportement ?

Réalisme de Philinte : le souci des convenances
4. Quelle est la réaction de Philinte aux propos
d'Alceste ? À quoi voit-on par conséquent qu'il s'agit
d'une scène d'opposition, voire d'une dispute ?

5. Quels arguments Philinte oppose-t-il à Alceste ?
Montrez que Philinte énonce un certain nombre
d'hypothèses auxquelles il répond.
6. Quel serait, d'après le discours de Philinte, l'idéal de
l'homme classique ?

VERS LA DISSERTATION

Voici ce qu'écrivait J.-J. Rousseau dans la *Lettre à
d'Alembert sur les spectacles* (1758) à propos de ces deux
personnages : « Quoique Alceste ait des défauts réels
dont on a tort de rire, on sent partout au fond du coeur
un respect pour lui […]. Cependant ce caractère vertueux
est présenté comme ridicule. Il l'est, en effet, à certains
égards ; et ce qui démontre que l'intention du poète est
bien de le rendre tel, c'est celui de l'ami Philinte qu'il
met en opposition avec lui. […] Ce Philinte est le sage de
la pièce, un de ces honnêtes gens du grand monde dont
les maximes ressemblent beaucoup à celles des fripons ;
de ces gens si doux, si modérés, qui trouvent toujours
que tout va bien parce qu'ils ont intérêt que rien n'aille
mieux ; qui sont toujours contents de tout le monde,
parce qu'ils ne se soucient de personne. »
Êtes-vous d'accord avec cette interprétation de Rousseau ?
Discutez cette affirmation dans un paragraphe argumenté.

Mme de Sévigné, *Correspondance* (1671) | Défendre son honneur

MME DE SÉVIGNÉ
(1626-1696)
NOTICE BIOGRAPHIQUE, P. 471

TEXTE 5

Orpheline puis veuve et mère de deux enfants, Madame de Sévigné ne peut vivre à la cour de Louis XIV mais entretient des relations amicales avec de nombreux courtisans. Pendant toute sa vie, elle correspond avec sa fille et ses proches pour se « consoler et s'amuser ».

À Paris, ce dimanche 26ᵉ avril [1671]

Il est dimanche 26 avril ; cette lettre ne partira que mercredi ; mais ceci n'est pas une lettre, c'est une relation[1] que vient de me faire Moreuil[2], à votre intention, de ce qui s'est passé à Chantilly touchant Vatel[3]. Je vous écrivis vendredi qu'il s'était poignardé : voici l'affaire
5 en détail.

Le Roi arriva jeudi au soir ; la chasse, les lanternes, le clair de la lune, la promenade, la collation dans un lieu tapissé de jonquilles, tout cela fut à souhait. On soupa ; il y eut quelques tables où le rôti[4] manqua, à cause de plusieurs dîners où l'on ne s'était point attendu. Cela
10 saisit Vatel ; il dit plusieurs fois : « Je suis perdu d'honneur ; voici un affront que je ne supporterai pas. » Il dit à Gourville[5] : « La tête me tourne, il y a douze nuits que je n'ai dormi ; aidez-moi à donner des ordres. » Gourville le soulagea en ce qu'il put. Ce rôti qui avait manqué, non pas à la table du Roi, mais aux vingt-cinquièmes, lui reve-
15 nait toujours à la tête. Monsieur le Prince[6] alla jusque dans sa chambre, et lui dit : « Vatel, tout va bien, rien n'était si beau que le souper du Roi. » Il lui dit : « Monseigneur, votre bonté m'achève ; je sais que le rôti a manqué à deux tables. – Point du tout, dit Monsieur le Prince, ne vous fâchez point, tout va bien. » La nuit vient : le feu d'artifice ne
20 réussit pas, il fut couvert d'un nuage ; il coûtait seize mille francs. À quatre heures du matin, Vatel s'en va partout, il trouve tout endormi ; il rencontre un petit pourvoyeur[7] qui lui apportait seulement deux charges[8] de marée ; il lui demande : « Est-ce là tout ? » Il lui dit : « Oui, Monsieur. » Il ne savait pas que Vatel avait envoyé à tous les ports de
25 mer. Il attend quelque temps ; les autres pourvoyeurs ne viennent point ; sa tête s'échauffait, il croit qu'il n'aura point d'autre marée ; il trouve Gourville, et lui dit : « Monsieur, je ne survivrai pas à cet affront-ci ; j'ai de l'honneur et de la réputation à perdre. » Gourville se moqua de lui. Vatel monte à sa chambre, met son épée contre la
30 porte, et se la passe au travers le cœur ; mais ce ne fut qu'au troisième coup, car il s'en donna deux qui n'étaient pas mortels : il tombe mort. La marée cependant arrive de tous côtés ; on cherche Vatel pour la distribuer ; on va à sa chambre ; on heurte, on enfonce la porte ; on le trouve noyé dans son sang ; on court à Monsieur le Prince, qui fut au
35 désespoir. Monsieur le Duc[9] pleura ; c'était sur Vatel que roulait[10] tout son voyage de Bourgogne. Monsieur le Prince le dit au Roi fort triste-

1. **Relation** : de relater, signifie récit.
2. **Moreuil** : gentilhomme au service du prince de Condé.
3. **Vatel** : maître d'hôtel de Condé.
4. **Rôti** : plat principal.
5. **Gourville** : surintendant.
6. **Monsieur le Prince** : le prince de Condé, parent du roi, prince de sang de la maison Bourbon-Condé.
7. **Pourvoyeur** : fournisseur.
8. **Charges** : livraisons de poisson.
9. **Monsieur le Duc** : le duc d'Enghien, fils du prince de Condé.
10. C'est de Vatel que dépendait le succès du voyage.

Gérard Depardieu est François Vatel dans le film de Roland Joffé, *Vatel*, sorti en 2000.

ment : on dit que c'était à force d'avoir de l'honneur en sa manière ; on le loua fort, on loua et blâma son courage. Le Roi dit qu'il y avait cinq ans qu'il retardait de venir à Chantilly, parce qu'il comprenait
40 l'excès de cet embarras. Il dit à Monsieur le Prince qu'il ne devait avoir que deux tables et ne se point charger du reste. Il jura qu'il ne souffrirait plus que Monsieur le Prince en usât ainsi ; mais c'était trop tard pour le pauvre Vatel. Cependant Gourville tâche de réparer la perte de Vatel ; elle le fut : on dîna très bien, on fit collation, on soupa, on
45 se promena, on joua, on fut à la chasse ; tout était parfumé de jonquilles, tout était enchanté. Hier, qui était samedi, on fit encore de même ; et le soir, le Roi alla à Liancourt, où il y avait commandé un medianoche[11] ; il y doit demeurer aujourd'hui. Voilà ce que m'a dit Moreuil, pour vous mander[12]. Je jette mon bonnet par-dessus le moulin[13], et je ne sais rien du reste.

Mᵐᵉ DE SÉVIGNÉ, *Correspondance*, 1671.

——————

11. **Medianoche :** repas après minuit.
12. **Mander :** faire savoir.
13. **Je jette mon bonnet par-dessus le moulin :** expression imagée pour dire qu'on arrête là son récit.

PREMIÈRE LECTURE

Quelle réaction cette lettre est-elle censée provoquer chez le lecteur ?

LECTURE ANALYTIQUE

Une historiette : le plaisir de la narration
1. Relisez les trois premières lignes. Quelle est la fonction de cette lettre ?
2. Quelle accumulation retrouve-t-on au début et à la fin de la lettre (lignes 6 à 9 ; 44 à 47) ? Qu'en déduisez-vous sur sa composition ?
3. Quelle est la valeur du présent employé à partir de la ligne 22 ? Comment les phrases s'enchaînent-elles ? Sont-elles coordonnées ou simplement juxtaposées ? Quel est l'effet de ces procédés sur le rythme du récit ?

Un héros de tragi-comédie
4. Dans le discours direct de Vatel, quel champ lexical repérez-vous ? Quel idéal vous paraît animer ce personnage ?
5. Où le comique trouve-t-il sa place dans ce récit au sujet pourtant tragique ? De quel type de comique s'agit-il ?

6. Quelles réactions la mort de Vatel suscite-t-elle ? Sont-elles unanimes ? Relevez l'antithèse à la ligne 38. Identifiez du discours indirect dans les lignes qui suivent. Quelle est sa fonction ?

Un blâme implicite
7. En vous fondant sur l'observation des interventions de la narratrice dans son récit, vous direz quel regard elle semble jeter sur le geste de Vatel.
8. Qu'est-ce qui dans ce texte tient lieu d'argumentation ?
9. Quelles sont les conséquences du suicide de Vatel sur la vie des courtisans ? Comment interprétez-vous la reprise de l'accumulation initiale à la fin de la lettre ?

ÉCRITURE D'INVENTION

En vous aidant de l'atelier cinéma, p. 234, choisissez une scène du film *Ridicule* et racontez-la à la manière de Mme de Sévigné (en alternant le discours direct et le discours indirect).

Nicolas Boileau
Les Satires (1660-1668)

Être ce que l'on paraît

NICOLAS BOILEAU
(1636-1711)
NOTICE BIOGRAPHIQUE, P. 465

TEXTE 6

La satire est un genre existant depuis l'Antiquité : il s'agit de se moquer des personnes ou des défauts que l'on méprise. Boileau s'inspire ainsi des Latins Horace et Juvénal lorsqu'il rédige ses satires dans lesquelles il attaque les travers de ses contemporains. Dans la onzième satire, Boileau s'adresse à son ami Valincour pour dénoncer l'hypocrisie de la société, qui place l'honneur au-dessus de tout.

Oui, l'honneur, Valincour, est chéri dans le monde :
Chacun, pour l'exalter[1] en paroles abonde ;
À s'en voir revêtu chacun met son bonheur ;
Et tout crie ici-bas : l'honneur ! vive l'honneur !
5 Entendons discourir, sur les bancs des galères,
Ce forçat abhorré[2], même de ses confrères ;
Il plaint, par un arrêt injustement donné,
L'honneur en sa personne à ramer condamné :
En un mot, parcourons et la mer et la terre ;
10 Interrogeons marchands, financiers, gens de guerre,
Courtisans, magistrats : chez eux, si je les crois,
L'intérêt ne peut rien, l'honneur seul fait la loi[3].
Cependant, lorsqu'aux yeux leur portant la lanterne,
J'examine au grand jour l'esprit qui les gouverne,
15 Je n'aperçois partout que folle ambition,
Faiblesse, iniquité[4], fourbe[5], corruption,
Que ridicule orgueil de soi-même idolâtre[6].
Le monde, à mon avis, est comme un grand théâtre,
Où chacun en public, l'un par l'autre abusé,
20 Souvent à ce qu'il est joue un rôle opposé.
Tous les jours on y voit, orné d'un faux visage,
Impudemment[7] le fou représenter le sage ;
L'ignorant s'ériger en savant fastueux[8],
Et le plus vil faquin[9] trancher du vertueux.
25 Mais, quelque fol espoir dont leur orgueil les berce,
Bientôt on les connaît, et la vérité perce.
On a beau se farder aux yeux de l'univers :
À la fin sur quelqu'un de nos vices couverts
Le public malin jette un œil inévitable ;
30 Et bientôt la censure, au regard formidable,
Sait, le crayon en main, marquer nos endroits faux
Et nous développer avec tous nos défauts.
Du mensonge toujours le vrai demeure maître,
Pour paraître honnête homme, en un mot, il faut l'être ;
35 Et jamais, quoi qu'il fasse, un mortel ici-bas
Ne peut aux yeux du monde être ce qu'il n'est pas.

NICOLAS BOILEAU, *Les Satires*, XI, 1660-1668.

---

1. **Exalter** : célébrer, faire la louange.
2. **Abhorré** : détesté.
3. Les hommes agissent contre leur propre intérêt pour sauver leur honneur.
4. **Iniquité** : injustice.
5. **Fourbe** : fourberie.
6. **Idolâtre** : adorateur de soi-même.
7. **Impudemment** : sans honte.
8. **Fastueux** : prétentieux et arrogant.
9. **Faquin** : personnage méprisable, vaniteux et sot.

ACTIVITÉ TICE
LA MODE AU XVIIᵉ SIÈCLE
Découvrez les tenues à la mode au XVIIᵉ siècle et réalisez un article mis en page pour présenter la mode de l'époque.

Téléchargez la fiche élève n°12 « La mode au XVIIᵉ siècle » sur le site du manuel.

PREMIÈRE LECTURE

Quelle est la cible de cette satire ? Résumez le texte en trois phrases.

LECTURE ANALYTIQUE

L'honneur à tout prix

1. Relevez les occurrences du mot « honneur ». Pourquoi sont-elles si nombreuses ?

2. Observez la rime des vers 3 et 4. Boileau croit-il à cette association d'idées ?

3. Relevez une accumulation. Pourquoi Boileau a-t-il choisi cette figure de style ?

Complicité du satiriste et du lecteur

4. De quelle manière la présence de l'auteur se fait-elle sentir dans ce texte ?

5. Comment Boileau cherche-t-il à impliquer le lecteur dans sa satire ?

Réflexion morale sur l'hypocrisie

6. Quelle métaphore Boileau file-t-il dans ce texte ? Relevez tous les éléments qui relèvent de cette métaphore. Comment sont-ils mis en valeur par la versification ? Quelle vision de la société cette image donne-t-elle ?

7. Quel est le temps des verbes des vers 33 à 36 ? Quelle est sa valeur ? Pourquoi Boileau l'emploie-t-il à la fin de sa satire ?

8. Ce texte vous semble-t-il porter un regard optimiste ou pessimiste sur la nature humaine ?

ÉCRITURE D'INVENTION

Vous vous indignez d'un défaut très répandu chez vos contemporains du XXIᵉ siècle. Vous écrivez un texte en prose se moquant de ce travers (30 lignes environ).

LECTURE COMPLÉMENTAIRE

MOLIÈRE, *Les Précieuses ridicules* (1659)

Dans *Les Précieuses ridicules*, Molière ajoute aux ingrédients de la farce une dimension satirique : il s'agit de faire rire, non des véritables précieuses (Mlle de Scudéry, Mme de Rambouillet qui tenaient alors salon à Paris) mais de leurs pâles imitatrices, ces « pecques provinciales » en lesquelles Molière ne voit que de « mauvais singes ».

---

1. Dans la scène 4, relevez les arguments de Gorgibus en faveur du mariage, et ceux de Cathos et Magdelon contre le mariage. Gorgibus peut-il être qualifié de « ridicule » ? Pourquoi ? Quels travers révèle sa position sur le mariage ?

2. Dans la scène 11, relevez les éléments parodiques. En quoi consiste le ridicule des précieuses ? Que confondent-elles ?

3. Comment l'intrigue se dénoue-t-elle ? Qui sont les personnages punis ? La pièce a-t-elle une ambition morale ?

4. À quelle prise de conscience Molière convie-t-il son public ? Quel danger de la vie en société met-il en évidence ?

à retenir

Louis XIV, pour mieux contrôler la noblesse qui aurait pu menacer son autorité, a développé à sa cour des divertissements pour occuper les grands du royaume, réduits au rôle de courtisans. L'honneur ne s'acquiert plus à la guerre, mais en société : perturber le dîner du roi était aussi grave que perdre une bataille ; Vatel se suicida pour cette raison, lui qui n'était pourtant pas un courtisan. La question de savoir comment bien vivre en société tout en étant soi-même devient alors centrale : faut-il dissimuler ce que l'on est vraiment, pour séduire les autres et vivre en bonne entente, ou faut-il au contraire faire preuve de franchise au risque de déplaire, comme Alceste ? Cette question a été souvent débattue dans les salons où se réunissait l'élite intellectuelle du pays et où il fallait briller par l'art de la conversation. Les nobles ne font plus la guerre, ils discutent : le dialogue devient une pratique sociale et une forme littéraire propice à l'argumentation, puisqu'il permet d'opposer des thèses sous une forme plus vivante qu'un texte théorique. Le théâtre ou les romans précieux comme ceux de Madame de Scudéry deviennent alors les supports d'une réflexion sur l'homme et sa place dans la société.

1. L'énonciateur et son point de vue

• Le discours argumentatif exprime la prise de position d'une personne, l'**énonciateur**, qui veut faire prévaloir ses idées, convaincre un **destinataire** présent ou non dans le texte. Il est donc indispensable de bien identifier celui qui parle et de reconnaître son point de vue.

• L'identité de l'énonciateur peut être clairement précisée par les sujets des verbes de parole et au théâtre par les didascalies.

• Les **modalisateurs** (adverbes, verbes), les connotations du lexique permettent de comprendre quel est le **point de vue** de celui qui parle.

> EXEMPLE : « PHILINTE. – Mais, sérieusement, que voulez-vous qu'on fasse ? »
> (Molière, *Le Misanthrope*)
> Philinte se refuse à accorder du crédit aux propos d'Alceste.

2. L'argumentation est dialogique

• L'argumentation est un **dialogue de la pensée** entre l'énonciateur et un interlocuteur présent ou imaginaire.

> EXEMPLE : Dans l'extrait de *Dom Juan*, il y a deux énonciateurs, Don Juan et Sganarelle, qui soutiennent des positions opposées.

• L'énonciateur peut aussi avoir recours au **faux dialogue** pour répondre à des objections supposées et faire progresser l'argumentation.

> EXEMPLE : Babeuf : « **On** nous dirait, avec raison que la loi agraire ne peut durer qu'un jour ».
> « On » est un opposant imaginaire aux théories de Babeuf.

3. Le jeu sur les pronoms

Par le jeu sur les pronoms, **celui qui parle peut chercher à influencer** le destinataire, lecteur ou auditeur. L'emploi de « nous » et « on » tend à mettre implicitement le destinataire dans le camp du locuteur.

> EXEMPLE : Cicéron, *Catilinaire* : «Combien de temps serons-**nous** ainsi le jouet de **ta (maudite)** fureur ?»
> « Nous » inclut les sénateurs dans le camp de Cicéron ; « ta », connoté péjorativement, condamne Catilina.

EXERCICE | Dans ce texte, identifiez l'énonciateur et définissez son point de vue en observant les modalisateurs ; repérez les destinataires.

Henriette d'Angleterre avait 26 ans lorsqu'elle mourut en quelques heures. Sa mère était morte quelques mois plus tôt, le 16 novembre 1669.

Monseigneur, j'étais donc encore destiné à rendre ce devoir funèbre à la très haute et très puissante princesse Henriette Anne d'Angleterre, duchesse d'Orléans. Elle, que j'avais vue si attentive pendant que je rendais le même devoir à la reine sa mère, devait être si tôt après le sujet d'un discours sem-
5 blable, et ma triste voix était réservée à ce déplorable ministère. Ô vanité ! ô néant ! ô mortels ignorants de leurs destinées ! L'eût-elle cru, il y a dix mois ? Et vous, messieurs, eussiez-vous pensé, pendant qu'elle versait tant de larmes en ce lieu, qu'elle dût si tôt vous y rassembler pour la pleurer elle-même ?

BOSSUET, *Oraison pour Henriette d'Angleterre*, 1670.

EXERCICES SUPPLÉMENTAIRES
À retrouver sur le site du manuel.

La critique sociale et politique au XVIIᵉ siècle

LA SATIRE

La satire existe depuis l'Antiquité. *Satura* signifie « pot-pourri » en latin : ce nom évoque la grande liberté de forme, de ton et de sujet de la satire, dont la visée est de se moquer d'un individu, d'une institution ou tout simplement d'un défaut humain. Elle est très proche de la caricature et souvent empreinte d'un comique corrosif. Les auteurs classiques du XVIIᵉ siècle, grands admirateurs des auteurs antiques, s'inspirent des Grecs Ésope et Aristophane, ainsi que des Latins Horace et Juvénal pour dénoncer les travers de leur époque. Boileau écrit des *Satires* dans lesquelles il raille les prétentions des hommes.

LA CONVERSATION

La conversation se développe dans les salons tenus par des dames de haut rang. Passionnées de littérature et d'histoire, ces dames réunissent chez elles les grands esprits de leur temps, pour disserter à propos de sujets variés ou lire en public des œuvres littéraires. Le salon est un lieu de débat où l'art de la conversation est maître : il s'agit de défendre un point de vue sans froisser son interlocuteur ni contrevenir aux règles de la bienséance, tout en montrant que l'on a de l'esprit. L'art de la conversation inspire les écrivains. Les romans précieux, par exemple, mettent en scène des personnages qui discutent galamment de leurs histoires d'amour. Le dialogue y tient une place prépondérante.

LA MAXIME

La maxime est un principe ou une règle morale présentée généralement sous la forme d'une courte phrase, parfois lapidaire. Au XVIIᵉ siècle, ce genre est prisé par de nombreux moralistes, qui ont du monde une vision pessimiste, mais ne prétendent pas pouvoir le changer. Les maximes se présentent sous la forme de recueils, dont les plus connus sont les *Maximes* de François de La Rochefoucauld. Par leur redoutable concision, les maximes dressent un portrait sans concession de la nature humaine, vouée à la faiblesse et à la corruption.

LA LETTRE

La lettre est une forme littéraire qui s'adresse en principe à une personne précise. La lettre est intime : on se livre sur un ton léger, beaucoup moins solennel que dans un discours officiel. Pourtant, au XVIIᵉ siècle, la lettre a un statut différent. Lorsqu'on en reçoit une, on la lit en public, notamment dans les salons. Celui qui la rédige le sait et, sous couvert de ne s'adresser qu'au destinataire de la lettre, écrit en fait à toute une assemblée. Madame de Sévigné, séparée de sa fille, madame de Grignan, lui écrit quotidiennement, sur le ton de la conversation. Dans le récit d'anecdotes personnelles perce un esprit critique d'une grande finesse.

Le repas ridicule, illustration des *Satires* de Boileau.

Le XVIIIe siècle

LA RÉGENCE DE PHILIPPE D'ORLÉANS

À la fin du très long règne de Louis XIV presque tous les héritiers possibles de la couronne sont morts. En 1715, le roi ne laisse qu'un arrière-petit-fils de cinq ans, Louis XV, trop jeune pour régner. La régence est alors assurée par Philippe d'Orléans jusqu'en 1723. Celui-ci mène une politique de détente, aussi bien à l'intérieur qu'à l'extérieur du pays. La France se rapproche ainsi de l'Angleterre et de la Hollande, ses anciens ennemis. Les idées modernes de ces deux pays, qui prônent une certaine liberté de l'individu, progressent peu à peu en France. Les persécutions religieuses contre les protestants et les jansénistes diminuent. Le royaume connaît alors une période de relative tranquillité par rapport aux années de guerre du siècle précédent. La réputation du régent est cependant ternie par sa vie dissolue et par son goût excessif pour les fêtes et la débauche.

Gabrielle-Émilie de Breteuil, marquise du Châtelet (1706-1749), intellectuelle des Lumières et amie de Voltaire. (Château de Breteuil.)

LE RÈGNE DE LOUIS XV

En 1723, Louis XV monte sur le trône. La difficulté de son règne vient de la nécessité de conserver et développer les acquis du règne de Louis XIV, sans être impopulaire comme le fut son ancêtre. Le pays entre en guerre contre les autres puissances européennes (la Pologne en 1733-1738, l'Autriche en 1740-1748, l'Angleterre en 1744-1758), mais la population souffre moins de ces conflits que lors des guerres de Louis XIV. Toutefois, la volonté du roi de consolider l'absolutisme nourrit la méfiance de l'opinion, soutenue par les philosophes qui prônent une plus grande liberté. Les parlements, cours de justice provinciales composées de notables, tentent également de s'opposer à cet absolutisme. Louis XV, pour assurer son pouvoir, renforce alors la censure et fait interdire les parlements en 1771. Quant aux femmes, elles restent considérées comme des êtres inférieurs et faibles, et seules celles issues des milieux les plus favorisées peuvent espérer recevoir une éducation. Même les intellectuelles, comme Madame du Châtelet, ne sont pas traitées à l'égal des hommes.

LES DÉCOUVERTES DU XVIIIe SIÈCLE ET LA NOUVELLE VISION DE L'HOMME

Les sciences naturelles évoluent : Buffon inclut dans son *Histoire naturelle* l'ensemble des savoirs de l'époque concernant les êtres vivants. Il y formule également l'hypothèse, condamnée par l'Église, d'une parenté entre l'homme et le singe.
Les explorateurs découvrent de nouveaux peuples et de nouvelles coutumes, dont ils font la description dans leurs récits de voyage. C'est le cas de Bougainville, qui fait le tour du monde dans les années 1760.

L'APPORT DES PHILOSOPHES

Les philosophes, s'appuyant sur toutes ces découvertes, remettent alors les dogmes religieux en question. Si des hommes vivent heureux de l'autre côté du monde sans être chrétiens, cela ne remet-il pas en cause de nombreuses affirmations du clergé ? Si les êtres vivants semblent avoir des liens de parenté, l'homme a-t-il vraiment été créé à partir d'argile ? De nombreux philosophes, face à ces questions, prônent une plus grande tolérance à l'égard de ceux qui pensent différemment. Certains penseurs, comme Diderot, vont jusqu'à nier l'existence de Dieu. D'autres, comme Voltaire, sont déistes : ils croient en un dieu tout-puissant, mais refusent de suivre les dogmes d'une religion particulière. Seule la raison doit guider la pensée et les actions des hommes, et non leurs préjugés religieux.

Le dîner des encyclopédistes.
Autour de la table sont présents Voltaire, Condorcet, d'Alembert, Rousseau et Diderot.
(Gravure de J. Huber, XVIIIe siècle, BNF, Paris.)

LA RÉVOLUTION FRANÇAISE

Au XVIIIe siècle, la société reste strictement organisée en fonction des trois ordres : noblesse, clergé, tiers état. Mais la bourgeoisie, qui appartient au tiers état, est de plus en plus puissante et accède à une meilleure éducation. L'évolution de la société, mieux alphabétisée, les découvertes scientifiques et les travaux des philosophes, transforment l'opinion publique. Louis XVI, qui succède à Louis XV en 1774, voit peu à peu son autorité contestée par la noblesse, par les parlements qu'il doit rétablir en 1774 et par le peuple qui remet en cause l'organisation inégalitaire de la société d'ordres. Les états généraux de 1789, qui réunissent les représentants des trois ordres, sont l'occasion pour la bourgeoisie de faire connaître ses doléances.

L'ouverture des états généraux, 5 mai 1789.
(Gravure de Charles Monnet, 1790, BNF, Paris.)

Les députés du tiers état s'érigent en Assemblée nationale constituante. Celle-ci proclame le 4 août l'abolition des privilèges et adopte le 26 la Déclaration des droits de l'homme et du citoyen. 1789 ouvre une décennie violente marquée par la condamnation à mort et l'exécution du roi en 1793, l'affrontement entre les armées révolutionnaires et l'étranger, la Terreur. À la terreur révolutionnaire succède le Directoire puis le Consulat, régime autoritaire dominé par le Ier consul Bonaparte, qui se proclame empereur en 1804 sous le nom de Napoléon Ier.

MONDANITÉ, MONDES LOINTAINS, AUTRES MONDES

L'autre au XVIIIᵉ siècle, entre mythe et réalité : de la crainte du sauvage à l'exploitation des esclaves

Hérodote, *Enquêtes* (vᵉ s. av. J.-C.)

HÉRODOTE
(484 av. J.-C. – 420 av. J.-C)
NOTICE BIOGRAPHIQUE, P. 468

La relativité des coutumes

TEXTE 1
Hérodote, historien grec du vᵉ siècle avant J.-C., est considéré comme le père du reportage ethnographique. Dans ses *Enquêtes*, il rend compte de ses principaux voyages de manière à témoigner des actions et exploits accomplis « tant par les Grecs que par les barbares[1] ». Ici, il interroge la notion de coutume.

Que l'on propose à tous les hommes de choisir, entre les coutumes qui existent, celles qui sont les plus belles et chacun désignera celles de son pays – tant chacun juge ses propres coutumes supérieures à toutes les autres. Il n'est donc pas normal, pour tout autre qu'un fou
5 du moins, de tourner en dérision ce qui est du domaine des usages. – Tous les hommes sont convaincus de l'excellence de leurs coutumes, en voici une preuve entre bien d'autres : au temps où Darius régnait, il fit un jour venir les Grecs qui se trouvaient dans son palais et leur demanda à quel prix ils consentiraient à manger leur père : ils
10 répondirent tous qu'ils ne le feraient jamais, à aucun prix. Darius fit ensuite venir les Indiens qu'on appelle Calaties, qui, eux, mangent leurs parents ; devant les Grecs (qui suivaient l'entretien grâce à un interprète), il leur demanda à quel prix ils se résoudraient à brûler sur un bûcher le corps de leur père : les Indiens poussèrent les hauts
15 cris et le prièrent instamment de ne pas tenir de propos sacrilèges. Voilà bien la force de la coutume, et Pindare a raison, à mon avis, de la nommer dans ses vers « la reine du monde ».

HÉRODOTE, *Enquêtes*, III, 38, Vᵉ siècle av. J.-C., traduit du grec par Andrée Barguet, 1985.

1. **Barbares** : pour les Grecs les barbares sont les non-Grecs.

PREMIÈRE LECTURE

Quelles réactions suscitent les exemples choisis par Hérodote ?

LECTURE ANALYTIQUE

Une conception nouvelle
1. Identifiez le mode et le temps du premier verbe. Quelle est sa valeur ? Quel rôle joue la seconde proposition (« et chacun désignera celles de son pays ») par rapport à la première ?
2. Identifiez une concession lignes 4-5. Qu'en concluez-vous ?
3. Reformulez la thèse de l'auteur.

La force de l'exemple
4. Qu'est-ce qui dans la suite du texte joue le rôle de preuve par rapport à la thèse ?
5. À quel type de raisonnement cela fait-il appel ?
6. Quelle périphrase vient souligner la force de la coutume à la fin du texte ?

RECHERCHE

Faites une recherche sur Hérodote et Pindare afin de situer ces auteurs de l'Antiquité.

Voltaire,
Essai sur les mœurs (1756) | **Qui sont les sauvages ?**

VOLTAIRE
(1694-1778)
NOTICE BIOGRAPHIQUE, P. 473

TEXTE 2

Texte emblématique de la philosophie des Lumières, l'*Essai sur les mœurs et l'esprit des nations* (1756) est une œuvre que Voltaire remaniera jusqu'à sa mort. Se proposant d'expliquer le monde, les hommes, leur histoire et leur culture à la lumière de la raison, l'auteur y aborde l'histoire européenne depuis Charlemagne jusqu'à Louis XIII, sans oublier celle des colonies et de l'Orient.

Entendez-vous par *sauvages* des rustres vivant dans des cabanes avec leurs femelles et quelques animaux, exposés sans cesse à toute l'intempérie des saisons ; ne connaissant que la terre qui les nourrit, et le marché où ils vont quelquefois vendre leurs denrées
5 pour y acheter quelques habillements grossiers ; parlant un jargon qu'on n'entend pas dans les villes ; ayant peu d'idées, et par conséquent peu d'expressions ; soumis, sans qu'ils sachent pourquoi, à un homme de plume, auquel ils portent tous les ans la moitié de ce qu'ils ont gagné à la sueur de leur front ; se rassemblant, cer-
10 tains jours, dans une espèce de grange pour célébrer des cérémonies où ils ne comprennent rien, écoutant un homme vêtu autrement qu'eux et qu'ils n'entendent point ; quittant quelquefois leur chaumière lorsqu'on bat le tambour, et s'engageant à s'aller faire tuer dans une terre étrangère, et à tuer leurs semblables, pour le
15 quart de ce qu'ils peuvent gagner chez eux en travaillant ? Il y a de ces sauvages-là dans toute l'Europe. Il faut convenir surtout que les peuples du Canada et les Cafres, qu'il nous a plu d'appeler sauvages, sont infiniment supérieurs aux nôtres. Le Huron, l'Algonquin, l'Illinois[1], le Cafre, le Hottentot[2] ont l'art de fabriquer eux-
20 mêmes tout ce dont ils ont besoin, et cet art manque à nos rustres. Les peuplades d'Amérique et d'Afrique sont libres, et nos sauvages n'ont pas même d'idée de la liberté.

Les prétendus sauvages d'Amérique sont des souverains qui reçoivent des ambassadeurs de nos colonies transplantées auprès de leur
25 territoire, par l'avarice et par la légèreté. Ils connaissent l'honneur, dont jamais nos sauvages d'Europe n'ont entendu parler. Ils ont une patrie, ils l'aiment, ils la défendent ; ils font des traités ; ils se battent avec courage, et parlent souvent avec une énergie héroïque. Y a-t-il une plus belle réponse, dans les *Grands Hommes* de Plutarque[3], que
30 celle de ce chef de Canadiens à qui une nation européenne proposait de lui céder son patrimoine ? « Nous sommes nés sur cette terre, nos pères y sont ensevelis ; dirons-nous aux ossements de nos pères : Levez-vous, et venez avec nous dans une terre étrangère ? »

Ces Canadiens étaient des Spartiates[4], en comparaison de nos rus-
35 tres qui végètent dans nos villages, et des sybarites[5] qui s'énervent dans nos villes.

VOLTAIRE, *Essai sur les mœurs*, « Des sauvages », 1756.

---

1. Huron, Algonquin, Illinois : peuples d'Indiens d'Amérique.

2. Cafre, Hottentot : peuples nomades africains.

3. *Grands Hommes* de **Plutarque** ou *Vies parallèles des hommes illustres* : célèbre ouvrage de l'Antiquité dans lequel l'auteur rassemble cinquante biographies opposant chaque fois un Grec et un Romain. De Corneille à Shakespeare bien des auteurs y ont puisé des sujets de tragédies.

4. Spartiates : par référence aux mœurs des aristocrates de la république lacédémonienne. Se dit de ce qui est austère, évoque le courage stoïque.

5. Les sybarites : les habitants de Sybaris, en Italie du Sud, passaient pour aimer le luxe et adopter des mœurs libres.

Sur quel effet de surprise le texte est-il bâti ?

LECTURE ANALYTIQUE

Une interpellation

1. Montrez comment se profile, derrière le portrait du sauvage esquissé au début du passage, un tableau de la société européenne de l'Ancien Régime : vous identifierez notamment les périphrases des lignes 8 à 14.
2. Observez les particularités de l'énonciation : quel est l'intérêt d'utiliser la deuxième personne ?
3. Comment qualifieriez-vous le ton du texte ?

Vie parallèle des sauvages et des Européens

4. Sur quelle figure d'analogie repose essentiellement le texte ? En quoi la référence à Plutarque éclaire-t-elle par conséquent la démarche de l'auteur ?
5. Quelle figure de style reconnaissez-vous dans la thèse de l'auteur telle qu'elle s'exprime lignes 34 à 36 (« Ces Canadiens... nos villes ») ? En quoi ne fait-elle que redoubler ou développer celle de la ligne 23 (« Les prétendus sauvages d'Amérique sont des souverains... ») ?
6. Quelle image est ainsi donnée de la société européenne ?

RECHERCHE

Renseignez-vous sur l'identité et l'histoire de la Vénus Hottentote. Présentez un exposé à partir du résultat de vos recherches.

TEXTE COMPLÉMENTAIRE

Claude Lévi-Strauss, *Race et histoire* (1952)
De l'usage du mot « barbare »

Depuis l'Antiquité, la civilisation occidentale affirme son identité par rapport aux autres cultures. À l'époque gréco-romaine se développe ainsi la notion de barbarie. Dans *Race et histoire*, l'ethnologue Claude Lévi-Strauss revient sur l'usage de certains mots.

L'attitude la plus ancienne, et qui repose sans doute sur des fondements psycho-logiques solides puisqu'elle tend à réapparaître chez chacun de nous quand nous sommes placés dans une situation inattendue, consiste à répudier purement et sim-plement les formes culturelles : morales, religieuses, sociales, esthétiques, qui sont
5 les plus éloignées de celles auxquelles nous nous identifions. « Habitudes de sauva-ges », « cela n'est pas de chez nous », « on ne devrait pas permettre cela », etc., autant de réactions grossières qui traduisent ce même frisson, cette même répulsion en présence de manières de vivre, de croire ou de penser qui nous sont étrangères. Ainsi l'Antiquité confondait-elle tout ce qui ne participait pas de la culture grecque
10 (puis gréco-romaine) sous le même nom de barbares ; la civilisation occidentale a ensuite utilisé le terme de sauvage dans le même sens. Or, derrière ces épithètes se dissimule un même jugement : il est probable que le mot barbare se réfère éty-mologiquement à la confusion et à l'inarticulation du chant des oiseaux, opposées à la valeur signifiante du langage humain ; et sauvage, qui veut dire « de la forêt », évoque aussi un genre de vie animal par opposition à la culture humaine.

CLAUDE LÉVI-STRAUSS, *Race et histoire*, 1952.

QUESTIONS

1. Comment l'auteur explique-t-il l'usage des mots « barbare » et « sauvage » ?
2. Rechercher les mots « barbare » et « étranger » dans un dictionnaire historique de la langue. En quoi les résultats de votre recherche permettent-ils éventuellement de compléter les propos de Lévi-Strauss ?
3. Qu'est-ce qu'un ethnologue ?

Denis Diderot,
Supplément au Voyage de Bougainville (1796)

La révolte des peuples colonisés

DENIS DIDEROT
(1713-1784)
NOTICE BIOGRAPHIQUE, P. 466

Lithographie d'un callocéphale austral le, d'après un dessin de Poucrace Bessa (1772-1835) réalisé lors du voyage de Bougainville.

---

1. **Dédain :** hauteur, mépris.
2. **Otaïtiens :** Tahitiens
3. **« Morceau de bois » :** figure de style (synecdoque) désignant le crucifix de l'aumônier.
4. **La calamité annoncée :** dénonciation du colonialisme européen.

TEXTE 3

Le Supplément au Voyage de Bougainville (1796) est un dialogue de Diderot mettant en scène deux personnages, A et B, qui, comme beaucoup de Parisiens de l'époque, se passionnent pour le récit que vient de faire paraître le navigateur Bougainville au retour de son voyage autour du monde. B propose d'examiner un soi-disant *Supplément* à ce *Voyage* qui en réalité est un texte inventé par Diderot lui-même pour dénoncer le processus de colonisation et mener une réflexion sur la relativité des coutumes et de certaines notions morales. « Les adieux du vieillard » est un extrait de ce texte fictif. La parole est donnée à un vieux Tahitien qui, après le départ des Européens, s'adresse d'abord à son peuple, puis à Bougainville.

C'est un vieillard qui parle ; il était père d'une famille nombreuse. À l'arrivée des Européens, il laissa tomber des regards de dédain[1] sur eux, sans marquer ni étonnement, ni frayeur, ni curiosité. Ils l'abordèrent, il leur tourna le dos et se retira dans sa cabane. Son silence et
5 son souci ne décelaient que trop sa pensée : il gémissait en lui-même sur les beaux jours de son pays éclipsés. Au départ de Bougainville, lorsque les habitants accouraient en foule sur le rivage, s'attachaient à ses vêtements, serraient ses camarades entre leurs bras et pleuraient, ce vieillard s'avança d'un air sévère et dit :
10 « Pleurez, malheureux Otaïtiens[2], pleurez, mais que ce soit de l'arrivée et non du départ de ces hommes ambitieux et méchants. Un jour vous les connaîtrez mieux. Un jour, ils reviendront, le morceau de bois[3] que vous voyez attaché à la ceinture de celui-ci dans une main, et le fer qui pend au côté de celui-là dans l'autre, vous enchaîner, vous
15 égorger ou vous assujettir à leurs extravagances et à leurs vices. Un jour, vous servirez sous eux, aussi corrompus, aussi vils, aussi malheureux qu'eux. Mais je me console, je touche à la fin de ma carrière et la calamité[4] que je vous annonce, je ne la verrai point. Ô Otaïtiens, ô mes amis, vous auriez un moyen d'échapper à un funeste avenir,
20 mais j'aimerais mieux mourir que de vous en donner le conseil. Qu'ils s'éloignent et qu'ils vivent. »

Puis, s'adressant à Bougainville, il ajouta : « Et toi, chef des brigands qui t'obéissent, écarte promptement ton vaisseau de notre rive. Nous sommes innocents, nous sommes heureux, et tu ne peux que
25 nuire à notre bonheur. Nous suivons le pur instinct de la nature, et tu as tenté d'effacer de nos âmes son caractère. Ici tout est à tous ; et tu nous as prêché je ne sais quelle distinction du *tien* et du *mien*. Nos filles et nos femmes nous sont communes, tu as partagé ce privi-

Bougainville abordant la Polynésie,
le 6 avril 1768. Gravure extraite de l'*Histoire
générale de la Marine* par Van Tenac, 1850.

lège avec nous, et tu es venu allumer
30 en elles des fureurs inconnues. Elles
sont devenues folles dans tes bras,
tu es devenu féroce entre les leurs ;
elles ont commencé à se haïr ; vous
vous êtes égorgés pour elles, et elles
35 nous sont revenues teintes de votre
sang. Nous sommes libres ; et voilà
que tu as enfoui dans notre terre le
titre de notre futur esclavage. Tu
n'es ni un dieu ni un démon : qui
40 es-tu donc pour faire des esclaves ?
Orou⁵, toi qui entends la langue
de ces hommes-là, dis-nous à tous,
comme tu me l'as dit à moi-même,
ce qu'ils ont écrit sur cette lame de
45 métal : *Ce pays est à nous.* Ce pays est
à toi ! et pourquoi ? parce que tu y
as mis le pied ! Si un Otaïtien débar-
quait un jour sur vos côtes et qu'il gravât sur une de vos pierres ou
sur l'écorce d'un de vos arbres : *Ce pays est aux habitants d'Otaïti,*
50 qu'en penserais-tu ? Tu es le plus fort ! et qu'est-ce que cela fait ?
Lorsqu'on t'a enlevé une des méprisables bagatelles, dont ton bâti-
ment est rempli, tu t'es récrié, tu t'es vengé, et dans le même instant tu as projeté au fond de ton cœur le vol de toute une contrée !
Tu n'es pas esclave ; tu souffrirais plutôt la mort que de l'être, et tu
55 veux nous asservir ! Tu crois donc que l'Otaïtien ne sait pas défendre sa liberté et mourir ? Celui dont tu veux t'emparer comme de la
brute, l'Otaïtien, est ton frère. Vous êtes deux enfants de la nature ;
quel droit as-tu sur lui qu'il n'ait pas sur toi ? Tu es venu ; nous sommes-nous jetés sur ta personne ? avons-nous pillé ton vaisseau ?
60 t'avons-nous saisi et exposé aux flèches de nos ennemis ? t'avons-
nous associé dans nos champs au travail de nos animaux ? Nous
avons respecté notre image en toi. Laisse-nous nos mœurs ; elles
sont plus sages et plus honnêtes que les tiennes. Nous ne voulons
point troquer ce que tu appelles notre ignorance, contre tes inuti-
65 les lumières⁶. Tout ce qui nous est nécessaire et bon, nous le pos-
sédons. Sommes-nous dignes de mépris parce que nous n'avons
pas su nous faire des besoins superflus ? Lorsque nous avons faim,
nous avons de quoi manger ; lorsque nous avons froid, nous avons
de quoi nous vêtir. Tu es entré dans nos cabanes, qu'y manque-t-
70 il à ton avis ? Poursuis jusqu'où tu voudras ce que tu appelles com-
modités de la vie, mais permets à des êtres sensés de s'arrêter,
lorsqu'ils n'auraient à obtenir de la continuité de leurs pénibles
efforts que des biens imaginaires. Si tu nous persuades de franchir

5. Orou : nom de l'interprète, personnage
inspiré par le Tahitien que Bougainville
avait ramené avec lui et qu'il présentait
dans les salons.
6. Lumières : l'idée que le progrès des
connaissances va de pair avec la dépravation des mœurs est un thème cher à
Rousseau que reprend ici Diderot.

Le petit martin-pêcheur, oiseau du cap de
Bonne-Espérance, découvert lors du voyage
de Louis Antoine de Bougainville.

l'étroite limite du besoin, quand finirons-nous de tra-
75 vailler, quand jouirons-nous ? Nous avons rendu la
somme de nos fatigues annuelles et journalières la
moindre qu'il était possible, parce que rien ne nous
paraît préférable au repos. Va dans ta contrée t'agiter, te tourmenter tant que tu voudras ; laisse-nous
80 reposer : ne nous entête ni de tes besoins factices,
ni de tes vertus chimériques[7].

DENIS DIDEROT, *Supplément au voyage de Bougainville*, 1796.

7. **Tes vertus chimériques** : les vertus occidentales sont « chimériques » parce que contre nature, comme par exemple l'abstinence,
qui contredit la nature sexuelle de l'homme, ou l'indissolubilité du
mariage, qui contredit sa nature inconstante.

PREMIÈRE LECTURE

Quelles idées exprimées dans ce texte peuvent inciter à
la réflexion aujourd'hui encore ?

LECTURE ANALYTIQUE

Le statut du texte
1. Montrez que le texte, par certaines de ses
caractéristiques, relève de différents genres (dialogue
théâtral, récit de voyage, etc.).
2. Relevez dans la première partie du discours du
vieillard des techniques de persuasion : apostrophes
lyriques, questions rhétoriques, gradations.
3. Quel usage le vieillard fait-il du discours rapporté ?
Après avoir clairement identifié les passages où il cite
les propos des Européens, vous préciserez l'intérêt du
procédé par rapport à son argumentaire.

Un tableau idyllique de la société tahitienne
4. Quels éléments permettent de faire du vieillard une
figure emblématique de la sagesse ?

5. Sur quels points le mode de vie des Tahitiens et celui
des Européens s'opposent-ils ?
6. Identifiez précisément des figures de style (parallélismes,
antithèses, analogies) qui soulignent le contraste entre ces
deux modes de vie.

Un discours dénonçant les travers des Européens
7. Relevez dans la dernière partie du discours du vieillard
des termes qui témoignent du jugement qu'il porte sur
les valeurs des Européens.
8. Identifiez le champ lexical de l'illusion et interprétez-en
l'effet.

ÉCRITURE D'INVENTION

Choisissez une des techniques de persuasion identifiées
à la question 2. Réutilisez-la dans un discours dénonçant
un fait qui vous indigne.

Lézard de terre, de la Baie
d'Antongil, découvert lors
du voyage de Louis-Antoine
de Bougainville.

Louis-Antoine de Bougainville
Voyage autour du monde (1766-69)
▶ L'arrivée à Tahiti

Voici un extrait du *Journal* du navigateur qui décrit son arrivée à Tahiti. On y voit que Bougainville s'est laissé fasciner par cette image de la vie naturelle qu'ont célébrée Diderot, Rousseau et tous les propagateurs du mythe du « bon sauvage ».

À mesure que nous avions approché de la terre, les insulaires avaient environné les navires. L'affluence des pirogues fut si grande autour des vaisseaux, que nous eûmes beaucoup de peine à nous amarrer au milieu de la foule et du bruit. Tous venaient en criant *tayo*, qui veut dire ami, et en nous donnant mille témoigna-
5 ges d'amitié ; tous demandaient des clous et des pendants d'oreilles. Les pirogues étaient remplies de femmes qui ne le cèdent pas, pour l'agrément de la figure[1], au plus grand nombre des Européennes et qui, pour la beauté du corps, pourraient le disputer à toutes avec avantage.

La plupart de ces nymphes[2] étaient nues [...]. Je le demande : comment retenir
10 au travail, au milieu d'un spectacle pareil, quatre cents Français, jeunes, marins, et qui depuis six mois n'avaient point vu de femmes ? Malgré toutes les précautions que nous pûmes prendre, il entra à bord une jeune fille, qui vint sur le gaillard[3] d'arrière se placer à une des écoutilles qui sont au-dessus du cabestan[4] ; cette écoutille[5] était ouverte pour donner de l'air à ceux qui viraient. La jeune fille laissa tomber
15 négligemment un pagne qui la couvrait, et parut aux yeux de tous telle que Vénus se fit voir au berger phrygien[6] : elle en avait la forme céleste. Matelots et soldats s'empressaient pour parvenir à l'écoutille, et jamais cabestan ne fut viré avec une pareille activité.

LOUIS-ANTOINE DE BOUGAINVILLE, *Voyage autour du monde* 1766-69.

---

1. Agrément de la figure : beauté du visage.
2. Nymphes : jeunes femmes au corps gracieux.
3. Gaillard : partie haute du pont supérieur d'un voilier.
4. Cabestan : treuil sur lequel peut s'enrouler un câble.
5. Écoutille : ouverture rectangulaire pratiquée dans le pont d'un navire et qui permet l'accès aux étages inférieurs.
6. Berger phrygien : le berger phrygien est Pâris, fils cadet de Priam et d'Hécube, à qui Vénus avait promis l'amour de la plus belle des femmes.

Bougainville fit escale pendant 10 jours à Tahiti pendant ses 28 mois d'expédition. Il décrivit l'île comme un paradis terrestre.

QUESTIONS

1. À quel passage de ce texte le récit inventé par Diderot fait-il écho ?
2. Quelle utilisation en fait le philosophe des Lumières au sein de son argumentaire ?

Voltaire,
Candide ou l'Optimisme (1759)

L'esclave, un humain exploité et nié

VOLTAIRE
(1694-1778)
NOTICE BIOGRAPHIQUE, P. 473

TEXTE 4

Candide, paru en 1759 sans nom d'auteur, est le plus célèbre des contes voltairiens. Voltaire y passe en revue toutes les questions qui préoccupent les penseurs des Lumières (le mal, la liberté, la tolérance, le progrès). Voltaire écrit un roman aux allures de conte et de récit de voyage qui invite à la réflexion.

Chassé de son château natal pour avoir séduit Cunégonde, la fille du maître de la maison, le jeune héros, s'est laissé enrôler dans l'armée. Après bien des épreuves (tempête, tremblement de terre), Candide et son valet Cacambo gagnent le Surinam, capitale de l'ancienne Guyane hollandaise, où ils font la rencontre d'un esclave.

Illustration de A. E. Marty, 1937.

En approchant de la ville, ils rencontrèrent un Nègre étendu par terre, n'ayant plus que la moitié de son habit, c'est-à-dire
5 d'un caleçon de toile bleue ; il manquait à ce pauvre homme la jambe gauche et la main droite. « Eh, mon Dieu ! lui dit Candide en hollandais, que fais-
10 tu là, mon ami, dans l'état horrible où je te vois ?

– J'attends mon maître, M. Vanderdendur, le fameux négociant, répondit le Nègre.

15 – Est-ce M. Vanderdendur, dit Candide, qui t'a traité ainsi ?

– Oui, Monsieur, dit le Nègre, c'est l'usage. On nous
20 donne un caleçon de toile pour tout vêtement deux fois l'année. Quand nous travaillons aux sucreries, et que la meule nous attrape le doigt, on nous coupe la main ; quand nous voulons nous enfuir, on nous coupe la jambe[1] : je
25 me suis trouvé dans les deux cas. C'est à ce prix que vous mangez du sucre en Europe. Cependant, lorsque ma mère me vendit dix écus patagons[2] sur la côte de Guinée, elle me disait : « Mon cher enfant, bénis nos fétiches, adore-les toujours, ils te feront vivre heureux, tu as l'honneur d'être esclave de nos Seigneurs les Blancs, et tu fais par
30 là la fortune de ton père et de ta mère. » Hélas ! je ne sais pas si j'ai fait leur fortune, mais ils n'ont pas fait la mienne. Les chiens, les singes et les perroquets sont mille fois moins malheureux que nous.

1. Le Code noir qui réglait le statut des esclaves prévoyait en effet ce genre de supplices.
2. Écus patagons : monnaie d'argent espagnole.
3. Les fétiches : le mot n'a pas le même sens qu'à la ligne 28 où il renvoyait à l'objet de culte. Ici il désigne les prêtres missionnaires.

ACTIVITÉ TICE
LA PREMIÈRE DE COUVERTURE
DE *CANDIDE*

Découvrez et comparez plusieurs couvertures de *Candide* de Voltaire.

Téléchargez la fiche élève n° 13 « La première de couverture, une ouverture sur l'œuvre » sur le site du manuel.

WILLIAM BLAKE, illustration, 1796, Paris, Bibliothèque nationale.

Les fétiches³ hollandais qui m'ont converti me disent tous les dimanches que nous sommes tous enfants d'Adam, blancs et noirs. Je ne suis
35 pas généalogiste, mais si ces prêcheurs disent vrai, nous sommes tous cousins issus de germains. Or vous m'avouerez qu'on ne peut pas en user avec ses parents d'une manière plus horrible.

– Ô Pangloss ! s'écria Candide, tu n'avais pas deviné cette abomination ; c'en est fait, il faudra qu'à la fin je renonce à ton optimisme.
40 – Qu'est-ce qu'optimisme ? disait Cacambo.

– Hélas ! dit Candide, c'est la rage de soutenir que tout est bien quand on est mal. » Et il versait des larmes en regardant son nègre, et en pleurant il entra dans Surinam.

VOLTAIRE, *Candide ou l'Optimisme,* 1759.

PREMIÈRE LECTURE

Dans quelle mesure cet extrait peut-il constituer un témoignage sur une réalité historique ? Quelles réactions Voltaire cherche-t-il à susciter ?

LECTURE ANALYTIQUE

Le témoignage de l'esclave
1. Comparez le ton employé par l'esclave avec l'attitude de Candide.
2. Où l'humour trouve-t-il sa place dans ce dialogue au thème pourtant grave ?
3. De quels registres le texte relève-t-il donc selon vous ? Justifiez votre réponse en prenant appui sur le texte.

Le réquisitoire d'un philosophe des Lumières
4. En quoi le nom du négociant est-il un indice de son comportement ? Pourquoi l'auteur a-t-il fait ce choix ?

5. Relisez les lignes 22 à 24, identifiez des parallélismes de construction employés pour décrire le sort réservé aux esclaves. Quel en est l'effet ?
6. Quelle est la fonction du discours rapporté dans le discours de l'esclave ?
7. Par quelle périphrase sont désignés les missionnaires ? Qui sont donc les différents responsables de la situation de l'esclave ?
8. Quelle est la phrase qui condamne le plus vigoureusement l'esclavage ? Pourquoi ?

VERS LA DISSERTATION

En quoi le masque de la fiction permet-il à Voltaire de dénoncer efficacement les travers de son siècle ? Répondez à cette question dans un paragraphe argumenté en vous appuyant sur des exemples choisis dans ce texte.

Un camp d'esclaves au XVIIIe siècle, Paris, Musée des Arts d'Afrique et d'Océanie.

La dénonciation de l'esclavage

MONTESQUIEU
(1689-1755)
NOTICE BIOGRAPHIQUE, P. 469

TEXTE 5
Dans ce passage célèbre de *L'Esprit des lois* (1748), Montesquieu feint de prendre à son compte les arguments d'un partisan de l'esclavage, sur un ton tel qu'il les rend odieux et ridicules.

Si j'avais à soutenir le droit que nous avons eu de rendre les Nègres esclaves, voici ce que je dirais :

Les peuples d'Europe ayant exterminé ceux de l'Amérique, ils ont dû mettre en esclavage ceux de l'Afrique, pour s'en servir à défricher tant de terres.

5 Le sucre serait trop cher, si l'on ne faisait travailler la plante qui le produit par des esclaves.

Ceux dont il s'agit sont noirs depuis les pieds jusqu'à la tête ; et ils ont le nez si écrasé, qu'il est presque impossible de les plaindre.

10 On ne peut se mettre dans l'esprit que Dieu, qui est un être très-sage, ait mis une âme, surtout une âme bonne, dans un corps tout noir.

Il est si naturel de penser que c'est la couleur qui constitue l'essence de l'humanité, que les peuples d'Asie, qui font des eunuques[1], privent toujours les Noirs du rapport qu'ils ont avec nous d'une façon 15 plus marquée[2].

On peut juger de la couleur de la peau par celle des cheveux, qui, chez les Égyptiens, les meilleurs philosophes du monde, étaient d'une si grande conséquence qu'ils faisaient mourir tous les hommes roux qui leur tombaient entre les mains.

20 Une preuve que les Nègres n'ont pas le sens commun, c'est qu'ils font plus de cas d'un collier de verre, que de l'or, qui, chez des nations policées[3], est d'une si grande conséquence.

Il est impossible que nous supposions que ces gens-là soient des hommes ; parce que, si nous les supposions des hommes, on commen-25 cerait à croire que nous ne sommes pas nous-mêmes chrétiens.

De petits esprits exagèrent trop l'injustice que l'on fait aux Africains. Car, si elle était telle qu'ils le disent, ne serait-il pas venu dans la tête des princes d'Europe, qui font entre eux tant de conventions inutiles, d'en faire une générale en faveur de la miséricorde et de la pitié ?

MONTESQUIEU, *De l'Esprit des lois*, 1748.

1. **Eunuque** : homme sans virilité.
2. **Privent toujours les Noirs [...] d'une façon plus marquée** : mutilent davantage les Noirs que les autres hommes.
3. **Policée** : civilisée.

ACTIVITÉ TICE
LES DIFFÉRENTS VISAGES
DE L'AUTRE

Faites le portrait de plusieurs personnages évoqués dans les textes de Montesquieu puis présentez-les comme dans un reportage vidéo.

Téléchargez la fiche élève n° 14 « Les différents visages de l'autre » sur le site du manuel.

Médaillon en l'honneur de l'abolition de l'esclavage, 1789.

PREMIÈRE LECTURE

Une fois passée une première réaction d'indignation légitime, quelles autres impressions ce texte peut-il susciter ?

LECTURE ANALYTIQUE

La forme d'un plaidoyer
1. Dans la première phrase, relevez les marques de l'expression de l'hypothèse.
2. Quelle situation d'énonciation fictive est ainsi posée dès le départ ?

La rigueur du réquisitoire
3. De quel ordre les arguments sont-ils ? À quoi la disposition en courts paragraphes correspond-elle ?
4. Montrez comment chacun de ces arguments contient en lui-même sa propre réfutation : identifiez par exemple un raisonnement par l'absurde, un raisonnement par analogie fondé sur un argument qui pourrait aussi bien être invoqué par les Noirs contre les Blancs.

La force du pamphlet
5. Quels arguments vous paraissent énoncés sur le strict mode de l'antiphrase ? Par quelle périphrase ironique sont par exemple désignés les Égyptiens ?
6. À quelle conclusion apparente les deux derniers paragraphes aboutissent-ils ? Quelles conclusions réelles le lecteur doit-il tirer du texte ?
7. Relisez l'ensemble du texte et montrez que sa composition est fondée sur une gradation du ton.

VERS LE COMMENTAIRE

En vous aidant des axes de lecture et des réponses aux questions, faites le plan détaillé du commentaire et rédigez-en une partie.

TEXTE COMPLÉMENTAIRE

Didier Daeninckx, *Cannibale* (1998)
Un zoo humain

Au XXe siècle, si l'esclavage est aboli, les représentations négatives de l'étranger ne cessent pas pour autant et l'invention du concept de race, qui débouche sur l'affirmation de la supériorité de la race blanche, trouve son expression la plus obscène dans l'établissement de zoos humains. Dans *Cannibale*, Didier Daeninckx s'inspire d'un fait authentique pour dénoncer cette réalité. À Paris en 1931, lors de l'exposition coloniale, les organisateurs ont montré des Kanaks au public et ont fait croire qu'ils étaient « cannibales ». Gocéné, le héros du roman, au bord du découragement, rêve qu'il est de retour chez les siens et que les enfants lui demandent de raconter son séjour en Europe.

L'air de musique avait installé sa nostalgie dans ma tête. J'ai fermé les yeux.
– Qu'est-ce que tu as, Gocéné ? Ça ne va pas ?
J'ai avalé un grand verre d'eau, respiré profondément.
– À certains moments, le découragement s'empare de moi. Je me dis que nous
5 ne reverrons jamais notre village, notre tribu… Alors je fais comme tu viens de le voir, je baisse les paupières… Les images viennent tout doucement… Fais comme moi, Baudimoin… Regarde, tu vois la piste, au bord du creek ? Elle monte en lacet de Hienghene jusqu'à Tendo. Nous marchons dans l'ombre des pins colonnaires. Les roussettes prennent leur envol en criant, et filent vers la tribu de Trendanite pour préve-
10 nir les amis de notre retour. Les femmes se relèvent, dans les champs d'ignames, de taros, et nous font des signes de bienvenue. Tous les enfants des tribus de la montagne nous entourent : « Gocéné, Badimoin, c'était comment l'Europe, c'était comment Paris, c'était comment la France ? »
Il a les yeux clos, lui aussi, et il voit.
15 – Qu'est-ce que tu leur réponds ? tu leur parles du zoo de l'Exposition coloniale, de l'enlèvement de Minoé ?

– Non, je leur invente un conte, je leur dis que c'est beau, que c'est le pays des merveilles, pour ne pas briser leurs rêves... Mais très tard dans la nuit, alors qu'ils dorment
dans les bras de leurs mères, quand les cendres étouffent leurs derniers brandons, je
20 raconte, à voix basse, pour les anciens qui ont vu arriver leurs missionnaires sur la Grande-
Terre. Je leur explique qu'on nous obli-
geait, hommes et femmes, à danser nus,
la taille et les reins recouverts d'un simple
manou. Que nous n'avions pas le droit de
25 parler entre nous, seulement de grogner
comme des bêtes, pour provoquer les rires
des gens, derrière les grilles... Qu'on nous
a séparés ainsi qu'on le fait d'une portée de
chiots, sans qu'aucun ne sache où était son
30 frère, sa sœur. Qu'on nous traitait d'anthro-
pophages, de polygames, qu'on insultait les
noms légués par nos ancêtres.

DIDIER DAENINCKX, *Cannibale*, 1998.

QUESTIONS

1. Comment s'expriment la souffrance puis
la révolte de Gocéné ?

2. Comment la déshumanisation des
Kanaks est-elles montrée ?

3. Étudiez les contrastes entre les deux
parties du texte, lignes 1 à 13 puis 14 à la fin.

L'exposition *Kanibals et Vahinés* organisée
par la Réunion des Musées nationaux et le musée
national d'Art d'Afrique et d'Océanie mettait
en scène les manières de percevoir les peuples
d'Océanie depuis le début du XIXe siècle.

LECTURE COMPLÉMENTAIRE

Vous pouvez lire *L'Affaire de l'esclave Furcy* de Mohammed Aissaoui. Cet ouvrage
présente l'enquête historique menée par l'auteur pour reconstituer la démar-
che d'un esclave qui tente, à la fin du XVIIIe siècle et au début du XIXe siècle, de
faire valoir son droit à la condition d'homme libre en prenant appui sur la légis-
lation de l'époque.

1. Quelle image de la société coloniale des XVIIIe et XIXe siècles ce livre montre-t-il ?
2. En quoi la démarche de Furcy a-t-elle une valeur universelle ?

à retenir

Le XVIIIe siècle est celui des Lumières : les philosophes com-
battent l'obscurantisme à l'aide de la raison, pour éclairer
l'esprit des hommes. Ils remettent ainsi en cause les
préjugés sociaux, moraux ou religieux et démontrent que
nos coutumes et croyances ne sont pas universelles, mais
relatives à notre pays et à notre époque. Notre manière
de vivre ne serait donc pas meilleure que celle des étrangers. La figure du « bon sauvage » devient alors un lieu
commun littéraire : c'est en comparant notre société aux
civilisations les plus éloignées géographiquement que
l'on peut mieux la critiquer. Pour certains le bonheur
se trouverait dans une vie simple, proche de la nature.
Dès lors, les Occidentaux ne sont en rien supérieurs aux
autres peuples, et ne peuvent donc justifier la pratique
intolérable de l'esclavage. Pour combattre ces préjugés,
les Lumières emploient des formes littéraires variées : le
conte philosophique, l'essai ou le dialogue sont autant
d'armes contre l'obscurantisme.

1. Structure de l'argumentation

Le texte argumentatif destiné à convaincre est un raisonnement structuré de façon précise.

- **Le thème** est ce dont on parle, **le propos** est ce qu'on en dit.
- **La thèse** est l'idée soutenue par celui qui parle. Elle est en général énoncée clairement ; elle peut être également implicite.

> EXEMPLE : Voltaire s'interroge sur la notion de civilisation : « Les peuples qu'il nous a plu d'appeler sauvages sont infiniment supérieurs aux nôtres. »

- **Un argument** est une idée (abstraite) qui vient à l'appui de la thèse défendue.

> EXEMPLE : Voltaire : « Ils connaissent l'honneur, dont jamais nos sauvages d'Europe n'ont entendu parler. »

- **Un exemple** est une référence concrète qui vient illustrer la thèse et renforcer l'argument. Parfois, l'exemple peut tenir lieu d'argument.

> EXEMPLE : L'anecdote rapportée par Hérodote mettant en scène le roi Darius illustre la thèse selon laquelle chacun est convaincu d'avoir les meilleures coutumes.

2. Progression de l'argumentation

- L'énonciateur peut défendre **un seul point de vue** : texte de justification, de défense ; la thèse figure souvent en tête, elle peut être reprise en conclusion.

> EXEMPLE : Dans *De l'esclavage des nègres*, Montesquieu donne le seul point de vue d'un partisan de l'esclavage.

- Le texte peut aussi servir à la **réfutation** ; on répond à un adversaire par des contre-arguments.

> EXEMPLE : Voltaire dans « Des sauvages » conteste l'idée selon laquelle les peuples d'Amérique ne sont pas civilisés.

- Le texte peut aussi être **délibératif** et construit selon un plan dialectique (thèse à laquelle répond l'antithèse, suivie d'une synthèse).

EXERCICE | **Pierre Bourdieu, sociologue contemporain, s'interroge sur la place du fait divers dans les journaux télévisés. Identifiez la thèse soutenue dans ce texte et les arguments qui viennent l'étayer.**

Les faits divers, ce sont aussi des faits qui font diversion. Les prestidigitateurs ont un principe élémentaire qui consiste à attirer l'attention sur autre chose que ce qu'ils font. Une part de l'action symbolique à la télévision, au niveau des informations par exemple, consiste à attirer l'atten-
5 tion sur des faits qui sont de nature à intéresser tout le monde, dont on peut dire qu'ils sont omnibus – c'est-à-dire pour tout le monde. Le fait divers, c'est cette sorte de denrée élémentaire, rudimentaire, de l'information qui est très importante parce qu'elle intéresse tout le monde sans tirer à conséquence et
10 qu'elle prend du temps, du temps qui pourrait être employé pour dire autre chose.

PIERRE BOURDIEU, *Sur la télévision*, 2008.

EXERCICES SUPPLÉMENTAIRES
À retrouver sur le site du manuel.

Les Lumières

LA NAISSANCE DES LUMIÈRES

En 1715, la mort de Louis XIV donne un nouveau souffle à la littérature d'idées. La censure est en effet moins forte sous la régence du duc d'Orléans. Cette liberté relative permet l'éclosion en France d'un mouvement qui touche toute l'Europe : les Lumières. Ce nom vient de l'objectif fixé par les philosophes du XVIIIe siècle : éclairer l'esprit des hommes par l'usage de la raison, en combattant l'ignorance et les préjugés. Les nombreuses découvertes scientifiques ou les récits de voyage d'explorateurs ayant parcouru des territoires encore inexplorés contribuent à cette prise de conscience : les règles que l'on a crues universelles ne sont que relatives, une autre société est possible. De nombreux obstacles doivent être combattus pour parvenir à cette fin. Si le siècle des Lumières est un siècle optimiste, qui croit en l'intelligence et en la capacité de l'homme à progresser, il est également un siècle de combats.

UN SIÈCLE DE COMBATS

Les principaux ennemis des philosophes des Lumières sont l'Église et ses dogmes, ainsi que l'absolutisme monarchique qui limite la liberté de pensée des individus.

Si ces ennemis sont communs aux philosophes des Lumières, cela n'empêche pas ces derniers d'avoir des divergences théoriques et idéologiques. Chaque philosophe a par exemple sa propre idée de l'existence de Dieu. Rousseau est l'adepte d'une religion naturelle. Voltaire, déiste, voit en Dieu un grand horloger nécessaire à la marche du monde et de la société. Enfin, Denis Diderot défend une pensée matérialiste. Tous rejettent les dogmes arbitraires d'un clergé qui cherche à laisser les hommes dans l'ignorance.

Quant au pouvoir politique, les théories des philosophes peuvent également diverger, mais se rejoignent sur un point essentiel : le rejet de l'arbitraire, qui limite les libertés des individus au profit d'un pouvoir tout-puissant ne rendant de compte à personne. Montesquieu, dans *De l'esprit des lois*, propose ainsi une théorie de la séparation des pouvoirs, limitant l'absolutisme royal. Le modèle souvent pris en exemple par les philosophes est la monarchie constitutionnelle de l'Angleterre, où le pouvoir royal est limité par le Parlement. Les philosophes défendent l'idéal du souverain « éclairé » qui guide son peuple vers le bonheur grâce au développement de la raison.

LES PHILOSOPHES DES LUMIÈRES

D'Alembert
(1717-1783)

Diderot
(1713-1784)

Montesquieu
(1689-1755)

Rousseau
(1712-1778)

Voltaire
(1694-1778)

Micromégas (1752)
L'extraterrestre : un regard qui relativise

VOLTAIRE
(1694-1778)
NOTICE BIOGRAPHIQUE, P. 473

Une quinzaine d'années après avoir rédigé *Les Éléments de la philosophie de Newton*, Voltaire entreprend *Micromégas*, conte philosophique illustrant la doctrine du relativisme. Habitant de l'étoile Sirius, Micromégas mesure « huit lieues de haut », c'est-à-dire un peu moins de quarante kilomètres.

EXTRAIT 1 Voyage d'un habitant du monde de l'étoile Sirius dans la planète de Saturne

Dans une de ces planètes qui tournent autour de l'étoile nommée Sirius, il y avait un jeune homme de beaucoup d'esprit, que j'ai eu l'honneur de connaître dans le dernier voyage qu'il fit sur notre petite fourmilière ; il s'appelait Micromégas, nom qui convient fort à tous les
5 grands. Il avait huit lieues de haut : j'entends, par huit lieues[1], vingt-quatre mille pas géométriques de cinq pieds chacun. [...]

Quant à son esprit, c'est un des plus cultivés que nous avons ; il sait beaucoup de choses ; il en a inventé quelques-unes ; il n'avait pas encore deux cent cinquante ans, et il étudiait, selon la coutume,
10 au collège des jésuites[2] de sa planète, lorsqu'il devina, par la force de son esprit, plus de cinquante propositions d'Euclide[3]. C'est dix-huit de plus que Blaise Pascal, lequel, après en avoir deviné trente-deux en se jouant, à ce que dit sa sœur, devint depuis un géomètre assez médiocre, et un fort mauvais métaphysicien[4]. Vers les quatre cent cin-
15 quante ans, au sortir de l'enfance, il disséqua beaucoup de ces petits insectes qui n'ont pas cent pieds de diamètre, et qui se dérobent aux microscopes ordinaires ; il en composa un livre fort curieux, mais qui lui fit quelques affaires. Le muphti[5] de son pays, grand vétillard[6], et fort ignorant, trouva dans son livre des propositions suspectes, mal-
20 sonnantes, téméraires, hérétiques, sentant l'hérésie, et le poursuivit vivement : il s'agissait de savoir si la forme substantielle des puces de Sirius était de même nature que celle des colimaçons. Micromégas se défendit avec esprit ; il mit les femmes de son côté ; le procès dura deux cent vingt ans. Enfin le muphti fit condamner le livre par des
25 jurisconsultes qui ne l'avaient pas lu, et l'auteur eut ordre de ne paraî-tre à la cour de huit cents années.

Il ne fut que médiocrement affligé d'être banni d'une cour qui n'était remplie que de tracasseries et de petitesses. Il fit une chanson fort plaisante contre le muphti, dont celui-ci ne s'embarrassa guère ;
30 et il se mit à voyager de planète en planète, pour achever de se former *l'esprit et le cœur*, comme l'on dit. Ceux qui ne voyagent qu'en chaise de poste ou en berline seront sans doute étonnés des équipages de là-haut : car nous autres, sur notre petit tas de boue, nous ne concevons rien au-delà de nos usages. Notre voyageur connaissait merveilleuse-

1. **Lieue** : pas géométrique et pied sont les anciennes unités de mesure respective-ment d'environ 5 km, 1,62 m et 32 cm.
2. **Jésuites** : membres de la compagnie de Jésus, ordre fondé en 1534 par Ignace de Loyola.
3. **Euclide** : mathématicien grec, fon-dateur de l'école de mathématique d'Alexandrie. Son premier écrit, les *Éléments de géométrie*, fit autorité pendant deux millénaires.
4. **Métaphysicien** : Voltaire s'amuse avec des éléments réels de la vie du philosophe Blaise Pascal telle qu'elle est nous est parvenue en effet à travers le témoignage de sa sœur Gilberte.
5. **Muphti** : chef religieux.
6. **Vétillard** : personne qui s'attache à des détails.

« Ils sautèrent sur l'anneau de Saturne... »
Gravure de 1867, mise en couleur.

35 ment les lois de la gravitation et toutes les forces attractives et répulsives[7]. Il s'en servait si à propos que, tantôt à l'aide d'un rayon du soleil, tantôt par la commodité
d'une comète, il allait de globe en globe, lui et les siens,
comme un oiseau voltige de branche en branche. Il par-
40 courut la voie lactée en peu de temps, et je suis obligé
d'avouer qu'il ne vit jamais à travers les étoiles dont elle
est semée ce beau ciel empyrée[8] que l'illustre vicaire
Derham[9] se vante d'avoir vu au bout de sa lunette. Ce
n'est pas que je prétende que Monsieur Derham ait
45 mal vu, à Dieu ne plaise ! mais Micromégas était sur les
lieux, c'est un bon observateur et je ne veux contredire
personne. Micromégas, après avoir bien tourné, arriva
dans le globe de Saturne. Quelque accoutumé qu'il fût
à voir des choses nouvelles, il ne put d'abord, en voyant
50 la petitesse du globe et de ses habitants, se défendre de
ce sourire de supériorité qui échappe quelquefois aux
plus sages. Car enfin Saturne n'est guère que neuf cents
fois plus gros que la Terre, et les citoyens de ce pays-là sont des nains
qui n'ont que mille toises[10] de haut ou environ. Il s'en moqua un peu
55 d'abord avec ses gens, à peu près comme un musicien italien se met
à rire de la musique de Lulli[11] quand il vient en France. Mais comme
le Sirien avait un bon esprit, il comprit bien vite qu'un être pensant
peut fort bien n'être pas ridicule pour n'avoir que six mille pieds de
haut. Il se familiarisa avec les Saturniens, après les avoir étonnés. Il
60 lia une étroite amitié avec le secrétaire de l'Académie de Saturne,
homme de beaucoup d'esprit, qui n'avait à la vérité rien inventé, mais
qui rendait un fort bon compte des inventions des autres, et qui faisait passablement de petits vers et de grands calculs.

VOLTAIRE, *Micromégas*, chapitre Ier, 1752.

7. Les forces attractives et répulsives : lois
régissant les mouvements des astres,
découvertes par Newton en 1687.

8. Empyrée : dans la mythologie antique,
la plus élevée des quatre sphères célestes, qui contenait les astres, et qui était
le séjour des dieux.

9. Derham : théologien britannique
contemporain de Voltaire qui fit paraître plusieurs traités d'astrophysique.

10. Mille toises : environ 2 km.

11. Lulli : musicien à la cour de
Louis XIV, créateur de l'opéra à la
française.

PREMIÈRE LECTURE
À votre avis, quelle impression la Terre va-t-elle produire
sur le jeune Micromégas ?

LECTURE ANALYTIQUE

Les caractéristiques du conte
1. Le narrateur est-il un personnage ou le témoin de
l'histoire ?
2. En quoi la première phrase est-elle typique de l'incipit
d'un conte ?
3. Relevez les marques du gigantisme dans le portrait
de Micromégas. En quoi fait-il figure par ses qualités de
héros de conte ?

Un conte philosophique : le débat sur le relativisme
4. Dans le premier paragraphe, l'antithèse, déjà présente
dans le nom du personnage, est redoublée. Comment ?
En quoi le mot « grands » a-t-il, ici, plusieurs sens ?
5. Identifiez deux modes de désignation ironique de la Terre.

Satire et distanciation critique
6. Quelles sont les principales cibles de la satire dans ce
passage ?
7. Où Micromégas a-t-il fait ses études ? Relevez
l'expression qui montre que Micromégas entreprend
ensuite un voyage de formation. Quel en est le but ?
8. Quel est l'intérêt du face-à-face entre Newton et
Derham ?
9. En quoi l'attitude de Micromégas, telle qu'elle est
décrite à la fin du passage, lui permet-elle d'échapper
au géocentrisme (théorie qui consiste à faire de la Terre
le centre de l'univers) ?

RECHERCHE
Faites une recherche sur Blaise Pascal et l'invention du
télescope et du microscope. Comment ces découvertes
scientifiques trouvent-elles ici un écho humoristique ?

EXTRAIT 2 Expériences et raisonnements des deux voyageurs

Le Sirien et le Saturnien décident de voyager ensemble. Arrivés sur Terre, ne parvenant pas à voir les habitants, trop petits, ils pensent que le globe est inhabité, jusqu'à ce qu'ils découvrent, grâce à un diamant-microscope, une baleine, puis un bateau ramenant une équipe de savants et d'explorateurs. C'est l'occasion pour Voltaire de donner une leçon de relativité.

Micromégas étendit la main tout doucement vers l'endroit où l'objet paraissait, et avançant deux doigts, et les retirant par la crainte de se tromper, puis les ouvrant et les serrant, il saisit fort adroitement le vaisseau qui portait ces messieurs, et le mit encore sur son ongle,
5   sans le trop presser, de peur de l'écraser. « Voici un animal bien différent du premier », dit le nain de Saturne ; le Sirien mit le prétendu animal dans le creux de sa main. Les passagers et les gens de l'équipage, qui s'étaient crus enlevés par un ouragan, et qui se croyaient sur une espèce de rocher, se mettent tous en mouvement ; les matelots
10 prennent des tonneaux de vin, les jettent sur la main de Micromégas, et se précipitent après. Les géomètres prennent leurs quarts de cercle, leurs secteurs, et des filles laponnes, et descendent sur les doigts du Sirien. Ils en firent tant qu'il sentit enfin remuer quelque chose qui lui chatouillait les doigts : c'était un bâton ferré
15 qu'on lui enfonçait d'un pied dans l'index ; il jugea, par ce picotement, qu'il était sorti quelque chose du petit animal qu'il tenait ; mais il n'en soupçonna pas d'abord davantage. Le microscope, qui faisait à peine discerner une baleine et un vaisseau, n'avait
20 point de prise sur un être aussi imperceptible que des hommes. Je ne prétends choquer ici la vanité de personne, mais je suis obligé de prier les importants de faire ici une petite remarque avec moi ; c'est qu'en prenant la taille des hommes d'environ
25 cinq pieds, nous ne faisons pas sur la Terre une plus grande figure qu'en ferait sur une boule de dix pieds de tour un animal qui aurait à peu près la six cent millième partie d'un pouce en hauteur. Figurez-vous une substance qui pourrait tenir la
30 Terre dans sa main, et qui aurait des organes en proportion des nôtres ; et il se peut très bien faire qu'il y ait un grand nombre de ces substances : or concevez, je vous prie, ce qu'elles penseraient de ces batailles qui nous ont valu deux villages qu'il
35 a fallu rendre.

Je ne doute pas que si quelque capitaine des grands grenadiers lit jamais cet ouvrage, il ne hausse de deux grands pieds au moins les bonnets de sa troupe ; mais je l'avertis qu'il aura beau faire,
40 et que lui et les siens ne seront jamais que des infiniment petits.

Gravure réalisée pour illustrer *Micromégas*.

VOLTAIRE, *Micromégas*, 1752.

PREMIÈRE LECTURE

Ce passage du conte vous rappelle-t-il d'autres histoires célèbres jouant sur le changement d'échelle ?

LECTURE ANALYTIQUE

Le plaisir du décalage
1. Comment le narrateur joue-t-il du décalage entre les perceptions des géants et celles des petits Terriens ? Quel est le registre dominant de ce texte ?
2. Relevez entre les lignes 29 et 35 deux verbes au mode impératif : à quelle activité de l'esprit le narrateur incite-t-il son lecteur ?

La satire des Terriens
3. Quel connecteur logique introduit la deuxième étape de son raisonnement (ligne 32) ? À quelle conclusion implicite doit aboutir le lecteur ?
4. Comment les humains sont-ils désignés dans ce passage ?
5. Quel regard sur les Terriens la conclusion de ce passage traduit-elle ?

EXTRAIT 3 Conversation avec les hommes

Les savants et explorateurs apprennent à nos deux voyageurs que les Terriens, qui ont la taille d'atomes par rapport au géant Micromégas, ont cependant aussi une intelligence.

« Ô atomes intelligents, dans qui l'Être éternel s'est plu à manifes-
ter son adresse et sa puissance, vous devez sans doute goûter des joies
bien pures sur votre globe : car, ayant si peu de matière, et paraissant
tout esprit, vous devez passer votre vie à aimer et à penser ; c'est la
5 véritable vie des esprits. Je n'ai vu nulle part le vrai bonheur ; mais
il est ici, sans doute. » À ce discours, tous les philosophes secouèrent
la tête ; et l'un d'eux, plus franc que les autres, avoua de bonne foi
que, si l'on excepte un petit nombre d'habitants fort peu considérés,
tout le reste est un assemblage de fous, de méchants et de malheu-
10 reux. « Nous avons plus de matière qu'il ne nous en faut, dit-il, pour
faire beaucoup de mal, si le mal vient de la matière ; et trop d'esprit, si le mal vient de l'esprit. Savez-vous bien, par exemple, qu'à
l'heure où je vous parle, il y a cent mille fous de notre espèce, couverts de chapeaux, qui tuent cent mille autres animaux couverts d'un
15 turban[1], ou qui sont massacrés par eux, et que, presque sur toute la
terre, c'est ainsi qu'on en use de temps immémorial ? » Le Sirien fré-
mit, et demanda quel pouvait être le sujet de ces horribles querelles
entre de si chétifs animaux. « Il s'agit, dit le philosophe, de quelque
tas de boue grand comme votre talon. Ce n'est pas qu'aucun de ces
20 millions d'hommes qui se font égorger prétende un fétu[2] sur ce tas de
boue. Il ne s'agit que de savoir s'il appartiendra à un certain homme
qu'on nomme *Sultan*, ou à un autre qu'on nomme, je ne sais pourquoi,
César. Ni l'un ni l'autre n'a jamais vu ni ne verra jamais le petit coin de
terre dont il s'agit ; et presque aucun de ces animaux, qui s'égorgent
25 mutuellement, n'a jamais vu l'animal pour lequel ils s'égorgent.
– Ah ! malheureux ! s'écria le Sirien avec indignation, peut-on
concevoir cet excès de rage forcenée ! Il me prend envie de faire trois
pas, et d'écraser de trois coups de pied toute cette fourmilière d'assas-

ACTIVITÉ TICE
LA REPRÉSENTATION DE L'AUTRE AU XVIIIᵉ SIÈCLE

En groupe, réalisez un fichier documentaire sur un thème relatif à l'altérité au XVIIIᵉ siècle puis mettez en commun votre synthèse avec celles des autres via une communauté virtuelle.

Téléchargez la fiche élève n° 15 « La représentation de l'autre au XVIIIᵉ siècle » sur le site du manuel.

1. **Turban :** allusion à la guerre qui opposa les Turcs aux Russes et aux Autrichiens à propos de la Crimée entre 1736 et 1739.
2. **Fétu :** brin de paille.

30 sins ridicules. – Ne vous en donnez pas la peine, lui répondit-on ; ils travaillent assez à leur ruine. Sachez qu'au bout de dix ans, il ne reste jamais la centième partie de ces misérables ; sachez que, quand même ils n'auraient pas tiré l'épée, la faim, la fatigue ou l'intempérance les emportent presque tous. D'ailleurs, ce n'est pas eux qu'il faut punir, ce sont ces barbares sédentaires qui du fond de leur cabinet ordonnent, 35 dans le temps de leur digestion, le massacre d'un million d'hommes, et qui ensuite en font remercier Dieu solennellement.

VOLTAIRE, *Micromégas*, 1752.

« Le Sirien mit le prétendu animal dans le creux de sa main », gravure de 1867 mise en couleur.

Quels traits de caractère de Micromégas apparaissent dans ce texte ?

Le débat philosophique
1. Qui est désigné par l'expression « atomes intelligents » ? Quel est l'intérêt de la formule ?
2. Observez le contraste entre les deux réactions de Micromégas. Quelles questions philosophiques posent-elles ?
3. À quoi voyez-vous que les interlocuteurs de Micromégas appartiennent au courant de la philosophie des Lumières ?

La satire de la guerre
4. Quels sont les enjeux de la guerre ? Montrez, en vous appuyant sur les données chiffrées et le champ lexical de la violence, que Voltaire utilise le procédé du décalage pour en dénoncer l'absurdité. Quels objets prennent une valeur métonymique ?
5. Qui est visé par l'allusion aux « barbares sédentaires » ?

Recherchez d'autres textes célèbres de Voltaire condamnant la guerre. Puis vous comparerez dans les textes trouvés et dans cet extrait de *Micromégas* les moyens utilisés pour dénoncer la guerre.

Ray Bradbury,
Chroniques martiennes (1954)
Dialogue entre un Terrien et un Martien

Ray Bradbury est né en 1920 et s'est fait connaître dès les années 1940 grâce à de courts récits de science-fiction qui ont été réunis dans le recueil des *Chroniques martiennes*. L'histoire se déroule en 2030. Les Terriens ont exploré puis colonisé la planète Mars, où prospère une civilisation raffinée d'êtres à la peau et aux yeux d'or doués de télépathie. Dans « Rencontre nocturne », Tomas Gomez, le héros, qui est un colon terrien installé sur Mars, rencontre un Martien du nom de Muhe. Ils s'aperçoivent qu'ils sont l'un pour l'autre transparents et qu'ils ne voient pas les mêmes choses. Le Martien ne voit pas les ruines de son monde disparu que Tomas distingue très nettement à l'horizon. Il voit une ville intacte.

« Tout ça est mort.

– Tout ça est vivant ! protesta le Martien en riant de plus belle. Vous vous trompez complètement. Vous ne voyez pas toutes ces lumières de carnaval ? Il y a de superbes bateaux sveltes comme des femmes, de superbes femmes sveltes comme
5   des bateaux, des femmes couleur de sable, des femmes avec des fleurs de feu dans les mains. Je les vois d'ici, toutes petites, en train de courir dans les rues.

C'est là que je me rends ce soir, au festival ; on va passer toute la nuit sur l'eau ; on va chanter, on va boire, on va faire l'amour. Vous ne *voyez* pas ?

– Cette ville est aussi morte qu'un lézard desséché, mon vieux. Demandez à n'im-
10 porte lequel d'entre nous. Moi, ce soir, je vais à Verteville ; c'est la nouvelle colonie qu'on vient juste de bâtir là-bas, près de la route de l'Illinois. Vous vous emmêlez les pédales. On a importé quelque trois cents kilomètres de planches de l'Oregon, deux douzaines de tonnes de bons clous d'acier, et construit avec ça deux des plus jolis villages qu'on ait jamais vus. Ce soir on en inaugure un. Deux fusées viennent
15 d'arriver de la Terre avec nos femmes et nos petites amies. On va danser la gigue, boire du whisky. »

Le Martien avait perdu de son aplomb. « *Là-bas*, dites-vous ?

– Tenez, voilà les fusées. » Tomas l'emmena au bord du surplomb rocheux et désigna la vallée du doigt. « Vous voyez ?
20 – Non.

– Bon Dieu, elles sont pourtant *là* ! Ces longues formes argentées. – Non. »
Ce fut au tour de Tomas de s'esclaffer. « Vous êtes aveugle.

– Je vois très bien. C'est vous qui ne voyez pas.

– Mais vous voyez la *nouvelle* ville, non ?
25 – Je ne vois qu'un océan et des eaux à marée basse. [...] je ne vois pas ce que vous décrivez. Nous voilà bien. »

Une fois de plus, ils étaient transis. Leur chair se transformait en glace.

[...] Le Martien ferma les yeux et les rouvrit. « Je ne vois qu'une seule explication. Ça a à voir avec le Temps. Oui. Vous êtes une vision du Passé !
30 – Non, c'est vous qui venez du Passé », dit le Terrien, qui avait eu le temps de retourner la question dans sa tête.

« Vous êtes bien sûr de vous. Comment pouvez-vous prouver qui vient du Passé, qui vient du Futur ? En quelle année sommes-nous ?

– En 2033 !

35 – Qu'est-ce que cela signifie pour *moi* ? »

Tomas réfléchit et haussa les épaules. « Rien.

– C'est comme si je vous disais que l'on est en 4 462 853 S.E.C. Ce n'est rien et ce n'est pas rien ! Où est l'horloge qui va nous montrer quelle est la position des étoiles ?

– Mais les ruines le prouvent ! Elles prouvent que *je* représente le futur, que *je* 40 suis vivant et *vous* mort !

– Tout en moi affirme le contraire. Mon cœur bat. Nous ne sommes ni morts ni vivants. Plutôt vivants, quand même. Plus exactement, entre les deux. Deux étrangers qui passent dans la nuit, voilà tout. Deux étrangers qui passent. [...]

Ray Bradbury, *Chroniques martiennes*, 1954.

QUESTIONS

1. Sur quels sujets la conversation entre le Terrien et le Martien porte-elle ?

2. Comment l'auteur souligne-t-il le contraste entre les visions des deux personnages ?

3. Comment prennent-ils conscience de la relativité de leurs perceptions ? Sur quoi le décalage repose-t-il ?

Adaptation au cinéma en 1979 des *Chroniques martiennes* par Michael Anderson.

Les philosophes des Lumières, pour combattre les préjugés, ont souvent eu recours à la figure de l'étranger pour relativiser nos coutumes et nos croyances. Le conte philosophique, forme légère et fantaisiste, permet de mettre en scène des personnages hors du commun, comme Micromégas, et de les faire évoluer dans notre société, qu'ils découvrent avec un regard neuf. Le comique vient du décalage entre ce que voit ce personnage et la réalité que nous devinons derrière cette description. Notre monde semble alors ridicule et dérisoire, le géocentrisme du lecteur est remis en cause : notre société n'est sûrement pas aussi idéale que nous le prétendons.

La critique sociale et politique au XVIIIᵉ siècle

LE CONTE PHILOSOPHIQUE

Le conte philosophique est un récit imaginaire, qui ne relève pas forcément du merveilleux mais qui transmet un enseignement philosophique ou moral. Pleine d'humour et d'esprit, cette forme plaisante et satirique séduit le public, tout en se jouant de la censure. Elle se moque avec une ironie mordante du fonctionnement de la société et du pouvoir. Les philosophes des Lumières ont recours aux contes philosophiques pour lutter contre l'obscurantisme. Les dogmes religieux, l'esclavage ou l'arbitraire du pouvoir sont leurs principales cibles.

LE RÉCIT DE VOYAGE

Le récit de voyage trouve son origine à l'époque antique (avec Hérodote et Arrien). Au XVIIIᵉ siècle, les philosophes font du récit de voyage une arme contre les préjugés et l'ethnocentrisme (c'est-à-dire le fait de juger la culture des autres en fonction de la sienne). En 1771-1772, un explorateur et navigateur français, Louis Antoine de Bougainville, publie son *Voyage autour du monde*, relatant son périple. Denis Diderot invente une suite à cet ouvrage, intitulée *Supplément au Voyage de Bougainville*, dans laquelle deux Tahitiens critiquent la corruption européenne et l'influence néfaste de Bougainville sur leur tribu.

L'ESSAI

L'essai (du latin *exagium*, « pesage ») est un genre argumentatif offrant le point de vue d'un auteur sur un sujet. Le registre de l'essai peut être explicatif, démonstratif, mais également polémique.

Au XVIIIᵉ siècle, l'essai est mis au service du combat des Lumières. En 1748, Montesquieu publie *De l'Esprit des lois*, dans lequel il propose une refonte complète du système politique français, prônant la séparation des trois pouvoirs, exécutif, législatif et judiciaire.

L'*ENCYCLOPÉDIE*

L'œuvre la plus importante du siècle des Lumières par sa taille et son ambition est certainement l'*Encyclopédie, ou Dictionnaire raisonné des sciences, des arts et des métiers*, dirigée par Denis Diderot et Jean d'Alembert, parue de 1750 à 1772. Il s'agit de recenser dans un ouvrage toutes les connaissances humaines, dans des domaines aussi variés que l'histoire, la religion, l'artisanat, les sciences exactes, les sciences naturelles, afin de libérer l'homme de l'ignorance. De nombreux philosophes rédigent des articles de l'*Encyclopédie* : Voltaire, Rousseau, Montesquieu y ont participé. Pour braver la censure, certains articles annoncent des sujets apparemment peu philosophiques, mais développent finalement des idées subversives.

Les arguments qui viennent à l'appui de la thèse sont de plusieurs types.

• **Argument par définition** : on donne d'un fait ou d'une idée une définition différente de celle du contradicteur, et favorable à l'opinion qu'on défend.

> EXEMPLE : « Une femme habile est un mauvais présage. »
> (Molière, *L'école des Femmes*)

• **Argument d'expérience** : on cite des faits à l'appui de son opinion. L'argument par les faits reçoit une caution de vérité parce qu'il énonce des éléments réels.

> EXEMPLE : « Et pourquoi non ? **Il y en a tant d'autres** comme moi…qui se servent du même masque pour abuser le monde. » (Molière, *Dom Juan*)

• **Argument d'autorité** : la force de l'argument n'est pas son contenu mais l'autorité de la personne ou de l'institution à qui on l'attribue.

> EXEMPLE : « On peut juger de la couleur de la peau par celle des cheveux qui, **chez les Égyptiens, les meilleurs philosophes du monde**, était de si grande conséquence. » (Montesquieu)

• **Argument par dissociation** : on distingue deux aspects d'une question ou deux situations pour dire que ce qui est vrai dans un cas ne l'est pas forcément dans l'autre.
L'opération inverse (dire que deux choses sont identiques) est un **argument par analogie**.

> EXEMPLE : Olympe de Gouges, lors du procès de Louis XVI : « Je crois Louis fautif, comme roi, mais dépouillé de ce titre proscrit, il cesse d'être coupable aux yeux de la République. »

• **Argument inductif ou déductif** : ces arguments font découvrir des causes ou des effets, souvent inattendus, de ce qu'on veut défendre ou dénoncer.

> EXEMPLE : « En le tuant, vous tuez toute sa famille. »
> (Hugo, *Le Dernier Jour d'un condamné*)

• **Argument *ad hominem*,** qui « attaque l'homme » : il vise la personne même de l'adversaire pour réfuter ou condamner son opinion.

• **Argument sur les valeurs** : on fait appel à ce qui est considéré comme moralement, politiquement ou professionnellement juste et bon et on condamne ce qui est injuste ou mauvais. Les valeurs de référence sont le juste et l'injuste, la notion de responsabilité.

EXERCICE 1 **Identifiez le type d'argument utilisé dans les affirmations suivantes et dites quelle thèse il soutient.**

a. La religion c'est l'opium du peuple (Karl Marx)

b. Un seul être vous manque et tout est dépeuplé (Lamartine, « Le Lac »)

c. Sans la liberté de blâmer, il n'est pas d'éloge flatteur (Beaumarchais, *Le Mariage de Figaro*).

d. La propriété c'est le vol (Proudhon).

e. Les jugements humains ne sont jamais assez certains pour que la société puisse donner la mort à un homme condamné par d'autres hommes sujets à l'erreur (Robespierre, *Discours sur la peine de mort*).

f. Ah, la grande fatigue que d'avoir une femme et qu'Aristote a bien raison quand il dit qu'une femme est pire qu'un démon (Molière, *Le Médecin malgré lui*).

EXERCICES SUPPLÉMENTAIRES
À retrouver sur le site du manuel.

EXERCICE 2 **Soit la thèse : « L'éducation fait reculer la délinquance. » Trouvez à l'appui de cette idée un ou plusieurs arguments de chacune des catégories.**

▶ JUSTICE, INJUSTICES

La critique politique dans les *Fables* (1668-1678)

**JEAN
DE LA FONTAINE**
(1621-1695)
NOTICE BIOGRAPHIQUE, P. 468

TEXTE 1 « Le Loup et l'Agneau », la loi du plus fort

Les douze livres des *Fables* ont été publiés entre 1668 et 1678. La fable est un court récit allégorique qui met le plus souvent en scène des animaux pour illustrer une vérité morale. Pourtant, chez La Fontaine la justification de la fable par la morale ne tient pas toujours. La plupart du temps, l'allégorie est bien plus longue, comme si le plaisir de mettre en scène prenait le pas sur la nécessité d'instruire. La morale n'est pas non plus nécessairement celle qu'on attendait.

La raison du plus fort est toujours la meilleure :
      Nous l'allons montrer tout à l'heure.

      Un Agneau se désaltérait
      Dans le courant d'une onde[1] pure.
5 Un Loup survient à jeun qui cherchait aventure,
      Et que la faim en ces lieux attirait.
« Qui te rend si hardi de troubler mon breuvage ?
      Dit cet animal plein de rage :
Tu seras châtié de ta témérité.
10 – Sire, répond l'Agneau, que votre Majesté
      Ne se mette pas en colère ;
      Mais plutôt qu'elle considère
      Que je me vas[2] désaltérant
        Dans le courant,
15   Plus de vingt pas au-dessous d'Elle,
Et que par conséquent, en aucune façon,
      Je ne puis troubler sa boisson.
– Tu la troubles, reprit cette bête cruelle,
Et je sais que de moi tu médis l'an passé.
20 – Comment l'aurais-je fait si je n'étais pas né ?
      Reprit l'Agneau, je tette[3] encor ma mère.
       – Si ce n'est toi, c'est donc ton frère.
      – Je n'en ai point. – C'est donc quelqu'un des tiens :
      Car vous ne m'épargnez guère,
25   Vous, vos bergers, et vos chiens.
On me l'a dit : il faut que je me venge. »
      Là-dessus, au fond des forêts
      Le Loup l'emporte, et puis le mange,
      Sans autre forme de procès.

JEAN DE LA FONTAINE, « Le Loup et l'Agneau », *Fables*, 1668-1678.

---

1. **Onde** : cours d'eau.
2. **Vas** : vais.
3. **Je tette** : orthographe de l'époque pour « je tète ».

ACTIVITÉ TICE
L'ARGUMENT DU PLUS FORT

Déjouez l'argumentation du loup et de l'agneau de la fable de La Fontaine, en l'analysant à l'aide d'une carte heuristique.

Téléchargez la fiche élève n° 16 « L'argument du plus fort » sur le site du manuel.

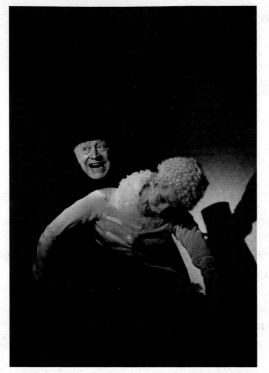

« Le Loup et l'Agneau », mis en scène par Robert Wilson à la Comédie-Française, à Paris, en 2004. Christian Blanc est le loup, Florence Viala, l'agneau.

PREMIÈRE LECTURE

Quels vers contiennent, selon vous, la morale de la fable ? Êtes-vous d'accord avec cette morale ?

LECTURE ANALYTIQUE

L'art du récit

1. Observez, au sein de la fable, la répartition de la parole entre le narrateur et les deux locuteurs. Qu'est-ce qui concourt à la théâtralité du récit ?
2. Étudiez la versification : quels types de vers le fabuliste utilise-t-il ? Comment les rimes sont-elles disposées ? Quel effet produit ce travail du poète sur la manière dont est conduit le récit ?
3. Le présent employé au début et à la fin de la fable a-t-il la même valeur ? Comment l'interprétez-vous ?

Une dispute

4. Montrez que l'intervention initiale du narrateur est ironique.
5. En vous appuyant sur l'observation du vocabulaire et des arguments, vous montrerez que les propos de l'agneau se fondent sur une démonstration logique.

6. Montrez que l'argumentaire du loup n'est pas fondé sur la raison. Sur quoi s'appuie-t-il dans sa dernière réplique pour justifier la nécessité de sa vengeance ?

La portée allégorique de la fable

7. Que représente en général la figure du loup dans les fables ?
8. Que représente-t-il ici dans le couple qu'il forme avec l'agneau ?
9. Finalement, qu'est-ce que le fabuliste veut faire comprendre ?

RECHERCHE

Deux versions plus anciennes ont servi de modèles à la fable de La Fontaine. La première, d'Ésope, fabuliste grec du VIe avant J.-C., à l'origine du genre ; la seconde, de Phèdre, poète latin du Ier siècle. Recherchez sur Internet ces deux versions.
a. Sous forme de tableau, comparez-les : composition, attitudes et propos des personnages, morale.
b. Relisez ensuite la fable de La Fontaine : quelles modifications le poète classique introduit-il ?

Blaise Pascal, *Pensées*

Justice, Force

Les *Pensées* de Pascal sont un recueil d'aphorismes. L'ouvrage n'a pas été achevé. Dans les fragments suivants, l'auteur s'intéresse à la justice humaine. Il s'agit de convaincre le lecteur que ce que l'on nomme ainsi n'est bien souvent que de la force déguisée en droit.

Justice Force. Il est juste que ce qui est juste soit suivi. Il est nécessaire que ce qui est le plus fort soit suivi.

La justice sans la force est impuissante. La force sans la justice est tyrannique.

La justice sans force est contredite parce qu'il y a toujours des méchants. La force
5 sans la justice est accusée. Il faut donc mettre ensemble la justice et la force, et pour cela faire que ce qui est juste soit fort ou que ce qui est fort soit juste.

La justice est sujette à dispute. La force est très reconnaissable et sans dispute. Ainsi on n'a pu donner la force à la justice, parce que la force a contredit la justice, et a dit qu'elle était injuste, et a dit que c'était elle qui était juste.

10 Et ainsi, ne pouvant faire que ce qui est juste fût fort, on a fait que ce qui est fort fût juste.

BLAISE PASCAL, *Pensées*, 1670, posthume.

QUESTIONS

1. Pourquoi est-il nécessaire, selon Pascal, d'associer les deux notions de *justice* et de *force* ?
2. Quelle figure de construction (p. 405) employée dans la dernière phrase du texte permet de souligner le lien entre les deux notions de justice et de force ?
3. Les procédés argumentatifs qu'emploie l'auteur vous semblent-ils efficaces ? Pourquoi ?

Gustave Doré,
gravure de 1868.

TEXTE 2 « Les Animaux malades de la peste » : qui devra se sacrifier ?
Première fable de la deuxième série des livres, « Les Animaux malade de la peste », fait assister le lecteur à une décision politique : il s'agit de trouver un « bouc émissaire » dont le sacrifice sauvera la société du fléau qui l'accable.

Un mal qui répand la terreur,
Mal que le Ciel en sa fureur
Inventa pour punir les crimes de la terre,
La peste (puisqu'il faut l'appeler par son nom)
5 Capable d'enrichir en un jour l'Achéron[1],
Faisait aux animaux la guerre.
Ils ne mouraient pas tous, mais tous étaient frappés :
On n'en voyait point d'occupés
À chercher le soutien d'une mourante vie ;
10 Nul mets n'excitait leur envie ;
Ni Loups ni Renards n'épiaient

La douce et l'innocente proie.
Les Tourterelles se fuyaient :
Plus d'amour, partant² plus de joie.

15 Le Lion tint conseil, et dit : « Mes chers amis,
Je crois que le Ciel a permis
Pour nos péchés cette infortune ;
Que le plus coupable de nous
Se sacrifie aux traits du céleste courroux,
20 Peut-être il obtiendra la guérison commune.
L'histoire nous apprend qu'en de tels accidents³
On fait de pareils dévouements⁴ :
Ne nous flattons donc point ; voyons sans indulgence
L'état de notre conscience.
25 Pour moi, satisfaisant mes appétits gloutons
J'ai dévoré force moutons.
Que m'avaient-ils fait ? Nulle offense :
Même il m'est arrivé quelquefois de manger
Le Berger.
30 Je me dévouerai donc, s'il le faut ; mais je pense
Qu'il est bon que chacun s'accuse ainsi que moi :
Car on doit souhaiter selon toute justice
Que le plus coupable périsse.
– Sire, dit le Renard, vous êtes trop bon Roi ;
35 Vos scrupules font voir trop de délicatesse ;
Et bien, manger moutons, canaille, sotte espèce,
Est-ce un péché ? Non, non. Vous leur fîtes Seigneur

1. L'Achéron : fleuve des Enfers.
2. Partant : par conséquent.
3. Accidents : hasards malencontreux.
4. Dévouements : sacrifices volontaires.
5. Un chimérique : un pouvoir imaginaire.

ACTIVITÉ TICE
CRÉER UNE SCÈNE DE THÉÂTRE INSPIRÉE D'UNE FABLE

Créez et jouez une scène de théâtre inspirée d'une fable puis publiez en ligne l'enregistrement sonore de la scène.

Téléchargez la fiche élève n° 17 « Créer une scène de théâtre » sur le site du manuel.

« Les Animaux malades de la peste », mis en scène par Robert Wilson à la Comédie-Française, à Paris, en 2004.

En les croquant beaucoup d'honneur.

Et quant au Berger l'on peut dire

40   Qu'il était digne de tous maux,

Étant de ces gens-là qui sur les animaux

Se font un chimérique⁵ empire. »

Ainsi dit le Renard, et flatteurs d'applaudir⁶.

On n'osa trop approfondir

45 Du Tigre, ni de l'Ours, ni des autres puissances,

Les moins pardonnables offenses.

Tous les gens querelleurs, jusqu'aux simples mâtins⁷,

Au dire de chacun, étaient de petits saints.

L'Âne vint à son tour et dit : « J'ai souvenance

50   Qu'en un pré de moines passant,

La faim, l'occasion, l'herbe tendre, et je pense

Quelque diable aussi me poussant,

Je tondis de ce pré la largeur de ma langue.

Je n'en avais nul droit, puisqu'il faut parler net. »

55 À ces mots on cria haro⁸ sur le baudet.

Un Loup quelque peu clerc⁹ prouva par sa harangue¹⁰

Qu'il fallait dévouer¹¹ ce maudit animal,

Ce pelé, ce galeux, d'où venait tout leur mal.

Sa peccadille¹² fut jugée un cas pendable.

60 Manger l'herbe d'autrui ! quel crime abominable !

Rien que¹³ la mort n'était capable

D'expier son forfait : on le lui fit bien voir.

Selon que vous serez puissant ou misérable,

Les jugements de cour vous rendront blanc ou noir.

JEAN DE LA FONTAINE, « Les Animaux malades de la Peste », *Fables*, 1668-1678.

---

6. Flatteur d'applaudir : ce sont les flatteurs qui approuvent.

7. Mâtins : gros chiens de garde.

8. Haro : terme juridique. Celui sur lequel on crie haro va être jugé aussitôt.

9. Clerc : savant, lettré.

10. Harangue : discours public.

11. Dévouer : se sacrifie.

12. Peccadille : faute mineure.

13. Rien que : rien sinon.

PREMIÈRE LECTURE

Quelles réactions le destin de l'âne suscite-t-il ?

LECTURE ANALYTIQUE

La composition
1. Distinguez le récit de la morale.
2. Dans le récit, distinguez les étapes de l'action. Vous pouvez utiliser les cinq étapes du schéma narratif (la situation initiale, l'élément perturbateur, les péripéties, la résolution, la situation finale).

La portée allégorique
3. Étudiez le bestiaire en déterminant qui peut représenter chaque animal dans la société du XVIIᵉ siècle.

4. Quels sont en particulier le caractère du lion et de l'âne ? Pourquoi ?

La dimension politique
5. Cette fable est-elle plutôt orientée vers une morale personnelle ou vers une leçon politique ? Justifiez votre réponse.
6. Le fabuliste cherche-t-il à plaire ? à instruire ? à lutter contre un pouvoir ? Justifiez votre réponse.

VERS LE COMMENTAIRE

En vous aidant des axes de lecture et de vos réponses aux questions, faites le plan détaillé du commentaire et rédigez-en une partie.

Jean de La Bruyère, *Les Caractères* (1688)
« De l'homme »

Au-delà des maximes et des réflexions générales, La Bruyère excelle dans l'art du portrait, s'ingéniant à brosser des caractères typiques de conditions sociales déterminées ; cela le conduit à une dénonciation virulente pour l'époque de la misère du peuple et des excès de la cour.

L'on voit certains animaux farouches, des mâles et des femelles répandus par la campagne, noirs, livides et tout brûlés du soleil, attachés à la terre qu'ils fouillent et qu'ils remuent avec une opiniâtreté invincible ; ils ont comme une voix articulée, et quand ils se lèvent sur leurs pieds, ils montrent une face humaine, et en
5 effet ils sont des hommes ; ils se retirent la nuit dans des tanières où ils vivent de pain noir, d'eau et de racine : ils épargnent aux autres hommes la peine de semer, de labourer et de recueillir pour vivre, et méritent ainsi de ne pas manquer de ce pain qu'ils ont semé.

JEAN DE LA BRUYÈRE, *Les Caractères*, 1688.

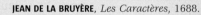

QUESTIONS

1. Quelle réalité de son temps l'auteur décrit-il ici ?
2. Comment la métaphore de l'animal est-elle filée ?
3. Relevez dans le passage les marques du réalisme et les procédés ironiques.
4. Quelle partie du texte contient une moralité et quelle est-elle ?

TEXTE 3 « Les Obsèques de la Lionne », la mort des « Grands »
Cette fable s'inspire de l'Italien Abstemius, humaniste de la Renaissance. Elle contient une virulente satire des courtisans qui se nourrit des observations que La Fontaine a pu faire chez ses protecteurs, Fouquet et la duchesse d'Orléans.

La femme du Lion mourut :
Aussitôt chacun accourut
Pour s'acquitter envers le Prince
De certains compliments de consolations,
5 Qui sont surcroît d'affliction.[1]
Il fit avertir sa Province[2]
Que les obsèques se feraient
Un tel jour, en tel lieu ; ses Prévôts[3] y seraient

                    Pour régler la cérémonie,
10   Et pour placer la compagnie.
                    Jugez si chacun s'y trouva.
                    Le Prince aux cris s'abandonna,
                    Et tout son antre en résonna.
                    Les Lions n'ont point d'autre temple.
15   On entendit à son exemple
        Rugir en leurs patois Messieurs les Courtisans.
        Je définis la cour un pays où les gens,
        Tristes, gais, prêts à tout, à tout indifférents,
        Sont ce qu'il plaît au Prince, ou, s'ils ne peuvent l'être,
20   Tâchent au moins de le paraître,
        Peuple caméléon, peuple singe du maître,
        On dirait qu'un esprit anime mille corps :
        C'est bien là que les gens sont de simples ressorts.
                    Pour revenir à notre affaire,
25   Le Cerf ne pleura point, comment eût-il pu faire ?
        Cette mort le vengeait : la Reine avait jadis
                    Étranglé sa femme et son fils.
        Bref, il ne pleura point. Un flatteur l'alla dire,
                    Et soutint qu'il l'avait vu rire.
        La colère du Roi, comme dit Salomon[4],
30   Est terrible, et surtout celle du roi Lion :
        Mais ce Cerf n'avait pas accoutumé de lire.
        Le Monarque lui dit : Chétif hôte des bois
        Tu ris, tu ne suis pas ces gémissantes voix !
        Nous n'appliquerons point sur tes membres profanes
35   Nos sacrés ongles ; venez, Loups,
                    Vengez la Reine, immolez[5] tous
                    Ce traître à ses augustes[6] mânes[7].
        Le Cerf reprit alors : Sire, le temps de pleurs
        Est passé ; la douleur est ici superflue.
40   Votre digne moitié couchée entre des fleurs,

« Les Obsèques de la Lionne », mis en scène par Robert Wilson
à la Comédie-Française, à Paris, en 2004.

Hendrik Cause, 1699.

Tout près d'ici m'est apparue,
Et je l'ai d'abord[8] reconnue.
Ami, m'a-t-elle dit, garde, que ce convoi,
Quand je vais chez les Dieux, ne t'oblige à des larmes.
45 Aux Champs Élyséens[9] j'ai goûté mille charmes,
Conversant avec ceux qui sont saints comme moi.
Laisse agir quelque temps le désespoir du Roi.
J'y prends plaisir. À peine on eut ouï[10] la chose,
Qu'on se mit à crier : Miracle, apothéose !
50 Le Cerf eut un présent, bien loin d'être puni.

Amusez les Rois par des songes,
Flattez-les, payez-les d'agréables mensonges :
Quelque indignation dont leur cœur soit rempli,
Ils goberont l'appât, vous serez leur ami.

JEAN DE LA FONTAINE, « Les Obsèques de la Lionne »,
Fables 1668-1678.

8. **D'abord** : aussitôt.
9. **Champs Élyséens** : chez les Grecs, séjour
   des âmes vertueuses après leur mort.
10. **Ouï** : entendu.

PREMIÈRE LECTURE

Que critique le fabuliste dans cette fable ?

LECTURE ANALYTIQUE

Une vision polémique de la cour
1. Distinguez les différentes étapes du récit et la morale.
2. Relevez les interventions du narrateur. Quel sentiment traduisent-elles ?
3. De quels registres cette fable relève-t-elle ? Justifiez votre réponse.

La satire des courtisans
4. Caractérisez l'attitude du roi en prenant appui sur une observation précise du texte.
5. Étudiez les termes employés pour désigner les courtisans puis caractérisez leur attitude.

Le discours du cerf
6. Identifiez clairement les passages au discours direct enchâssés dans le récit et précisez à chaque fois qui parle.
7. Montrez l'habileté du discours du cerf en soulignant la force persuasive de la ruse qu'il emploie.
8. Quel est l'effet de ses paroles sur l'auditoire ? Quelles sont les conséquences du discours du cerf ?
9. Qui le cerf pourrait-il représenter ?

VERS LA DISSERTATION

Dans la Préface des *Fables*, La Fontaine affirme que « l'apologue est composé de deux parties, dont on peut appeler l'une le corps, l'autre l'âme. Le corps est la fable; l'âme, la moralité ». Selon vous, la fable et le conte philosophique accordent-ils plus d'importance au récit ou à la moralité ? Rédigez un paragraphe argumenté dans lequel vous expliquerez lequel des deux l'emporte sur l'autre, selon vous.

à retenir

Les *Fables* de La Fontaine suivent un principe littéraire hérité de l'Antiquité : plaire et instruire, *placere et docere* en latin. Sous la forme d'un récit plaisant et enfantin, se dissimule une morale plus grave, voire pessimiste. La Fontaine, victime de l'arbitraire royal lors de la disgrâce de son protecteur Fouquet, se sert de cette forme pour critiquer l'autorité de Louis XIV et mettre en garde le dauphin, à qui le recueil est dédié.

Les figures animales renvoient à des types humains : le roi, les courtisans, le peuple. Elles permettent de critiquer implicitement le fonctionnement de la société, et donc d'éviter la censure. La Fontaine est cependant un moraliste pessimiste : il dénonce certes les dérives de l'absolutisme, mais il ne propose pas de contre-modèle dont les hommes puissent s'inspirer.

1. La valeur argumentative du récit

Pour convaincre, celui qui parle ne choisit pas toujours de faire une démonstration faisant appel à la logique. Il préfère parfois **raconter une anecdote** réelle ou **imaginer un récit** qui illustre la thèse soutenue. Il en est ainsi des fables de La Fontaine où la thèse est soit **implicite** soit **exprimée dans une morale**.

> **EXEMPLES :**
> « Le Loup et l'Agneau » montre dans un récit le sort injuste du faible qui s'est pourtant défendu avec intelligence contre le fort.
> Dans le texte de Camus (p. 228), c'est une anecdote mettant en scène le père du narrateur qui entraîne une prise de conscience du lecteur.

2. Les outils de la persuasion

L'adhésion du lecteur à la thèse défendue passe par la force de persuasion contenue dans le récit, qui s'adresse aux **sentiments**.

> **EXEMPLE :**
> Chez La Fontaine, l'agneau suscite la pitié parce qu'il est courageux, faible et innocent.

EXERCICE | En vous reportant au paratexte, dites ce que dénonce Orwell et établissez des correspondances avec des personnages réels. Montrez en quoi ce récit a une valeur argumentative.

> Publié en 1945, *La Ferme des animaux* est une satire de la révolution russe et du stalinisme. Il raconte une révolte : les animaux d'une ferme ont chassé le propriétaire M. Jones et établi un régime nouveau qui doit permettre de créer une vie libre et heureuse. Le cochon Napoléon a pris la tête de la ferme.

Tout le long de cette année-là, ils travaillèrent encore plus dur que l'année précédente. Achever le moulin en temps voulu avec des murs deux fois plus épais qu'auparavant, tout en menant de pair les travaux coutumiers, c'était un labeur écrasant. Certains jours,
5 les animaux avaient l'impression de trimer plus longtemps qu'à l'époque de Jones, sans en être mieux nourris. Le dimanche matin, Brille-Babil, tenant un long ruban de papier dans sa petite patte, leur lisait des colonnes de chiffres. Il en résultait une augmentation marquée dans chaque catégorie de production : deux cents, trois cents
10 ou cinq cents pour cent suivant les cas. Les animaux ne voyaient pas de raison de ne pas prêter foi à ces statistiques, d'autant moins de raison qu'ils ne se rappelaient plus bien ce qu'il en avait été avant le soulèvement. Malgré tout, il y avait des moments où moins de chiffres et plus à manger leur serait mieux allé. [...]
15 Napoléon n'était plus jamais désigné par un seul patronyme. Toujours on se référait à lui en langage de protocole : « Notre chef, le camarade Napoléon ». De plus, les cochons se plaisaient à lui attribuer des titres tels que « Père de tous les Animaux », « Terreur du Genre Humain », « Protecteur de la Bergerie », « Ami des Canetons », ainsi de suite.

GEORGE ORWELL, *La Ferme aux animaux*, traduit de l'anglais par Jean Queval, 1945.

EXERCICES SUPPLÉMENTAIRES
À retrouver sur le site du manuel.

Des armes intellectuelles au service des Lumières et de la cause révolutionnaire

Denis Diderot, *Encyclopédie* (1751)

DENIS DIDEROT
(1713-1784)
NOTICE BIOGRAPHIQUE, P. 466

Article « Autorité politique »

TEXTE 1

Telle que la concevaient Diderot et d'Alembert, l'*Encyclopédie* était à la fois un vaste répertoire des connaissances humaines et une arme de la lutte philosophique. D'abord didactique, le projet est devenu subversif (ayant pour mission de contester les institutions et de faire réfléchir le lecteur sur les inégalités et les injustices), comme en témoigne l'article « Autorité » rédigé en 1751 par Diderot, et qui contient une réflexion politique audacieuse.

AUTORITÉ POLITIQUE. Aucun homme n'a reçu de la nature le droit de commander aux autres. La liberté est un présent du ciel, et chaque individu de la même espèce a le droit d'en jouir aussitôt qu'il jouit de la raison. Si la nature a établi quelque *autorité*, c'est la puissance
5 paternelle ; mais la puissance paternelle a ses bornes ; et dans l'état de nature elle finirait aussitôt que les enfants seraient en état de se conduire. Toute autre *autorité* vient d'une autre origine que la nature. Qu'on examine bien, et on la fera toujours remonter à l'une de ces deux sources : ou la force et la violence de celui qui s'en est emparé,
10 ou le consentement de ceux qui s'y sont soumis par un contrat fait ou supposé entre eux, et celui à qui ils ont déféré l'*autorité*.

La puissance qui s'acquiert par la violence n'est qu'une usurpation et ne dure qu'autant que la force de celui qui commande l'emporte sur celle de ceux qui obéissent ; en sorte que si ces derniers
15 deviennent à leur tour les plus forts, et qu'ils secouent le joug[1], ils le font avec autant de droit et de justice que l'autre qui le leur avait imposé. La même loi qui a fait l'*autorité* la défait alors : c'est la loi du plus fort.

Quelquefois l'*autorité* qui s'établit par la violence change de
20 nature ; c'est lorsqu'elle continue et se maintient du consentement exprès de ceux qu'on a soumis ; mais elle rentre par là dans la seconde espèce dont je vais parler ; et celui qui se l'était arrogée, devenant alors prince, cesse d'être tyran[2].

La puissance qui vient du consentement des peuples suppose
25 nécessairement des conditions qui en rendent l'usage légitime utile à la société, avantageux à la république[3], et qui la fixent et la restreignent entre des limites ; car l'homme ne peut ni ne doit se donner entièrement et sans réserve à un autre homme, parce qu'il a un

ACTIVITÉ TICE

LES LUMIÈRES :
UNE EXPOSITION EN LIGNE

Visitez l'exposition en ligne de la Bibliothèque nationale de France pour répondre à des questions d'analyse et de synthèse sur les Lumières.

Téléchargez la fiche élève n° 18 « Les Lumières » sur le site du manuel.

maître supérieur au-dessus de tout, à qui il appartient tout entier.
30 C'est Dieu dont le pouvoir est toujours immédiat[4] sur la créature, maître aussi jaloux qu'absolu, qui ne perd jamais de ses droits et ne les communique point. Il permet pour le bien commun et le maintien de la société que les hommes établissent entre eux un ordre de subordination, qu'ils obéissent à l'un d'eux ; mais il veut que ce soit
35 par raison et avec mesure, et non pas aveuglément et sans réserve, afin que la créature ne s'arroge pas les droits du créateur. Toute autre soumission est le véritable crime de l'idolâtrie.

DENIS DIDEROT, « Autorité politique » (extrait), *Encyclopédie ou Dictionnaire raisonné des sciences des arts et des métiers*, 1751.

1. Le joug : contrainte matérielle ou morale qui entrave la liberté de celui qui la subit.
2. Tyran : souverain illégitime par opposition au prince (souverain par consentement de ceux qui se sont soumis à son autorité).
3. La république : au sens étymologique : la chose publique, l'État.
4. Toujours immédiat : sans intermédiaire.

Atelier de Louis Michel Van Loo, *Portrait de Louis XV, roi de France* (1770-1774).

PREMIÈRE LECTURE

Malgré sa place au sein de l'*Encyclopédie*, montrez que ce texte va beaucoup plus loin qu'un article de dictionnaire.

LECTURE ANALYTIQUE

L'apparente neutralité de l'analyse
1. Quelle distinction Diderot opère-t-il dans le premier paragraphe ?
2. Comment le texte s'articule-t-il ensuite autour de ces deux notions ? Rétablissez les liens logiques qui sous-tendent implicitement son raisonnement.
3. Quel rôle le troisième paragraphe joue-t-il dans cet argumentaire ?

Une réflexion personnelle sur l'autorité
4. Quels sont les fondements de l'autorité que Diderot reconnaît ? Quels sont ceux qu'il récuse ?
5. Quelle est la nature de l'autorité du prince : son origine ? ses limites ?

6. Montrez que Diderot reconnaît une sorte de « droit divin » comme fondement à l'autorité. Pourquoi ?

RECHERCHES

a. Qu'appelle-t-on l'absolutisme ?
b. Qu'est-ce qu'une monarchie parlementaire ? Quel pays voisin de la France, admiré par les philosophes des Lumières pour ses institutions, connaissait déjà ce régime en 1750 ?
c. Précisez, à la lumière de ces recherches, la position politique que Diderot défend implicitement dans l'article « Autorité » de l'*Encyclopédie*.
d. Dans quelle mesure le contenu de ce texte, à l'époque où il a été publié, pouvait-il être considéré comme particulièrement audacieux, voire dangereux ?
Vous répondrez à cette question en prenant appui sur les analyses précédentes et les résultats de vos recherches.

Jean-Jacques Rousseau,
Discours sur l'origine et les fondements de l'inégalité parmi les hommes (1755)

Le discours

**JEAN-JACQUES
ROUSSEAU**
(1712-1778)
NOTICE BIOGRAPHIQUE, P. 471

TEXTE 2

Composé cinq ans après le *Discours sur les sciences et les arts*, le *Discours sur l'origine et les fondements de l'inégalité parmi les hommes* en reprend l'idée générale selon laquelle le progrès et la culture auraient eu pour conséquence paradoxale la corruption de l'homme. Ici, Rousseau tente de remonter à la société naissante et de retracer une chronologie au sein d'une démonstration cohérente.

Le premier qui, ayant enclos un terrain, s'avisa de dire : ceci est à *moi*, et trouva des gens assez simples pour le croire, fut le vrai fondateur de la société civile. Que de crimes, de guerres, de meurtres, que de misères et d'horreurs n'eût point épargnés au genre humain celui
5 qui, arrachant les pieux ou comblant le fossé, eût crié à ses semblables : « Gardez-vous d'écouter cet imposteur ; vous êtes perdus si vous oubliez que les fruits sont à tous et que la terre n'est à personne ! » Mais il y a grande apparence qu'alors les choses en étaient déjà venues au point de ne pouvoir plus durer comme elles étaient : car cette idée
10 de propriété, dépendant de beaucoup d'idées antérieures qui n'ont pu naître que successivement, ne se forma pas tout d'un coup dans l'esprit humain : il fallut faire bien des progrès, acquérir bien de l'industrie et des lumières, les transmettre et les augmenter d'âge en âge, avant que d'arriver à ce dernier terme de l'état de nature. Reprenons
15 donc les choses de plus haut, et tâchons de rassembler sous un seul point de vue cette lente succession d'événements et de connaissances dans leur ordre le plus naturel. [...]

Tant que les hommes se contentèrent de leurs cabanes rustiques, tant qu'ils se bornèrent à coudre leurs habits de peaux avec des épi-
20 nes ou des arêtes, à se parer de plumes et de coquillages, à se peindre le corps de diverses couleurs, à perfectionner ou à embellir leurs arcs et leurs flèches, à tailler avec des pierres tranchantes quelques canots de pêcheurs ou quelques grossiers instruments de musique ; en un mot tant qu'ils ne s'appliquèrent qu'à des ouvrages qu'un seul
25 pouvait faire, et qu'à des arts qui n'avaient pas besoin du concours de plusieurs mains, ils vécurent libres, sains, bons, et heureux autant qu'ils pouvaient l'être par leur nature, et continuèrent à jouir entre eux des douceurs d'un commerce indépendant : mais dès l'instant qu'un homme eut besoin du secours d'un autre ; dès qu'on s'aperçut
30 qu'il était utile à un seul d'avoir des provisions pour deux, l'égalité disparut, la propriété s'introduisit, le travail devint nécessaire, et les vastes forêts se changèrent en des campagnes riantes qu'il fallut arroser de la sueur des hommes, et dans lesquelles on vit bientôt l'esclavage et la misère germer et croître avec les moissons.
35 La métallurgie et l'agriculture furent les deux arts dont l'invention produisit cette grande révolution. Pour le poète, c'est l'or et l'argent,

ACTIVITÉ TICE
UNE QUERELLE ENTRE VOLTAIRE ET ROUSSEAU

En vous inspirant de la correspondance de Voltaire et Rousseau, créez, à l'aide d'un traitement de texte, la page Facebook des deux philosophes, sur laquelle ils engagent une querelle.

Téléchargez la fiche élève n° 19 « Une querelle entre Voltaire et Rousseau » sur le site du manuel.

mais pour le philosophe ce sont le fer et le blé qui ont civilisé les hommes, et perdu le genre humain. Aussi l'un et l'autre étaient-ils inconnus aux sauvages de l'Amérique qui pour cela sont toujours demeurés

40 tels ; les autres peuples semblent même être restés barbares tant qu'ils ont pratiqué l'un de ces arts sans l'autre. Et l'une des meilleures raisons peut-être pourquoi l'Europe a été, sinon plus tôt, du moins plus constamment, et mieux policée que les autres parties du monde, c'est qu'elle est à la fois la plus abondante en fer et la plus fertile en blé.

JEAN-JACQUES ROUSSEAU, *Discours sur l'origine et les fondements de l'inégalité parmi les hommes*, seconde partie, 1755.

Jeaurat de Berty,
tableau allégorique
révolutionnaire,
Musée Carnavalet, Paris.

PREMIÈRE LECTURE

a. L'affirmation initiale de Rousseau constitue-t-elle une vérité historique ?
b. Le texte relève-t-il plutôt, selon vous, de l'analyse historique ou de la réflexion philosophique ?

LECTURE ANALYTIQUE

L'énonciation
1. Qui parle ? À qui ? Le texte met en scène une situation sous la forme d'un discours rapporté. Identifiez ce passage et précisez sa fonction dans l'argumentation.
2. Quel est dans ce texte le degré d'implication de l'auteur ? Y a-t-il des marques d'opinion, des termes ayant une valeur polémique ?

Le ton
3. Dans le deuxième paragraphe observez la construction de la phrase (ampleur, parallélismes et rythmes ternaires). Qu'en concluez-vous ?

La composition
4. Établissez le plan de la démonstration en soulignant les étapes de l'évolution décrites par Rousseau.

VERS LE COMMENTAIRE

En vous fondant sur les axes de lecture proposés et les réponses aux questions précédentes, vous rédigerez un des paragraphes du commentaire de ce texte.
1) Une vision idyllique de la société primitive
2) Une démonstration raisonnée
3) Une définition paradoxale du progrès

Emmanuel-Joseph Sieyès,
Qu'est-ce que le tiers état ? (1789) | Le pamphlet

**EMMANUEL-JOSEPH
SIEYÈS**
(1748-1836)
NOTICE BIOGRAPHIQUE, P. 472

TEXTE 3

Qu'est-ce que le tiers état ? est un court écrit satirique dans lequel l'abbé Sieyès critique la situation politique de son temps. Il a été publié en janvier 1789 avant la convocation des états généraux. Le plan exposé par Sieyès dans la première partie de cette brochure est resté célèbre. L'auteur y répond à trois questions principales :

    1 – Qu'est-ce que le tiers état ? – Tout.

    2 – Qu'a-t-il été jusqu'à présent dans l'ordre politique ? – Rien.

    3 – Que demande-t-il ? – À être quelque chose.

Le réveil du tiers état,
caricature anonyme de 1789,
Musée Carnavalet, Paris.

Dans la première partie, Sieyès s'attache donc à définir ce qu'est le tiers état, notamment en fonction de son utilité sociale. Il démontre ensuite que le tiers état ne représente pourtant rien dans l'ordre politique. Parmi les 25 millions de Français que compte le Royaume de France à la veille de la Révolution, 95 % appartiennent au tiers état, les privilégiés ne représentent pas plus de 2 % de la population française. Ce sont pourtant eux qui ont tous les pouvoirs.

    Il suffit ici d'avoir fait sentir que la prétendue utilité d'un Ordre privilégié pour le service public n'est qu'une chimère[1], que sans lui tout ce qu'il y a de pénible dans ce service est acquitté par le Tiers ; que sans lui les places supérieures seraient infiniment mieux rem-
5 plies ; qu'elles devraient être naturellement le lot et la récompense des talents et des services reconnus ; et que si les privilégiés sont parvenus à usurper tous les postes lucratifs et honorifiques, c'est, tout à la fois, une iniquité[2] odieuse pour la généralité des citoyens, et une trahison pour la chose publique[3].

---

1. **Chimère** : illusion.
2. **Une iniquité** : une injustice.
3. **La chose publique** : c'est le sens étymologique du mot « république ».

Jacques-Louis David,
Le Serment du Jeu de Paume,
1791.

¹⁰ Qui donc oserait dire que le tiers état n'a pas en lui tout ce qu'il faut pour former une nation complète ? Il est l'homme fort et robuste dont un bras est encore enchaîné. Si l'on ôtait l'Ordre privilégié, la nation ne serait ¹⁵ pas quelque chose de moins, mais quelque chose de plus. Ainsi, qu'est-ce que le Tiers ? tout, mais un tout entravé et opprimé. Que serait-il sans l'Ordre privilégié ? tout, mais un tout libre et florissant. Rien ne peut aller ²⁰ sans lui ; tout irait infiniment mieux sans les autres.

Il ne suffit pas d'avoir montré que les privilégiés, loin d'être utiles à la Nation, ne peuvent que l'affaiblir et lui nuire ; il faut prouver encore que l'*Ordre* ²⁵ noble n'entre point dans l'organisation sociale ; qu'il peut bien être une *charge* pour la Nation, mais qu'il n'en saurait faire une partie. [...] Qu'est-ce qu'une nation ? Un corps d'associés vivant sous une loi *commune* et représentés par la même *législature*, etc.

N'est-il pas trop certain que l'Ordre noble a des privilèges, des dis- ³⁰ penses, qu'il ose appeler ses droits, séparés des droits du grand corps des citoyens ? Il sort par là de l'ordre commun, de la loi commune. Ainsi ses droits civils en font déjà un peuple à part dans la grande Nation. C'est véritablement *imperium in imperio*[4].

À l'égard de ses droits *politiques*, il les exerce aussi à part. Il a ses ³⁵ représentants à lui, qui ne sont nullement chargés de la procuration[5] des peuples. Le corps de ses députés siège à part ; et quand il s'assemblerait dans une même salle avec les députés des simples citoyens, il n'en est pas moins vrai que sa représentation est essentiellement distincte et séparée ; elle est étrangère à la Nation, d'abord par son ⁴⁰ *principe*, puisque sa mission ne vient pas du peuple ; ensuite par son *objet*, puisqu'il consiste à défendre non l'intérêt général, mais l'intérêt particulier.

---

4. *Imperium in imperio* : un empire dans l'empire.
5. **La procuration** : mandat par lequel on charge quelqu'un d'agir en son nom.

EMMANUEL- JOSEPH SIEYÈS, *Qu'est-ce que le tiers état ?*, 1789.

PREMIÈRE LECTURE

a. Pourquoi à votre avis le plan de l'exposé de l'abbé Sieyès est-il resté célèbre ?
b. La critique politique contenue dans ce pamphlet vous semble-t-elle totalement dépassée ? Qu'est-ce qui a changé depuis l'époque de Sieyès ? Qu'est-ce qui peut parfois donner l'impression de persister ?

LECTURE ANALYTIQUE

Le pamphlet du tiers état
1. Observez les types de phrases. Quelle alternance structure le texte ? Quel en est l'effet sur le lecteur ?
2. Commentez la place et le rôle des interrogatives dans ce texte.
3. Quel ton l'auteur emploie-t-il ?

Une réflexion sur le corps politique
4. Reformulez la thèse de l'auteur.
5. Quelle métaphore Sieyès utilise-t-il pour mieux faire sentir la situation d'asservissement dans laquelle se trouve le tiers état ?
6. Cette métaphore est en quelque sorte filée dans la suite du texte lorsqu'il s'agit de définir la nation. À quoi en effet celle-ci est-elle assimilée ?

ÉCRITURE D'INVENTION

À la manière de Sieyès, dénoncez une situation qui vous indigne. Reprenez l'alternance des questions et des réponses qui structure le texte.

Gracchus Babeuf, *Écrits* (1795)

GRACCHUS BABEUF
(1760-1797)
NOTICE BIOGRAPHIQUE, P. 464

Le Manifeste

TEXTE 4

Dans *Le Tribun du peuple*, journal qu'il a créé en 1794, Gracchus Babeuf, se réclamant des revendications des sans-culottes, en vient à formuler les éléments d'un véritable communisme. Les phrases passionnées de ses derniers pamphlets révèlent à la fois le ton prophétique de l'orateur et les incertitudes de sa tentative.

De temps immémorial, on nous répète avec hypocrisie : les hommes sont égaux ; et de temps immémorial, la plus avilissante comme la plus nombreuse inégalité pèse insolemment sur le genre humain. [...] Nous ne voulons pas seulement l'égalité inscrite dans les Droits
5 de l'homme, nous demandons la communauté des biens. Plus de propriété individuelle ; la terre n'est à personne, les fruits sont à tout le monde. [...] Disparaissez enfin, révoltantes distinctions des riches et des pauvres, de grands et de petits, de maîtres et de valets, de gouvernants et gouvernés. [...] L'instant est venu de fonder la République des
10 Égaux. [...] La Révolution n'est pas finie, parce que les riches absorbent tous les biens et commandent exclusivement, tandis que les pauvres travaillent en véritables esclaves, languissent dans la misère et ne sont rien dans l'État.

GRACCHUS BABEUF, *Le Tribun du peuple, Écrits*, 1795.

TEXTE 5

Attaqué en raison de ses positions extrêmes, Babeuf réplique dans le n° 35 du journal par le « Manifeste des plébéiens » qui sera le prétexte à de nouvelles poursuites.

Travaillons à fonder d'abord de bonnes institutions, des institutions plébéiennes[1] et nous serons toujours sûrs qu'une bonne constitution viendra après. Des institutions doivent assurer
5 le *bonheur commun*, l'aisance égale de tous les co-associés. [...]

Nous avons posé que l'*égalité parfaite* est de droit primitif ; que le pacte social, loin de porter atteinte à ce droit naturel[2], ne doit que
10 donner à chaque individu la garantie que ce droit ne sera jamais violé, que dès lors, il ne devrait y avoir jamais eu d'institutions qui favorisassent l'inégalité, la cupidité, qui permissent que le nécessaire des uns pût être
15 envahi, pour former un superflu aux autres Que cependant, il était arrivé le contraire que d'absurdes conventions s'étaient intr

« Pillage de la fabrique Réveillon le 28 avril 1789 »,
gravure de Guyot, musée Carnavalet, Paris.

1. **Institutions plébéiennes** : institutions du peuple.
2. **Droit naturel** : ensemble des règles conformes à la nature de l'homme.
3. **Spoliateurs** : personne qui dépouille les autres par violence, fraude ou abus de pouvoir.

duites dans la société et avaient protégé l'inégalité, avaient permis le dépouillement du grand nombre par le plus petit ; qu'il était des époques où les derniers résultats de ces meurtrières règles sociales étaient que l'universalité des richesses de tous se trouvaient englou-tie dans la main de quelques-uns ; que la paix, qui est naturelle quand tous sont heureux, devenait nécessairement troublée alors ; que la masse ne pouvant plus exister, trouvant tout hors de sa possession, ne rencontrant que des cœurs impitoyables dans la caste qui a tout acca-paré, ces effets déterminaient l'époque de ces grandes révolutions, fixaient ces périodes mémorables, prédites dans le livre des Temps et du Destin, où un bouleversement général dans le système des pro-priétés devient inévitable, où la révolte des pauvres contre les riches est d'une nécessité que rien ne peut vaincre.

Nous avons démontré que, dès 89, nous en étions à ce point, et que c'est pour cela qu'a éclaté alors la Révolution.

Nous avons démontré que, depuis 89, et singulièrement depuis 94 et 95, l'agglomération des calamités et de l'oppression publiques avait singulièrement rendu plus urgent l'ébranlement majes-tueux du Peuple contre ses spoliateurs[3] et ses oppresseurs... [...] Est-ce *la loi agraire* que vous voulez, vont s'écrier mille voix d'hon-nêtes gens ? Non : c'est plus que cela. Nous savons quel invin-cible argument on aurait à nous y opposer. On nous dirait, avec raison, que la loi agraire ne peut durer qu'un jour ; que, dès le lendemain de son établissement, l'inégalité se remonterait. Les Tribuns de la France, qui nous ont précédés, ont mieux conçu le vrai système du bonheur social. Ils ont senti qu'il ne pouvait résider que dans les institutions capables d'assurer et de maintenir inaltérablement l'*égalité de fait*.

GRACCHUS BABEUF, « Manifeste des plébéiens », *Écrits*, 1795.

ACTIVITÉ TICE
LES SYMBOLES DE L'ÉPOQUE RÉVOLUTIONNAIRE
Présentez le résultat de vos recherches sur les symboles de l'époque révolutionnaire sous la forme d'une animation en ligne.

Téléchargez la fiche élève n° 20 « Les symboles de l'époque révolutionnaire » sur le site du manuel.

PREMIÈRE LECTURE
Caractérisez les textes 4 et 5 par un adjectif. Justifiez votre choix.

LECTURE ANALYTIQUE
Un manifeste prophétique
1. Quel type de phrase Babeuf utilise-t-il presque exclusivement ? Quel effet cela a-t-il sur le ton du texte ? Quels modes et quels temps verbaux utilisés dans le premier paragraphe concourent au même effet ?
2. À quel moment le texte prend-il une allure presque prophétique ?
3. À la fin du texte, repérez une concession (prise en compte des arguments de l'adversaire). Finalement, qu'est-ce qu'annonce ce texte ?

L'expression d'un idéal social
4. À quels termes le mot « Peuple » s'oppose-t-il ?
5. Relevez les termes et les expressions qui définissent l'idéal social de Babeuf. Sur quelle valeur suprême est-il fondé ?
6. Dans quelle mesure peut-on sentir dans ces écrits l'influence des idées popularisées par Rousseau (texte 2, p. 182) ?

VERS LA DISSERTATION
En vous appuyant sur les textes de la séquence, rédigez un paragraphe argumentatif dans lequel vous expliquerez en quoi, selon vous, le travail de l'écrivain est utile à la société.

Cicéron, *Les Catilinaires* (63 av. J.-C.)
Art oratoire et combat politique

Lorsque Cicéron prononce *Les Catilinaires*, en 63 av. J.-C., il est à l'apogée de sa carrière. Face à la conjuration de Catilina, grand seigneur qui se donnait, par opportunisme, des allures de révolutionnaire et mettait en péril l'équilibre de l'État, le consul se fait l'avocat de la République légitime. Informé du coup d'État que Catilina préparait avec l'appui de Crassus et César, Cicéron convoque le Sénat et, le 8 novembre 63, prononce la première *Catilinaire* pour forcer son ennemi à sortir de Rome.

Jusques à quand abuseras-tu de notre patience, Catilina ? Combien de temps encore serons-nous ainsi le jouet de ta fureur ? Où s'arrêteront les emportements de cette audace effrénée ? Ni la garde qui veille la nuit sur le mont Palatin, ni les postes répandus dans la ville, ni l'effroi du peuple, ni le concours de tous les bons citoyens, ni le
5 choix, pour la réunion du sénat, de ce lieu le plus sûr de tous[1], ni les regards ni le visage de ceux qui t'entourent, rien ne te déconcerte ? Tu ne sens pas que tes projets sont dévoilés ? Tu ne vois pas que ta conjuration reste impuissante, dès que nous en avons tous le secret ? Penses-tu qu'un seul de nous ignore ce que tu as fait la nuit dernière et la nuit précédente, où tu es allé, quels hommes tu as réunis, quelles réso-
10 lutions tu as prises ?

Ô temps ! ô mœurs ! Le sénat connaît tous ces complots, le consul les voit ; et Catilina vit encore. Il vit ? que dis-je ? il vient au sénat ; il prend part aux conseils de la république ; son œil choisit et désigne tous ceux d'entre nous qu'il veut immoler. Et nous, hommes pleins de courage, nous croyons assez faire pour la république, si nous échappons à
15 sa fureur et à ses poignards. Il y a longtemps, Catilina, que le consul aurait dû t'envoyer à la mort, et faire tomber sur ta tête le coup fatal dont tu menaces les nôtres.

Eh quoi ! un citoyen illustre, le grand pontife P. Scipion, frappa de mort, sans être magistrat, T. Gracchus pour une légère atteinte aux institutions de la république ; et nous, consuls, nous laisserons vivre Catilina, qui aspire à désoler l'univers par le meurtre et par l'incendie ?

CICÉRON, *Les Catilinaires*, 63 av. J.-C., traduit du latin par J. Thibault, 1863.

---

1. Cicéron a convoqué l'Assemblée du sénat dans le temple de Jupiter, sous la protection de l'armée.

QUESTION

Lisez ce discours et repérez des procédés rhétoriques précis : questions oratoires, parallélismes de construction, apostrophes lyriques. Quel est l'effet sur le destinataire ?

à retenir

Les philosophes des Lumières concevaient leurs œuvres comme des armes intellectuelles, qui devaient permettre un changement concret de la société. Il ne s'agissait pas pour eux d'élaborer uniquement des théories abstraites dégagées de la réalité : ils espéraient faire évoluer les mentalités au point de bouleverser l'ordre politique. L'*Encyclopédie* n'avait donc pas pour unique fin de rassembler toutes les connaissances humaines : elle avait également une portée polémique, et fut censurée. Le rêve de ces auteurs a pris forme à la fin du XVIII\ :sup:`e` siècle, avec la Révolution française. L'art rhétorique prit alors toute son importance : la parole publique n'était plus soumise à l'autorité royale. Le modèle de la république romaine, qui inspira les nouvelles institutions, était également un idéal pour les orateurs et les pamphlétaires du XVIIIe siècle. La littérature et la politique étaient étroitement liées.

L'art de l'éloquence

UN ART ANCIEN

Comment défendre le plus efficacement possible une idée ou un point de vue afin d'emporter l'adhésion d'autrui ? Les Anciens ont répondu à cette question en élaborant un art de l'éloquence, c'est-à-dire un art de persuader le public par le discours. Les Grecs en sont les inventeurs. Parmi les orateurs les plus marquants, on peut citer Corax, Tisias, Lysias, Isocrate et Démosthène. La vie publique dans la Grèce antique est très développée : nombreuses sont les occasions où un homme doit persuader un auditoire du bien-fondé de ses idées, que ce soit au tribunal, dans une assemblée politique, ou tout simplement au marché.

Les Romains s'illustrent aussi dans l'art oratoire. Cicéron, homme politique et avocat (1er siècle avant J.-C.), propose dans le traité *De l'Orateur* une définition de l'éloquence politique. Plusieurs de ses discours politiques ou judiciaires ont été conservés et sont encore aujourd'hui considérés comme des modèles de rhétorique. Au 1er siècle après J.-C., un autre avocat romain, Quintilien, rédige l'*Institution oratoire*, traité dans lequel il explique la formation qu'un orateur doit recevoir pour être efficace. Cet ouvrage théorique expose également les règles qu'il faut suivre pour réussir un discours.

LES TROIS TYPES DE DISCOURS

Quintilien distingue trois types de discours.

– Le premier est le **discours judiciaire** : il s'agit de parler de faits passés que l'on juge. L'orateur doit accuser ou défendre une personne, ou prouver qu'un acte est juste ou injuste. C'est le discours des avocats.

– Le deuxième est le **discours épidictique** (du grec *epideiknumi*, « je montre ») ou démonstratif. Il s'agit de parler d'une personne ou d'une idée pour en faire la louange ou le blâme. L'orateur doit prouver que celui dont il parle est noble ou au contraire méprisable. Ce discours est approprié pour faire des compliments à un homme puissant par exemple.

– Le troisième est le **discours délibératif**. Il s'agit de s'interroger sur l'avenir et de se demander si une action future sera utile ou nuisible. Ce type de discours s'emploie donc pour conseiller ou déconseiller d'accomplir une action particulière. Ce discours est associé aux assemblées politiques.

L'ATTITUDE DE L'ORATEUR

L'orateur doit inspirer la confiance. Il doit apparaître honnête, sincère et sympathique. Ce comportement s'appelle l'*ethos* (c'est-à-dire la capacité à inspirer confiance par son attitude). Il doit savoir recourir au *pathos*, c'est-à-dire susciter des passions, des émotions et des sentiments chez l'auditoire, afin de mieux le persuader. Enfin, il doit recourir au *logos*, c'est-à-dire à l'argumentation, afin de convaincre le public. Maîtriser ces trois éléments ne suffit pas à défendre efficacement une idée : le discours doit être préparé avec soin. Il est entièrement rédigé, puis récité à haute voix, et non simplement lu.

Danton, gravure de 1789.

L'ÉLABORATION D'UN DISCOURS

L'élaboration d'un discours est très codifiée. L'orateur doit suivre cinq étapes.

• L'*inventio* (l'invention) : l'orateur cherche tous les moyens de persuasion et tous les arguments qui lui semblent utiles pour rendre son discours efficace.

• La *dispositio* (la disposition) : l'orateur hiérarchise et organise ses idées et bâtit le plan de son exposé. Il doit impérativement respecter quatre étapes :

– l'**exorde**, ou *captatio beneuolentiae* (la captation de la bienveillance), consiste à séduire le public dès le début du discours et à attirer le plus rapidement possible sa sympathie et sa complicité ;

– la **narration** consiste en l'exposé des faits ; cette étape est la plus importante dans le discours judiciaire : le récit des faits doit être clair, concis et crédible ;

– la **digression** consiste à distraire le public, en introduisant par exemple de l'humour dans le discours, afin d'établir une complicité avec l'auditoire, avant d'aborder la conclusion ;

– la **péroraison** est la conclusion du discours. En général, elle est pathétique et doit émouvoir l'auditeur. Elle permet également de récapituler les arguments développés pendant la démonstration.

• L'*elocutio* (l'élocution) : l'orateur choisit avec soin les mots qu'il va employer, ainsi que les figures de style. Contrairement au sens actuel du terme « élocution », cette phase est une étape de rédaction, à l'écrit.

• L'*actio* (l'action) : l'orateur réfléchit aux gestes qu'il va faire pour rendre son discours plus vivant.

• La *memoria* (la mémorisation) : il s'agit de l'étape finale, celle où l'orateur apprend par cœur son discours.

Joseph-Désiré Court, *Mirabeau devant de Dreux-Brézé, 23 juin 1789.*

LE DISCOURS AU XVIIIE SIÈCLE

Au XVIIIe siècle, les académies scientifiques ou artistiques, favorisant les débats entre spécialistes et gens lettrés, organisent des concours de discours : une question philosophique, esthétique ou scientifique est posée, et les candidats doivent la traiter. Ces concours sont l'occasion de mettre en discussion des idées novatrices pour l'époque. Jean-Jacques Rousseau rédige ainsi le *Discours sur l'origine et les fondements de l'inégalité parmi les hommes* (commencé en 1752 et publié en 1755) pour répondre à une question posée par l'académie de Dijon : quelle est l'origine de l'inégalité parmi les hommes, et est-elle autorisée par la loi naturelle ?

Les événements politiques de la Révolution française sont l'occasion d'un nombre important de discours, au ton beaucoup plus véhément et polémique que ceux commandés par les académies. Le renouveau de la vie politique, la création de clubs ou les débats à l'Assemblée donnent lieu à des discours très célèbres, comme ceux de Maximilien de Robespierre par exemple.

LA RHÉTORIQUE AU SERVICE DE L'ARGUMENTATION

1. Utiliser les types de phrases pour argumenter

La période est une longue phrase complexe, d'allure oratoire (qu'on utilise notamment dans les plaidoiries). C'est une phrase ample, qui peut former à elle seule un paragraphe entier.

L'attention du lecteur est éveillée et reste en suspens pendant la **protase**, la première partie de la période.

La fin de la période, l'**apodose**, donne le sens qui était resté suspendu.

• **La phrase exclamative ou interrogative** peut interpeller et mettre en cause un destinataire.

> **EXEMPLE** Cicéron : « Jusqu'où, enfin, Catilina, abuseras-tu de notre patience ! »

• Le locuteur peut recourir à la **question oratoire** qui contient en elle-même sa réponse :

> **EXEMPLE** Sieyès : « Qui donc oserait dire que le tiers état n'a pas en lui tout ce qu'il faut pour former une nation complète ? »

• **La phrase injonctive** conduit le destinataire à adopter un certain point de vue.

> **EXEMPLE** Voltaire, *Micromégas* : « Considérez, je vous prie… »

2. Utiliser les figures de style pour argumenter

Certaines figures de style viennent donner de la force à l'expression de la pensée.

Figure	Effet	Exemple
L'hyperbole	exagération	« De temps immémorial, on nous répète avec hypocrisie… », (Babeuf)
L'anaphore	répétition d'un mot ou d'un groupe de mots en début de phrase	« tant que…tant que… », (Rousseau)
L'antiphrase	dire le contraire de ce qu'on pense	« chez les Égyptiens, les meilleurs philosophes du monde », (Voltaire)
La métaphore	association évocatrice	le tiers état est « L'homme fort et robuste dont le corps est encore enchaîné », (Sieyès)

EXERCICE Voici un extrait de l'« Appel du 18 juin » par lequel le général de Gaulle appela à refuser l'armistice conclu par le gouvernement français avec l'Allemagne en 1940. Expliquez en quoi cet appel utilise des procédés oratoires ; commentez l'effet produit.

> Infiniment plus que leur nombre, ce sont les chars, les avions, la tactique des Allemands qui nous font reculer. Ce sont les chars, les avions, la tactique des Allemands qui ont surpris nos chefs au point de les amener là où ils en sont aujourd'hui.
> 5 Mais le dernier mot est-il dit ? L'espérance doit-elle disparaître ? La défaite est-elle définitive ? Non !
> Croyez-moi, moi qui vous parle en connaissance de cause et vous dis que rien n'est perdu pour la France. Les mêmes moyens qui nous ont vaincus peuvent faire venir un jour la victoire.

CHARLES DE GAULLE, *Appel du 18 juin 1940*.

EXERCICES SUPPLÉMENTAIRES
À retrouver sur le site du manuel.

Voltaire, *Candide ou l'Optimisme* (1759)

VOLTAIRE
(1694-1778)
NOTICE BIOGRAPHIQUE, P. 473

Le procès de l'intolérance

TEXTE 1

Arrivés au Portugal après un grave tremblement de terre, Candide et son ami Pangloss sont arrêtés, à cause des théories de ce dernier selon qui tout va pour le mieux dans le meilleur des mondes. Or, ces idées sont contraires à la doctrine catholique car si tout allait si bien dans le monde, l'homme n'aurait jamais connu le pêché originel.

CHAPITRE 6

Comment on fit un bel auto-da-fé pour empêcher les tremblements de terre, et comment Candide fut fessé

Après le tremblement de terre qui avait détruit les trois quarts de Lisbonne, les sages du pays n'avaient pas trouvé un moyen plus efficace pour prévenir une ruine totale que de donner au peuple un bel auto-da-fé[1] ; il était décidé par l'université de Coïmbre[2] que le specta-
5 cle de quelques personnes brûlées à petit feu, en grande cérémonie, est un secret infaillible pour empêcher la terre de trembler.

On avait en conséquence saisi un Biscayen convaincu d'avoir épousé sa commère[3], et deux Portugais qui en mangeant un poulet en avaient arraché le lard : on vint lier après le dîner le docteur
10 Pangloss et son disciple Candide, l'un pour avoir parlé, et l'autre pour l'avoir écouté avec un air d'approbation : tous deux furent menés séparément dans des appartements d'une extrême fraîcheur, dans lesquels on n'était jamais incommodé du soleil : huit jours après ils furent tous deux revêtus d'un san-benito[4], et on orna leurs têtes de
15 mitres[5] de papier : la mitre et le san-benito de Candide étaient peints de flammes renversées, et de diables qui n'avaient ni queues ni griffes ; mais les diables de Pangloss portaient griffes et queues, et les flammes étaient droites. Ils marchèrent en procession ainsi vêtus, et entendirent un sermon très pathétique, suivi d'une belle musique en
20 faux-bourdon. Candide fut fessé en cadence, pendant qu'on chantait ; le Biscayen et les deux hommes qui n'avaient point voulu manger de lard furent brûlés, et Pangloss fut pendu, quoique ce ne soit pas la coutume. Le même jour la terre trembla de nouveau avec un fracas épouvantable.

VOLTAIRE, *Candide ou l'Optimisme*, 1759.

---

1. **Auto-da-fé** : en portugais, acte de foi. Ce mot désigne une mise à mort par le feu.
2. **Coïmbre** : ville du Portugal réputée pour ses prestigieuses universités.
3. Cet homme est accusé d'avoir épousé la marraine de l'enfant dont il est lui aussi le parrain, ce qui est interdit par l'Église catholique.
4. **San-benito** : tunique des condamnés à mort de l'Inquisition.
5. **Mitre** : chapeau haut et pointu.

ACTIVITÉ TICE
SUR LES PAS DE *CANDIDE*

Réalisez une carte interactive des voyages de Candide avec Google Maps.

Téléchargez la fiche élève n° 21 « Sur les pas de Candide » sur le site du manuel.

Reformulez et expliquez les reproches faits aux différents condamnés. Vous semblent-ils justes ?

LECTURE ANALYTIQUE

Le spectacle d'une mise à mort
1. À quel rite social la mise à mort des condamnés est-elle comparée ?
2. Relevez le champ lexical de la musique. Vous semble-t-il approprié à la scène ?

La sagesse de l'Inquisition
3. Comparez la première et la dernière phrase de l'extrait. Quel sens donnez-vous alors à l'expression « les sages du pays » ? De quelle figure de style s'agit-il ?
4. Dans quel lieu précis sont enfermés Candide et Pangloss ? Par quelle figure de style cet endroit est-il nommé ?

5. Relevez et analysez d'autres expressions auxquelles le narrateur ne semble pas croire. Que pouvez-vous en déduire à propos du registre du texte ?

Un conte engagé
6. À votre avis, à quelle religion les deux Portugais sont-ils soupçonnés d'appartenir ? Pourquoi Voltaire ne la mentionne-t-il pas ?
7. Que critique précisément Voltaire dans ce chapitre ? Son texte vous semble-t-il efficace pour persuader le lecteur ?

ÉCRITURE D'INVENTION

Alors qu'ils sont en prison, Pangloss et Candide sont interrogés par l'Inquisition. Imaginez un dialogue d'une vingtaine de lignes dans lequel un inquisiteur accusera les deux amis, qui se défendront le mieux qu'ils pourront.

Voltaire,
Traité sur la tolérance (1763)

La raison contre l'injustice

VOLTAIRE
(1694-1778)
NOTICE BIOGRAPHIQUE, P. 473

TEXTE 2

Le 12 octobre 1761, on retrouve Marc-Antoine Calas pendu dans le magasin de son père Jean Calas, un protestant. Ce dernier est accusé d'avoir tué son fils pour l'empêcher de se convertir au catholicisme, seule religion autorisée à l'époque. Jean Calas est condamné à mort et subit le supplice de la roue. Voltaire y voit une preuve de l'intolérance et du fanatisme des catholiques envers les protestants. Il entreprend alors de réhabiliter sa mémoire en rédigeant le *Traité sur la tolérance*, dans lequel il démontre l'innocence de cet homme. Voltaire parvient à obtenir du tribunal la réhabilitation de la mémoire de la victime.

Il paraissait impossible que Jean Calas, vieillard de soixante-huit ans, qui avait depuis longtemps les jambes enflées et faibles, eût seul étranglé et pendu un fils âgé de vingt-huit ans, qui était d'une force au-dessus de l'ordinaire ; il fallait absolument qu'il eût été assisté dans cette exécu-
5 tion par sa femme, par son fils Pierre Calas, par Lavaisse[1] et par la servante. Ils ne s'étaient pas quittés un seul moment le soir de cette fatale aventure. Mais cette supposition était encore aussi absurde que l'autre : car comment une servante zélée catholique aurait-elle pu souffrir que des huguenots[2] assassinassent un jeune homme élevé par elle pour le punir
10 d'aimer la religion de cette servante ? Comment Lavaisse serait-il venu exprès de Bordeaux pour étrangler son ami dont il ignorait la conversion prétendue ? Comment une mère tendre aurait-elle mis les mains sur son fils ? Comment tous ensemble auraient-ils pu étrangler un jeune homme aussi robuste qu'eux tous, sans un combat long et violent, sans
15 des cris affreux qui auraient appelé tout le voisinage, sans des coups réitérés, sans des meurtrissures, sans des habits déchirés ?

---

1. Lavaisse : ami de Marc-Antoine Calas.
2. Huguenots : protestants.

3. **Parricide** : au sens large, ce mot désigne le meurtre d'un membre de la même famille.

4. **Confondus** : dans l'embarras.

5. **Élargir** : libérer.

6. **Inconséquent** : illogique.

7. **Prévarication** : manquement par mauvaise foi au devoir professionnel.

ACTIVITÉ TICE

LE COMBAT POUR LA TOLÉRANCE

Créez dans Word un bulletin d'information sur la tolérance, d'après un modèle prédéfini.

Téléchargez la fiche élève n° 22 « Bulletin sur la tolérance » sur le site du manuel.

Il était évident que, si le parricide[3] avait pu être commis, tous les accusés étaient également coupables, parce qu'ils ne s'étaient pas quittés d'un moment ; il était évident qu'ils ne l'étaient pas ; il était évident que le
20 père seul ne pouvait l'être ; et cependant l'arrêt condamna ce père seul à expirer sur la roue.

Le motif de l'arrêt était aussi inconcevable que tout le reste. Les juges qui étaient décidés pour le supplice de Jean Calas persuadèrent aux autres que ce vieillard faible ne pourrait résister aux tourments, et qu'il
25 avouerait sous les coups des bourreaux son crime et celui de ses complices. Ils furent confondus[4], quand ce vieillard, en mourant sur la roue, prit Dieu à témoin de son innocence, et le conjura de pardonner à ses juges.

Ils furent obligés de rendre un second arrêt contradictoire avec
30 le premier, d'élargir[5] la mère, son fils Pierre, le jeune Lavaisse, et la servante ; mais un des conseillers leur ayant fait sentir que cet arrêt démentait l'autre, qu'ils se condamnaient eux-mêmes, que tous les accusés ayant toujours été ensemble dans le temps qu'on supposait le parricide, l'élargissement de tous les survivants
35 prouvait invinciblement l'innocence du père de famille exécuté, ils prirent alors le parti de bannir Pierre Calas, son fils.

VOLTAIRE, *Traité sur la tolérance*, 1763.

La famille Calas devant Voltaire à Ferney (XVIIIᵉ siècle), peinture, Musée Antoine Lecuyer, Saint Quentin.

PREMIÈRE LECTURE

Pour faire admettre l'innocence de Calas, Voltaire cherche-t-il à persuader, en faisant appel aux sentiments, ou à convaincre, à l'aide de la logique ?

LECTURE ANALYTIQUE

Une enquête policière

1. Quel type de phrases est le plus présent dans le premier paragraphe ? Pour quelle raison, à votre avis ?
2. Analysez le raisonnement du deuxième paragraphe. Expliquez en quoi la condamnation de Jean Calas est illogique d'après Voltaire.

Une démonstration judiciaire

3. Repérez les connecteurs logiques du texte. Quels arguments introduisent-ils ?

4. Analysez la longueur des phrases : à votre avis, pourquoi Voltaire a-t-il choisi des phrases longues ?
5. Comment Jean Calas est-il décrit ? Pourquoi, à votre avis ?

Une critique de la justice

6. Quel portrait des juges Voltaire fait-il ?
7. Sur quoi sont fondées les décisions des juges ? Quelle image de la justice ce texte donne-t-il ?

VERS LA DISSERTATION

En comparant les textes 1 et 2, vous vous demanderez s'il est plus efficace de dénoncer l'injustice et l'intolérance par un discours fondé sur la raison ou par une histoire fantaisiste et plaisante. Votre réponse sera organisée en deux paragraphes d'une quinzaine de lignes chacun.

Andocide, *Discours sur les mystères* (399 av. J.-C.)
La rhétorique au service de l'argumentation

Andocide (vers 440 - vers 390 avant J.-C.) est un des grands orateurs de l'âge d'or d'Athènes. Ce sont des événements particuliers qui l'ont amené à plaider : le scandale des Hermès et celui des Mystères de Déméter. Les Hermès avaient été mutilés en leur sommet, qui portait un buste du dieu. À cet acte sacrilège s'ajoutait la divulgation des cérémonies secrètes du culte de Déméter, lors de parodies impies.
Andocide a-t-il réellement été mêlé à ces deux affaires ? Aucun document ne permet de trancher. Dans la tourmente, il choisit de dénoncer certains de ses concitoyens pour sauver sa famille. Une quinzaine d'années plus tard, souhaitant retrouver sa place à Athènes, il tente de se disculper. Il propose donc son récit des faits.

    Nous étions donc tous enfermés dans la même prison, il faisait nuit et les portes étaient closes ; l'un avait auprès de lui sa mère, un autre sa sœur, un autre sa femme et ses enfants, et c'était des cris et des plaintes : on pleurait, on se lamentait sur l'infortune présente. Alors Charmidès mon cousin, qui a même âge que moi et
5 qui fut, depuis l'enfance, élevé avec moi dans notre maison, me dit : « Andocide, tu vois la gravité du malheur présent ; jusqu'ici je n'ai jamais eu à te tenir un langage importun ; mais aujourd'hui j'y suis forcé par le malheur qui vient fondre sur nous. Tes amis, tes intimes – ne parlons pas de tes parents – sous le coup des accusations qui nous perdent, ont été mis à mort ou se sont enfuis, se déclarant
10 ainsi coupables. Eh bien, si tu sais quelque chose de cette affaire, dis-le, et sauve-toi d'abord toi-même, ensuite ton père, que tu dois aimer sur tout au monde, et ton beau-frère, mari de ta sœur unique, et tant de parents et d'êtres qui te sont unis par le sang, moi-même enfin qui, de toute ma vie, ne t'ai jamais causé aucun chagrin et suis toujours dévoué à ta personne et à tes intérêts,
15 quoi qu'il faille faire. » Citoyens, lorsque Charmidès me parlait ainsi, que les autres me faisaient d'instantes prières, que chacun à part me suppliait, je pensai en moi-même : « Oh malheureux, qui suis tombé dans la pire détresse, dois-je souffrir que mes parents souffrent injustement, qu'on les mette à mort,
20 qu'on leur confisque leurs biens, et qu'ils aient avec cela leurs noms inscrits sur des stèles, flétris comme des sacrilèges, eux qui ne sont pour rien dans ce qui s'est passé ? Ne ferai-je rien pour trois cents Athéniens qui vont injustement périr, pour la Cité, en proie aux pires maux, pour nos concitoyens
25 qui se soupçonnent les uns les autres ? Ou bien dirai-je aux Athéniens ce que j'ai entendu de la bouche même d'Euphilétos, l'auteur du crime ? Il me parut qu'il valait mieux priver justement de leur patrie quatre citoyens (qui, d'ailleurs, vivent encore, sont rentrés de l'exil et sont en pleine posses-
30 sion de leurs biens) que de laisser périr injustement ces innocents. [...] »

Voyons – car il faut, Citoyens, raisonner sur les choses humainement, comme si le malheur vous atteignait vous-même – qu'aurait fait chacun de vous ? En effet, s'il s'était agi de choisir de deux partis l'un, une mort honorable ou un salut honteux, on peut dire que ce qui fut fait fut vilenie, et pourtant bien des gens auraient eu besoin de faire le choix honteux, préférant la vie à une mort honorable. »

Andocide, *Discours sur les mystères* (339 av. J.-C.),
texte établi et traduit du grec ancien par Georges Dalmeyda. 1960.

QUESTION

1. Quel rôle joue le personnage de Charmidès dans le récit et dans la stratégie du plaidoyer d'Andocide ? Quels arguments ce personnage utilise-t-il pour convaincre Andocide ? Au profit de quels intérêts la dénonciation est-elle présentée comme un devoir ?

2. Relevez les éléments du texte indiquant que l'injustice est possible dans le système judiciaire athénien. Quelles peuvent être les conséquences d'une telle erreur judiciaire pour les citoyens visés ?

3. En quoi, présenté par Andocide, son choix apparaît-il comme un acte d'héroïsme ? En quoi, éclairé autrement, pourrait-il sembler une indigne trahison ?

Voltaire, *Relation de la mort du chevalier de La Barre* (1766)

Horreur et pitié, deux armes de persuasion

VOLTAIRE
(1694-1778)
NOTICE BIOGRAPHIQUE, P. 473

---

1. **Abbeville** : ville du nord de la France.
2. **Appliqué** : soumis.
3. **Ais** : planches.
4. **Un dominicain** : prêtre appartenant à l'ordre de saint Dominique.
5. **Abbesse** : mère supérieure d'une abbaye.

TEXTE 3

En 1765, à Abbeville, dans le nord de la France, on découvre un crucifix profané. On soupçonne le chevalier de La Barre, âgé de seize ans et vivant chez sa tante. Il avait auparavant refusé de retirer son chapeau devant une procession religieuse, ce qui faisait de lui le parfait suspect. On accusa également le chevalier d'avoir chanté des chansons impies et de posséder le *Dictionnaire philosophique* de Voltaire. Finalement, le jeune homme fut condamné à avoir la langue et la main coupées, être décapité puis brûlé. Voltaire écrivit alors le déroulement de l'affaire à son ami le marquis de Beccaria, connu pour ses positions contre la peine de mort.

Enfin, le 1er juillet de cette année, se fit dans Abbeville[1] cette exécution trop mémorable : cet enfant fut d'abord appliqué[2] à la torture. Voici quel est ce genre de tourment.

Les jambes du patient sont serrées entre des ais[3] ; on enfonce des
5   coins de fer ou de bois entre les ais et les genoux, les os en sont brisés. Le chevalier s'évanouit, mais il revint bientôt à lui à l'aide de quelques liqueurs spiritueuses, et déclara, sans se plaindre, qu'il n'avait point de complices.

On lui donna pour confesseur et pour assistant un dominicain[4], ami
10 de sa tante l'abbesse[5], avec lequel il avait souvent soupé dans le couvent. Ce bon homme pleurait, et le chevalier le consolait. On leur ser-

Gravure de 1845 représentant le chevalier de La Barre condamné a avoir la langue arrachée et à être jeté dans les flammes le 16 juillet 1766.

vit à dîner. Le dominicain ne pouvait manger. « Prenons un peu de nourriture, lui dit le chevalier ; vous aurez besoin de force autant que moi pour soutenir le spectacle que je
15 vais donner. »

Le spectacle en effet était terrible : on avait envoyé de Paris cinq bourreaux pour cette exécution. Je ne puis dire en effet si on lui coupa la langue et la main. Tout ce que je sais par les lettres d'Abbeville, c'est qu'il monta sur l'écha-
20 faud avec un courage tranquille, sans plainte, sans colère, et sans ostentation : tout ce qu'il dit au religieux qui l'assistait se réduit à ces paroles : « Je ne croyais pas qu'on pût faire mourir un gentilhomme pour si peu de chose. »

Il serait devenu certainement un excellent officier : il
25 étudiait la guerre par principes ; il avait fait des remarques sur quelques ouvrages du roi de Prusse et du maréchal de Saxe, les deux plus grands généraux de l'Europe.

Lorsque la nouvelle de sa mort fut reçue à Paris, le nonce[6] dit publiquement qu'il n'aurait point été traité ainsi
30 à Rome, et que s'il avait avoué ses fautes à l'Inquisition d'Espagne, ou du Portugal, il n'eût été condamné qu'à une pénitence de quelques années.

Je laisse, monsieur, à votre humanité et à votre sagesse le soin de faire des réflexions sur un événement si affreux, si étrange, et
35 devant lequel tout ce qu'on nous conte des prétendus supplices des premiers chrétiens doit disparaître. Dites-moi quel est le plus coupable, ou un enfant qui chante deux chansons réputées impies dans sa seule secte, et innocentes dans tout le reste de la terre, ou un juge qui ameute ses confrères pour faire périr cet enfant indiscret par une mort affreuse.

6. Le nonce : ambassadeur du Vatican.

VOLTAIRE, *Relation de la mort du chevalier de La Barre*, 1766.

PREMIÈRE LECTURE

Quels sentiments Voltaire cherche-t-il à faire naître chez le lecteur ?

LECTURE ANALYTIQUE

Un récit horrifiant
1. Commentez la précision du récit des tortures subies par le chevalier. Quel sentiment cela suscite-t-il chez le lecteur ?
2. Analysez le type des phrases employées par Voltaire. Pourquoi a-t-il choisi un ton si neutre ?

Un récit pathétique
3. Quel portrait est fait du chevalier ? Quelles sont ses qualités ? Étudiez la connotation des termes qui se rapportent à ce personnage.

4. Comment Voltaire parvient-il à susciter un sentiment de pitié envers le chevalier ?

Un récit indigné
5. Relevez les hyperboles présentes dans cet extrait. Quel sentiment expriment-elles ?
6. Analysez la structure de la dernière phrase. Comment Voltaire montre-t-il l'injustice d'une telle sentence ?

VERS LE COMMENTAIRE

Dans un paragraphe argumenté et structuré d'une trentaine de lignes, vous montrerez que ce texte mêle les registres pour dénoncer le fanatisme et l'injustice de l'Inquisition de France.

Platon, *Apologie de Socrate* (IVᵉ siècle av. J.-C.)
Une condamnation inutile

Socrate, philosophe du Vᵉ siècle avant J.-C., fut accusé de vénérer de faux dieux et de corrompre la jeunesse. Après un vote du jury des citoyens athéniens, il fut condamné à mort. Platon, son disciple, rapporte le discours qu'il tint après avoir appris la sentence.

En tout cas, faute d'avoir attendu un tout petit peu de temps, citoyens athéniens, vous allez acquérir, auprès de ceux qui souhaitent jeter l'opprobre sur votre cité, la réputation et la responsabilité d'avoir décidé par votre vote la condamnation à mort de Socrate, un homme renommé pour son savoir ! Car, bien sûr, même si ce
5 n'est pas le cas, ils prétendront que je possède un savoir, ceux qui souhaitent vous dénigrer. Si, pourtant, vous aviez attendu un peu de temps, vous auriez obtenu le même résultat sans avoir à en prendre l'initiative. Vous voyez bien mon âge : ma vie est déjà avancée et je ne suis pas loin de la mort. Ce que je dis là n'est pas adressé à vous tous, mais à ceux dont les votes m'ont condamné à mort. Voilà ce
10 que j'ai encore à dire à ces gens-là. Sans doute, pensez-vous, citoyens athéniens, que ce qui m'a perdu, c'est mon incapacité à tenir les discours qui vous auraient convaincus, si j'avais cru qu'il fallait tout faire et tout dire pour échapper à cette sentence. Eh bien, il s'en faut de beaucoup. Non, ce qui m'a perdu, ce n'est certainement pas mon incapacité à prononcer des discours, mais bien mon incapacité à
15 faire montre[1] d'audace et d'effronterie et à prononcer le genre de discours qui vous plaisent au plus haut point, en pleurant, en gémissant, en faisant et en disant beaucoup d'autres choses que j'estime être indignes de moi, en un mot le genre de choses que vous êtes habitués à entendre de la bouche des autres accusés.

PLATON, *Apologie de Socrate*, IVᵉ siècle avant J.-C., traduit du grec de Luc Brisson, GF Flammarion.

---

1. **Faire montre** : montrer.

QUESTIONS

1. Socrate réfute-t-il les accusations qui lui sont faites ? Que cherche-t-il à démontrer ?
2. Selon Socrate, quelles sont les stratégies qui permettent à un accusé d'être acquitté ? Quelle image de la justice donne-t-il donc ?
3. En quoi l'attitude de Socrate et du chevalier de La Barre sont-elles proches ? Pourquoi Platon et Voltaire les ont-ils représentés ainsi ?

à retenir

Voltaire signait tous ses textes par *Écr. l'Inf.*, abréviation de sa devise, *Écraser l'Infâme*. Il affirmait la nécessité de combattre toute forme d'obscurantisme et d'arbitraire. Les dysfonctionnements de la justice et le fanatisme religieux étaient ainsi des cibles privilégiées de l'auteur. Ses contes philosophiques, comme *Candide*, dénoncent avec une ironie mordante le zèle inutile de l'Église à condamner ceux qu'elle considère comme hérétiques. Voltaire fut également un acteur de plusieurs affaires judiciaires de l'époque : directement impliqué dans le procès du chevalier de La Barre, il parvint, grâce au *Traité sur la tolérance*, à obtenir la réhabilitation de la mémoire de Jean Calas.

LES REGISTRES SATIRIQUE ET POLÉMIQUE, L'IRONIE

1. Le registre satirique

La satire consiste à se moquer d'une réalité sociale ou d'un groupe de gens qu'on veut condamner en les décrivant de façon outrancière. La satire recourt souvent à **l'ironie**, aux **hyperboles** ; les comportements sont caricaturés.

2. Le registre polémique

Polémos signifie en grec « combat ». Une polémique est une discussion animée où s'opposent fortement les points de vue. Les procédés caractéristiques de ce registre sont un **ton catégorique et virulent**, qui peut être péremptoire, **l'interpellation de l'autre**, un **rythme vif**, le recours à **l'ironie**.

> EXEMPLE : Molière, *L'École des femmes*
>
> ARNOLPHE. – Non, non, je ne veux point d'un esprit qui soit haut.
>   Et femme qui compose en sait plus qu'il ne faut
> CHRYSALDE. – Une femme stupide est donc votre marotte ?

3. Le procédé de l'ironie

• L'ironie consiste à dire le contraire de ce que l'on veut faire comprendre. La figure caractéristique de l'ironie est l'antiphrase.

> EXEMPLE
>
> Voltaire, *Candide* : « Ils entendirent un **sermon très pathétique**, suivi d'une belle musique en faux-bourdon. Candide fut fessé **en cadence** tandis que **l'on chantait**. »
> Le supplice de Candide est présenté comme un beau spectacle à la fois artistique et plein d'humanité.

• L'ironie peut aussi se traduire par l'usage de **l'antithèse**, de **l'euphémisme**, de **la litote**, etc.

EXERCICE   Voltaire écrit à Rousseau qui lui a envoyé son *Discours sur l'origine et les fondements de l'inégalité parmi les hommes*. Heurté dans son enthousiasme pour la civilisation, il le remercie ainsi. Relisez l'extrait du discours de Rousseau, p. 182. Quels propos de Voltaire sont des réponses aux arguments de Rousseau ? Relevez et expliquez les passages où Voltaire manie l'ironie et définissez le registre du texte.

J'ai reçu, Monsieur, votre nouveau livre contre le genre humain, et je vous en remercie. Vous plairez aux hommes, à qui vous dites leurs vérités, et vous ne les corrigerez pas. On ne peut peindre avec des couleurs plus fortes les horreurs de la société humaine, dont notre ignorance et notre faiblesse se promettent tant de consolations. On n'a jamais
5 employé tant d'esprit à vouloir nous rendre bêtes ; il prend envie de marcher à quatre pattes, quand on lit votre ouvrage. Cependant, comme il y a plus de soixante ans que j'en ai perdu l'habitude, je sens malheureusement qu'il m'est impossible de la reprendre, et je laisse cette allure naturelle à ceux qui en sont plus dignes que vous et moi.
Je ne peux non plus m'embarquer pour aller trouver les sauvages du Canada ; premiè-
10 rement, parce que les maladies dont je suis accablé me retiennent auprès du plus grand médecin de l'Europe, et que je ne trouverais pas les mêmes secours chez les Missouris, secondement, parce que la guerre est portée dans ces pays-là, et que les exemples de nos nations ont rendu les sauvages presque aussi méchants que nous. Je me borne à être un sauvage paisible dans la solitude que j'ai choisie auprès de votre patrie, où vous devriez être.

> ✎ **EXERCICES SUPPLÉMENTAIRES**
> À retrouver sur le site du manuel.

VOLTAIRE, « Lettre à Rousseau », 30 août 1755.

DES GOÛTS ET DES COULEURS : LA QUESTION DU BEAU

Un débat sur le Beau au XVIIᵉ siècle : La querelle des Anciens et des Modernes

Claude Le Lorrain, *Marine avec Énée à Delos*, 1672, Londres, National Gallery.

À la faveur de la politique culturelle du roi Louis XIV (mise en place d'un mécénat d'État, création des Académies et des Salons), le XVIIᵉ siècle voit la naissance d'un nouveau public pour l'art. Dans le même temps, l'artiste peut s'émanciper de la noblesse et de l'Église, instances dont il dépendait financièrement. Se pose alors la question de l'évaluation du Beau, autrement dit, la question du goût.

Cette nouvelle réflexion esthétique aboutit à la mise en question des modèles de l'Antiquité qui jusque-là faisaient autorité : c'est la querelle des Anciens et des Modernes. Celle-ci apparaît à la fin du XVIIᵉ siècle et se poursuit au début du XVIIIᵉ.

Les partisans des Anciens considèrent que l'Antiquité est une période où la civilisation a atteint la perfection et qu'il convient donc d'imiter les œuvres des auteurs et des artistes grecs et latins, tandis que les Modernes, croyant au progrès de l'homme, de la société et de l'art, refusent d'y voir un modèle indépassable.

Jean de La Bruyère, *Les Caractères* (1688)

Les partisans des Anciens

JEAN DE LA BRUYÈRE
(1645-1696)
NOTICE BIOGRAPHIQUE, P. 470

TEXTE 1
Partisan des Anciens, La Bruyère, dans le premier chapitre des *Caractères*, prend nettement position contre les Modernes, s'opposant particulièrement à l'un d'entre eux, Fontenelle, à qui il fait souvent allusion.

1

Tout est dit, et l'on vient trop tard depuis plus de sept mille ans qu'il y a des hommes et qui pensent. Sur ce qui concerne les mœurs, le plus beau et le meilleur est enlevé ; l'on ne fait que glaner[1] après les anciens et les habiles d'entre les modernes.

10

5   Il y a dans l'art un point de perfection, comme de bonté ou de maturité dans la nature, celui qui le sent et qui l'aime a le goût parfait ; celui qui ne le sent pas, et qui aime en deçà ou au-delà, a le goût défectueux. Il y a donc un bon et un mauvais goût, et l'on dispute des goûts avec fondement.

L'église des Invalides par Mansart, un exemple de l'architecture classique.

10 On a dû faire du style ce qu'on a fait de l'architecture ; on a entièrement abandonné l'ordre gothique², que la barbarie avait introduit pour les palais et pour les temples ; on a rappelé le dorique, l'ionique et le corinthien³ : ce qu'on ne voyait plus que dans les ruines de l'ancienne Rome et de la vieille Grèce, devenu moderne, éclate dans nos portiques et dans nos péristyles⁴. De même on ne saurait en écrivant rencontrer le parfait et, s'il se peut, surpasser les Anciens que par leur imitation.

JEAN DE LA BRUYÈRE, « Des ouvrages de l'esprit », *Les Caractères*, 1688.

1. Glaner : ramasser, recueillir des bribes dont on puisse tirer parti.
2. Gothique : style architectural répandu en Europe du XIIᵉ au XVIᵉ siècle. Le mot vient des Goths, d'où l'allusion aux invasions barbares.
3. Le dorique, l'ionique et le corinthien : ordres de l'architecture grecque.
4. Péristyles : colonnades, éléments de l'architecture antique repris à l'époque classique.

Quelles réflexions vous inspirent les propos de La Bruyère ?

Le point de vue du moraliste
1. Identifiez les caractéristiques du style du moraliste : quel temps emploie-t-il ? Quelle est sa valeur ?
2. Comment les propositions s'enchaînent-elles ? Sont-elles coordonnées ou juxtaposées ? Comment qualifieriez-vous par conséquent le ton qu'il emploie ?
3. Reformulez la thèse de l'auteur telle qu'elle s'exprime dans le premier extrait. Relevez des superlatifs et une négation restrictive. Dans quelle mesure ces procédés témoignent-ils du point de vue de l'auteur ?

4. Relevez dans les extraits 10 et 15 des termes appréciatifs exprimant un jugement personnel. Quelles antithèses et quels parallélismes de construction permettent de souligner ce jugement ?

L'expression de l'idéal classique
5. Dans le dernier fragment, quelle comparaison La Bruyère établit-il ? Dans quel but ?
6. À quels principes La Bruyère propose-t-il aux artistes et aux auteurs de se conformer pour parvenir à la perfection ?

La Bruyère affirme que l'on ne peut surpasser les Anciens que par leur imitation. Quelles œuvres du XVIIᵉ siècle vous semblent répondre à cette conception (fables, pièces de théâtre, etc.) ?

TEXTE COMPLÉMENTAIRE

Nicolas Boileau, *Réflexions sur Longin* (1694)
Les œuvres d'art doivent résister au temps

Selon Nicolas Boileau, le fait que l'on goûte des œuvres dans la durée est un gage de leur valeur. Là où les grands auteurs de l'Antiquité ont fait leurs preuves, les contemporains doivent attendre le jugement de la postérité. En 1694, il exprime cette position dans ses *Réflexions sur Longin*, un écrivain grec qu'il avait traduit, auteur d'un traité consacré à la notion de sublime.

Il n'y a en effet que l'approbation de la postérité qui puisse établir le vrai mérite des ouvrages. Quelque éclat qu'ait fait un écrivain durant sa vie, quelques éloges qu'il ait reçus, on ne peut pas pour cela infailliblement conclure que ses ouvrages

soient excellents. De faux brillants, la nouveauté du style, un tour d'esprit qui était
5   à la mode, peuvent les faire valoir ; et il arrivera peut-être que dans le siècle suivant on ouvrira les yeux et que l'on méprisera ce qu'on a admiré. [...]

Mais lorsque des écrivains ont été admirés durant un fort grand nombre de siècles et n'ont été méprisés que par quelques gens de goût bizarre, car il se trouve
toujours des goûts dépravés, alors non seulement il y a de la témérité, mais il y a
10 de la folie à vouloir douter du mérite de ces écrivains. Que si vous ne voyez point
les beautés de leurs écrits, il ne faut point conclure qu'elles n'y sont point, mais
que vous êtes aveugle et que vous n'avez point de goût. Le gros des hommes ne se
trompe point à la longue sur les ouvrages d'esprit.

NICOLAS BOILEAU, *Sixième Réflexion sur Longin*, 1694.

QUESTIONS

1. Quel argument, dans le raisonnement de l'auteur, joue en faveur des Anciens ?
2. Quel argument joue contre les Modernes ?
3. Repérez dans le texte le réseau lexical lié à l'idée de mode passagère.
4. Dans quelle mesure la conclusion du texte est-elle particulièrement malicieuse à
l'encontre des Modernes ?
5. Pensez-vous comme Boileau que « l'approbation de la postérité », c'est-à-dire la
reconnaissance d'une œuvre au-delà de l'époque où elle fut créée, soit un gage de qualité ?
Justifiez votre réponse.

Charles Perrault, *Le Siècle de Louis le Grand* (1687)

Les partisans des Modernes

CHARLES PERRAULT
(1628-1703)
NOTICE BIOGRAPHIQUE, P. 742

TEXTE 2

Dans *Le Siècle de Louis le Grand*, l'auteur des *Contes* célèbre le temps présent en proclamant la supériorité du siècle de Louis XIV sur celui de l'empereur Auguste. Il critique ainsi les Anciens, refusant de les admirer sans
réserve, et fait l'éloge des Modernes. Lorsqu'il fut lu à l'Académie, le texte
fit scandale.

La belle antiquité fut toujours vénérable ;
Mais je ne crus jamais qu'elle fût adorable.
Je vois les anciens, sans plier les genoux ;
Ils sont grands, il est vrai, mais hommes comme nous ;
5   Et l'on peut comparer, sans craindre d'être injuste,
Le siècle de Louis au beau siècle d'Auguste. [...]
Tout art n'est composé que des secrets divers,
Qu'aux hommes curieux l'usage a découverts,
Et cet utile amas des choses qu'on invente,
10 Sans cesse, chaque jour, ou s'épure, ou s'augmente ;
Ainsi, les humbles toits de nos premiers aïeux,
Couverts négligemment de joncs et de glaïeux,
N'eurent rien de pareil en leur architecture,

À nos riches palais d'éternelle structure :
15 Ainsi le jeune chêne en son âge naissant,
Ne peut se comparer au chêne vieillissant,
Qui, jetant sur la terre un spacieux ombrage,
Avoisine le ciel de son vaste branchage.
Mais c'est peu, dira-t-on, que, par un long progrès,
20 Le temps de tous les arts découvre les secrets ;
La nature affaiblie en ce siècle où nous sommes,
Ne peut plus enfanter de ces merveilleux hommes,
Dont avec abondance, en mille endroits divers,
Elle ornait les beaux jours du naissant univers,
25 Et que, tout pleins d'ardeur, de force et de lumière,
Elle donnait au monde en sa vigueur première.
À former les esprits comme à former les corps,
La nature en tout temps fait les mêmes efforts ;
Son être est immuable ; et cette force aisée
Dont elle produit tout, ne s'est point épuisée

CHARLES PERRAULT, *Le Siècle de Louis le Grand,* 1687.

Pierre Mignard,
Le Grand Dauphin et sa famille,
1687, Musée du Louvre, Paris.

PREMIÈRE LECTURE

Qu'est-ce qui vous frappe dans la forme de cette argumentation ? Quel est l'intérêt de cette particularité selon vous ?

LECTURE ANALYTIQUE

Une attitude moderne

1. Quel temps est employé dans les deux premiers vers ? Quelle est sa valeur ? En quoi cela témoigne-t-il immédiatement de la position de Perrault dans la querelle ?

2. Quel sens convient-il de donner à l'adjectif « adorable » employé au vers 2 ? Quelle image s'y oppose au vers suivant ?

3. Identifiez aux vers 1 à 4 une concession et deux restrictions. Quel sens donnez-vous au verbe « comparer » au vers 5 ? Résumez le point de vue de Perrault tel qu'il s'exprime ici.

La réfutation des Anciens

4. Relevez deux verbes qui témoignent de la vision progressiste de Perrault en matière d'histoire de l'art.

5. Quelles analogies utilise-t-il afin d'inciter le lecteur à partager cette vision ? Montrez que l'antithèse du bas et du haut structure ce passage.

6. À partir de quel vers donne-t-il la parole à ses adversaires ? Quels sont leurs arguments ? Que leur réplique-t-il ?

L'architecture classique,
un retour à l'Antique

Le Colisée à Rome.

La Sainte Chapelle.

Au XVIe siècle, on a redécouvert l'architecture romaine qui superposait des colonnes d'aspects différents dans des édifices religieux ou profanes. Le Colisée à Rome est un exemple de cette architecture. Cet amphithéâtre elliptique qui fut construit au centre de Rome et qui accueillait différents spectacles et notamment les combats de gladiateurs, présentait trois types de colonnes sur trois niveaux de galeries : en bas les colonnes doriques, au milieu les colonnes ioniques, en haut les colonnes de style corinthien.

Au XVIIe siècle en France, cette influence exercée par l'architecture romaine depuis la Renaissance prend un essor particulier. En effet, une Académie d'architecture est créée et elle entend imposer des règles à la construction des monuments tout comme l'Académie française impose ses règles à la langue et à la littérature. Les édifices construits à cette époque rompent donc avec l'esthétique gothique (telle qu'elle s'était illustrée par exemple à la Sainte Chapelle, édifiée au XIIIe siècle). Et la référence à l'Antiquité s'affirme dans les bâtiments de l'âge classique. Un des exemples les plus remarquables de ce style est la colonnade du Louvre qui a été construite par Claude Perrault (le frère de l'écrivain) en 1867.

La colonnade du Louvre

QUESTIONS

1. En quoi ces trois images sont-elles une illustration du raisonnement de La Bruyère (pages 200-201) ?
2. Comparez le Colisée et la colonnade du Louvre ? Quels sont les points communs entre ces deux édifices ?
En quoi, dans la colonnade du Louvre, l'héritage de l'ancienne Rome est-il devenu moderne ?

Jean de La Fontaine, *Épître à Huet* (1687)

**JEAN
DE LA FONTAINE**
(1621-1695)
NOTICE BIOGRAPHIQUE, P. 468

---

1. **Le pasteur de Mantoue :** périphrase désignant le poète latin Virgile.
2. **Champs Élysées :** dans la mythologie grecque et latine, lieu où séjournent les âmes des héros et des hommes vertueux.

Vers un compromis

TEXTE 3

Au lendemain de la lecture du poème de Perrault sur *Le Siècle de Louis le Grand*, la Fontaine jugea nécessaire de défendre les chefs-d'œuvre de l'Antiquité dans une épître (une lettre) en vers adressée à Huet, homme de lettres et ecclésiastique, qui prenait la défense des Modernes. Il y adopte une position toutefois assez nuancée.

Les Romains et les Grecs sont-ils seuls excellents ?
Ces discours sont fort beaux, mais fort souvent frivoles :
Je ne vois point l'effet répondre à ces paroles ;
Et, faute d'admirer les Grecs et les Romains,
5　On s'égare en voulant tenir d'autres chemins.
Quelques imitateurs, sot bétail, je l'avoue,
Suivent en vrais moutons le pasteur de Mantoue[1] ;
J'en use d'autre sorte ; et, me laissant guider,
Souvent à marcher seul j'ose me hasarder.
10　On me verra toujours pratiquer cet usage ;
Mon imitation n'est point un esclavage :
Je ne prends que l'idée, et les tours, et les lois,
Que nos maîtres suivaient eux-mêmes autrefois.
Si d'ailleurs quelque endroit plein chez eux d'excellence,
15　Peut entrer dans mes vers sans nulle violence,
Je l'y transporte, et veux qu'il n'ait rien d'affecté,
Tâchant de rendre mien cet air d'antiquité.
Je vois avec douleur ces routes méprisées
Art et guides, tout est dans les Champs Élysées[2]

Charles Le Brun, *L'Entrée d'Alexandre à Babylone*, 1673, Paris, musée du Louvre. C'est Louis XIV qui est glorifié sous les traits du prestigieux conquérant grec. La composition soigneusement étudiée reprend le dessin d'un bas-relief romain.

3. **Térence** : poète latin.
4. **Parnasse** : lieu mythique où résidaient les muses.
5. **Les dieux du Parnasse** : dans la mythologie grecque, le mont Parnasse était la résidence d'Apollon et des neuf Muses. Il désigne par métonymie une assemblée de poètes. Térence, Horace et Homère sont, avec Virgile, les plus éminents poètes de l'Antiquité gréco-latine.

20 J'ai beau les évoquer, j'ai beau vanter leurs traits,
    On me laisse tout seul admirer leurs attraits.
    Térence[3] est dans mes mains ; je m'instruis dans Horace[4] ;
    Homère et son rival sont mes dieux du Parnasse[5].
    Je le dis aux rochers ; on veut d'autres discours,
25 Ne pas louer son siècle est parler à des sourds.
    Je le loue, et je sais qu'il n'est pas sans mérite
    Mais près de ces grands noms notre gloire est petite
    Tel de nous, dépourvu de leur solidité,
    N'a qu'un peu d'agrément, sans nul fonds de beauté
    Je ne nomme personne, on peut tous nous connaître.

JEAN DE LA FONTAINE, *Épître à Huet*, 1687.

PREMIÈRE LECTURE

Quelle position La Fontaine choisit-il par rapport aux deux camps ?

LECTURE ANALYTIQUE

Le manifeste d'un représentant du classicisme
1. Identifiez clairement, au début de l'épître, la thèse de l'auteur en montrant comment l'admiration conduit à l'imitation.
2. Où le blâme des Modernes s'exprime-t-il le plus clairement selon vous ? Quelle antithèse le renforce dans les derniers vers ?

L'art de la nuance
3. Comment, dans ce texte, La Fontaine se démarque-t-il à la fois des partisans inconditionnels des Anciens et de ceux des Modernes ? Observez notamment leur mode de désignation respectif (métaphores filées des vers 6 à 8 et 24-25).

4. Quel argument est donné pour justifier la thèse des adversaires de La Fontaine ?
5. Quelle valeur caractéristique de l'idéal classique le poète défend-il donc ?

L'affirmation de l'originalité
6. En vous fondant sur l'observation des pronoms, de la musicalité des vers et de l'expression des sentiments, montrez que La Fontaine use par moments du registre lyrique. Dans quel but ?
7. En quoi le poète se distingue-t-il des autres acteurs de la querelle ?

VERS LE COMMENTAIRE

Faites le plan d'un commentaire dont le projet de lecture serait : un idéal classique que l'auteur illustre en l'exposant.

à retenir

Les artistes de la Renaissance et de l'époque classique développèrent un goût pour tout ce qui était hérité de l'Antiquité. La littérature française avait alors pour modèle les littératures grecque et latine. Le critère de qualité d'une œuvre n'était pas son originalité ; au contraire, un artiste devait imiter ses prédécesseurs pour être reconnu. Mais à la fin du XVIIe siècle, la querelle des Anciens et des Modernes modifia la conception que l'on avait de la littérature. Des auteurs comme Perrault affirmaient que l'art du XVIIe siècle égalait, voire dépassait en qualité l'art antique. Il ne fallait plus imiter, mais inventer des œuvres nouvelles. Cette idée fit scandale dans les milieux littéraires, et la querelle fut vive : La Bruyère et Boileau contestèrent avec véhémence les Modernes. La Fontaine, dont les *Fables* sont inspirées d'auteurs antiques, proposa une opinion plus modérée, mais il fallut attendre 1714 et la *Lettre à l'Académie* de Fénelon pour que le débat soit clos. Au XXIe siècle, notre conception de l'art semble héritée de celle des Modernes : l'originalité est aujourd'hui plus valorisée que l'imitation.

Du XVIIIᵉ au XIXᵉ siècle : La relativité du Beau

Voltaire, *Dictionnaire philosophique* (1764)

VOLTAIRE
(1694-1778)
NOTICE BIOGRAPHIQUE, P. 473

Une définition du beau

TEXTE 1

Conçu comme une arme efficace pour le combat des Lumières, le *Dictionnaire philosophique*, sorte de version portative de l'*Encyclopédie*, parut à partir de 1764. Au départ, il ne contenait qu'un nombre restreint d'entrées qui n'ont cessé d'augmenter au cours des éditions successives. Voici l'article que Voltaire consacre à la question du beau.

« BEAU, BEAUTÉ »

Demandez à un crapaud ce que c'est que la beauté, le grand beau, le *to kalon*[1]. Il vous répondra que c'est sa crapaude avec deux gros yeux ronds sortant de sa petite tête, une gueule large et plate, un ventre jaune, un dos brun. Interrogez un nègre de Guinée ; le beau est pour
5 lui une peau noire, huileuse, des yeux enfoncés, un nez épaté.

Interrogez le diable ; il vous dira que le beau est une paire de cornes, quatre griffes, et une queue. Consultez enfin les philosophes, ils vous répondront par du galimatias[2] ; il leur faut quelque chose de conforme à l'archétype du beau en essence, au *to kalon*.
10 J'assistais un jour à une tragédie auprès d'un philosophe. « Que cela est beau ! disait-il. – Que trouvez-vous là de beau ? lui dis-je. – C'est, dit-il, que l'auteur a atteint son but. » Le lendemain il prit une médecine qui lui fit du bien. « Elle a atteint son but, lui dis-je ; voilà une belle médecine ! » Il comprit qu'on ne peut dire qu'une médecine
15 est belle, et que pour donner à quelque chose le nom de *beauté*, il faut qu'elle vous cause de l'admiration et du plaisir. Il convint que cette tragédie lui avait inspiré ces deux sentiments, et que c'était là le *to kalon*, le beau.

Nous fîmes un voyage en Angleterre : on y joua la même
20 pièce, parfaitement traduite ; elle fit bâiller tous les spectateurs. « Oh, oh ! dit-il, le *to kalon* n'est pas même pour les Anglais et pour les Français. » Il conclut, après bien des réflexions, que le beau est souvent très relatif, comme ce qui est décent au Japon est indécent à Rome, et ce qui est de mode
25 à Paris ne l'est pas à Pékin ; et il s'épargna la peine de composer un long traité sur le beau.

VOLTAIRE, article « Beau, beauté », *Dictionnaire philosophique*, 1764.

---

1. *To kalon* : le beau *en grec*.
2. **Galimatias** : discours confus, embrouillé.

PREMIÈRE LECTURE

La réflexion de Voltaire sur l'esthétique vous semble-t-elle sérieuse ou plaisante ?

LECTURE ANALYTIQUE

Une argumentation plaisante

1. Observez l'énonciation (pronoms personnels, mode et temps des verbes) : à qui le locuteur s'adresse-t-il au début du texte ? À quel moment y a-t-il une rupture ?
2. Observez la composition du texte : comment les deux premiers paragraphes sont-ils organisés ? Quelle idée générale illustre cette démonstration initiale ?
3. Cette façon d'énoncer la thèse vous paraît-elle originale ? Pourquoi ?
4. Quelle forme particulière la suite de l'article (les deux derniers paragraphes) prend-elle ?

Entre philosophie et satire de la philosophie

5. Au passage, Voltaire en profite pour parfaire sa satire de la philosophie. Quels en sont les procédés ? Quel est l'effet de l'insertion du grec ancien dans le texte ? Quelle image est ainsi donnée des philosophes jusqu'à la fin de l'article ?
6. À quelle définition du beau le récit du 3ᵉ paragraphe aboutit-il ? Sur quelle différence s'achève-t-il ?
7. Montrez que la thèse de l'auteur qui était implicite au début du texte est rendue explicite dans le dernier paragraphe.

ÉCRITURE D'INVENTION

Donnez d'autres exemples de la relativité du goût selon les pays et les générations. Imaginez un dialogue entre deux personnes qui n'ont pas les mêmes goûts.

Denis Diderot, *Essais sur la peinture* (1795)

Porter un jugement esthétique

DENIS DIDEROT
(1713-1784)
NOTICE BIOGRAPHIQUE, P. 466

TEXTE 2

Chargé, à partir de 1759, d'écrire les comptes rendus des expositions de l'Académie royale de peinture et de sculpture, Diderot est aujourd'hui considéré comme un pionnier de la critique d'art. Convaincu de la fonction morale de l'art et de la nécessité de la formation du goût, il élève ces comptes rendus à la dignité d'un genre littéraire à part entière. Dans ses *Essais sur la peinture* (1795), il s'attaque à l'académisme et tente de promouvoir un art de plein air.

S'il nous arrive de nous promener aux Tuileries, au Bois de Boulogne, ou dans quelque endroit écarté des Champs-Élysées, sous quelques-uns de ces vieux arbres épargnés parmi tant d'autres qu'on a sacrifiés au parterre et à la vue de l'hôtel de Pompadour[1], sur la fin
5 d'un beau jour, au moment où le soleil plonge ses rayons obliques à travers la masse touffue de ces arbres, dont les branches entremêlées les arrêtent, les renvoient, les brisent, les rompent, les dispersent sur les troncs, sur la terre, entre les feuilles, et produisent autour de nous une variété infinie d'ombres moins fortes, de parties obscures, moins
10 obscures, éclairées, plus éclairées, tout à fait éclatantes : alors les passages de l'obscurité à l'ombre, de l'ombre à la lumière, de la lumière au grand éclat, sont si doux, si touchants, si merveilleux, que l'aspect d'une branche, d'une feuille, arrête l'œil et suspend la conversation au moment même le plus intéressant. Nos pas s'arrêtent involontai-
15 rement ; nos regards se promènent sur la toile magique, et nous nous

---

1. **L'hôtel de Pompadour** : actuel palais de l'Élysée.
2. **Salon** : au sens de lieu d'exposition.
3. **Loutherbourg et Vernet** : peintres français du XVIIIᵉ siècle spécialistes des marines et des paysages.

ACTIVITÉS TICE

NAISSANCE DE LA CRITIQUE
D'ART : LES SALONS

Collectez des informations
sur Internet pour rédiger
une synthèse sur les salons
à l'époque des Lumières.

**Téléchargez la fiche élève n° 23
« Naissance de la critique
d'art_01 » sur le site
du manuel.**

NAISSANCE DE LA CRITIQUE
D'ART : DIDEROT

Découvrez les règles, le ton et
les caractéristiques stylistiques
du « salon » en analysant
un tableau de Chardin et
sa critique par Diderot.

**Téléchargez la fiche élève n° 24
« Naissance de la critique
d'art_02 » sur le site
du manuel.**

NAISSANCE DE LA CRITIQUE
D'ART : LES OUTILS LITTÉRAIRES
DU SALONNIER

Rédigez une critique
à la manière de Diderot,
en exploitant les procédés
que vous aurez observés
dans ses textes.

**Téléchargez la fiche élève n° 25
« Naissance de la critique
d'art_03 » sur le site
du manuel.**

Philippe-Jacques de Loutherbourg (1740-1812),
Un bateau de pêche tiré à terre, près du château de Conwy,
musée national de la Marine, Greenwich.

écrions : « Quel tableau ! Oh ! Que cela est beau ! » Il semble que nous
considérions la nature comme le résultat de l'art ; et, réciproquement,
s'il arrive que le peintre nous répète le même enchantement sur la
20 toile, il semble que nous regardions l'effet de l'art comme celui de la
nature. Ce n'est pas au Salon[2], c'est dans le fond d'une forêt, parmi
les montagnes que le soleil ombre et éclaire, que Loutherbourg et
Vernet[3] sont grands. [...]

Que celui qui n'a pas étudié et senti les effets de la lumière et
25 de l'ombre dans les campagnes, au fond des forêts, sur les maisons
des hameaux, sur les toits des villes, le jour, la nuit, laisse là les pin-
ceaux ; surtout qu'il ne s'avise pas d'être paysagiste. Ce n'est pas dans
la nature seulement, c'est sur les arbres, c'est sur les eaux de Vernet,
c'est sur les collines de Loutherbourg, que le clair de lune est beau.

DENIS DIDEROT, *Essais sur la peinture*, 1795.

PREMIÈRE LECTURE

À quel moment de la journée, vous semble-t-il que les
paysages sont les plus beaux ? Justifiez votre réponse.

LECTURE ANALYTIQUE

Un œil de peintre
1. La première phrase est très longue et permet à
Diderot de poser une hypothèse de départ. Résumez-la.
2. La seconde phrase permet à l'auteur d'en envisager
les conséquences. Quelles sont-elles ?
3. Identifiez à la fin de la première phrase une gradation
soulignant les effets de la lumière et de l'ombre.

La nature comme imitation de l'art
4. Que désigne en réalité l'expression métaphorique
« la toile magique » (l. 15) ? Quel passage au discours
direct vient filer cette métaphore ? Qu'est-ce qui, selon
vous, justifie son importance dans le texte ?
5. À la fin du premier paragraphe, est-ce la nature
qui semble imiter l'art ou l'art qui imite la nature ?
Qu'en est-il à la fin du texte ?

ÉCRITURE D'INVENTION

Comme Diderot, il vous est arrivé, face à un paysage
naturel, d'avoir l'impression d'être face à une œuvre
d'art. Décrivez ce paysage : vous en évoquerez d'abord
les éléments et la composition, puis les effets de lumière
et les couleurs. Enfin, vous préciserez l'effet que ce
paysage a suscité en vous.

Clair de lune

En 1771, la marquise de Pompadour passe commande à Joseph Vernet de quatre tableaux pour décorer son pavillon de Louveciennes. C'est ainsi que *La Nuit* voit le jour. La favorite de Louis XV, qui a eu vent des qualités du peintre, lui demande de représenter les moments d'une journée : matin, midi, soir et nuit. Pour cette dernière, Vernet choisit un cadre qui lui est familier : un paysage portuaire. Depuis qu'il a réalisé pour le roi une série de quinze toiles représentant les grands ports de France, Vernet est en effet passé maître dans cet art.

En digne héritier du Lorrain et de Poussin, qu'il a pris le temps d'étudier en Italie, Vernet réalise une composition harmonieuse : les plans s'enchaînent naturellement. Le ciel occupe les trois quarts de la toile, la lune est très exactement à mi-hauteur et la perspective parfaitement ordonnée. Mais dans cette obscurité, ce que Vernet veut réussir, c'est l'éclairage ! Il ne se contente pas de la lune, qui éclaire les nuages et se reflète dans l'eau calme. Pour montrer sa virtuosité, Vernet ajoute une autre source de lumière dans le coin droit du tableau : un petit feu qui réchauffe les personnages, marins et colporteurs, adossés aux tonneaux. Car la nuit venue, le port ne s'éteint pas. Avec une foule de détails, Vernet en restitue pour nous l'atmosphère.

JOSEPH VERNET, *La Nuit : un port de mer au clair de lune*, 1753, huile sur toile (H. 98 cm x L 164 cm). Paris, musée du Louvre.

QUESTIONS

1. « C'est sur les eaux de Vernet… que le clair de lune est beau ». Commentez cette appréciation de Diderot en expliquant en quoi une observation attentive du tableau permet de la comprendre.
2. Comparez le tableau de Loutherbourg (p. 209) avec ce tableau de Vernet. Quels points communs peut-on relever ?
3. En vous inspirant des explications qui vous sont données ci-dessus sur la lumière dans le tableau de Vernet proposez une analyse du tableau de Loutherbourg (p. 209).

Montesquieu,
Essai sur le goût (1757)

Le plaisir esthétique

MONTESQUIEU
(1689-1755)
NOTICE BIOGRAPHIQUE, P. 471

TEXTE 3

Ayant refusé d'écrire les articles « Démocratie » et « Despotisme » pour l'*Encyclopédie*, Montesquieu proposa une contribution sur le goût. L'*Essai sur le goût* forme une partie de cet article. Le philosophe y définit le goût comme « ce qui nous attache à une chose par le sentiment », ce qui, selon lui, n'empêche pas pour autant d'en proposer une définition rationnelle.

Il y a quelquefois dans les personnes ou dans les choses un charme invisible, une grâce naturelle, qu'on n'a pu définir, et qu'on a été forcé d'appeler le « je-ne-sais-quoi ». Il me semble que c'est un effet principalement fondé sur la surprise. Nous sommes touchés de ce qu'une
5 personne nous plaît plus qu'elle ne nous a paru d'abord devoir nous plaire, et nous sommes agréablement surpris de ce qu'elle a su vaincre des défauts que nos yeux nous montrent, et que le cœur ne croit plus. Voilà pourquoi les femmes laides ont très souvent des grâces, et qu'il est rare que les belles en aient : car une belle personne fait ordinaire-
10 ment le contraire de ce que nous avions attendu ; elle parvient à nous paraître moins aimable ; après nous avoir surpris en bien, elle nous surprend en mal ; mais l'impression du bien est ancienne, celle du mal nouvelle : aussi les belles personnes font-elles rarement les grandes passions, presque toujours réservées à celles
15 qui ont des grâces, c'est-à-dire des agréments que nous n'attendons point, et que nous n'avions pas sujet d'attendre. Les grandes parures ont rarement de la grâce, et souvent l'habillement des bergères en a. [...]
20 Les grâces se trouvent moins dans les traits du visage que dans les manières ; car les manières naissent à chaque instant, et peuvent à tous les moments créer des surprises ; en un mot, une femme ne peut guère être belle que d'une
25 façon, mais elle est jolie de cent mille. [...]
Il semblerait que les manières naturelles devraient être les plus aisées : ce sont celles qui le sont moins ; car l'éducation, qui nous gêne, nous fait toujours perdre du naturel : or
30 nous sommes charmés de le voir revenir.
Rien ne nous plaît tant dans une parure que lorsqu'elle est dans cette négligence ou même dans ce désordre qui nous cache tous les soins que la propreté n'a pas exigés, et que
35 la seule vanité aurait fait prendre ; et l'on n'a jamais de grâce dans l'esprit que lorsque ce que l'on dit est trouvé et non pas recherché.

MONTESQUIEU, *Essai sur le goût*, 1757.

Portrait peint par
Jean Honoré Fragonard,
entre 1766 et 1770.

PREMIÈRE LECTURE

Qu'est-ce que le « je-ne-sais-quoi » ? Avez-vous déjà été sensible à un « je-ne-sais-quoi » ?

LECTURE ANALYTIQUE

Ce qui échappe à toute définition
1. Cherchez l'étymologie du mot « charme ». Quel mot-clé du texte lui est donc lié par le sens ?
2. Quel champ lexical entraîne-t-il dans la suite du texte ? Qu'est-ce qui justifie, dans le texte, l'importance de ce champ lexical ?
3. Quelle différence l'auteur semble-t-il faire entre une « belle femme » et une « jolie femme » ?

Des tentatives de définitions
4. Quels procédés liés à l'énonciation permettent à l'auteur d'élever son propos à l'universalité plutôt que de le limiter à une appréciation subjective ?
5. À la fin du premier paragraphe, l'auteur déduit de ses observations une sorte de loi générale : laquelle ?
6. Quelles antithèses soulignent le renversement de point de vue qui caractérise cette loi ?
7. Quelles sont, dans cet extrait, les sources du plaisir esthétique qu'identifie Montesquieu ?

ÉCRITURE

Imitez, sans le recopier, le texte de Montesquieu à partir de la ligne 8 mais en parlant des hommes et non des femmes.

LECTURE COMPLÉMENTAIRE

JEAN-JACQUES ROUSSEAU, «Cinquième rêverie»

À la fin de sa vie, Rousseau, en proie à un délire de persécution, décide de ne plus vivre que pour lui seul et consacre les deux dernières années de son existence à rédiger *Les Rêveries du promeneur solitaire*, constitué de méditations qui sont chacune organisée autour d'une promenade. Vous pouvez lire la cinquième rêverie tandis qu'il a trouvé refuge dans l'île de Saint-Pierre (au milieu du lac de Bienne en Suisse). Cette prose poétique est souvent considérée comme annonciatrice du romantisme par la sensibilité particulière qui s'y exprime.

---

1. Quels avantages l'île présente-t-elle pour un homme tel que Rousseau ? Dans quelle mesure s'harmonise-t-elle particulièrement à son caractère ?
2. Étudiez les moyens par lesquels s'exprime le sentiment de communion avec la nature.
3. À quelle définition du bonheur parvient l'auteur à la fin du texte ? En quoi cette définition vous paraît-elle liée à la question de la contemplation esthétique ?

Charles Baudelaire,
Le Peintre de la vie moderne (1859) | Éloge de l'artifice

CHARLES BAUDELAIRE
(1821-1867)
NOTICE BIOGRAPHIQUE, P. 464

TEXTE 4

Publié dans *Le Peintre de la vie moderne* (texte qui appartient aux écrits esthétiques de l'auteur), « L'éloge du maquillage » est un éloge paradoxal où s'exprime d'une certaine manière l'art poétique de Baudelaire qui, dans sa quête d'idéal, préfère l'embellissement artificiel au naturel.

La plupart des erreurs relatives au beau naissent de la fausse conception du XVIIIe siècle relative à la morale. La nature fut prise dans ce temps-là comme base, source et type de tout bien et de tout beau possibles. [...]

5 Passez en revue, analysez tout ce qui est naturel, toutes les actions et les désirs du pur homme naturel, vous ne trouverez rien que d'affreux.

FRANTISEK KUPLA, *Le rouge à lèvres*, 1908. Paris, musée national d'Art moderne.

Tout ce qui est beau et noble est le résultat de la raison et du calcul. [...]

Tout ce que je dis de la nature comme mau-
10 vaise conseillère en matière de morale, et de la raison comme véritable rédemptrice et réformatrice, peut être transporté dans l'ordre du beau. Je suis ainsi conduit à regarder la parure comme un des signes de la noblesse primitive
15 de l'âme humaine. Les races que notre civilisation, confuse et pervertie, traite volontiers de sauvages, avec un orgueil et une fatuité[1] tout à fait risibles, comprennent, aussi bien que l'enfant, la haute spiritualité de la toilette. Le sau-
20 vage et le baby[2] témoignent, par leur aspiration naïve vers le brillant, vers les plumages bariolés, les étoffes chatoyantes, vers la majesté superlative des formes artificielles, de leur dégoût pour le réel, et prouvent ainsi, à leur insu, l'immatérialité de leur âme. Malheur à celui qui,
25 comme Louis XV (qui fut non le produit d'une vraie civilisation, mais d'une récurrence de barbarie), pousse la dépravation jusqu'à ne plus goûter que la *simple nature* ! [...]

La femme est bien dans son droit, et même elle accomplit une espèce de devoir en s'appliquant à paraître magique et surnaturelle ; il
30 faut qu'elle étonne, qu'elle charme ; idole, elle doit se dorer pour être adorée. Elle doit donc emprunter à tous les arts les moyens de s'élever au-dessus de la nature pour mieux subjuguer les cœurs et frapper les esprits. Il importe fort peu que la ruse et l'artifice soient connus de tous, si le succès en est certain et l'effet toujours irrésistible. C'est
35 dans ces considérations que l'artiste philosophe trouvera facilement la légitimation de toutes les pratiques employées dans tous les temps par les femmes pour consolider et diviniser, pour ainsi dire, leur fragile beauté. L'énumération en serait innombrable ; mais, pour nous restreindre à ce que notre temps appelle vulgairement *maquillage*, qui
40 ne voit que l'usage de la poudre de riz, si niaisement anathématisé[3] par les philosophes candides, a pour but et pour résultat de faire disparaître du teint toutes les taches que la nature y a outrageusement semées, et de créer une unité abstraite dans le grain et la couleur de la peau, laquelle unité, comme celle produite par le maillot, rappro-
45 che immédiatement l'être humain de la statue, c'est-à-dire d'un être divin et supérieur ? Quant au noir artificiel qui cerne l'œil et au rouge qui marque la partie supérieure de la joue, bien que l'usage en soit tiré du même principe, du besoin de surpasser la nature, le résultat est fait pour satisfaire à un besoin tout opposé. Le rouge et le noir repré-
50 sentent la vie, une vie surnaturelle et excessive ; ce cadre noir rend le regard plus profond et plus singulier, donne à l'œil une apparence plus décidée de fenêtre ouverte sur l'infini ; le rouge, qui enflamme

1. **Fatuité** : autosatisfaction.
2. **Baby** : bébé.
3. **Anathématisé** : condamné avec force.

la pommette, augmente encore la clarté de la prunelle et ajoute à un beau visage féminin la passion mystérieuse de la prêtresse.

55   Ainsi, si je suis bien compris, la peinture du visage ne doit pas être employée dans le but vulgaire, inavouable, d'imiter la belle nature et de rivaliser avec la jeunesse. On a d'ailleurs observé que l'artifice n'embellissait pas la laideur et ne pouvait servir que la beauté. Qui oserait assigner à l'art la fonction stérile d'imiter la nature ? Le maquillage n'a pas à se cacher, à éviter de se laisser deviner ; il peut, au contraire, s'étaler, sinon avec affectation, au moins avec une espèce de candeur.

CHARLES BAUDELAIRE, *Le Peintre de la vie moderne*, 1859.

PREMIÈRE LECTURE

Êtes-vous d'accord avec cet « Éloge du maquillage » ? Pourquoi ?

LECTURE ANALYTIQUE

Un art poétique
1. À quelle conception du Beau s'oppose Baudelaire dans son « Éloge du maquillage » ?
2. Que défend-il en revanche à travers le maquillage ?
3. Comment ce texte permet-il lui aussi de relativiser la notion de goût ?

La parole d'un artiste
4. À quoi voit-on que c'est un artiste qui s'exprime ici ?

5. Identifiez un vers blanc (alexandrin surgissant dans un texte en prose) lignes 30-31 et mettez en lumière ses qualités esthétiques (jeu sur les sonorités, force d'évocation).
6. Montrez comment à la fin du texte le poète rivalise en quelque sorte avec les artistes peintres.

VERS LA DISSERTATION

« Des goûts et des couleurs on ne discute pas », dit-on communément. Qu'en pensez-vous ? Comment peut-on mettre cette affirmation en débat ? Listez des arguments et des exemples illustrant les deux points de vue.

à retenir

La définition du Beau est une question primordiale pour les écrivains et les artistes. Au XVIIIe siècle, après la Querelle des Anciens et des Modernes, on s'interroge sur une nouvelle définition : le Beau est-il hérité de l'Antiquité, ou doit-on le rechercher dans des formes nouvelles ? À cette question esthétique s'ajoute une question philosophique plus large : notre conception européenne du Beau est-elle meilleure que celle des autres civilisations ? Les philosophes des Lumières, comme Voltaire et Diderot, remettent en cause l'universalité du Beau, et montrent que sa définition est relative, différente selon les cultures. Il est de plus difficile de savoir exactement ce qui nous touche : le *je-ne-sais-quoi* exprime cette incapacité de l'homme à expliquer les goûts esthétiques. Cependant, jusqu'au XIXe siècle, un principe est commun à toutes les définitions du Beau : l'imitation de la nature, que l'artiste doit tenter de reproduire. Mais les artistes du XIXe siècle, comme Baudelaire par exemple, remettent en cause cette idée : l'art est lié à l'artifice, le Beau se trouve dans la capacité de l'homme à s'affranchir de sa condition naturelle.

NICOLAS POUSSIN, *Paysage avec Diogène*, 1648, Paris, musée du Louvre.

La relativité du goût dans les *Lettres persanes* (1721)

MONTESQUIEU
(1689-1755)
NOTICE BIOGRAPHIQUE, P. 469

> Les *Lettres persanes* sont un roman épistolaire publié en 1721 par Montesquieu qui met en scène des voyageurs persans séjournant en France. Les lettres qui suivent accordent une large place à la question de l'apparence, du goût et de la mode. Cette fiction permet au philosophe des Lumières de mener une observation satirique de la société française : tout en apprenant aux Français à se voir eux-mêmes avec les yeux d'autrui, le romancier réfléchit sur les rapports entre morale, politique et esthétique.

TEXTE 1 - LETTRE XXVI   L'indécence des Françaises
Usbek a quitté la Perse pour fuir ses ennemis. Il décrit dans une lettre à sa favorite, Roxane, restée à Ispahan, le comportement des Françaises.

USBEK À ROXANE.
Au sérail d'Ispahan.

Que vous êtes heureuse, Roxane, d'être dans le doux pays de Perse, et non pas dans ces climats empoisonnés où l'on ne connaît ni la pudeur ni la vertu ! Que vous êtes heureuse ! [...]

Si vous aviez été élevée dans ce pays-ci, vous n'auriez pas été si
5 troublée : les femmes y ont perdu toute retenue : elles se présentent devant les hommes à visage découvert, comme si elles voulaient demander leur défaite ; elles les cherchent de leurs regards ; elle les voient dans les mosquées, les promenades, chez elles-mêmes ; l'usage de se faire servir par des eunuques leur est inconnu. Au lieu de cette
10 noble simplicité et de cette aimable pudeur qui règne parmi vous, on voit une impudence brutale à laquelle il est impossible de s'accoutumer.

Oui, Roxane, si vous étiez ici, vous vous sentiriez outragée dans l'affreuse ignominie où votre sexe est descendu ; vous fuiriez ces abo-
15 minables lieux, et vous soupireriez pour cette douce retraite, où vous trouvez l'innocence, où vous êtes sûre de vous-même, où nul péril ne vous fait trembler, où enfin vous pouvez m'aimer sans craindre de perdre jamais l'amour que vous me devez.

Quand vous relevez l'éclat de votre teint par les plus belles cou-
20 leurs ; quand vous vous parfumez tout le corps des essences les plus précieuses ; quand vous vous parez de vos plus beaux habits ; quand vous cherchez à vous distinguer de vos compagnes par les grâces de la danse et par la douceur de votre chant ; que vous combattez gracieu-

ACTIVITÉ TICE
LE VOCABULAIRE DU GOÛT : ÉTYMOLOGIE

Découvrez quelques familles de mots avec des exercices interactifs et réutilisez-les dans des exercices d'écriture.

Téléchargez la fiche élève n° 26 « Le vocabulaire du goût_ étymologie » sur le site du manuel.

sement avec elles de charmes, de douceur et d'enjouement, je ne puis
25 pas m'imaginer que vous ayez d'autre objet que celui de me plaire ; et
quand je vous vois rougir modestement, que vos regards cherchent les
miens, que vous vous insinuez dans mon cœur par des paroles douces
et flatteuses, je ne saurais, Roxane, douter de votre amour.

Mais que puis-je penser des femmes d'Europe ? L'art de composer
30 leur teint, les ornements dont elles se parent, les soins qu'elles prennent de leur personne, le désir continuel de plaire qui les occupe, sont
autant de taches faites à leur vertu et d'outrages à leur époux.

Ce n'est pas, Roxane, que je pense qu'elles poussent l'attentat aussi
loin qu'une pareille conduite devrait le faire croire, et qu'elles portent
35 la débauche à cet excès horrible, qui fait frémir, de violer absolument
la foi conjugale. Il y a bien peu de femmes assez abandonnées pour
porter le crime si loin : elles portent toutes dans leur cœur un certain caractère de vertu qui y est gravé, que la naissance donne et que
l'éducation affaiblit, mais ne détruit pas. Elles peuvent bien se relâ-
40 cher des devoirs extérieurs que la pudeur exige ; mais, quand il s'agit
de faire les derniers pas, la nature se révolte. Aussi, quand nous vous
enfermons si étroitement, que nous vous faisons garder par tant d'esclaves, que nous gênons si fort vos désirs lorsqu'ils volent trop loin,
ce n'est pas que nous craignions la dernière infidélité, mais c'est que
45 nous savons que la pureté ne saurait être trop grande, et que la moindre tache peut la corrompre.

Je vous plains, Roxane. Votre chasteté, si longtemps éprouvée,
méritait un époux qui ne vous eût jamais quittée, et qui pût lui-même
réprimer les désirs que votre seule vertu sait soumettre.

De Paris, le 7 de la lune de Rhégeb, 1712.

MONTESQUIEU, *Lettres persanes*, « Lettre 26 », 1721.

François Boucher, *Portrait de la marquise
de Pompadour à 25 ans*, 1756.

QUESTIONS

1. Qui écrit à qui ? Qui sont-ils l'un pour l'autre ?
Identifiez les différentes marques de la fiction
orientale et expliquez-en l'intérêt.

2. Quel est le thème de cette lettre ?

3. En vous fondant sur une observation précise
du lexique, relevez les marques du jugement
que porte Usbek sur la société française.

4. La lettre est construite sur un parallèle :
en quoi, selon Usbek, « le désir continuel
de plaire » des femmes européennes diffère-t-il
de celui de sa favorite ?

5. Usbek parle sans cesse de « pudeur » et
de « vertu » ; mais moralement que pourrait-on
lui reprocher ?

Persan, gravure d'un recueil
d'estampes sur les costumes
du Levant, 1707-1708. Bibliothèque
des Arts décoratifs, Paris.

TEXTE 2 - LETTRE XXX   Comment peut-on être persan ?

Rica, Persan récemment arrivé en France, entretient une correspondance régulière avec son ami Ibben. Il parle dans cette lettre de l'étonnement des Français face à ses vêtements persans.

RICA AU MÊME.
À Smyrne.

Les habitants de Paris sont d'une curiosité qui va jusqu'à l'extravagance. Lorsque j'arrivai, je fus regardé comme si j'avais été envoyé du ciel : vieillards, hommes, femmes, enfants, tous voulaient me voir. Si je sortais, tout le monde se mettait aux fenêtres ; si j'étais aux
5 Tuileries[1], je voyais aussitôt un cercle se former autour de moi ; les femmes mêmes faisaient un arc-en-ciel nuancé de mille couleurs, qui m'entourait ; si j'étais aux spectacles, je trouvais d'abord cent lorgnettes[2] dressées contre ma figure : enfin jamais homme n'a tant été vu que moi. Je souriais quelquefois d'entendre des gens qui n'étaient
10 presque jamais sortis de leur chambre, qui disaient entre eux : « Il faut avouer qu'il a l'air bien persan. » Chose admirable ! Je trouvais de mes portraits partout ; je me voyais multiplié dans toutes les boutiques, sur toutes les cheminées, tant on craignait de ne m'avoir pas assez vu.

Tant d'honneurs ne laissent pas d'être à charge : je ne me croyais
15 pas un homme si curieux et si rare ; et, quoique j'aie très bonne opinion de moi, je ne me serais jamais imaginé que je dusse troubler le repos d'une grande ville où je n'étais point connu. Cela me fit résoudre à quitter l'habit persan et à en endosser un à l'européenne, pour voir s'il resterait encore dans ma physionomie quelque chose d'admi-
20 rable. Cet essai me fit connaître ce que je valais réellement : libre de tous les ornements étrangers, je me vis apprécié au plus juste. J'eus sujet de me plaindre de mon tailleur, qui m'avait fait perdre en un instant l'attention et l'estime publique ; car j'entrai tout à coup dans un néant affreux. Je demeurais quelquefois une heure dans une compa-
25 gnie sans qu'on m'eût regardé, et qu'on m'eût mis en occasion d'ouvrir la bouche. Mais, si quelqu'un, par hasard, apprenait à la compagnie que j'étais persan, j'entendais aussitôt autour de moi un bourdonnement : « Ah ! ah ! Monsieur est persan ? C'est une chose bien extraordinaire ! Comment peut-on être persan ? »

À Paris, le 6 de la lune de Chalval 1712.
MONTESQUIEU, *Lettres persanes*, « Lettre 30 », 1721.

---

1. **Tuileries :** résidence royale sous Louis XV.
2. **Lorgnettes :** jumelles.

QUESTIONS

1. La première phrase lance le thème du texte. Relisez-la et précisez ensuite la visée particulière de cette lettre.

2. Relevez le champ lexical de la vision et les procédés d'insistance qui font de Rica, dans le premier paragraphe, le centre des regards. ⟶

ACTIVITÉ TICE
LE VOCABULAIRE DU GOÛT :
DÉFINITIONS

Pour vous approprier le sens des mots du vocabulaire du goût, créez des articles de dictionnaire et inscrivez-les dans les pages d'un wiki.

Téléchargez la fiche élève n° 27 « Le vocabulaire du goût – définitions » sur le site du manuel.

3. À quel moment situez-vous la rupture ? À quelle expérience se livre le Persan ? Dans quel but ?

4. Relevez, dans le deuxième paragraphe, deux témoignages de la malice de l'épistolier persan.

5. Comparez la fin des deux paragraphes : quel point commun observez-vous du point de vue de l'énonciation ? Dans quelle mesure peut-on parler de gradation ? Quel sens donnez-vous à ce procédé ?

Jean Honoré
Fragonard,
œuvre datée
entre 1766
et 1770.

TEXTE 3 - LETTRE LII Le refus de la vieillesse
Rica, dans cette lettre à Usbek, s'interroge sur la vanité des Françaises, qui refusent la vieillesse.

RICA À USBEK /
À ***.

J'étais l'autre jour dans une société où je me divertis assez bien. Il y avait là des femmes de tous les âges : une de quatre-vingts ans, une de soixante, une de quarante, qui avait une nièce
5 de vingt à vingt-deux. Un certain instinct me fit approcher de cette dernière, et elle me dit à l'oreille : « Que dites-vous de ma tante, qui, à son âge, veut avoir des amants et fait encore la jolie ? – Elle a tort, lui dis-je : c'est un dessein
10 qui ne convient qu'à vous. » Un moment après, je me trouvai auprès de sa tante, qui me dit : « Que dites-vous de cette femme, qui a pour le moins soixante ans, qui a passé aujourd'hui plus d'une heure à sa toilette ? – C'est du temps perdu, lui dis-je, et il faut avoir vos charmes pour devoir y songer. » J'allai à cette malheureuse
15 femme de soixante ans, et la plaignais dans mon âme, lorsqu'elle me dit à l'oreille : « Y a-t-il rien de si ridicule ? Voyez cette femme qui a quatre-vingts ans, et qui met des rubans couleur de feu ; elle veut faire la jeune, et elle y réussit : car cela approche de l'enfance. – Ah ! bon Dieu, dis-je en moi-même, ne sentirons-nous jamais que le ridicule des autres ?
20 C'est peut-être un bonheur, disais-je ensuite, que nous trouvions de la consolation dans les faiblesses d'autrui. » Cependant j'étais en train de me divertir, et je dis : « Nous avons assez monté ; descendons à présent, et commençons par la vieille qui est au sommet. – Madame, vous vous ressemblez si fort, cette dame à qui je viens de parler et vous, qu'il
25 me semble que vous soyez deux sœurs, et je vous crois à peu près de même âge. – Vraiment, Monsieur, me dit-elle, lorsque l'une mourra, l'autre devra avoir grand-peur : je ne crois pas qu'il y ait d'elle à moi deux jours de différence. »

Quand je tins cette femme décrépite[1], j'allai à celle de soixante ans.
30 « Il faut, Madame, que vous décidiez un pari que j'ai fait : j'ai gagé que cette dame et vous – lui montrant la femme de quarante ans – étiez de même âge. – Ma foi, dit-elle, je ne crois pas qu'il y ait six mois de différence. – Bon, m'y voilà ; continuons. » Je descendis encore,

—————
1. Décrépite : vieille.

j'allai à la femme de quarante ans. « Madame, faites-moi la grâce de
35 me dire si c'est pour rire que vous appelez cette demoiselle, qui est à
l'autre table, votre nièce ? Vous êtes aussi jeune qu'elle ; elle a même
quelque chose dans le visage de passé, que vous n'avez certainement
pas, et ces couleurs vives qui paraissent sur votre teint... – Attendez,
me dit-elle : je suis sa tante ; mais sa mère avait pour le moins vingt-
40 cinq ans plus que moi : nous n'étions pas de même lit ; j'ai ouï dire
à feu ma sœur que sa fille et moi naquîmes la même année. – Je le
disais bien, Madame, et je n'avais pas tort d'être étonné. »

Mon cher Usbek, les femmes qui se sentent finir d'avance par la
perte de leurs agréments voudraient reculer vers la jeunesse. Eh !
45 comment ne chercheraient-elles pas à tromper les autres ? Elles font
tous leurs efforts pour se tromper elles-mêmes et se dérober à la plus
affligeante de toutes les idées.

À Paris, le 3 de la lune de Chalval 1713.

MONTESQUIEU, *Lettres persanes*, « Lettre 52 », 1721.

QUESTIONS

1. Dégagez l'originalité de la composition de cette lettre.
2. Sur quel procédé repose essentiellement l'effet comique ?
3. Quelle est la portée morale de ce texte ?

TEXTE 4 - LETTRE C L'inconstance de la mode
Rica écrit de France à Rhédi, jeune Persan vivant à Venise, à propos de
l'inconstance de la mode française.

RICA à RHÉDI,
À Venise.

Je trouve les caprices de la mode, chez les Français, étonnants. Ils
ont oublié comment ils étaient habillés cet été. Ils ignorent encore
plus comment ils le seront cet hiver. Mais, surtout, on ne saurait
croire combien il en coûte à un mari pour
5   mettre sa femme à la mode.

Que me servirait de te faire une description exacte de leur habillement et de leurs
parures ? Une mode nouvelle viendrait
détruire tout mon ouvrage, comme celui
10 de leurs ouvriers, et, avant que tu eusses
reçu ma lettre, tout serait changé.

Une femme qui quitte Paris pour aller
passer six mois à la campagne en revient
aussi antique que si elle s'y était oubliée
15 trente ans. Le fils méconnaît le portrait de
sa mère, tant l'habit avec lequel elle est
peinte lui paraît étrange : il s'imagine que
c'est quelque Américaine qui y est repré-

Dans son film *Marie-Antoinette*, réalisé en 2006, Sofia Coppola
met l'accent sur le goût prononcé de la jeune reine pour la mode
et notamment les coiffures exubérantes.

Seigneur persan, gravure de 1820.
Bibliothèque des Arts Décoratifs.

20 sentée, ou que le peintre a voulu exprimer quelqu'une de ses fantaisies.

Quelquefois les coiffures montent insensiblement, et une révolution les fait descendre tout à coup. Il a été un temps que leur hauteur immense mettait le visage d'une femme au milieu d'elle-même. Dans un autre, c'étaient les pieds qui occupaient cette place, les 25 talons faisaient un piédestal qui les tenait en l'air. Qui pourrait le croire ? Les architectes ont été souvent obligés de hausser, de baisser et d'élargir leurs portes, selon que les parures des femmes exigeaient d'eux ce changement, et les règles de leur art ont été asservies à ces caprices. On voit quelquefois sur un visage une quantité 30 prodigieuse de mouches, et elles disparaissent toutes le lendemain. Autrefois, les femmes avaient de la taille et des dents ; aujourd'hui, il n'en est pas question. Dans cette changeante nation, quoi qu'en disent les mauvais plaisants, les filles se trouvent autrement faites que leurs mères.

35 Il en est des manières et de la façon de vivre comme des modes : les Français changent de mœurs selon l'âge de leur roi. Le monarque pourrait même parvenir à rendre la nation grave, s'il l'avait entrepris. Le prince imprime le caractère de son esprit à la Cour, la Cour à la Ville, la Ville, aux provinces. L'âme du souverain est un moule qui donne la forme à toutes les autres.

De Paris, le 8 de la lune de Saphar, 1717.

MONTESQUIEU, *Lettres persanes*, « Lettre 100 », 1721.

QUESTIONS

1. Cherchez le mot « caprice » dans un dictionnaire historique de la langue : quelle est son étymologie ? Quels sont les différents sens pris ensuite par ce mot ?

2. Quels exemples de caprices Rica donne-t-il dans cette lettre ? Comment l'idée de changement est-elle mise en valeur ?

3. Relevez les marques de l'étonnement de Rica et certains détails qui accentuent la portée satirique de la lettre.

4. Quelle est la fonction du dernier paragraphe par rapport aux propos de l'auteur ?

5. Quel éclairage est finalement jeté sur la société française ? Comment, en particulier, cette lettre permet-elle de critiquer le monarque ?

à retenir

La lettre est une forme littéraire qu'affectionnent les philosophes des Lumières pour sa forme plaisante, qui permet de séduire le lecteur tout en le faisant réfléchir. Dans les *Lettres persanes*, le regard de personnages totalement étrangers à notre culture permet une critique acerbe, mais également comique, de nos propres valeurs et coutumes. Les codes esthétiques qui définissent la beauté, la mode ou le comportement des femmes en France au XVIIIe siècle sont ainsi relativisés et remis en cause. Cette réflexion n'a rien de futile : le détour par un regard étranger permet de prendre conscience de nos propres préjugés et donc d'éveiller l'esprit critique du lecteur. Les *Lettres persanes* sont donc bien une œuvre servant l'entreprise des Lumières.

Les liens logiques

Pour argumenter avec force, on cherche souvent à exprimer clairement les liens logiques entre les différents mouvements de la pensée. Le commentaire d'un texte argumentatif doit mettre en évidence ces liens logiques et montrer leur pertinence. On peut notamment identifier :

1. Le but

– subordonnants : afin que, pour que, de crainte que.
– tournures verbales : avoir pour but, viser à, tendre à, souhaiter.

2. La cause et la conséquence

a) La cause

– Coordonnants : car, en effet
– Subordonnants : comme, parce que, puisque, sous prétexte que, non (cause niée)
– Tournures verbales : résulte de, provient de, dépend de

> ▌ **EXEMPLE** « La justice sans force est contredite parce qu'il y a des méchants. » (Pascal)

b) La conséquence

– Adverbes : donc, c'est pourquoi, alors, aussi, ainsi
– Subordonnants : si bien que, tellement … que, si … que, sans que (conséquence niée)
– Tournures verbales : entraîne, implique, prouve que, a pour résultat

> ▌ **EXEMPLE** « Il y a donc un bon et un mauvais goût et on dispute des goûts avec fondement. » (La Bruyère)

3. L'opposition et la concession

– Coordonnants : cependant, en revanche, en néanmoins, toutefois, or, pourtant
– Subordonnants : alors que, même si, si, bien que, quoique, quelque … que, tout … que, loin que, quand bien même
– Locutions prépositives : au lieu que, en dépit de, loin de, malgré, nonobstant
– Tournures verbales : contester, objecter, s'opposer à

> ▌ **EXEMPLE** « Si j'ai dit que je voulais corriger ma conduite, c'est un dessein que j'ai formé par pure politique. » (Molière, *Dom Juan*)

4. La condition

– Prépositions et locutions prépositives : à moins de, sauf, sinon
– Subordonnants : si, selon que, excepté si (+ indicatif) ; à condition que, pourvu que, si tant est que, soit que … soit que (+ subjonctif), au cas où (+ conditionnel)

> ▌ **EXEMPLE** « Si l'on ôtait l'ordre privilégié, la nation ne serait pas quelque chose de moins, mais quelque chose de plus » (Sieyès)

EXERCICE ▌ Les indiens Oreillons vont dévorer Candide et Carambo qu'ils prennent pour des Jésuites ; Cacambo plaide leur cause. Repérez les outils grammaticaux qui montrent quel est le raisonnement de Cacambo et expliquez quelle est la logique de ce raisonnement.

Messieurs, dit Cacambo, vous comptez donc manger aujourd'hui un jésuite ? c'est très bien fait ; rien n'est plus juste que de traiter ainsi ses ennemis. En effet le droit naturel nous enseigne à tuer notre prochain, et c'est ainsi qu'on en agit dans toute la terre. Si nous n'usons pas du droit de le manger, c'est que nous avons d'ailleurs de quoi faire bonne chère ; mais vous n'avez pas les mêmes ressources que nous : certainement il vaut mieux manger ses ennemis que d'abandonner aux corbeaux et aux corneilles le fruit de sa victoire. Mais, messieurs, vous ne voudriez pas manger vos amis.

VOLTAIRE, *Candide ou l'Optimisme*, chapitre 16, 1759.

EXERCICES SUPPLÉMENTAIRES
À retrouver sur le site du manuel.

Montesquieu, *Lettres persanes* (1721)

Rica, un Persan voyageant en France, avait déjà écrit une lettre à son ami Rhédi à propos de l'inconstance de la mode française. Dans celle-ci, il explique que la mode passe même avant la politique dans ce pays.

LETTRE LI

RICA AU MÊME.

Je te parlais l'autre jour de l'inconstance prodigieuse des Français sur leurs modes. Cependant il est inconcevable à quel point ils en sont entêtés : ils y rappellent tout ; c'est la règle avec laquelle ils jugent de tout ce qui se fait chez les autres nations : ce qui est étranger leur
5 paraît toujours ridicule. Je t'avoue que je ne saurais guère ajuster cette fureur pour leurs coutumes avec l'inconstance avec laquelle ils en changent tous les jours.

Quand je te dis qu'ils méprisent tout ce qui est étranger, je ne parle que des bagatelles[1] : car, sur les choses importantes, ils semblent
10 s'être méfiés d'eux-mêmes jusqu'à se dégrader. Ils avouent de bon cœur que les autres peuples sont plus sages, pourvu qu'on convienne qu'ils sont mieux vêtus. Ils veulent bien s'assujettir aux lois d'une nation rivale, pourvu que les perruquiers français décident en législateurs sur la forme des perruques étrangères. Rien ne leur paraît si
15 beau que de voir le goût de leurs cuisiniers régner du septentrion au midi[2], et les ordonnances de leurs coiffeuses portées dans toutes les toilettes de l'Europe.

Avec ces nobles avantages, que leur importe que le bon sens leur vienne d'ailleurs et qu'ils aient pris de leurs voisins tout ce qui
20 concerne le gouvernement politique et civil ?

Qui peut penser qu'un royaume, le plus ancien et le plus puissant de l'Europe, soit gouverné, depuis plus de dix siècles, par des lois qui ne sont pas faites pour lui ? Si les Français avaient été conquis, ceci ne serait pas difficile à comprendre ; mais ils sont les conquérants.
25 Ils ont abandonné les lois anciennes, faites par leurs premiers rois dans les assemblées générales de la nation ; et ce qu'il y a de singulier, c'est que les lois romaines, qu'ils ont prises à la place, étaient en partie faites et en partie rédigées par des empereurs contemporains de leurs législateurs.
30 Et, afin que l'acquisition fût entière, et que tout le bon sens leur vint d'ailleurs, ils ont adopté toutes les constitutions des papes et en ont fait une nouvelle partie de leur droit : nouveau genre de servitude.

Il est vrai que, dans les derniers temps, on a rédigé par écrit quelques statuts des villes et des provinces ; mais ils sont presque tous
35 pris du droit romain.

---

1. Bagatelles : broutilles, choses de peu d'importance.

2. Du septentrion au midi : du nord au sud.

3. Glossateurs : commentateurs prétentieux.

Cette abondance de lois adoptées et, pour ainsi dire, naturalisées, est si grande qu'elle accable également la justice et les juges. Mais ces volumes de lois ne sont rien en comparaison de cette armée effroyable de glossateurs[3], de commentateurs, de compilateurs : gens aussi
40 faibles par le peu de justesse de leur esprit qu'ils sont forts par leur nombre prodigieux.

Ce n'est pas tout. Ces lois étrangères ont introduit des formalités dont l'excès est la honte de la raison humaine. Il serait assez difficile de décider si la forme s'est rendue plus pernicieuse lorsqu'elle est
45 entrée dans la jurisprudence, ou lorsqu'elle s'est logée dans la médecine; si elle a fait plus de ravages sous la robe d'un jurisconsulte que sous le large chapeau d'un médecin ; et si, dans l'une, elle a plus ruiné de gens qu'elle n'en a tué dans l'autre.

De Paris, le 17 de la lune de Saphar 1717.

MONTESQUIEU, *Lettres persanes*, « Lette 101 » 1721

CONSIGNES

Vous ferez le commentaire littéraire de cette lettre, en vous demandant en quoi ce texte sur la mode permet de critiquer le fonctionnement politique de la France.

Dans une première partie, vous analyserez la critique de la futilité des Français : vous étudierez la nature du regard de Rica, la dénonciation de l'importance de la mode, et la dimension humoristique de cette lettre.

Dans une seconde partie, vous étudierez la critique politique de cette lettre, en analysant sa dimension historique, sa portée morale et son pessimisme.

1. Voici différentes citations issues de ce texte (a). Associez à chacune de ces citations la description du procédé (b) et l'interprétation qui correspondent (c).

2. Rédigez une phrase pour chaque citation, dans laquelle vous intégrerez la description du procédé et l'interprétation que vous lui avez associées.

Exemple : L'hyperbole [description du procédé] « inconstance prodigieuse » [citation] témoigne de l'étonnement de Rica [interprétation].

3. Classez chacune de ces analyses en fonction du plan qui vous est donné dans la consigne.

4. À partir de la fiche méthode p. 449, rédigez l'introduction du commentaire. Vous pouvez vous aider du chapeau et de la consigne pour présenter le texte. Recopiez ensuite votre introduction au propre.

5. À partir des analyses de la question 2, rédigez le commentaire. Vous étofferez chaque sous-partie à l'aide d'autres exemples commentés que vous aurez relevés dans le texte.

6. À partir de la fiche méthode p. 449, rédigez la conclusion.

Citations (a)	Description du procédé (b)	L'interprétation (c)
« inconstance prodigieuse » ; « il est inconcevable » ; « entêtés » ; « bagatelles / choses importantes » ; « plus sages / mieux vêtus » ; « avec ces nobles avantages » ; « Qui peut penser qu'un royaume [...] soit gouverné [...] par des lois qui ne sont pas faites pour lui ? » ; « Il est vrai que » ; « pernicieuse » ; « ruiné / tué » ; « les perruquiers décident en législateurs / le goût de leurs cuisiniers régner »	jugement exprimé par le présent de l'indicatif ; gradation ; adjectif péjoratif (2) ; antithèse ; inversion de la hiérarchie sociale ; parallélisme de deux comparatifs ; hyperbole péjorative ; question rhétorique ; concession ; antiphrase	critique de la futilité ; fermeté de la condamnation ; une lettre comique ; une critique de l'obstination française ; incongruité des Français ; expression de l'indignation et de l'incompréhension ; un jugement nuancé et informé ; un problème plus grave que ce qu'il paraît ; des conséquences tragiques ; étonnement du regard étranger.

Charles Perrault,
Histoires ou contes du temps passé (1697)

Riquet est un prince extrêmement laid, mais plein d'esprit. À sa naissance, une fée lui a offert le pouvoir de rendre intelligente la femme dont il tombera amoureux. Il rencontre une magnifique princesse, mais très sotte. Il lui propose d'user de son don, à condition qu'elle se marie avec lui un an plus tard. Mais ce délai passé, la princesse refuse d'honorer sa promesse, à cause de la laideur de Riquet. Le prince cherche alors à la convaincre.

« Est-il raisonnable que ceux qui ont de l'esprit soient d'une pire condition que ceux qui n'en ont pas ? Pouvez-vous le prétendre, vous qui en avez tant, et qui avez tant souhaité d'en avoir ? Mais venons au fait, s'il vous plaît : à la réserve de ma laideur, y a-t-il quelque chose
5 en moi qui vous déplaise ? Êtes-vous mal contente de ma naissance, de mon esprit, de mon humeur, et de mes manières ? – Nullement, répondit la Princesse, j'aime en vous tout ce que vous venez de me dire. – Si cela est ainsi, reprit Riquet à la houppe[1], je vais être heureux, puisque vous pouvez me rendre le plus aimable de tous les hommes.
10 – Comment cela se peut-il ? lui dit la Princesse. – Cela se fera, répondit Riquet à la houppe, si vous m'aimez assez pour souhaiter que cela soit ; et afin, Madame, que vous n'en doutiez pas, sachez que la même fée qui au jour de ma naissance me fit le don de pouvoir rendre spirituelle qui me plairait, vous a aussi fait le don de pouvoir rendre beau
15 celui que vous aimerez, et à qui vous voudrez bien faire cette faveur. – Si la chose est ainsi, dit la Princesse, je souhaite de tout mon cœur que vous deveniez le prince du monde le plus beau et le plus aimable ; et je vous en fais le don autant qu'il est en moi. »

La Princesse n'eut pas plus tôt prononcé ces paroles, que Riquet à
20 la houppe parut à ses yeux l'homme du monde le plus beau, le mieux fait, et le plus aimable qu'elle eût jamais vu.

Quelques-uns assurent que ce ne furent point les charmes de la fée qui opérèrent, mais que l'amour seul fit cette Métamorphose. Ils disent que la Princesse ayant fait réflexion sur la persévérance de
25 son amant, sur sa discrétion, et sur toutes les bonnes qualités de son âme et de son esprit, ne vit plus la difformité de son corps, ni la laideur de son visage, que sa bosse ne lui sembla plus que le bon air d'un homme qui fait le gros dos ; et qu'au lieu que jusqu'alors elle l'avait vu boiter effroyablement, elle ne lui trouva plus qu'un certain air pen-
30 ché qui la charmait.

1. **À la houppe** : Riquet est ainsi surnommé à cause de sa houppe de cheveux.
2. **Martial** : guerrier (du dieu latin de la guerre, Mars).

MORALITÉ

Ce que l'on voit dans cet écrit,

Est moins un conte en l'air que la vérité même ;

Tout est beau dans ce que l'on aime,

Tout ce qu'on aime a de l'esprit.

CHARLES PERRAULT, « Riquet à la houppe »,
in *Histoires ou contes du temps passé*, 1697.

CONSIGNES

Vous ferez le commentaire littéraire de ce conte, en vous demandant en quoi ce texte offre une réflexion plaisante sur l'amour et les apparences.

Dans une première partie, vous étudierez l'aspect plaisant et merveilleux de ce récit.

Dans une seconde partie, vous étudierez la portée morale de ce conte.

TEXTE 1   Maximilien de Robespierre, *Discours sur la peine de mort* (1791)

Maximilien Robespierre (1758-1794) était un avocat et un homme politique qui fut l'un des principaux acteurs de la Révolution française. C'est l'un des personnages les plus controversés de cette période. Surnommé « l'Incorruptible » par ses partisans, qualifié de « dictateur sanguinaire » par ses ennemis pendant la Terreur, il finit guillotiné le 28 juillet 1794.
Il prononça ce discours pour l'abolition de la peine de mort le 30 mai 1791 devant l'Assemblée constituante.

Je viens prier non les dieux, mais les législateurs, qui doivent être les organes et les interprètes des lois éternelles que la Divinité a dictées aux hommes, d'effacer du code des Français les lois de sang qui commandent des meurtres juridiques, et que repoussent leurs mœurs
5 et leur Constitution nouvelle. Je veux leur prouver, 1° que la peine de mort est essentiellement injuste ; 2° qu'elle n'est pas la plus réprimante des peines, et qu'elle multiplie les crimes beaucoup plus qu'elle ne les prévient.
　　Hors de la société civile, qu'un ennemi acharné vienne attaquer mes
10 jours, ou que, repoussé vingt fois, il revienne encore ravager le champ que mes mains ont cultivé, puisque je ne puis opposer que mes forces individuelles aux siennes, il faut que je périsse ou que je le tue ; et la loi de la défense naturelle me justifie et m'approuve. Mais dans la société, quand la force de tous est armée contre un seul, quel principe de justice
15 peut l'autoriser à lui donner la mort ? quelle nécessité peut l'en absoudre ? Un vainqueur qui fait mourir ses ennemis captifs est appelé barbare ! Un homme fait[1] qui égorge un enfant qu'il peut désarmer et punir, paraît un monstre ! Un accusé que la société condamne n'est tout au plus pour elle qu'un ennemi vaincu et impuissant ; il est devant elle plus fai-
20 ble qu'un enfant devant un homme fait.
　　Ainsi, aux yeux de la vérité et de la justice, ces scènes de mort, qu'elle ordonne avec tant d'appareil, ne sont autre chose que de lâches assassinats, que des crimes solennels, commis, non par des individus, mais par

1. Fait : accompli.

des nations entières, avec des formes légales. Quelque cruelles, quelque
25 extravagantes que soient ces lois, ne vous en étonnez plus : elles sont
l'ouvrage de quelques tyrans ; elles sont les chaînes dont ils accablent
l'espèce humaine ; elles sont les armes avec lesquelles ils la subjuguent :
elles furent écrites avec du sang.

On a observé que dans les pays libres, les crimes étaient plus rares et
les lois pénales plus douces. Toutes les idées se tiennent. Les pays libres
30 sont ceux où les droits de l'homme sont respectés, et où, par conséquent, les lois sont justes. Partout ou elles offensent l'humanité par un
excès de rigueur, c'est une preuve que la dignité de l'homme n'y est pas
connue, que celle du citoyen n'existe pas : c'est une preuve que le légis-
lateur n'est qu'un maître qui commande à des esclaves, et qui les châ-
35 tie impitoyablement suivant sa fantaisie. Je conclus à ce que la peine de
mort soit abrogée.

MAXIMILIEN DE ROBESPIERRE, *Discours sur la peine de mort*, 1791.

TEXTE 2 Victor Hugo, *Le Dernier Jour d'un condamné* (1832)

**Dans *Le Dernier Jour d'un condamné*, Victor Hugo imagine le journal intime
d'un condamné à mort, enfermé à Bicêtre, une prison. Voici un extrait du
début du journal.**

Condamné à mort !

Voilà cinq semaines que j'habite avec cette pensée, toujours seul avec
elle, toujours glacé de sa présence, toujours courbé sous son poids !

Autrefois, car il me semble qu'il y a plutôt des années que des semai-
5 nes, j'étais un homme comme un autre homme. Chaque jour, chaque
heure, chaque minute avait son idée. Mon esprit, jeune et riche, était
plein de fantaisies. Il s'amusait à me les dérouler les unes après les autres,
sans ordre et sans fin, brodant d'inépuisables arabesques cette rude et
mince étoffe de la vie. C'étaient des jeunes filles, de splendides chapes
10 d'évêque, des batailles gagnées, des théâtres pleins de bruit et de lumière,
et puis encore des jeunes filles et de sombres promenades la nuit sous
les larges bras des marronniers. C'était toujours fête dans mon imagination. Je pouvais penser à ce que je voulais, j'étais libre.

Maintenant je suis captif. Mon corps est aux fers dans un cachot,
15 mon esprit est en prison dans une idée. Une horrible, une sanglante, une
implacable idée ! Je n'ai plus qu'une pensée, qu'une conviction, qu'une
certitude : condamné à mort !

Quoi que je fasse, elle est toujours là, cette pensée infernale, comme un spectre de plomb à mes côtés, seule et jalouse, chassant toute distrac-
20 tion, face à face avec moi misérable, et me secouant de ses deux mains de glace quand je veux détourner la tête ou fermer les yeux. Elle se glisse sous toutes les formes où mon esprit voudrait la fuir, se mêle comme un refrain horrible à toutes les paroles qu'on m'adresse, se colle avec moi aux grilles hideuses de mon cachot ; m'obsède éveillé, épie mon sommeil
25 convulsif, et reparaît dans mes rêves sous la forme d'un couteau.

Je viens de m'éveiller en sursaut, poursuivi par elle et me disant : – Ah ! ce n'est qu'un rêve ! – Hé bien ! avant même que mes yeux lourds aient eu le temps de s'entrouvrir assez pour voir cette fatale pensée écrite dans l'horrible réalité qui m'entoure, sur la dalle
30 mouillée et suante de ma cellule, dans les rayons pâles de ma lampe de nuit, dans la trame grossière de la toile de mes vêtements, sur la sombre figure du soldat de garde dont la giberne reluit à travers la grille du cachot, il me semble que déjà une voix a murmuré à mon oreille : – Condamné à mort !

VICTOR HUGO, *Le Dernier Jour d'un condamné*, 1832.

TEXTE 3   Albert Camus, Réflexions sur la guillotine (1957)

En 1957 parut, sous le titre de *Réflexions sur la peine capitale*, un livre qui était en fait un diptyque composé de deux essais : *Réflexions sur la pendaison*, par Arthur Koestler, et *Réflexions sur la guillotine*, par Albert Camus. Partant de l'expérience vécue – ou tout au moins transmise par un récit familial – du spectacle de la guillotine, l'auteur passe ensuite en revue les arguments des abolitionnistes.

Peu avant la guerre de 1914, un assassin dont le crime était particu-lièrement révoltant (il avait massacré une famille de fermiers avec leurs enfants) fut condamné à mort à Alger. Il s'agissait d'un ouvrier agricole qui avait tué dans une sorte de délire du sang, mais aggravé son cas en
5 volant ses victimes. L'affaire eut un grand retentissement. On estima généralement que la décapitation était une peine trop douce pour un pareil monstre. Telle fut, m'a-t-on dit, l'opinion de mon père que le meur-tre des enfants, en particulier, avait indigné. L'une des rares choses que je sache de lui, en tout cas, est qu'il voulut assister à une exécution, pour
10 la première fois de sa vie. Il se leva dans la nuit pour se rendre sur les lieux du supplice, à l'autre bout de la ville, au milieu d'un grand concours de peuple. Ce qu'il vit, ce matin-là, il n'en dit rien à personne. Ma mère raconte seulement qu'il rentra en coup de vent, le visage bouleversé,

refusa de parler, s'étendit un moment sur le lit et se mit tout d'un coup
15 à vomir. Il venait de découvrir la réalité qui se cachait sous les grandes
formules dont on la masquait. Au lieu de penser aux enfants massacrés,
il ne pouvait plus penser qu'à ce corps pantelant qu'on venait de jeter
sur une planche pour lui couper le cou.

Il faut croire que cet acte rituel est bien horrible pour arriver à vain-
20 cre l'indignation d'un homme simple et droit et pour qu'un châtiment
qu'il estimait cent fois mérité n'ait eu finalement d'autre effet que de lui
retourner le cœur. Quand la suprême justice donne seulement à vomir à
l'honnête homme qu'elle est censée protéger, il paraît difficile de soutenir
qu'elle est destinée, comme ce devrait être sa fonction, à apporter plus de
25 paix et d'ordre dans la cité. Il éclate au contraire qu'elle n'est pas moins
révoltante que le crime, et que ce nouveau meurtre, loin de réparer l'offense au corps social, ajoute une nouvelle souillure à la première.

ALBERT CAMUS ET ARTHUR KOESTLER, *Réflexions sur la peine capitale*, 1957.

CONSIGNES

I. Après avoir lu attentivement les textes du corpus, vous répondrez d'abord aux questions suivantes (4 points).
1. Quels arguments Robespierre et Camus opposent-ils aux partisans de la peine de mort ?
2. Par quels procédés les auteurs cherchent-ils à rallier leur auditoire à leur cause ? Vous comparerez les textes (genre, tonalité, implication du locuteur dans son discours) afin de justifier votre réponse.

II. Vous traiterez, ensuite, au choix l'un des sujets suivants (16 points).
1. Écriture d'invention
À la manière des auteurs du corpus, vous rédigerez un discours argumentatif pour défendre la cause de votre choix en utilisant des procédés rhétoriques destinés à persuader votre auditoire.

2. Écriture de commentaire
Vous commenterez le texte de Victor Hugo en vous appuyant sur les axes de lectures suivants :
– vous étudierez les oppositions dans le texte entre la vie du condamné autrefois et sa vie au moment où il écrit ;
– vous montrerez par quels moyens ce texte cherche à dénoncer la peine de mort.

3. Écriture de dissertation
Dans *Les Mots*, Jean-Paul Sartre écrit : « Longtemps, j'ai pris ma plume pour une épée. » Pensez-vous que la littérature soit efficace pour défendre ses idées ? En vous appuyant sur les textes du corpus, sur les œuvres étudiées en classe et sur vos lectures personnelles, vous répondrez à cette question.

Maîtriser et employer les types d'arguments

ACTIVITÉ 1 Convaincre et réfuter

> Les mathématiques, d'ailleurs, loin de prouver l'étendue de l'esprit dans la plupart des hommes qui les emploient, doivent être considérées, au contraire, comme l'appui de leur faiblesse, comme le supplément de leur insuffisante capacité, comme une méthode d'abréviation propre à classer des résultats dans une tête incapable d'y arriver par elle-même. [...]
> En outre, est-il bien vrai que l'étude des mathématiques soit si nécessaire dans la vie ? S'il faut des magistrats, des ministres, des classes civiles et religieuses[1], que font à leur état les propriétés d'un cercle ou d'un triangle ? On ne veut plus, dit-on, que des choses positives[2]. Hé, grand Dieu ! qu'y a-t-il de moins positif que les sciences, dont les systèmes changent plusieurs fois par siècle ?
>
> **FRANÇOIS-RENÉ DE CHATEAUBRIAND**, *Génie du christianisme*, 1802.
>
> ---
> 1. **Classes civiles et religieuses** : catégories professionnelles utiles à la cité et à la religion.
> 2. **Choses positives** : éléments toujours vrais, objectifs.

a) Donnez les catégories des arguments de Chateaubriand contre les mathématiques.
b) Réfutez chacun d'eux.

ACTIVITÉ 2 Les définitions argumentatives

La vie humaine est un combat contre la malice de l'homme même. (Gracián)
Le silence est le sanctuaire de la prudence. (Gracián)
Le monde à mon avis est comme un grand théâtre. (Boileau)

a) Montrez que chacune de ces définitions est fondée sur une comparaison ou une métaphore.
b) Imitez-les en reprenant le début de chaque phrase et en donnant une autre définition métaphorique pour montrer une conception particulière de la vie humaine, du silence et du monde.
c) Définissez de la même manière d'autres notions de votre choix.

ACTIVITÉ 3 La dissociation et la métaphore

> Dans la *Lettre à l'Académie*, La Fontaine définit ainsi son attitude d'écrivain envers les modèles hérités de l'Antiquité.
> « Quelques imitateurs, sot bétail je l'avoue,
> Suivent en vrais moutons le pasteur de Mantoue.
> J'en use d'autre sorte ; et me laissant guider,
> Souvent à marcher seul je me laisse hasarder.
> On me verra toujours pratiquer cet usage
> Mon imitation n'est point un esclavage »
>
> **LA FONTAINE**, *Lettre à l'Académie*

a) Pourquoi peut-on dire qu'ici La Fontaine argumente par dissociation ?

b) Repérez deux métaphores.

c) À l'imitation de La Fontaine, décrivez à la première personne une pratique raisonnable de l'usage d'Internet, en utilisant la dissociation et la métaphore. Vous pouvez également employer la première personne.

ACTIVITÉ 4   La règle de justice et la question oratoire

Dans le *Supplément au Voyage de Bougainville*, le vieillard tahitien dit aux Européens :

« Ce pays est à toi ! et pourquoi ? Parce que tu y a mis le pied ! Si un Otaïtien débarquait un jour sur vos côtes et qu'il gravât sur une de vos pierres ou sur l'écorce de vos arbres : Ce pays est aux habitants d'Otaïti, qu'en penserais-tu ? »

a) Montrez que le vieillard fait appel à un argument fondé sur la règle de justice.

b) Pourquoi peut-on dire que ses questions sont oratoires ?

c) Utilisez le même type d'argument pour combattre une pratique ou une opinion que vous estimez injuste dans le domaine social, politique ou autre.

Portrait de Bougainville.

ACTIVITÉ 5   Le déplacement de perspective (recadrage du réel)

Dans *Micromégas* de Voltaire, le philosophe parle ainsi au Sirien de la guerre :

« Savez-vous bien par exemple, qu'à l'heure où je vous parle, il y a cent mille fous de notre espèce, couverts de chapeaux, qui tuent cent mille autres animaux couverts d'un turban, ou qui sont massacrés par eux, et que, presque sur toute la terre, c'est ainsi qu'on en use, de temps immémorial ? »

a) Montrez que la désignation des personnages et leur caractérisation permettent la mise en valeur de l'absurdité de la guerre.

b) Faites à un extraterrestre la description d'une pratique que vous trouvez absurde en utilisant le déplacement de perspective (vous pourrez parler, par exemple, de la pollution, des excès de la consommation, des déplacements massifs au moment des vacances, etc.)

ACTIVITÉ 6   Les valeurs, la forme du faux dialogue

Voici l'annonce de plan faite par l'abbé Sieyès dans son pamphlet *Qu'est-ce que le tiers état ?*

1. « Qu'est-ce que le tiers état ? – Tout.
2. Qu'a-t-il été jusqu'à présent ? – Rien.
3. Que demande-t-il ? – À être quelque chose. »

a) Montrez que le sens de ce passage repose sur une opposition entre ce qui est et ce qui devrait être. Quelle valeur est ici présente de manière implicite ?

b) Quels sont les deux procédés qui font l'efficacité argumentative du passage ?

c) Reprenez la forme des questions/réponses pour dénoncer l'injustice dont sont victimes les personnes sans domicile fixe ou la violence que subissent les femmes battues. La forme que vous donnerez aux réponses ne cherchera pas à imiter celle du texte et sera totalement à votre choix.

Utiliser des formes littéraires pour argumenter

ACTIVITÉ 7   De la maxime à la fable

Tout ce qui est beau et noble est le résultat de la raison et du calcul. (**Baudelaire**)
Tous les vices à la mode passent pour des vertus. (**Molière**)
Les femmes laides ont très souvent des grâces et il est rare que les belles en aient. (**Montesquieu**)

a) Pourquoi peut-on dire que les phrases citées sont des maximes ?

b) Amusez-vous à inverser le sens de la première et de la troisième maxime.

c) Écrivez trois maximes sur la réussite sociale, la beauté, le bonheur.

d) Choisissez une des maximes proposées à la réponse (c) de cette activité, ou une des définitions argumentatives de l'activité 2. Faites-en la moralité d'une fable. Écrivez cette fable en mettant en scène soit des animaux soit des humains.

Moi libre, estampe anonyme, 1792.

ACTIVITÉ 8   Le discours

a) Relisez le texte de Voltaire (page 155) et celui de Montesquieu (page 157). Lisez les textes suivants.

b) Vous êtes député à la Convention, et vous prononcez un discours en faveur de l'abolition de l'esclavage. Utilisez des faits et des arguments repris aux textes que vous avez lus. Faites appel à la raison, aux valeurs et aux sentiments de l'auditoire.

TEXTE 1

« À VENDRE

– Graines potagères très fraîches, chez M. Parizot. [...]

– À vendre une jeune négresse créole, bon sujet, sachant laver, repasser et coudre, très bonne nourrice, ayant un enfant de deux ans et enceinte de six mois. Cette négresse, appartenant à Mme veuve Cyrille Routier, est mise en vente pour cause de départ. S'adresser à M. Alaric Routier. »

Petite annonce parue dans *La Gazette de l'île Bourbon*, le samedi 14 mars 1831.

TEXTE 2

« Voici comment on les traite. Au point du jour, trois coups de fouet sont le signal qui les appelle à l'ouvrage. Chacun se rend avec sa pioche dans les plantations où ils travaillent, presque nus, à l'ardeur du soleil. On leur donne pour nourriture du maïs broyé, cuit à l'eau, ou des pains de manioc ; pour habit, un moreau de toile. À la moindre négligence, on les attache, par les pieds et par les mains, sur une échelle ; le commandeur, armé d'un fouet de poste, leur donne sur le derrière nu cinquante, cent, et jusqu'à deux cents coups. »

BERNARDIN DE SAINT-PIERRE, *Voyage à l'île de France, à l'île Bourbon et au cap de Bonne-Espérance*, 1773.

ACTIVITÉ 9 — Le dialogue

a) Relisez l'éloge du maquillage de Baudelaire (page 212).

b) Rédigez un dialogue entre deux adolescents ou adolescentes dont l'un(e) défendra le goût du naturel et l'autre, celui de l'artifice et de la parure. Vous pouvez reprendre des arguments du texte de l'auteur.

ACTIVITÉ 10 — La lettre

a) Relisez le texte de Montesquieu sur « le je-ne-sais-quoi » (page 211). Relisez la lettre de Madame de Sévigné (page 140).

b) Rédigez une lettre à un(e) ami(e) pour lui raconter votre rencontre avec quelqu'un qui vous a charmé bien qu'il (ou elle) ne corresponde ni aux canons de beauté en vigueur ni à ce que vous savez de vos goûts. Faites un récit vivant et détaillé. Utilisez l'interrogation et l'injonction, adressez-vous à votre correspondant.

L'argumentation facétieuse et ironique

ACTIVITÉ 11 — Le proverbe

Dans *Dom Juan*, Sganarelle veut utiliser les proverbes pour argumenter.

« Sachez Monsieur, que tant va la cruche à l'eau, qu'en fin elle se brise ; et comme dit fort bien cet auteur que je ne connais pas, l'homme est en ce monde ainsi que l'oiseau sur la branche ; la branche est attachée à l'arbre ; qui s'attache à l'arbre suit de bons préceptes... »

Imitez cette réplique en cherchant des proverbes et en les rassemblant de manière absurde. Faites-en un discours que vous lirez de façon solennelle.

ACTIVITÉ 12 — L'éloge paradoxal

a) Relisez le texte de madame de Scudéry (page 132) et cherchez-y les arguments en faveur du mensonge.
Ajoutez-en d'autres que vous imaginerez et écrivez un éloge du mensonge.

b) Dans son ouvrage *Le Droit à la paresse*, Paul Lafargue fait un blâme du travail et un éloge de la paresse. Imaginez un paragraphe de chacun d'eux.

Sganarelle

Le XIXe siècle (1804-1870)

L'EMPIRE NAPOLÉONIEN (1804-1814)

Le Code Napoléon couronné par le temps.
(Tableau peint par J.-B. Mauzaisse en 1832,
131 x 160 cm. Château de la Malmaison.)

Le sacre de Napoléon Ier marque la fin de l'élan révolutionnaire et ouvre le XIXe siècle. Cependant, Napoléon ne renie pas l'héritage de la Révolution : tout en affirmant un pouvoir autoritaire et en limitant certaines libertés acquises lors de la période révolutionnaire, il poursuit la modernisation du pays entamée lors de la décennie précédente. Il renforce ainsi la centralisation et crée en 1804 le code civil, acte fondateur de notre droit moderne. Les guerres de conquête menées dans toute l'Europe participent à la diffusion du modèle français dans les pays voisins. Mais après l'échec de la campagne de Russie en 1812, l'Empire est affaibli. Les autres puissances européennes en profitent pour s'allier contre Napoléon qui est finalement vaincu. Il est exilé sur l'île d'Elbe et le frère de Louis XVI, Louis XVIII, est sacré roi de France : c'est la Restauration.

LA RESTAURATION (1814-1848)

Le 1er mars 1815, Napoléon débarque en France avec une troupe de 800 hommes. En trois semaines de marche sur Paris, « le vol de l'aigle », il multiplie les ralliements et reprend le pouvoir pendant 100 jours, avant d'être de nouveau battu lors de la bataille de Waterloo. La Restauration est alors installée pour une trentaine d'années. Pourtant, la société d'Ancien Régime du XVIIIe siècle n'existe plus, et la monarchie doit s'adapter à cette nouvelle époque où la bourgeoisie tend à devenir plus puissante que la noblesse. Le pouvoir n'est plus absolu : la monarchie est constitutionnelle et censitaire, c'est-à-dire qu'il existe un parlement et un droit de vote accordé à ceux qui paient le « cens », seuil d'imposition que seuls les plus riches atteignent. Il s'agit d'un compromis visant à satisfaire l'ancienne aristocratie et la haute bourgeoisie. Charles X succède à son frère Louis XVIII en 1824. Mais le régime, de plus en plus réactionnaire, exerçant une censure toujours plus grande et restreignant les dernières libertés acquises lors de la Révolution, provoque la colère du peuple. En juillet 1830 l'insurrection parisienne des « Trois Glorieuses » contraint Charles X à abdiquer au profit de son cousin le duc d'Orléans, Louis-Philippe, plus libéral. Sous le règne de ce dernier, la révolution industrielle venue d'Angleterre se développe en France. Elle entraîne notamment l'essor d'une classe ouvrière dont les

Les Trois Glorieuses (1830).
Ce combat se déroule lors de la dernière des « Trois Glorieuses », journées révolutionnaires qui entraînent la chute du roi Charles X. Ici, des Parisiens, ouvriers et bourgeois mêlés, affrontent des soldats du roi. (*Combat de la rue de Rohan, le 29 juillet 1830*, 1831. Détail d'une huile sur toile de 43 x 60 cm, musée Carnavalet, Paris.)

conditions de vie sont particulièrement difficiles. L'époque est aussi marquée par le positivisme, doctrine d'Auguste Comte, qui fait de la science une véritable religion. L'enseignement primaire se développe grâce à la loi Guizot, qui crée un enseignement primaire public : l'alphabétisation progresse. Le mécontentement social d'une population fragilisée par les difficultés économiques à partir des années 1840 conduit à la révolution de 1848 et au renversement de la monarchie. La IIᵉ République est proclamée, instaurant le suffrage universel masculin.

École d'enseignement mutuel,
Musée Carnavalet, Paris.

**Lamartine fait acclamer le drapeau tricolore,
le 25 février 1848, à l'Hôtel de Ville, à Paris.**
(Tableau de Philippoteaux, 1848, musée du Petit Palais, Paris.)

LA BRÈVE IIᵉ RÉPUBLIQUE (1848-1851)

La IIᵉ République est une courte parenthèse au milieu du siècle. En 1850, environ 80 % des Français vivent à la campagne. 25 % de la population active appartient à la classe ouvrière. Malgré la misère, l'alphabétisation progresse, permettant ainsi un meilleur accès à la culture. La presse se développe, et les romans-feuilletons, qui paraissent dans les journaux, connaissent un grand succès. L'écrivain devient une figure publique respectée, et certains d'entre eux s'engagent politiquement, comme Alphonse de Lamartine ou Victor Hugo, qui sont tous deux élus au Parlement.

Les élections organisées en 1848 sont remportées par le parti de l'ordre, et Louis-Napoléon Bonaparte est élu président de la République, auréolé du prestige de son oncle. Mais la constitution l'empêche d'être réélu : le 2 décembre 1851, il organise un coup d'État et se fait sacrer empereur quelques jours plus tard. C'est la fin de la République, et le début du Second Empire.

LE SECOND EMPIRE

L'empereur commence par réduire les libertés. Le régime est autoritaire, la censure est forte. Victor Hugo, fervent adversaire de l'empereur, est contraint à l'exil. La morale réactionnaire catholique et bourgeoise domine. Certains auteurs sont poursuivis en justice pour l'immoralité de leurs œuvres : *Madame Bovary* de Flaubert échappe de peu à l'interdiction, mais Baudelaire doit supprimer certains poèmes des *Fleurs du mal*. Malgré cette limitation des libertés, la majorité des Français se satisfait de ce régime. En effet, la France connaît alors une période de prospérité économique, due notamment aux progrès industriels et au développement du chemin de fer. Le monde de la finance, condamné par Zola dans *L'Argent*, prospère grâce à la spéculation boursière.

Mais en 1870, la France déclare imprudemment la guerre à la Prusse à propos de la succession au trône d'Espagne, convoité par le cousin du roi de Prusse dont la candidature est combattue par Napoléon III. L'armée française est rapidement défaite, et l'empereur capturé à Sedan. C'est la fin du Second Empire, et le début de la IIIᵉ République.

Roman et société : représenter le monde et en proposer une vision critique

Honoré de Balzac,
Le Père Goriot (1835)

Une pension de famille

HONORÉ DE BALZAC
(1799-1850)
NOTICE BIOGRAPHIQUE P. 464

TEXTE 1

Au début du *Père Goriot*, Balzac présente le cadre spatial du roman, le lieu central où vivent les principaux personnages. Il s'agit d'une pension de famille tenue par Mme Vauquer, à Paris. Elle est située « rue Neuve-Sainte-Geneviève » (aujourd'hui la rue Tournefort, dans le 5ᵉ arrondissement), « entre le quartier latin et le faubourg Saint-Marceau », dans un quartier misérable du Paris populaire de 1819, époque où commence ce roman.

Naturellement destiné à l'exploitation de la pension bourgeoise, le rez-de-chaussée se compose d'une première pièce éclairée par les deux croisées de la rue, et où l'on entre par une porte-fenêtre. Ce salon communique à une salle à manger qui est séparée de la cui-
5 sine par la cage d'un escalier dont les marches sont en bois et en carreaux mis en couleur et frottés. Rien n'est plus triste à voir que ce salon meublé de fauteuils et de chaises en étoffe de crin à raies alternativement mates et luisantes. Au milieu se trouve une table ronde à dessus de marbre Sainte-Anne[1], décorée de ce cabaret[2] en porcelaine
10 blanche ornée de filets d'or effacés à demi, que l'on rencontre partout aujourd'hui. Cette pièce, assez mal planchéiée, est lambrissée à hauteur d'appui. Le surplus des parois est tendu d'un papier verni représentant les principales scènes de *Télémaque*[3], et dont les classiques personnages sont coloriés. Le panneau d'entre les croisées grillagées
15 offre aux pensionnaires le tableau du festin donné au fils d'Ulysse par Calypso. Depuis quarante ans, cette peinture excite les plaisanteries des jeunes pensionnaires, qui se croient supérieurs à leur position en se moquant du dîner auquel la misère les condamne. La cheminée en pierre, dont le foyer toujours propre atteste qu'il ne s'y fait de
20 feu que dans les grandes occasions, est ornée de deux vases pleins de fleurs artificielles, vieillies et encagées, qui accompagnent une pendule en marbre bleuâtre du plus mauvais goût. Cette première pièce exhale une odeur sans nom dans la langue, et qu'il faudrait appeler l'*odeur de pension*. Elle sent le renfermé, le moisi, le rance ; elle donne
25 froid, elle est humide au nez, elle pénètre les vêtements ; elle a le goût d'une salle où l'on a dîné ; elle pue le service, l'office, l'hospice. Peut-être pourrait-elle se décrire si l'on inventait un procédé pour évaluer les quantités élémentaires et nauséabondes qu'y jettent les atmosphères catarrhales[4] et *sui generis*[5] de chaque pensionnaire, jeune ou

1. **Marbre Sainte-Anne** : marbre gris veiné de blanc, en provenance des Flandres.
2. **Cabaret** : plateau supportant un service à café ou à liqueurs.
3. *Les Aventures de Télémaque* (1699) de Fénelon est un roman qui raconte le voyage de Télémaque, parti à la recherche de son père, Ulysse, après la guerre de Troie.
4. **Atmosphères catarrhales** : air vicié par les rhumes et les bronchites des pensionnaires.
5. *Sui generis* : spécifique à une espèce, qui lui appartient en propre.

Le Père Goriot, gravure
d'Honoré Daumier, 1843.

6. **Ronds de moiré métallique** : ronds
de fer-blanc à reflets chatoyants qui
rappellent ceux de la moire.
7. **Incurables** : nom de deux hospices
parisiens où l'on plaçait les malades
incurables et les indigents.
8. **Cartel** : pendule accrochée au mur.
9. **Quinquets d'Argand** : lampes à huile,
du nom de leur inventeur Argand,
exploitées par le pharmacien Quinquet.
10. **Style** : poinçon destiné à l'écriture sur
tablettes de cire dans l'Antiquité.
11. **Sparterie** : fibre végétale très
résistante.

30 vieux. Eh bien ! malgré ces plates horreurs, si vous le compariez à la
salle à manger, qui lui est contiguë, vous trouveriez ce salon élégant
et parfumé comme doit l'être un boudoir. Cette salle, entièrement
boisée, fut jadis peinte en une couleur indistincte aujourd'hui, qui
forme un fond sur lequel la crasse a imprimé ses couches de manière
35 à y dessiner des figures bizarres. Elle est plaquée de buffets gluants
sur lesquels sont des carafes échancrées, ternies, des ronds de moiré
métallique[6], des piles d'assiettes en porcelaine épaisse, à bords bleus,
fabriquées à Tournai. Dans un angle est placée une boîte à cases
numérotées qui sert à garder les serviettes, ou tachées ou vineuses,
40 de chaque pensionnaire. Il s'y rencontre de ces meubles indestruc-
tibles, proscrits partout, mais placés là comme le sont les débris de
la civilisation aux Incurables[7]. Vous y verriez un baromètre à capu-
cin qui sort quand il pleut, des gravures exécrables qui ôtent l'appé-
tit, toutes encadrées en bois verni à filets dorés ; un cartel[8] en écaille
45 incrustée de cuivre ; un poêle vert, des quinquets d'Argand[9] où la
poussière se combine avec l'huile, une longue table couverte en toile
cirée assez grasse pour qu'un facétieux externe y écrive son nom en
se servant de son doigt comme de style[10], des chaises estropiées, de
petits paillassons piteux en sparterie[11] qui se déroule toujours sans se
50 perdre jamais, puis des chaufferettes misérables à trous cassés, à char-
nières défaites, dont le bois se carbonise. Pour expliquer combien ce
mobilier est vieux, crevassé, pourri, tremblant, rongé, manchot, bor-
gne, invalide, expirant, il faudrait en faire une description qui retar-
derait trop l'intérêt de cette histoire, et que les gens pressés ne par-
55 donneraient pas. Le carreau rouge est plein de vallées produites par
le frottement ou par les mises en couleur. Enfin, là règne la misère
sans poésie ; une misère économe, concentrée, râpée. Si elle n'a pas
de fange encore, elle a des taches ; si elle n'a ni trous ni haillons, elle
va tomber en pourriture.

HONORÉ DE BALZAC, *Le Père Goriot*, 1835.

PREMIÈRE LECTURE

Sur quelle impression dominante vous laisse la lecture
de cette page ?

LECTURE ANALYTIQUE

Une découverte progressive
1. Dans quelle situation fictive êtes-vous placé pour
découvrir la pension Vauquer ?
2. Étudiez le mouvement et la progression du regard qui
parcourt ces lieux, ainsi que le contenu et la précision de
son observation. Qu'en déduisez-vous ?
Le discours du narrateur
3. Qui parle ? Relevez et classez les indices de la
présence du narrateur. Par quels procédés précis
dramatise-t-il cette présentation du décor ? Quels sont
les effets produits ?

Le personnage et son milieu
4. Étudiez les images et les personnifications : quelle
dimension confèrent-elles aux objets ?
5. Quelles sont les fonctions de cette description ?

EXPRESSION ORALE

Quelles sont vos attentes de lecture après ce prologue ?
Formulez des hypothèses sur les personnages et sur
l'intrigue du roman à venir.

VERS LE COMMENTAIRE

Dans une partie organisée, vous montrerez, par une
étude des rythmes, des sonorités et des figures de style,
que la description de Balzac a une dimension poétique.

Des noces paysannes

GUSTAVE FLAUBERT
(1821 - 1880)
NOTICE BIOGRAPHIQUE P. 467

TEXTE 2

Inspirée d'un fait divers dans l'entourage de Flaubert, la rédaction de *Madame Bovary* a demandé cinq ans (1851-1856) d'un labeur acharné à son auteur et d'infinies retouches et corrections. C'est le personnage de Charles Bovary qui ouvre le roman. Modeste médecin de campagne, dénué de toute ambition, il a fait la connaissance d'Emma Rouault, la fille d'un paysan aisé qu'il est venu soigner à la ferme des Bertaux, où a lieu leur mariage.

Les conviés arrivèrent de bonne heure dans des voitures, carrio-les[1] à un cheval, chars à bancs à deux roues, vieux cabriolets[2] sans capote, tapissières[3] à rideaux de cuir, et les jeunes gens des villa-ges les plus voisins dans des charrettes où ils se tenaient debout, en
5 rang, les mains appuyées sur les ridelles[4] pour ne pas tomber, allant au trot et secoués dur. Il en vint de dix lieues[5] loin, de Goderville, de Normanville et de Cany[6]. On avait invité tous les parents des deux familles, on s'était raccommodé avec les amis brouillés, on avait écrit à des connaissances perdues de vue depuis longtemps.
10 De temps à autre, on entendait des coups de fouet derrière la haie ; bientôt la barrière s'ouvrait : c'était une carriole qui entrait. Galopant jusqu'à la première marche du perron, elle s'y arrêtait court, et vidait son monde, qui sortait par tous les côtés en se frottant les genoux et en s'étirant les bras. Les dames, en bonnet, avaient des robes à la
15 façon de la ville, des chaînes de montre en or, des pèlerines à bouts croisés dans la ceinture, ou de petits fichus de couleur attachés dans le dos avec une épingle, et qui leur découvraient le cou par derrière. Les gamins, vêtus pareillement à leurs papas, semblaient incommo-dés par leurs habits neufs (beaucoup même étrennèrent ce jour-là
20 première paire de bottes de leur existence), et l'on voyait à côté d'eux, ne soufflant mot dans la robe blanche de sa première communion rallongée pour la circonstance, quelque grande fillette de quatorze ou seize ans, leur cousine ou leur sœur aînée sans doute, rougeaude, ahurie, les cheveux gras de pommade à la rose, et ayant bien peur de
25 salir ses gants. Comme il n'y avait point assez de valets d'écurie pour dételer toutes les voitures, les messieurs retroussaient leurs manches et s'y mettaient eux-mêmes. Suivant leur position sociale différente, ils avaient des habits, des redingotes, des vestes, des habits-vestes — bons habits, entourés de toute la considération d'une famille, et qui
30 ne sortaient de l'armoire que pour les solennités ; redingotes à gran-des basques[7] flottant au vent, à collet cylindrique[8], à poches larges comme des sacs ; vestes de gros drap, qui accompagnaient ordinaire-ment quelque casquette cerclée de cuivre à sa visière ; habits-vestes très courts, ayant dans le dos deux boutons rapprochés comme une
35 paire d'yeux, et dont les pans semblaient avoir été coupés à même un seul bloc, par la hache du charpentier. Quelques-uns encore (mais

1. Carriole : charrette couverte.
2. Cabriolet : voiture légère à deux roues et capote mobile.
3. Tapissière : voiture couverte servant au transport des meubles et marchandises.
4. Ridelle : rambarde qui maintient la charge de la charrette.
5. Dix lieues : environ 40 kilomètres.
6. Goderville, Normanville, Cany : locali-tés réelles de Normandie.
7. Basques : pièces du vêtement, plus ou moins longues, partant de la taille.
8. Collet cylindrique : col montant qui fait le tour du cou.

JEAN-FRANÇOIS MILLET,
L'Angélus, 1858.

ceux-là, bien sûr, devaient dîner au bas bout de la table) portaient des blouses de cérémonie, c'est-à-dire dont le col était
40 rabattu sur les épaules, le dos froncé à petits plis et la taille attachée très bas par une ceinture cousue.

Et les chemises sur les poitrines bombaient comme des cuirasses ! Tout le
45 monde était tondu à neuf, les oreilles s'écartaient des têtes, on était rasé de près ; quelques-uns même qui s'étaient levés dès avant l'aube, n'ayant pas vu clair à se faire la barbe, avaient des balafres en diagonale sous le nez,
50 ou, le long des mâchoires, des pelures d'épiderme larges comme des écus de trois francs, et qu'avait enflammées le grand air pendant la route, ce qui marbrait un peu de plaques roses toutes ces grosses faces blanches épanouies.

GUSTAVE FLAUBERT, *Madame Bovary*, I, 4, 1857.

PREMIÈRE LECTURE

a) Quel est le thème de cette description ? Quelle impression générale vous laisse-t-elle ?
b) Quels sont les procédés ou les détails qui ont retenu d'abord votre attention ?

LECTURE ANALYTIQUE

L'espace géographique et social
1. Observez ce qui est successivement décrit et mettez en évidence l'organisation de ce passage.
2. Flaubert explore une société hiérarchisée. Quels sont les éléments qui classent et distinguent différents groupes parmi les invités à la noce ?
3. En quoi cette description est-elle « réaliste » ?

Un regard ironique
4. Quel est le point de vue adopté ? À quels indices pouvez-vous repérer la présence du narrateur ?

EXPRESSION ORALE

Styliste exigeant, Flaubert vouait un véritable culte à l'art et à la beauté de la forme. Il soumettait ses textes à l'épreuve du « gueuloir » qui consistait à les lire à voix haute pour en éprouver l'euphonie (la beauté sonore).
À votre tour, choisissez un passage de *Madame Bovary* et préparez-en la lecture pour votre classe. Vous surveillerez particulièrement dans votre diction les pauses, les effets de rythmes et de sonorités ainsi que la netteté de votre élocution.

VERS LE COMMENTAIRE

Étudiez dans le dernier paragraphe de cet extrait la construction des phrases, le lexique et les comparaisons.

Gustave Flaubert,
Madame Bovary (1857)
Un bal dans l'aristocratie

GUSTAVE FLAUBERT
(1821 - 1880)
NOTICE BIOGRAPHIQUE P. 467

TEXTE 3

Le mariage d'Emma ne lui apporte qu'une vie plate et médiocre bien différente des félicités que lui faisaient imaginer ses lectures romanesques au couvent où elle a fait ses études. Elle sombre dans la mélancolie lorsque survient un événement extraordinaire : le couple Bovary est invité à un bal au château de la Vaubyessard, chez le marquis d'Andervilliers. C'est pour Emma l'entrée dans le grand monde – l'« ailleurs » passionné de ses rêves – et l'exact contrepoint de ses noces paysannes.

Quelques hommes (une quinzaine) de vingt-cinq à quarante ans, disséminés parmi les danseurs ou causant à l'entrée des portes, se distinguaient de la foule par un air de famille, quelles que fussent leurs différences d'âge, de toilette ou de figure.

5 Leurs habits, mieux faits, semblaient d'un drap plus souple, et leurs cheveux, ramenés en boucles vers les tempes, lustrés par des pommades plus fines. Ils avaient le teint de la richesse, ce teint blanc que rehaussent la pâleur des porcelaines, les moires[1] du satin, le vernis des beaux meubles, et qu'entretient dans sa santé un régime discret
10 de nourritures exquises. Leur cou tournait à l'aise sur des cravates basses ; leurs favoris longs tombaient sur des cols rabattus ; ils s'essuyaient les lèvres à des mouchoirs brodés d'un large chiffre[2], d'où sortait une odeur suave. Ceux qui commençaient à vieillir avaient l'air jeune, tandis que quelque chose de mûr s'étendait sur le visage
15 des jeunes. Dans leurs regards indifférents flottait la quiétude de passions journellement assouvies ; et, à travers leurs manières douces, perçait cette brutalité particulière que communique la domination de choses à demi faciles, dans lesquelles la force s'exerce et où la vanité s'amuse, le maniement des chevaux de race et la société des
20 femmes perdues.

À trois pas d'Emma, un cavalier en habit bleu causait Italie avec une jeune femme pâle, portant une parure de perles. Ils vantaient la grosseur des piliers de Saint-Pierre[3], Tivoli, le Vésuve, Castellamare et les Cassines, les roses de Gênes, le Colisée[4] au clair de lune. Emma
25 écoutait de son autre oreille une conversation pleine de mots qu'elle ne comprenait pas. On entourait un tout jeune homme qui avait battu, la semaine d'avant, *Miss-Arabelle* et *Romulus*[5], et gagné deux mille louis à sauter un fossé, en Angleterre. L'un se plaignait de ses coureurs[6] qui engraissaient ; un autre, des fautes d'impression qui avaient
30 dénaturé le nom de son cheval.

L'air du bal était lourd ; les lampes pâlissaient. On refluait dans la salle de billard. Un domestique monta sur une chaise et cassa deux vitres ; au bruit des éclats de verre, Mme Bovary tourna la tête et aperçut dans le jardin, contre les carreaux, des faces de paysans qui regardaient.
35 daient. Alors le souvenir des Bertaux lui arriva. Elle revit la ferme, la mare bourbeuse, son père en blouse sous les pommiers, et elle se

---

1. **Moires** : reflets changeants, aspect chatoyant d'un tissu.
2. **Chiffre** : initiales.
3. **Saint-Pierre** : la basilique Saint-Pierre du Vatican à Rome.
4. **Tivoli** [⸪..] **le Colisée** : catalogue touristique des sites italiens, très prisés des romantiques et toujours à la mode : le voyage en Italie est le parcours obligé des gens du monde.
5. ***Miss-Arabelle*** et ***Romulus*** : noms de chevaux de course. Très à la mode aussi, l'Angleterre, où se pratiquaient des courses hippiques, est l'autre pôle de cette géographie mondaine.
6. **Coureurs** : chevaux de course.
7. **Marasquin** : liqueur de marasques, variété de cerises.

revit elle-même, comme autrefois, écrémant avec son doigt les terrines de lait dans la laiterie. Mais, aux ful-
40 gurations de l'heure présente, sa vie passée, si nette jusqu'alors, s'éva-nouissait tout entière, et elle doutait presque de l'avoir vécue. Elle était là ; puis autour du bal, il n'y avait
45 plus que de l'ombre, étalée sur tout le reste. Elle mangeait alors une glace au marasquin[7], qu'elle tenait de la main gauche dans une coquille de vermeil, et fermait à demi les
50 yeux, la cuiller entre les dents.

GUSTAVE FLAUBERT,
Madame Bovary, I, 8, 1857.

Emma Bovary est incarnée par Isabelle Huppert dans le film de Claude Chabrol, *Madame Bovary*, 1991.

PREMIÈRE LECTURE

Quel aspect ou quel moment de cette soirée vous semble particulièrement frappant ? Pourquoi ?

LECTURE ANALYTIQUE

L'organisation du texte

1. Observez les temps verbaux et explicitez l'effet de rupture introduit dans la description. Quels sont les éléments qui s'opposent ?

La satire sociale

2. Étudiez les verbes de perception, le lexique et les procédés de caractérisation des personnages. Quel est le point de vue dominant ? À votre avis, pourquoi ?

3. Quelle vision de l'aristocratie est ici donnée ?

Le personnage d'Emma

4. De quelle façon les conversations mondaines sont-elles rapportées ? Pourquoi ?

5. En quoi cette description contribue-t-elle à approfondir le portrait de Mme Bovary ?

VERS LE COMMENTAIRE

Dans un paragraphe organisé et illustré d'exemples précis empruntés à cet extrait, vous montrerez que la vision éblouie d'Emma n'empêche pas le romancier de mettre en place une satire du milieu aristocratique.

LECTURE COMPLÉMENTAIRE

Guy de Maupassant, « La Parure », *Contes du jour et de la nuit*, 1885.
Comme Emma Bovary, Mathilde Loisel, épouse d'un médiocre petit employé, est invitée avec son mari à un bal donné à l'hôtel du ministère.

Lisez cette nouvelle. En quoi est-elle réaliste ? En quoi son héroïne ressemble-t-elle à Mme Bovary, telle que vous la dépeint cet extrait ?

Maupassant
Contes du jour et de la nuit

Les Classiques de Poche

En 1963, *Le Guépard* est adapté au cinéma par Luchino Visconti.

Giuseppe Tomasi Di Lampedusa, *Le Guépard* (1959)
Le bal au palais Ponteleone

Giuseppe Tomasi Di Lampedusa (1896-1957), aristocrate sicilien, lettré, admirateur de Stendhal, est l'auteur d'un unique roman écrit à la toute fin de sa vie. *Le Guépard* (1958) retrace, à travers le personnage de Don Fabrizio, prince de Salina, le déclin de la classe aristocratique au moment du rattachement de la Sicile au royaume d'Italie. La sixième partie du roman est consacrée au grand bal donné au palais Ponteleone à Palerme, en novembre 1862. L'événement, qui réunit toute l'aristocratie sicilienne, est l'occasion pour Don Fabrizio d'introduire dans le monde la fiancée de son neveu Tancredi, la belle Angelica.

Les deux jeunes gens s'éloignaient[1], d'autres couples passaient, moins beaux, tout aussi émouvants, chacun plongé dans sa cécité passagère. Don Fabrizio sentit son cœur perdre sa dureté : son dégoût faisait place à la com-passion pour ces êtres éphémères qui cherchaient à jouir du mince rayon de
5 lumière qui leur avait été accordé entre les deux ténèbres, avant le berceau, après les dernières saccades. Comment était-il possible de s'acharner contre qui, c'est certain, devra mourir ? C'eût été aussi vil que les poissonnières qui soixante ans plus tôt outrageaient les condamnés sur la place du Marché. Même les petites guenons[2] sur les poufs et ses vieux amis benêts étaient
10 pitoyables, impossibles à sauver et aimés comme le bétail meuglant dans la nuit, conduit à l'abattoir à travers les rues de la ville ; à l'oreille de chacun arriverait un jour le tintement[3] qu'il avait entendu trois heures plus tôt der-rière San Domenico. Il n'était permis de haïr rien d'autre que l'éternité.

Et puis tous ces gens qui remplissaient les salons, toutes ces femmes assez
15 laides, tous ces hommes sots, ces deux sexes vaniteux étaient le sang de son sang, ils étaient lui-même ; il ne s'entendait qu'avec eux, avec eux seulement il

se sentait à son aise. « Je suis peut-être plus intelligent, je suis certainement plus cultivé qu'eux, mais je suis de la même espèce, je dois me solidariser avec eux. »

20 Il s'aperçut que don Calogero[4] parlait avec Giovanni Finale d'une hausse possible du prix du fromage *caciocavallo*[5] et que, dans l'espérance de cette bienheureuse éventualité, ses yeux s'étaient liquéfiés et s'étaient remplis de mansuétude. Il pouvait s'esquiver sans remords.

GIUSEPPE TOMASI DI LAMPEDUSA, *Le Guépard*, sixième partie, 1959, traduit de l'italien par Jean-Paul Manganaro.

---

1. **Les deux jeunes gens** : le couple de danseurs formé par Tancredi et Angelica.
2. **Les petites guenons** : ce sont les jeunes filles, « incroyablement petites, invraisemblablement olivâtres, insupportablement gazouillantes », qui assistent au bal.
3. **Le tintement** : le bruit de la clochette du cortège formé par un prêtre et des enfants de chœur se rendant au chevet d'un mourant.
4. **Don Calogero** : le père d'Angelica.
5. **Fromage *caciocavallo*** : fromage en forme de gourde, répandu dans le sud de l'Italie.

QUESTIONS

1. Qui voit ? Quel est le point de vue adopté ?
2. De quelle façon sont restituées les pensées de Don Fabrizio ?
3. Quel est le regard porté sur la société présente à ce bal ?
4. Montrez ce qu'une telle vision a de paradoxal.

Émile Zola, *L'Assommoir* (1877)

Un banquet populaire

ÉMILE ZOLA
(1840 - 1902)
NOTICE BIOGRAPHIQUE P. 473

TEXTE 4

L'Assommoir est le septième roman du cycle des *Rougon-Macquart*, famille que caractérise, selon Zola, « le débordement des appétits ».
Gervaise Macquart, qui rêve de s'élever dans la société, a épousé Coupeau, un ouvrier sérieux, et ouvert une blanchisserie, rue de la Goutte-d'Or, dans un quartier populaire de Paris. À l'occasion de sa fête, elle offre un banquet qui marque le point culminant de son ascension sociale et auquel sont conviés les voisins, autour d'une oie monumentale, pièce maîtresse de ce festin.

Par exemple, il y eut là un fameux coup de fourchette ; c'est-à-dire que personne de la société ne se souvenait de s'être jamais collé une pareille indigestion sur la conscience. Gervaise, énorme, tassée sur les coudes, mangeait de gros morceaux de blanc, ne parlant pas, de
5 peur de perdre une bouchée ; et elle était seulement un peu honteuse devant Goujet[1], ennuyée de se montrer ainsi, gloutonne comme une chatte. Goujet, d'ailleurs, s'emplissait trop lui-même, à la voir toute rose de nourriture. Puis, dans sa gourmandise, elle restait si gentille et si bonne ! Elle ne parlait pas, mais elle se dérangeait à chaque ins-
10 tant, pour soigner le père Bru[2] et lui passer quelque chose de délicat sur son assiette. C'était même touchant de regarder cette gourmande

---

1. **Goujet** : forgeron, ouvrier modèle, ami sincère de Gervaise.
2. **Le père Bru** : vieillard miséreux, protégé de Gervaise.

Affiche L'Assommoir.

s'enlever un bout d'aile de la bouche, pour le donner au vieux, qui ne semblait pas connaisseur et qui avalait tout, la tête basse, abêti de tant bâfrer, lui dont le
15 gésier avait perdu le goût du pain. Les Lorilleux[3] passaient leur rage sur le rôti ; ils en prenaient pour trois jours, ils auraient englouti le plat, la table et la boutique, afin de ruiner la Banban[4] du coup. Toutes les dames avaient voulu de la carcasse ; la carcasse, c'est
20 le morceau des dames. Mme Lerat, Mme Boche, Mme Putois grattaient des os, tandis que maman Coupeau, qui adorait le cou, en arrachait la viande avec ses deux dernières dents. Virgine, elle, aimait la peau, quand elle était rissolée, et chaque convive lui passait
25 sa peau, par galanterie ; si bien que Poisson jetait à sa femme des regards sévères, en lui ordonnant de s'arrêter, parce qu'elle en avait assez comme ça : une fois déjà, pour avoir trop mangé d'oie rôtie, elle était restée quinze jours au lit, le ventre enflé. Mais Coupeau
30 se fâcha et servit un haut de cuisse à Virgine, criant que, tonnerre de Dieu ! si elle ne le décrottait pas, elle n'était pas une femme. Est-ce que l'oie avait jamais fait du mal à quelqu'un ? Au contraire, l'oie guérissait les maladies de rate. On croquait ça sans pain,
35 comme un dessert. Lui, en aurait bouffé toute la nuit, sans être incommodé ; et, pour crâner, il s'enfonçait un pilon entier dans la bouche. Cependant, Clémence achevait son croupion, le suçait avec un gloussement des lèvres, en se tordant de rire sur sa chaise, à cause de Boche qui lui disait tout bas des indécen-
40 ces. Ah ! nom de Dieu ! oui, on s'en flanqua une bosse ! Quand on y est, on y est, n'est-ce pas ? et si l'on ne se paie qu'un gueuleton parci, par-là, on serait joliment godiche de ne pas s'en fourrer jusqu'aux oreilles. Vrai, on voyait les bedons se gonfler à mesure. Les dames étaient grosses. Ils pétaient dans leur peau, les sacrés goinfres ! La
45 bouche ouverte, le menton barbouillé de graisse, ils avaient des faces pareilles à des derrières, et si rouges, qu'on aurait dit des derrières de gens riches, crevant de prospérité.

Et le vin donc, mes enfants, ça coulait autour de la table comme l'eau coule à la Seine. Un vrai ruisseau, lorsqu'il a plu et que la terre a
50 soif. Coupeau versait de haut, pour voir le jet rouge écumer ; et quand un litre était vide, il faisait la blague de retourner le goulot et de le presser du geste familier aux femmes qui traient les vaches. Encore une négresse[5] qui avait la gueule cassée ! Dans un coin de la boutique, le tas des négresses mortes grandissait, un cimetière de bouteilles sur lequel on poussait les ordures de la nappe.

ÉMILE ZOLA, *L'Assommoir*, chapitre VII, 1877.

---

3. **Les Lorilleux** : sœur et beau-frère de Coupeau, couple envieux et malfaisant.

4. **La Banban** : méchant surnom attribué à Gervaise parce qu'elle boite un peu.

5. **Une négresse** : dans la langue populaire, une bouteille de vin.

Quelle est votre impression générale à la lecture du texte ? Quels détails trouvez-vous particulièrement frappants ?

Le déterminisme biologique

1. Observez les images, l'évolution du champ lexical de l'alimentation et dégagez le mouvement du texte.

2. De quelle façon les personnages sont-ils individualisés , dans cette activité commune ? Qu'est-ce qui les distingue ?

Une voix collective

3. Qui parle ? Quel est le niveau de langue adopté ?

4. Repérez les paroles des personnages et la façon dont elles sont rapportées. Mettez en évidence un double discours.

5. Quelle voix exprime le pronom indéfini « on » ?

Une vision sociale ambiguë

6. Quelle est la fonction sociale de ce banquet ? Quelle vous semble être sa fonction symbolique ?

7. Quelle vision du peuple le texte offre-t-il ?

TEXTE COMPLÉMENTAIRE

Guy de Maupassant,
Extrait de la Préface de *Pierre et Jean* (1888)

▶ « Le roman »

Ce texte est extrait d'une étude que Maupassant fit paraître en préface à son roman *Pierre et Jean*. Il constitue un document précieux pour la connaissance des idées de l'écrivain sur le roman et il propose une réflexion critique intéressante sur la question du réalisme, au centre des débats esthétiques du xixᵉ siècle.

Le réaliste, s'il est un artiste, cherchera, non pas à nous montrer la photographie banale de la vie, mais à nous en donner la vision plus complète, plus saisissante, plus probante que la réalité même.

Raconter tout serait impossible, car il faudrait alors un volume au moins par jour-
5 née, pour énumérer les multitudes d'incidents insignifiants qui emplissent notre existence.

Un choix s'impose donc, – ce qui est une première atteinte à la théorie de toute la vérité.

La vie, en outre, est composée des choses les plus différentes, les plus impré-
10 vues, les plus contraires, les plus disparates ; elle est brutale, sans suite, sans chaîne, pleine de catastrophes inexplicables, illogiques et contradictoires qui doivent être classées au chapitre *faits divers*.

Voilà pourquoi l'artiste, ayant choisi son thème, ne prendra dans cette vie encom-
brée de hasards et de futilités que les détails caractéristiques utiles à son sujet, et
15 il rejettera tout le reste, tout l'à-côté.

Un exemple entre mille :

Le nombre des gens qui meurent chaque jour par accident est considérable sur la terre. Mais pouvons-nous faire tomber une tuile sur la tête d'un personnage principal, ou le jeter sous les roues d'une voiture, au milieu d'un récit, sous prétexte
20 qu'il faut faire la part de l'accident ?

La vie encore laisse tout au même plan, précipite les faits ou les traîne indéfiniment. L'art, au contraire, consiste à user de précautions et de préparations, à ména-

ger des transitions savantes et dissimulées, à mettre en pleine lumière, par la seule
adresse de la composition, les événements essentiels et à donner à tous les autres
25 le degré de relief qui leur convient, suivant leur importance, pour produire la sensation profonde de la vérité spéciale qu'on veut montrer.

Faire vrai consiste donc à donner l'illusion complète du vrai, suivant la logique
ordinaire des faits, et non à les transcrire servilement dans le pêle-mêle de leur
succession.

30 J'en conclus que les Réalistes de talent devraient s'appeler plutôt des
Illusionnistes.

Quel enfantillage, d'ailleurs, de croire à la réalité puisque nous portons chacun
la nôtre dans notre pensée et dans nos organes ! Nos yeux, nos oreilles, notre odo-
rat, notre goût différents créent autant de vérités qu'il y a d'hommes sur la terre.
35 Et nos esprits qui reçoivent les instructions de ces organes, diversement impres-
sionnés, comprennent, analysent et jugent comme si chacun de nous appartenait
à une autre race.

Chacun de nous se fait donc simplement une illusion du monde, illusion poétique, sentimentale, joyeuse, mélancolique, sale ou lugubre suivant sa nature. Et
40 l'écrivain n'a d'autre mission que de reproduire fidèlement cette illusion avec tous
les procédés d'art qu'il a appris et dont il peut disposer.

Illusion du beau qui est une convention humaine ! Illusion du laid qui est une
opinion changeante ! Illusion du vrai jamais immuable ! Illusion de l'ignoble qui
attire tant d'êtres ! Les grands artistes sont ceux qui imposent à l'humanité leur
illusion particulière.

GUY DE MAUPASSANT, «Le Roman», extrait de la Préface de *Pierre et Jean*, 1888.

QUESTIONS

1. Expliquez le sens des mots « probante » (l. 3), « relief » (l. 25) et « servilement » (l. 28).

2. Relevez les indices de la présence de l'auteur dans ces propos.

3. Identifiez la thèse réfutée. Quelle forme de réalisme Maupassant conteste-t-il ?
Pour quelles raisons ?

4. Dégagez la progression argumentative du texte en vous appuyant sur les connecteurs
logiques et les marques de ponctuation. Énoncez l'idée générale exprimée dans chaque
partie du texte.

5. Reformulez la thèse défendue par l'auteur. En quoi le travail du romancier consiste-t-il
selon Maupassant ?

à retenir

Le XIXe siècle voit le triomphe du roman qui s'impose comme genre littéraire à part entière et connaît une importante évolution. La deuxième moitié du siècle est marquée par l'avènement de plusieurs courants artistiques. Sans être une véritable école, le réalisme se développe dans les années 1850. Au cours des années 1870-1880, le naturalisme en prolonge l'entreprise dans une perspective plus rigoureusement scientifique.

Le réalisme, de la famille des mots *réel*, *réalité*, se veut « la reproduction exacte, complète, sincère, du milieu social de l'époque où on vit » (Duranty, *Réalisme*, 1856).

Le terme de *naturaliste* désigne, dès avant le XIXe siècle, un savant spécialiste de sciences naturelles (zoologie, botanique). Le naturalisme est lié au développement des sciences expérimentales. Le romancier, comme le savant dans son laboratoire, se veut un observateur doublé d'un expérimentateur : il étudie notamment le rôle sur l'individu des déterminismes physiologiques (tares héréditaires) et sociaux (influence du milieu).

1. Le narrateur et sa place dans le récit

a. Le narrateur personnage

Il est partie intégrante du récit, dans lequel il se met lui-même en scène.

> **EXEMPLE** « Je marchais, tête baissée, lorsque je crus entendre un bruit de voix ; je jetai un coup d'œil par-dessus la palissade, et m'arrêtai stupéfait… » (Tourgueniev, *Premier Amour*)

b. Le narrateur anonyme

Il ne fait pas partie du récit, il est extérieur à celui-ci. Il désigne donc les personnages du roman à la troisième personne.

> **EXEMPLE** « Alors, Jean eut une sensation extraordinaire. Il lui sembla, dans cette lente tombée du jour, au-dessus de cette cité en flammes, qu'une aurore déjà se levait. » (Zola, *La Débâcle*)

Si le narrateur anonyme reste la plupart du temps implicite, il arrive qu'il prenne la parole et qu'il s'adresse directement au lecteur.

> **EXEMPLE** « Nous avouerons que notre héros était fort peu héros en ce moment. » (Stendhal, *La Chartreuse de Parme*)

2. Le point de vue (ou la focalisation)

Dans un récit, le point de vue désigne le regard à travers lequel les actions du récit sont rapportées ou les descriptions faites. Ce point de vue (ou focalisation) peut être omniscient, externe ou interne.

a. Omniscient

Le narrateur a une connaissance totale de l'histoire qu'il raconte, et sa perception est illimitée, il sait tout, voit tout, peut dire le passé et l'avenir des personnages, leurs pensées.

> **EXEMPLE** « Alors Jean eut une sensation extraordinaire. Il lui sembla, dans cette lente tombée du jour […] qu'une aurore déjà se levait. C'était bien pourtant la fin de tout, un acharnement du destin, un amas de désastre tels que jamais nation n'en avait subi d'aussi grands » (Zola, *La Débâcle*)

b. Externe

L'action principale du roman est racontée par un narrateur qui ne connaît pas tout. À la manière d'un témoin des événements racontés, il ne fait état que de ce qu'il sait de l'histoire.

> **EXEMPLE** « Dans la petite foule qui assiste aux exécutions, derrière un cordon de soldats, il y a Manet […]. Qu'est-ce qui l'a poussé à se lever au cœur de la nuit pour accourir au sinistre spectacle ? » (Rolin, *Un chasseur de lions*)

c. Interne

La narration adopte le point de vue d'un personnage. On ne voit ni ne comprend par conséquent que ce que le personnage en sait ou en perçoit.

> **EXEMPLE** « Les habits rouges ! les habits rouges ! » criaient avec joie les hussards de l'escorte, et d'abord Fabrice ne comprenait pas ; enfin il remarqua qu'en effet presque tous les cadavres étaient vêtus de rouge [et] que beaucoup de ces malheureux habits rouges vivaient encore. »

EXERCICE Dans les extraits suivants, identifiez le type de narrateur ainsi que le point de vue.

a) Balzac, *Le Colonel Chabert*, p. 284, lignes 1 à 10.
b) Maupassant, *Une partie de campagne*, p. 301, lignes 285 à 299.
c) Flaubert, *Madame Bovary*, p. 321.
d) Flaubert, *L'Éducation sentimentale*, p. 274, lignes 1 à 22.

EXERCICES SUPPLÉMENTAIRES
À retrouver sur le site du manuel.

▶ L'AMBITION RÉALISTE : FAIRE VRAI

Roman et Histoire : peindre l'Histoire, entre réalisme et épopée

Stendhal, *La Chartreuse de Parme* (1839)

La bataille de Waterloo

STENDHAL
(1783 - 1842)
NOTICE BIOGRAPHIQUE P. 472

---

1. **Les habits rouges :** les soldats anglais, adversaires des Français à Waterloo.
2. **Hussards :** soldats de la cavalerie légère napoléonienne.
3. **Geôlière :** arrêté par les Français, Fabrice a pu s'évader grâce à la femme de son geôlier.
4. **Gourmande :** réprimande, gronde.

EUGÈNE BATAILLE, *Portrait en pied du maréchal Ney,* 1853.

TEXTE 1

Écrit en cinquante-deux jours, inspiré d'une chronique italienne mais transposé dans l'époque contemporaine, le roman *La Chartreuse de Parme* raconte l'apprentissage du monde par un jeune aristocrate italien, Fabrice del Dongo. Fasciné par l'épopée napoléonienne et grand admirateur de l'empereur, il passe d'Italie en Belgique où se déroule, en 1815, la bataille de Waterloo.

Nous avouerons que notre héros était fort peu héros en ce moment. Toutefois, la peur ne venait chez lui qu'en seconde ligne ; il était surtout scandalisé de ce bruit qui lui faisait mal aux oreilles. L'escorte prit le galop ; on traversait une grande pièce de terre labourée, située
5 au-delà du canal, et ce champ était jonché de cadavres.

« Les habits rouges ! les habits rouges[1] ! » criaient avec joie les hussards[2] de l'escorte, et d'abord Fabrice ne comprenait pas ; enfin il remarqua qu'en effet presque tous les cadavres étaient vêtus de rouge. Une circonstance lui donna un frisson d'horreur ; il remar-
10 qua que beaucoup de ces malheureux habits rouges vivaient encore ; ils criaient évidemment pour demander du secours, et personne ne s'arrêtait pour leur en donner. Notre héros, fort humain, se donnait toutes les peines du monde pour que son cheval ne mît les pieds sur aucun habit rouge. L'escorte s'arrêta ; Fabrice, qui ne faisait pas assez
15 d'attention à son devoir de soldat, galopait toujours en regardant un malheureux blessé.

« Veux-tu bien t'arrêter, blanc-bec ! » lui cria le maréchal des logis. Fabrice s'aperçut qu'il était à vingt pas sur la droite en avant des généraux, et précisément du côté où ils regardaient avec leurs lorgnettes.
20 En revenant se ranger à la queue des autres hussards restés à quelques pas en arrière, il vit le plus gros de ces généraux qui parlait à son voisin, général aussi, d'un air d'autorité et presque de réprimande ; il jurait. Fabrice ne put retenir sa curiosité ; et, malgré le conseil de ne point parler, à lui donné par son amie la geôlière[3], il arrangea une
25 petite phrase bien française, bien correcte, et dit à son voisin :

– Quel est-il ce général qui *gourmande*[4] son voisin ?
– Pardi, c'est le maréchal !
– Quel maréchal ?
– Le maréchal Ney, bêta ! Ah ça ! où as-tu servi jusqu'ici ?

THÉODORE GÉRICAULT, *Officier de chasseurs à cheval chargeant,*
1812. Paris, musée du Louvre.

30 Fabrice, quoique fort susceptible, ne son-
gea point à se fâcher de l'injure ; il contemplait,
perdu dans une admiration enfantine, ce fameux
prince de la Moskova[5], le brave des braves.

Tout à coup on partit au grand galop. Quelques
35 instants après, Fabrice vit, à vingt pas en avant,
une terre labourée qui était remuée d'une façon
singulière. Le fond des sillons était plein d'eau,
et la terre fort humide, qui formait la crête de ces
sillons, volait en petits fragments noirs lancés à
40 trois ou quatre pieds de haut. Fabrice remarqua
en passant cet effet singulier ; puis sa pensée se
remit à songer à la gloire du maréchal. Il entendit un cri sec auprès de lui ; c'étaient deux hussards qui tombaient atteints par des boulets ; et,
45 lorsqu'il les regarda, ils étaient déjà à vingt pas
de l'escorte. Ce qui lui sembla horrible, ce fut un
cheval tout sanglant qui se débattait sur la terre
labourée, en engageant ses pieds dans ses propres entrailles ; il voulait suivre les autres : le
50 sang coulait dans la boue.

« Ah ! m'y voilà donc enfin au feu ! se dit-il.
J'ai vu le feu, se répétait-il avec satisfaction. Me
voici un vrai militaire. » À ce moment, l'escorte
allait ventre à terre, et notre héros comprit que
55 c'étaient des boulets qui faisaient voler la terre
de toutes parts. Il avait beau regarder du côté
d'où venaient les boulets, il voyait la fumée blanche de la batterie[6] à une distance énorme, et, au
milieu du ronflement égal et continu produit par
60 les coups de canon, il lui semblait entendre des
décharges beaucoup plus voisines ; il n'y comprenait rien du tout.

STENDHAL, *La Chartreuse de Parme*, Ire partie,
chapitre 3, 1839.

5. **Prince de la Moskova :** maréchal de France, Ney obtint le titre de
prince de la Moskova pendant la campagne de Russie (1812).
6. **La batterie :** l'artillerie.

PREMIÈRE LECTURE

Quelle vision de la guerre ce texte donne-t-il ?

LECTURE ANALYTIQUE

Un point de vue limité

1. Quel est le type de focalisation adopté ? Analysez
les différentes perceptions de Fabrice ainsi que les
occurrences du verbe « comprendre » : quelle est la
situation du personnage ?
2. Étudiez les passages de discours direct et justifiez
l'écriture italique de « *gourmande* » : que révèlent-ils du
caractère du personnage ?

L'auteur et son personnage

3. Analysez la façon dont le narrateur désigne Fabrice.
Comment manifeste-t-il sa présence dans ce récit ?
4. Quelle est l'attitude de l'auteur à l'égard de son
personnage ?

ÉCRITURE D'INVENTION

Racontez un incident ou un événement contemporain
(historique, social, etc.) à travers le point de vue limité
d'un témoin qui ne comprend pas ce qui se passe.

Victor Hugo, *Les Misérables* (1862)
La charge des cuirassiers à Waterloo

Dans la deuxième partie des *Misérables*, le premier livre est consacré à la bataille de Waterloo, défaite française qui entraîna la chute de l'empereur Napoléon en 1815. L'extrait suivant montre la charge des cuirassiers, soldats de la cavalerie lourde, contre les Anglais.

Il semblait que cette masse était devenue monstre et n'eût qu'une âme. Chaque escadron ondulait et se gonflait comme un anneau du polype[1]. On les apercevait à travers une vaste fumée déchirée çà et là. Pêle-mêle de casques, de cris, de sabres, bondissement orageux des croupes des chevaux dans le canon et la fanfare, tumulte discipliné et terrible ; là-
5 dessus les cuirasses, comme les écailles sur l'hydre[2].

Ces récits semblent d'un autre âge. Quelque chose de pareil à cette vision apparaissait sans doute dans les vieilles épopées orphiques[3] racontant les hommes-chevaux, les antiques hippanthropes[4], ces titans à face humaine et à poitrail équestre dont le galop escalada l'Olympe[5], horribles, invulnérables, sublimes ; dieux et bêtes.

10 Bizarre coïncidence numérique, vingt-six bataillons allaient recevoir ces vingt-six escadrons. Derrière la crête du plateau, à l'ombre de la batterie masquée, l'infanterie anglaise, formée en treize carrés, deux bataillons par carré, et sur deux lignes, sept sur la première, six sur la seconde, la crosse à l'épaule, couchant en joue ce qui allait venir, calme, muette, immobile, attendait. Elle ne voyait pas les cuirassiers et les cuirassiers ne la voyaient pas.
15 Elle écoutait monter cette marée d'hommes. Elle entendait le grossissement du bruit des trois mille chevaux, le frappement alternatif et symétrique des sabots au grand trot, le froissement des cuirasses, le cliquetis des sabres, et une sorte de grand souffle farouche. Il y eut un silence redoutable, puis, subitement, une longue file de bras levés brandissant des sabres apparut au-dessus de la crête, et les casques, et les trompettes, et les
20 étendards, et trois mille têtes à moustaches grises criant : Vive l'empereur ! toute cette cavalerie déboucha sur le plateau, et ce fut comme l'entrée d'un tremblement de terre.

Tout à coup, chose tragique, à la gauche des Anglais, à notre droite, la tête de colonne des cuirassiers se cabra avec une clameur effroyable. Parvenus au point culminant de la crête, effrénés, tout à leur furie et à leur course d'extermination sur les carrés et les canons,
25 les cuirassiers venaient d'apercevoir entre eux et les Anglais un fossé, une fosse. C'était le chemin creux d'Ohain.

VICTOR HUGO, *Les Misérables*, IIe partie, livre I, chapitre IX, 1862.

---

1. **Polype** : monstre à tentacules, pieuvre.
2. **L'hydre** : animal mythologique, serpent d'eau.
3. **Orphiques** : chantées par le poète Orphée.
4. **Hippanthropes** : les hommes-chevaux, c'est-à-dire les Centaures.
5. **Olympe** : montagne grecque, lieu de séjour des dieux.

QUESTIONS

1. Comparez le récit de la bataille de Waterloo dans les romans de Stendhal et de Victor Hugo. De quelle façon la situation est-elle présentée au lecteur ? Quel est le type de focalisation adopté ? Quel est l'effet sur le lecteur de ces choix des romanciers ?
2. Relevez les marques (lexique, dimension collective de l'action, agrandissement, éléments hyperboliques) du registre épique dans le texte de Victor Hugo.

Victor Hugo, *Les Misérables* (1862) | La barricade

VICTOR HUGO
(1802 - 1885)
NOTICE BIOGRAPHIQUE P. 468

Illustration, réalisée par Perrichon,
pour le roman des *Misérables*
en 1830.

TEXTE 2

Avec *Les Misérables*, un immense roman élaboré de 1845 à 1862, Victor Hugo s'intéresse à l'histoire contemporaine. Le roman, qui se déroule pendant la Restauration (1815-1830) et la monarchie de Juillet (1830-1848), retrace l'existence de gens du peuple autour de l'inoubliable figure du forçat Jean Valjean et de son itinéraire de rédemption. L'extrait suivant se situe le 5 juin 1832. Après qu'une manifestation républicaine a dégénéré en émeute, la barricade du quartier des Halles, à Paris, résiste aux troupes royales. Le petit Gavroche récupère des munitions dans les gibernes (boîtes à cartouches) des soldats tués afin d'approvisionner la barricade.

Il rampait à plat ventre, galopait à quatre pattes, prenait son panier aux dents, se tordait, glissait, ondulait, serpentait d'un mort à l'autre, et vidait la giberne ou la cartouchière comme un singe ouvre une noix.

De la barricade, dont il était encore assez près, on n'osait lui crier
5 de revenir, de peur d'appeler l'attention sur lui.

Sur un cadavre, qui était un caporal, il trouva une poire à poudre.

– Pour la soif, dit-il, en la mettant dans sa poche.

À force d'aller en avant, il parvint au point où le brouillard de la fusillade devenait transparent.

10 Si bien que les tirailleurs de la ligne[1] rangés et à l'affût derrière leur levée de pavés, et les tirailleurs de la banlieue[2] massés à l'angle de la rue, se montrèrent soudainement quelque chose qui remuait dans la fumée.

Au moment où Gavroche débarrassait de ses cartouches un sergent
15 gisant près d'une borne, une balle frappa le cadavre.

– Fichtre ! fit Gavroche. Voilà qu'on me tue mes morts.

Une deuxième balle fit étinceler le pavé à côté de lui. Une troisième renversa son panier.

Gavroche regarda, et vit que cela venait de la banlieue.

20 Il se dressa tout droit, debout, les cheveux au vent, les mains sur les hanches, l'œil fixé sur les gardes nationaux qui tiraient, et il chanta :

> *On est laid à Nanterre,*
> *C'est la faute à Voltaire,*
> *Et bête à Palaiseau,*
25 > *C'est la faute à Rousseau.*[3]

Puis il ramassa son panier, y remit, sans en perdre une seule, les cartouches qui en étaient tombées, et, avançant vers la fusillade, alla dépouiller une autre giberne. Là une quatrième balle le manqua
30 encore. Gavroche chanta :

> *Je ne suis pas notaire,*
> *C'est la faute à Voltaire,*
> *Je suis petit oiseau,*
> *C'est la faute à Rousseau.*

---

1. Les tirailleurs de la ligne : les insurgés qui défendent la barricade.

2. Les tirailleurs de la banlieue : les gardes nationaux de la banlieue de Paris, les assaillants.

3. La chanson de Gavroche est une création de Victor Hugo, à partir d'un refrain populaire raillant les ennemis de la Révolution.

EUGÈNE DELACROIX,
La Liberté guidant le peuple, 1830.
Paris, musée du Louvre.

35 Une cinquième balle ne réussit qu'à tirer de lui un troisième
couplet :

> *Joie est mon caractère,*
> *C'est la faute à Voltaire,*
> *Misère est mon trousseau,*
40 > *C'est la faute à Rousseau.*

Cela continua ainsi quelque temps.

Le spectacle était épouvantable et charmant. Gavroche, fusillé, taqui-
nait la fusillade. Il avait l'air de s'amuser beaucoup. C'était le moineau
becquetant les chasseurs. Il répondait à chaque décharge par un cou-
45 plet. On le visait sans cesse, on le manquait toujours. Les gardes nationaux et les soldats riaient en l'ajustant. Il se couchait, puis se redressait,
s'effaçait dans un coin de porte, puis bondissait, disparaissait, reparais-
sait, se sauvait, revenait, ripostait à la mitraille par des pieds de nez, et
cependant pillait les cartouches, vidait les gibernes et remplissait son
50 panier. Les insurgés, haletants d'anxiété, le suivaient des yeux. La barricade tremblait ; lui, il chantait. Ce n'était pas un enfant, ce n'était pas
un homme ; c'était un étrange gamin fée. On eût dit le nain invulnérable de la mêlée. Les balles couraient après lui, il était plus leste qu'elles. Il jouait on ne sait quel effrayant jeu de cache-cache avec la mort ;
55 chaque fois que la face camarde[4] du spectre s'approchait, le gamin lui
donnait une pichenette.

Une balle pourtant, mieux ajustée ou plus traître que les autres,
finit par atteindre l'enfant feu follet. On vit Gavroche chanceler, puis
il s'affaissa. Toute la barricade poussa un cri ; mais il y avait de l'An-
60 tée[5] dans ce pygmée ; pour le gamin toucher le pavé, c'est comme
pour le géant toucher la terre ; Gavroche n'était tombé que pour se
redresser ; il resta assis sur son séant, un long filet de sang rayait son
visage, il éleva ses deux bras en l'air, regarda du côté d'où était venu
le coup, et se mit à chanter :

4. **La face camarde** : au nez écrasé. La
Camarde, c'est la mort représentée
comme un squelette sans nez.
5. **Antée** : géant de la mythologie grecque
qui retrouvait ses forces au contact de
sa mère, la Terre.

Je suis tombé par terre,
C'est la faute à Voltaire,
Le nez dans le ruisseau,
C'est la faute à...

Il n'acheva point. Une seconde balle du même tireur l'arrêta court.
70 Cette fois il s'abattit la face contre le pavé, et ne remua plus. Cette
petite grande âme venait de s'envoler.

VICTOR HUGO, *Les Misérables*, Vᵉ partie, Livre I, Chapitre XV, 1862.

PREMIÈRE LECTURE

Quels sont les éléments qui font de cet épisode
un texte réaliste inscrit dans l'Histoire ?

LECTURE ANALYTIQUE

La chanson de Gavroche

1. Mettez en évidence la composition dramatique de ce texte.
Comment les couplets de la chanson le structurent-ils ?
2. Quelles correspondances pouvez-vous établir
entre les paroles de la chanson, la situation historique
et celle de l'enfant ?

Un spectacle « charmant » ?

3. Quel est le point de vue adopté ? Quel est l'effet produit ?
4. Quel est ici le sens de l'adjectif « charmant » ?

L'implication du narrateur

5. Relevez tous les indices de la présence et du jugement
du narrateur. Quel regard porte-t-il sur la scène
racontée ?
6. Étudiez les registres qui sous-tendent la narration.
Quel effet cherchent-ils à produire sur le lecteur ?
Montrez qu'ils soutiennent un discours implicite.

VERS LA DISSERTATION

On a défini le romancier comme « l'historien
du présent ». En quoi cette formule, appliquée
aux romanciers réalistes, vous paraît-elle exacte ?
Vous classerez vos remarques et les illustrerez d'exemples
empruntés aux textes de ce groupement.

Émile Zola, *Germinal* (1885)

La révolte des mineurs

ÉMILE ZOLA
(1840 - 1902)
NOTICE BIOGRAPHIQUE P. 473

TEXTE 3

Avec l'arrivée en 1866 d'Étienne Lantier, jeune ouvrier fils de Gervaise
Macquart (l'héroïne de *L'Assommoir*), dans le pays minier du nord de la
France, *Germinal* conte l'histoire de la révolte des mineurs. Après une
baisse des salaires, les mineurs de Montsou ont décidé la grève. Au terme
de six semaines, excédés par la faim, le froid et l'absence de négociations
de la Compagnie, ils entreprennent de débaucher les autres fosses dont
ils saccagent les installations. Après cette journée d'émeute, ils se ruent à
Montsou, chez le directeur, monsieur Hennebeau. Le cortège surprend la
femme de ce dernier, l'ingénieur Négrel et trois jeunes amies, contraints
à se réfugier dans une étable d'où ils regardent passer le flot des mineurs
révoltés.

Le roulement de tonnerre approchait, la terre fut ébranlée, et
Jeanlin[1] galopa le premier, soufflant dans sa corne.
« Prenez vos flacons[2], la sueur du peuple qui passe ! » murmura
Négrel, qui, malgré ses convictions républicaines, aimait à plaisanter
5 la canaille avec les dames.

En 1993, Claude Berri a adapté au cinéma le roman de Zola, *Germinal*.

Mais son mot spirituel fut emporté dans l'ouragan des gestes et des cris. Les femmes 10 avaient paru, près d'un millier de femmes, aux cheveux épars, dépeignés par la course, aux guenilles montrant la 15 peau nue, des nudités de femelles lasses d'enfanter des meurt-de-faim. Quelques-unes tenaient leur petit entre 20 les bras, le soulevaient, l'agitaient, ainsi qu'un drapeau de deuil et de vengeance. D'autres, plus jeunes, avec des gorges gonflées de guerrières, brandissaient 25 des bâtons ; tandis que les vieilles, affreuses, hurlaient si fort que les cordes de leurs cous décharnés semblaient se rompre. Et les hommes déboulèrent ensuite, deux mille furieux, des galibots, des haveurs, des raccommodeurs[3], une masse compacte qui roulait d'un seul bloc, serrée, confondue, au point qu'on ne distinguait ni les culottes déteintes, 30 ni les tricots de laine en loques, effacés dans la même uniformité terreuse. Les yeux brûlaient, on voyait seulement les trous des bouches noires, chantant *La Marseillaise*, dont les strophes se perdaient en un mugissement confus, accompagné par le claquement des sabots sur la terre dure. Au-dessus des têtes, parmi le hérissement des barres de 35 fer, une hache passa, portée toute droite ; et cette hache unique, qui était comme l'étendard de la bande, avait, dans le ciel clair, le profil aigu d'un couperet de guillotine.

« Quels visages atroces ! » balbutia Mme Hennebeau.

Négrel dit entre ses dents :

40 « Le diable m'emporte si j'en reconnais un seul ! D'où sortent-ils donc, ces bandits-là ? »

Et, en effet, la colère, la faim, ces deux mois de souffrance et cette débandade enragée au travers des fosses, avaient allongé en mâchoires de bêtes fauves les faces placides des houilleurs de Montsou. À ce 45 moment, le soleil se couchait, les derniers rayons, d'un pourpre sombre, ensanglantaient la plaine. Alors, la route sembla charrier du sang, les femmes, les hommes continuaient à galoper, saignants comme des bouchers en pleine tuerie.

« Oh ! superbe ! » dirent à demi-voix Lucie et Jeanne[4], remuées dans 50 leur goût d'artistes par cette belle horreur.

Elles s'effrayaient pourtant, elles reculèrent près de Mme Hennebeau, qui s'était appuyée sur une auge. L'idée qu'il suffisait d'un regard, entre les planches de cette porte disjointe, pour qu'on les massacrât, la gla-

1. **Jeanlin :** enfant de la famille Maheu. Âgé d'une douzaine d'années, il est l'image de l'enfance sacrifiée par les conditions de vie imposées aux mineurs.
2. **Flacons :** flacons à sels utilisés par les dames de la bourgeoisie et contenant des substances parfumées à respirer en cas de malaise et de pâmoison.
3. **Galibots, haveurs, raccommodeurs :** ouvriers mineurs respectivement chargés de la manœuvre des bennes, de l'entaille de la veine pour en extraire le charbon et de l'entretien des boisages et des voies.

çait. Négrel se sentait blêmir, lui aussi, très brave d'ordinaire, saisi là
55 d'une épouvante supérieure à sa volonté, une de ces épouvantes qui
soufflent de l'inconnu. Dans le foin, Cécile[5] ne bougeait plus. Et les
autres, malgré leur désir de détourner les yeux, ne le pouvaient pas,
regardaient quand même.

C'était la vision rouge de la révolution qui les emporterait tous, fata-
60 lement, par une soirée sanglante de cette fin de siècle. Oui, un soir, le
peuple lâché, débridé, galoperait ainsi sur les chemins ; et il ruissele-
rait du sang des bourgeois. Il promènerait des têtes, il sèmerait l'or des
coffres éventrés. Les femmes hurleraient, les hommes auraient ces
mâchoires de loups, ouvertes pour mordre. Oui, ce seraient les mêmes
65 guenilles, le même tonnerre de gros sabots, la même cohue effroyable, de peau sale, d'haleine empestée, balayant le vieux monde, sous
leur poussée débordante de barbares. Des incendies flamberaient, on
ne laisserait pas debout une pierre des villes, on retournerait à la vie
sauvage dans les bois, après le grand rut[6], la grande ripaille, où les
70 pauvres, en une nuit, efflanqueraient les femmes et videraient les
caves des riches. Il n'y aurait plus rien, plus un sou des fortunes, plus
un titre des situations acquises, jusqu'au jour où une nouvelle terre
repousserait peut-être. Oui, c'étaient ces choses qui passaient sur la
route, comme une force de la nature, et ils en recevaient le vent terrible au visage.

ÉMILE ZOLA, *Germinal*, Vᵉ partie, 1885.

4. Lucie et Jeanne sont deux jeunes
artistes, filles de Deneulin, propriétaire
d'une petite mine.
5. Cécile est la fille des Grégoire,
actionnaires de la mine, et la fiancée
de Négrel.
6. **Rut** : période d'accouplement chez
les animaux.

PREMIÈRE LECTURE

Quels éléments vous ont particulièrement frappé
à la lecture de ce passage ? Quelle image dominante
retenez-vous de cette évocation ?

LECTURE ANALYTIQUE

Une description réaliste

1. Par quels procédés Zola donne-t-il à cette scène
l'allure d'un reportage objectif ? Relevez et classez
tous les éléments qui assurent la précision réaliste
de cette description.

Une description dramatique

2. Étudiez précisément la composition de ce passage.
3. Quels sont les groupes sociaux en présence ? Par qui,
et de quelle façon, ce spectacle est-il successivement
perçu ?

Une description symbolique

4. Identifiez les allusions historiques dans la première
perception de la foule des mineurs. Quelle est leur
fonction ?

5. Dans le dernier paragraphe, étudiez l'emploi
du conditionnel : quel est le mot-clé du passage ?
Pourquoi ?
Étudiez les rythmes, les répétitions, les images
(métaphores animales et phénomènes naturels) :
identifiez la vision de la révolution qui est donnée.

EXPRESSION ORALE

Recherchez, parmi des reproductions de tableaux ou de
sculptures, une image de révolution ou de manifestation
sociale qui vous semble exprimer dans un autre langage
l'impression que vous laisse cette page. Présentez
l'œuvre que vous avez retenue et justifiez votre choix.

VERS LE COMMENTAIRE

Dans la première description des mineurs, vous étudierez
précisément quelques procédés qui vous semblent lui
conférer sa puissance (lexique et sonorités, jeu des
pluriels et des singuliers, construction des phrases,
images) et vous rédigerez un paragraphe de commentaire
pour en caractériser le registre.

Les dernières heures de la Commune

ÉMILE ZOLA
(1840 - 1902)
NOTICE BIOGRAPHIQUE P. 473

TEXTE 4

La Débâcle, dix-neuvième et avant-dernier roman du cycle des *Rougon-Macquart*, est entièrement consacré à la guerre. Jean Macquart, frère de Gervaise, assiste à la chute du Second Empire dans la guerre franco-prussienne de 1870 et au désastre de Sedan qui vit la défaite de l'armée française, suivie du siège de Paris et de l'insurrection de la Commune. Aux dernières pages du roman, Jean, bouleversé par la mort de Maurice (son ami et compagnon de guerre) sur les barricades de Paris, participe aux dernières heures de la Commune, au terme de la « Semaine sanglante », le 28 mai 1871. Paris est incendié par les insurgés.

Ah ! quelle mort, sous l'effondrement de tout un monde ! Au dernier jour, sous les derniers débris de la Commune expirante, il avait donc fallu cette victime de plus ! Le pauvre être s'en était allé, affamé de justice, dans la suprême convulsion du grand rêve noir qu'il avait
5 fait, cette grandiose et monstrueuse conception de la vieille société détruite, de Paris brûlé, du champ retourné et purifié, pour qu'il y poussât l'idylle[1] d'un nouvel âge d'or.

Jean, plein d'angoisse, se retourna vers Paris. À cette fin si claire d'un beau dimanche, le soleil oblique, au ras de l'horizon, éclairait
10 la ville immense d'une ardente lueur rouge. On aurait dit un soleil de sang, sur une mer sans borne. Les vitres des milliers de fenêtres braisillaient[2], comme attisées sous des soufflets invisibles ; les toitures s'embrasaient, telles que des lits de charbons ; les pans de murailles jaunes, les hauts monu-
15 ments, couleur de rouille, flambaient avec les pétillements de brusques feux de fagots, dans l'air du soir. Et n'était-ce pas la gerbe finale, le gigantesque bouquet de pourpre,
20 Paris entier brûlant ainsi qu'une fascine[3] géante, une antique forêt sèche, s'envolant au ciel d'un coup, en un vol de flammèches et d'étincelles ? Les incendies continuaient,
25 de grosses fumées rousses montaient toujours, on entendait une rumeur énorme, peut-être les derniers râles des fusillés, à la caserne Lobau[4], peut-être la joie des femmes
30 et le rire des enfants, dînant dehors après l'heureuse promenade, assis aux portes des marchands de vin.

---

1. **Idylle** : poème à sujet pastoral.
2. **Braisillaient** : brillaient de lueurs rouges.
3. **Fascine** : fagot de branchages.
4. **La caserne Lobau** : le lieu du massacre d'une centaine de communards fusillés derrière l'Hôtel de Ville de Paris.

Barricades dressées devant l'Hôtel de Ville de Paris pendant la Commune, 1871.

Des maisons et des édifices saccagés, des rues éventrées, de tant de
ruines et de tant de souffrances, la vie grondait encore, au milieu du
35 flamboiement de ce royal coucher d'astre, dans lequel Paris achevait
de se consumer en braise.

Alors, Jean eut une sensation extraordinaire. Il lui sembla, dans
cette lente tombée du jour, au-dessus de cette cité en flammes, qu'une
aurore déjà se levait. C'était bien pourtant la fin de tout, un acharne-
40 ment du destin, un amas de désastres tels que jamais nation n'en avait
subi d'aussi grands : les continuelles défaites, les provinces perdues,
les milliards à payer[5], la plus effroyable des guerres civiles[6] noyée sous
le sang, des décombres et des morts à pleins quartiers, plus d'argent,
plus d'honneur, tout un monde à reconstruire !

ÉMILE ZOLA, *La Débâcle*, IIIe partie, chapitre VIII, 1892.

———————

5. **Les provinces perdues, les milliards à payer** : la France est condamnée à abandonner
l'Alsace et la Lorraine, à payer une somme colossale et à souffrir l'occupation allemande
jusqu'au règlement de cette dette qui prendra fin en septembre 1873.
6. **La plus effroyable des guerres civiles** : la Commune (insurrection révolutionnaire
populaire et socialiste écrasée par la bourgeoisie républicaine).

ACTIVITÉ TICE
ZOLA ET LE NATURALISME
À TRAVERS LES CARICATURES
Étudiez et commentez une
caricature de Zola en réalisant
une diapositive interactive.

Téléchargez la fiche élève
n° 28 « Zola et le
naturalisme » sur le site
du manuel.

PREMIÈRE LECTURE

Qu'évoque pour vous une telle vision ?

LECTURE ANALYTIQUE

Un spectacle historique

1. Repérez les indices spatio-temporels et explicitez les
références historiques présentes dans cette description.
2. Par qui ce spectacle est-il perçu ? Quels effets
produit-il ? Justifiez votre réponse en étudiant les
perceptions et sensations.

Une transfiguration symbolique

3. Étudiez le champ lexical du feu. Quelle est la couleur
dominante ? Quel climat installe-t-elle ?
4. Relevez les hyperboles, les images, et identifiez le
registre de cette description.

VERS LE COMMENTAIRE

Étudiez précisément le jeu des contrastes et des
antithèses. Rédigez un paragraphe de commentaire qui
mettra en évidence la double valeur de l'incendie.

LECTURE COMPLÉMENTAIRE

Les Soirées de Médan (1880) est un recueil de six nouvelles sur la guerre franco-
prussienne de 1870. Les auteurs en sont les écrivains naturalistes, réunis autour
de Zola dans sa maison de campagne de Médan, près de Paris. Ils ont cherché
à exprimer, selon les mots de Maupassant, « une note juste sur la guerre ». Vous
pourrez lire « L'Attaque du moulin » de Zola, « Boule-de-suif » de Maupassant ou
« Sac au dos » de Joris-Karl Huysmans (1848-1907).

———————

Pistes de travail

1. Lisez un ou plusieurs de ces récits, à votre choix, et attachez-vous à y observer la présence de l'Histoire.
2. Par quels choix et procédés spécifiques les écrivains vous semblent-ils exprimer cette « note juste » sur la
guerre, revendiquée par Maupassant ?
3. De quelle vision du monde – et de la guerre – ces récits témoignent-ils ?

TEXTE COMPLÉMENTAIRE

Olivier Rolin, *Un chasseur de lions* (2008)
L'exécution des communards

Dans son roman, Olivier Rolin, écrivain contemporain, s'intéresse à la figure très pittoresque d'un aventurier. Celui-ci fut l'ami du peintre Édouard Manet qui fit son portrait, *Monsieur Pertuiset, le chasseur de lions* (1881). Rolin entrecroise ces deux destinées au cours des secousses historiques de la fin du XIXe siècle. Le chapitre 7 évoque les exécutions des insurgés au cours de la répression féroce qui mit fin à la Commune de Paris.

Un peu avant sept heures, les trois voitures cellulaires arrivent à Satory[1]. Rossel[2] descend de l'une d'elles, avec le pasteur Passa et maître Joly, son avocat. Des deux autres sortent Théophile Ferré, membre du Conseil de la Commune, compagnon de Louise Michel[3], et le sergent Bourgeois, du 45e de ligne, qui a rejoint l'insurrection. Il fait encore
5 nuit, le ciel verdit à l'Est, des bancs de brouillard dessinent un sillon argenté dans la vallée de la Bièvre, les lanternes jettent de grandes ombres tragiques. Les troupes, six mille hommes, forment un immense carré, les casques, les sabres, les cuirasses accrochent des éclats de lumière dans l'obscurité. Un commandement, les tambours battent aux champs, le clairon sonne. Trois poteaux ont été dressés devant la butte d'artille-
10 rie, devant chacun un peloton de douze hommes, l'arme au pied. Pour les militaires, Bourgeois et Rossel, on a eu la délicate attention de choisir des hommes de leur corps d'origine. Il fait froid, les condamnés essaient de contenir des grelottements qu'on pourrait prendre pour des tremblements de peur. On entend sonner les cloches d'un village, Châteaufort ou Saint-Lambert-des-Bois. Le jour vient lentement, un jour fuligineux[4] de
15 novembre. Le sergent Bourgeois est en uniforme, Ferré et Rossel sont vêtus de noir. Ferré fume un cigare, il va s'adosser au poteau de gauche, Bourgeois à celui du milieu. L'officier qui commande les troupes, le colonel Merlin, a présidé le conseil de guerre qui a condamné Rossel à la mort et à la dégradation militaire. Rossel demande à commander lui-même le feu : Merlin le lui refuse. Rossel veut lui serrer la main : Merlin
20 refuse. C'est un homme qui ne transige pas avec la haine, ce type d'officier lâche et féroce qui, de 1870 à juin 40 en passant par l'affaire Dreyfus, va beaucoup trouver à s'illustrer. Rossel hausse les épaules, marche vers le poteau de droite. Son visage est très pâle sous une abondante chevelure noire. On lit les jugements. Attentat dans le but de changer ou détruire la forme du gouvernement... excitation à la guerre civile... levée
25 de bandes armées pour résister à la force publique... usurpation de titres ou fonctions militaires... désertion à l'ennemi... Au commandement, les soldats mettent en joue. Les sous-officiers abaissent leur sabre, la salve éclate, les trois hommes tombent, Rossel est mort, on donne le coup de grâce à Bourgeois et Ferré, puis les troupes commencent à défiler devant les cadavres. Sorti de la nuit, sorti de Goya, un chien lèche le sang sur le
30 visage de Ferré. Le jour s'est levé.

Dans la petite foule qui assiste aux exécutions, derrière un cordon de soldats, il y a Manet. Il est venu avec le dessinateur Émile Bayard et Henry Dupray, le peintre de batailles. Qu'est-ce qui l'a poussé à se lever au cœur de la nuit pour accourir au sinistre spectacle ? Pas une badauderie sanguinaire, en tout cas : il est trop profondément raf-
35 finé pour ça. Mais il est aussi passionnément curieux du monde [...]. Et les scènes politiques ou historiques l'intéressent autant que les autres, [...] il a peint, surtout, *L'Exécution de Maximilien*[5]. Ce matin, à Satory, il est en quelque sorte dans son tableau, il est à la

place, en somme, de cette femme qu'on
voit, dans la dernière version, accoudée
40 au sommet du mur, les mains dans les
cheveux noirs où l'on devine une fleur
rouge, et il met ça, son tableau et lui, à
l'épreuve la plus terrible qui soit, il les
confronte à la mort. Il y a des détails qui
45 sont les mêmes, les suppliciés sont trois,
les uniformes des soldats se ressemblent,
ceux qu'il a peints à Queretaro et ceux
qu'il voit dans l'aube sanglante de Satory,
mais ce n'est pas ça l'important, bien sûr,

JAHANGIR RAZMI, exécution à l'aéroport de Sanandaj,
au Kurdistan iranien.

50 l'important c'est de savoir si son tableau, dans son apparente froideur, est à la hauteur
abrupte de la mort, si quelque chose de la cérémonie de la mort passe dans la cérémonie de la peinture. (Tu lis, dans *l'International Herald Tribune*, en date des 9-10 décembre
2006, l'histoire de ce photographe iranien, Jahangir Razmi, qui a gagné le prix Pulitzer
1980 pour une photo parue dans le journal iranien *Ettela'at* : son identité est restée
55 secrète pendant plus de vingt-cinq ans, jusqu'à ce jour où le *Wall Street Journal* vient de
la révéler. Difficile de ne pas penser, en voyant cette très célèbre photo d'une exécution sur l'aéroport de Sanandaj, au Kurdistan iranien, à *L'Exécution de Maximilien* — ou,
bien sûr, au *Tres de Mayo*.[5])

OLIVIER ROLIN, *Un chasseur de lions*, chapitre 7, « Un chien lèche le sang », 2008.

_____

1. **Le camp de Satory**, à Versailles, fut le lieu d'exécution de nombreux communards qui y furent fusillés en 1871.
2. **Louis Rossel**, exécuté le 28 novembre 1871 à Satory, colonel de l'armée française, refusa la capitulation au terme
de la guerre franco-prussienne de 1870. Il fut le seul officier supérieur à rejoindre la Commune de Paris où il joua
un rôle important.
3. **Louise Michel** : célèbre militante, grande figure de la Commune de Paris.
4. **Fuligineux** : couleur de suie.
5. *L'Exécution de Maximilien* (1868) est un tableau d'Édouard Manet (1832-1883).
6. *Le Tres de Mayo* (1814) est un célèbre tableau de Francisco de Goya (1746-1828). Il représente la répression française après l'insurrection espagnole du 2 mai 1808 contre l'installation sur le trône de Joseph Bonaparte, frère de
Napoléon.

_____

QUESTIONS

1. Relevez les procédés qui donnent au récit son caractère réaliste.

2. La narration est-elle objective ? Repérez et commentez les marques du jugement du narrateur.
Quel point de vue s'y exprime ?

3. Quels sont les détails visuels qui donnent un caractère pictural à cette scène d'exécution ?

_____

à retenir

Le roman, « miroir » du réel, s'attache à représenter la société contemporaine dans un cadre spatio-temporel précis. Il s'intéresse à toutes les catégories sociales. Il propose des « études de mœurs ». Le projet des écrivains réalistes et naturalistes s'accomplit à travers une série de choix formels et de procédés d'écriture spécifiques. La description est l'instrument indispensable de cette représentation d'une réalité sur laquelle l'écrivain s'est solidement documenté. Le romancier se veut impersonnel et objectif pour restituer une réalité qu'il s'abstient de juger : la narration est prise en charge par un narrateur omniscient et anonyme.

Cependant, un roman n'est pas la pure et simple copie du réel, encore moins une expérience scientifique. Dans les choix, l'organisation et l'écriture romanesques, l'écrivain accomplit une création artistique qui est la re-création stylistique d'une réalité.

Les ambitions de la jeunesse à l'épreuve de rencontres décisives

Stendhal, *Le Rouge et le Noir* (1830)

STENDHAL
(1783 - 1842)
NOTICE BIOGRAPHIQUE P. 472

Julien et madame de Rênal

TEXTE 1

Le Rouge et le Noir s'inspire d'un fait divers : le cas d'Antoine Berthet, qui avait été condamné à mort par les assises de l'Isère et exécuté en 1828 pour avoir tenté d'assassiner la femme chez qui il avait été précepteur. À travers l'itinéraire d'un jeune homme, Julien Sorel qui rêve de faire fortune, le roman conte l'histoire d'une ambition contrecarrée par l'état figé de la société de 1830. Fils d'un charpentier inculte, Julien a été instruit par le curé de sa paroisse. Dans l'extrait suivant, il se rend chez monsieur de Rênal, le maire de la petite ville de Verrières, qui vient de l'embaucher pour être le précepteur de ses enfants.

Avec la vivacité et la grâce qui lui étaient naturelles quand elle était loin des regards des hommes, madame de Rênal sortait par la porte-fenêtre du salon qui donnait sur le jardin, quand elle aperçut près de la porte d'entrée la figure d'un jeune paysan presque encore
5 enfant, extrêmement pâle et qui venait de pleurer. Il était en chemise bien blanche, et avait sous le bras une veste fort propre en ratine[1] violette.

Le teint de ce petit paysan était si blanc, ses yeux si doux, que l'esprit un peu romanesque de madame de Rênal eut d'abord l'idée que
10 ce pouvait être une jeune fille déguisée, qui venait demander quelque grâce à M. le maire. Elle eut pitié de cette pauvre créature, arrêtée à la porte d'entrée, et qui évidemment n'osait pas lever la main jusqu'à la sonnette. Madame de Rênal s'approcha, distraite un instant de l'amer chagrin que lui donnait l'arrivée du précepteur. Julien, tourné vers la
15 porte, ne la voyait pas s'avancer. Il tressaillit quand une voix douce dit tout près de l'oreille :

– Que voulez-vous ici, mon enfant ?

Julien se tourna vivement, et, frappé du regard si rempli de grâce de madame de Rênal, il oublia une partie de sa timidité. Bientôt,
20 étonné de sa beauté, il oublia tout, même ce qu'il venait faire. Madame de Rênal avait répété sa question.

– Je viens pour être précepteur, madame, lui dit-il enfin, tout honteux de ses larmes qu'il essuyait de son mieux.

Madame de Rênal resta interdite, ils étaient fort près l'un de l'autre
25 à se regarder. Julien n'avait jamais vu un être aussi bien vêtu et surtout une femme avec un teint si éblouissant, lui parler d'un air doux. Madame de Rênal regardait les grosses larmes qui s'étaient arrêtées sur les joues si pâles d'abord et maintenant si roses de ce jeune pay-

ACTIVITÉ TICE
LA RENCONTRE DE JULIEN ET MADAME DE RÊNAL
Analysez le processus de focalisation dans les textes du corpus à travers des exercices numériques de manipulation et de repérage.

Téléchargez la fiche élève n° 29 « La rencontre_1 » sur le site du manuel.

PIERRE-AUGUSTE RENOIR, *Femme en robe bleue dans le jardin de Saint-Cloud,* Collection particulière.

---

1. **Ratine :** tissu de laine épais.
2. **Châteaux en Espagne :** rêves, projets chimériques.
3. **Rébarbatif :** qui rebute par un aspect revêche et sévère.

san. Bientôt elle se mit à rire, avec toute la gaieté folle
30 d'une jeune fille, elle se moquait d'elle-même, et ne pouvait se figurer tout son bonheur. Quoi, c'était là ce précepteur qu'elle s'était figuré comme un prêtre sale et mal vêtu, qui viendrait gronder et fouetter ses enfants !

   – Quoi, monsieur, lui dit-elle enfin, vous savez le
35 latin ?

   Ce mot de monsieur étonna si fort Julien qu'il réfléchit un instant.

   – Oui, madame, dit-il timidement.

   Madame de Rênal était si heureuse, qu'elle osa dire
40 à Julien :

   – Vous ne gronderez pas trop ces pauvres enfants ?

   – Moi, les gronder, dit Julien étonné, et pourquoi ?

   – N'est-ce pas, monsieur, ajouta-t-elle après un petit silence et d'une voix dont chaque instant augmentait
45 l'émotion, vous serez bon pour eux, vous me le promettez ?

   S'entendre appeler de nouveau monsieur, bien sérieusement, et par une dame si bien vêtue, était au-dessus de toutes les prévisions de Julien : dans tous les châteaux en Espagne[2] de sa jeu-
50 nesse, il s'était dit qu'aucune dame comme il faut ne daignerait lui parler que quand il aurait un bel uniforme. Madame de Rênal, de son côté, était complètement trompée par la beauté du teint, les grands yeux noirs de Julien et ses jolis cheveux qui frisaient plus qu'à l'ordinaire, parce que pour se rafraîchir il venait de plonger la tête dans
55 le bassin de la fontaine publique. À sa grande joie, elle trouvait l'air timide d'une jeune fille à ce fatal précepteur, dont elle avait tant redouté pour ses enfants la dureté et l'air rébarbatif[3]. Pour l'âme si paisible de madame de Rênal, le contraste de ses craintes et de ce qu'elle voyait fut un grand événement. Enfin elle revint de sa surprise. Elle
60 fut étonnée de se trouver ainsi à la porte de sa maison avec ce jeune homme presque en chemise et si près de lui.

   – Entrons, monsieur, lui dit-elle d'un air assez embarrassé.

STENDHAL, *Le Rouge et le Noir,* livre I, chapitre VI, 1830.

PREMIÈRE LECTURE

Que vous laisse imaginer cette rencontre de la suite romanesque de la scène ?

LECTURE ANALYTIQUE

Le jeu des regards

1. Établissez l'importance du regard dans cette scène en relevant et en analysant les termes appartenant au champ lexical de la vue.

2. Suivant quels points de vue le récit de cette rencontre est-il conduit ? Délimitez précisément leur alternance. Quel est l'intérêt de cette alternance ?

Une double méprise

3. Étudiez les deux portraits. Comment chacun des deux personnages perçoit-il l'autre ? Quel vous semble être l'intérêt de ce mode de présentation ?

4. Comment sont rapportées les paroles et pensées des personnages ? Quelle est la fonction du dialogue ?

→

5. Quels sont les effets produits par cette rencontre sur chacun des personnages ? Dans quel registre se situe-t-elle ? Quel est le mot-clé de cette rencontre ?

6. Étudiez précisément le cadre spatio-temporel de la scène : quelle fonction pouvez-vous lui attribuer ?

VERS LA DISSERTATION

Stendhal affirme dans *De l'amour* que « L'amour aime, à la première vue, une physionomie qui indique à la fois dans un homme quelque chose à respecter et à plaindre. »

Dans un paragraphe organisé, vous direz comment cet épisode du roman illustre le propos de Stendhal.

TEXTE COMPLÉMENTAIRE

Jean-Jacques Rousseau, *Les Confessions* (1765-1770)

Jean-Jacques et madame de Warens

Les Confessions, de Jean-Jacques Rousseau (1712-1778), est l'ouvrage fondateur de l'auto-biographie moderne. Stendhal est un grand lecteur de Rousseau et il prête cette lecture à son héros, Julien Sorel.

Au livre II des *Confessions*, Rousseau raconte une scène de première vue, décisive pour toute sa vie. Alors âgé de seize ans, le jeune Jean-Jacques, apprenti graveur protestant, s'est enfui de Genève. Recueilli par l'abbé de Pontverre, il est envoyé par ce dernier à Annecy, chez madame de Warens, « une bonne Dame bien charitable », pour être converti au catholicisme.

Craignant donc que mon abord ne prévînt pas en ma faveur, je pris autrement mes avantages, et je fis une belle lettre en style d'orateur, où, cousant des phrases des livres avec des locutions d'apprenti, je déployais toute mon éloquence pour capter la bienveillance de Mme de Warens. J'enfermai la lettre de M. de Pontverre
5 dans la mienne, et je partis pour cette terrible audience. Je ne trouvai point Mme de Warens ; on me dit qu'elle venait de sortir pour aller à l'église. C'était le jour des Rameaux de l'année 1728. Je cours pour la suivre : je la vois, je l'atteins, je lui parle... Je dois me souvenir du lieu ; je l'ai souvent depuis mouillé de mes larmes et couvert de mes baisers. Que ne puis-je entourer d'un balustre[1] d'or cette heu-
10 reuse place ! que n'y puis-je attirer les hommages de toute la terre ! Quiconque aime à honorer les monuments du salut des hommes n'en devrait approcher qu'à genoux.

C'était un passage derrière sa maison, entre un ruisseau à main droite qui la séparait du jardin, et le mur de la cour à gauche, conduisant par une fausse porte à
15 l'église des Cordeliers. Prête à entrer dans cette porte, Mme de Warens se retourne à ma voix. Que devins-je à cette vue ! Je m'étais figuré une vieille dévote bien rechi-gnée[2] : la bonne Dame de M. de Pontverre ne pouvait être autre chose à mon avis. Je vois un visage pétri de grâces, de beaux yeux bleus pleins de douceur, un teint éblouissant, le contour d'une gorge enchanteresse. Rien n'échappa au rapide coup
20 d'œil du jeune prosélyte[3] ; car je devins à l'instant le sien, sûr qu'une religion prê-

chée par de tels missionnaires ne pouvait manquer de mener en paradis. Elle prend
en souriant la lettre que je lui présente d'une main tremblante, l'ouvre, jette un
coup d'œil sur celle de M. de Pontverre, revient à la mienne, qu'elle lit tout entière,
et qu'elle eût relue encore si son laquais ne l'eût avertie qu'il était temps d'entrer.
25 «Eh! mon enfant, me dit-elle d'un ton qui me fit tressaillir, vous voilà courant le
pays bien jeune; c'est dommage en vérité.» Puis, sans attendre ma réponse, elle
ajouta : «Allez chez moi m'attendre; dites qu'on vous donne à déjeuner; après la
messe j'irai causer avec vous.»

JEAN-JACQUES ROUSSEAU, *Les Confessions*, livre II, 1782, publ. posthume.

------

1. Balustre : clôture.
2. Rechignée : maussade, renfrognée.
3. Prosélyte : nouveau converti à une religion.

QUESTIONS

1. Étudiez le cadre spatio-temporel de la scène remémorée. Quels éléments en font un
moment privilégié ?
2. Analysez les procédés de mise en valeur dans l'évocation de Mme de Warens. Quelle est la
fonction de ce portrait ?
3. Relevez et classez toutes les similitudes que vous repérez entre cet extrait des *Confessions*
et la rencontre de Julien et de Mme de Rênal.

Stendhal,
Le Rouge et le Noir (1830) | # Un rêve d'ascension

STENDHAL
(1783 - 1842)
NOTICE BIOGRAPHIQUE P. 472

TEXTE 2

Pour le jeune Julien Sorel, la réalisation de soi passe par la réussite
sociale. La première partie du roman le montre brûlant d'énergie farouche et de mépris pour ces notables de province chez lesquels il est précepteur. Il s'impose de séduire madame de Rênal et parvient à prendre
sa main sans qu'elle la retire. Le lendemain, à la faveur d'un affrontement avec monsieur de Rênal, il lui arrache une augmentation inespé-
rée de ses gages. Exalté par ses «victoires», le héros gravit les hauteurs
qui dominent Vergy, la maison de campagne des Rênal.

Julien prenait haleine un instant à l'ombre de ces grandes
roches, et puis se remettait à monter. Bientôt, par un étroit sen-
tier à peine marqué et qui sert seulement aux gardiens des chè-
vres, il se trouva debout sur un roc immense et bien sûr d'être
5 séparé de tous les hommes. Cette position physique le fit sourire,
elle lui peignait la position qu'il brûlait d'atteindre au moral. L'air
pur de ces montagnes élevées communiqua la sérénité et même
la joie à son âme. Le maire de Verrières était bien toujours, à ses
yeux, le représentant de tous les riches et de tous les insolents de
10 la terre ; mais Julien sentait que la haine qui venait de l'agiter, malgré la violence de ses mouvements, n'avait rien de personnel. S'il

FÉLIX ZIEM, *Coucher de soleil,*
XIXe siècle. Dijon,
musée Magnin.

1. Julien est parvenu à faire disparaître
un portrait de Napoléon caché dans son
matelas. Cette découverte l'aurait perdu
dans une maison royaliste qui, sous la
Restauration, souhaite oublier l'Empire.
2. **Vingt lieues :** environ 80 kilomètres.

ACTIVITÉ TICE
LA DESTINÉE DE JULIEN

Analysez le processus
de focalisation dans les textes
du corpus à travers des
exercices numériques de
manipulation et de repérage.

Téléchargez la fiche élève
n° 30 « La destinée de
Julien » sur le site
du manuel.

eût cessé de voir M. de Rênal, en huit jours il l'eût oublié, lui, son château, ses chiens, ses enfants et toute sa famille. Je l'ai forcé, je ne sais comment, à faire le plus grand sacrifice. Quoi ! plus de cin-
15 quante écus par an ! Un instant auparavant, je m'étais tiré du plus grand danger[1]. Voilà deux victoires en un jour ; la seconde est sans mérite, il faudrait en deviner le comment. Mais à demain les péni-bles recherches.

Julien, debout sur son grand rocher, regardait le ciel, embrasé par
20 un soleil d'août. Les cigales chantaient dans le champ au-dessous du rocher, quand elles se taisaient tout était silence autour de lui. Il voyait à ses pieds vingt lieues[2] de pays. Quelque épervier parti des grandes roches au-dessus de sa tête était aperçu par lui, de temps à autre, décrivant en silence ses cercles immenses. L'œil de Julien
25 suivait machinalement l'oiseau de proie. Ses mouvements tranquil-les et puissants le frappaient, il enviait cette force, il enviait cet iso-lement.

C'était la destinée de Napoléon, serait-ce un jour la sienne ?

STENDHAL, *Le Rouge et le Noir,* livre I, chapitre X, 1830.

PREMIÈRE LECTURE

Quels vous semblent être, d'emblée, les éléments symboliques de ce décor ?

LECTURE ANALYTIQUE

Paysage et personnage

1. Étudiez l'organisation de ce texte en mettant en évidence ses effets de symétrie.

2. Quel est le point de vue dominant ? Relevez et analysez tous les éléments de correspondance entre le paysage et le personnage.

Une ascension héroïque

3. Comment s'exprime l'ambition de Julien ?

Quel est son modèle ? Justifiez votre réponse en examinant le lexique et les modalités de la phrase.

4. Précisez la nature de la « haine » que Julien porte à monsieur de Rênal.

5. Quelle est la portée de ce passage dans le roman ? Quels indices vous semblent relativiser l'optimisme de Julien ?

ORAL

Sous la forme d'un bref exposé, vous rassemblerez tous les éléments de ce passage qui font du personnage de Julien un héros *réaliste.*

Honoré de Balzac,
Le Père Goriot (1835)

HONORÉ DE BALZAC
(1799-1850)
NOTICE BIOGRAPHIQUE P. 464

Une rude initiation

TEXTE 3

Le Père Goriot propose un tableau des mœurs de la société française dans le Paris de la Restauration, à travers le parcours d'un jeune provincial. Sans fortune et désireux de réussir, Eugène de Rastignac, monté à Paris pour faire ses études de droit, a pris pension chez madame Vauquer. C'est là qu'il effectue son apprentissage auprès de divers personnages comme le père Goriot mais aussi le mystérieux Vautrin qui entreprend son initiation aux règles sociales et aux moyens de réussir : dure école pour Rastignac à ses débuts dans la vie !

Voilà le carrefour de la vie, jeune homme, choisissez. Vous avez déjà choisi : vous êtes allé chez notre cousine de Beauséant[1], et vous y avez flairé le luxe. Vous êtes allé chez madame de Restaud, la fille du père Goriot, et vous y avez flairé la Parisienne. Ce jour-là vous êtes revenu
5 avec un mot écrit sur votre front, et que j'ai bien su lire : *Parvenir* ! parvenir à tout prix. Bravo ! ai-je dit, voilà un gaillard qui me va. Il vous a fallu de l'argent. Où en prendre ? Vous avez saigné vos sœurs. Tous les frères *flouent*[2] plus ou moins leurs sœurs. Vos quinze cents francs arrachés, Dieu sait comme ! dans un pays où l'on trouve plus de châ-
10 taignes que de pièces de cent sous, vont filer comme des soldats à la maraude[3]. Après, que ferez-vous ? vous travaillerez ? Le travail, compris comme vous le comprenez en ce moment, donne, dans les vieux jours, un appartement chez maman Vauquer à des gars de la force de Poiret[4]. Une rapide fortune est le problème que se pro-
15 posent de résoudre en ce moment cinquante mille jeunes gens qui se trouvent tous dans votre position. Vous êtes une unité de ce nombre-là. Jugez des efforts que vous avez à faire et de l'acharnement du combat. Il faut vous manger les uns les autres comme des araignées
20 dans un pot, attendu qu'il n'y a pas cinquante mille bonnes places. Savez-vous comment on fait son chemin ici ? par l'éclat du génie ou par l'adresse de la corruption. Il faut entrer dans cette masse d'hommes comme un boulet de canon, ou s'y glisser comme une peste.
25 L'honnêteté ne sert à rien. L'on plie sous le pouvoir du génie, on le hait, on tâche de le calomnier, parce qu'il prend sans partager ; mais on plie s'il persiste ; en un mot, on l'adore à genoux quand on n'a pas pu l'enterrer sous la boue. La corruption est en force, le talent
30 est rare. Ainsi, la corruption est l'arme de la médiocrité qui abonde, et vous en sentirez partout la pointe. Vous verrez des femmes dont les maris ont six mille francs d'appointements pour tout potage, et qui dépensent plus de dix mille francs à leur toilette. Vous ver-
35 rez des employés à douze cents francs acheter des terres. Vous verrez des femmes se prostituer pour aller dans la voiture du fils d'un pair de France, qui peut

Eugène Rastignac et Vautrin, gravure de 1896 réalisée pour illustrer le roman *Le Père Goriot*.

courir à Longchamp sur la chaussée du milieu. Vous avez vu le pauvre bêta de père Goriot obligé de payer la lettre de change endossée par sa
40   fille[5], dont le mari a cinquante mille livres de rente. Je vous défie de faire deux pas dans Paris sans rencontrer des manigances infernales. Je parierais ma tête contre un pied de cette salade[6] que vous donnerez dans un guêpier chez la première femme qui vous plaira, fût-elle riche, belle et jeune. Toutes sont bricolées[7] par les lois, en guerre avec leurs
45   maris à propos de tout. Je n'en finirais pas s'il fallait vous expliquer les trafics qui se font pour des amants, pour des chiffons, pour des enfants, pour le ménage ou pour la vanité, rarement par vertu, soyez-en sûr. Aussi l'honnête homme est-il l'ennemi commun. Mais que croyez-vous que soit l'honnête homme ? À Paris, l'honnête homme est celui qui se
50   tait, et refuse de partager. Je ne vous parle pas de ces pauvres ilotes[8] qui partout font la besogne sans être jamais récompensés de leurs travaux, et que je nomme la confrérie des savates du bon Dieu. Certes, là est la vertu dans toute la fleur de sa bêtise, mais là est la misère. Je vois d'ici la grimace de ces braves gens si Dieu nous faisait la mauvaise plaisan-
55   terie de s'absenter au jugement dernier. Si donc vous voulez promptement la fortune, il faut être déjà riche ou le paraître. Pour s'enrichir, il s'agit ici de jouer de grands coups ; autrement on carotte[9], et votre serviteur[10] ! Si dans les cent professions que vous pouvez embrasser, il se rencontre dix hommes qui réussissent vite, le public les appelle des
60   voleurs. Tirez vos conclusions. Voilà la vie telle qu'elle est. Ça n'est pas plus beau que la cuisine, ça pue tout autant, et il faut se salir les mains si l'on veut fricoter ; sachez seulement vous bien débarbouiller : là est toute la morale de notre époque.

HONORÉ DE BALZAC, *Le Père Goriot*, 1835.

---

1. **Madame de Beauséant** est la cousine de Rastignac.
2. **Flouent** : trompent, volent, dupent.
3. **À la maraude** : partis pour piller.
4. **Poiret** : pensionnaire de madame Vauquer, employé de bureau particulièrement médiocre.
5. Signer une lettre de change, c'est s'engager à la payer. Le père Goriot, qui s'est ruiné pour ses filles, vient de rembourser la dette de l'une d'elles, madame de Restaud.
6. L'entrevue entre Vautrin et Rastignac se passe dans le jardin de la pension Vauquer.
7. **Bricolées** : ligotées comme par une bricole, c'est-à-dire une courroie.
8. **Ilotes** : nom donné par les Spartiates à leurs esclaves, réduits au dernier état de l'ignorance et de l'abjection.
9. **On carotte** : on vole de petites sommes.
10. **Votre serviteur !** : formule de politesse pour prendre congé.

PREMIÈRE LECTURE

À la première lecture de ce discours, quel homme vous paraît être Vautrin ? D'après son langage, identifiez le monde auquel il appartient.

LECTURE ANALYTIQUE

La leçon de Vautrin

1. Étudiez le jeu des pronoms, les modes et les temps verbaux. Quelle relation créent-ils entre les deux personnages ?
2. Repérez les éléments qui structurent cette démonstration et dégagez les étapes successives de la « leçon » de Vautrin.

Un discours orienté

3. Étudiez les procédés rhétoriques (questions oratoires, modalités de la phrase, lexique, répétitions, images) qui donnent au discours de Vautrin sa force de persuasion.

4. Observez les images : quelle vision Vautrin se fait-il du monde, c'est-à-dire de l'homme, du corps social et des règles qui le régissent ?
5. À l'issue de cette entrevue, Vautrin propose à Rastignac d'assurer sa fortune par un meurtre. À quelle figure mythique s'apparente-t-il ?

ÉCRITURE D'INVENTION

Imaginez qu'au terme de cette entrevue Rastignac s'insurge contre une telle vision du monde. Donnez-lui la parole pour réfuter quelques arguments de Vautrin dans un discours enthousiaste et généreux.

VERS LA DISSERTATION

En quoi le discours de Vautrin peut-il éclairer le titre général de l'œuvre de Balzac : *La Comédie humaine* ? Présentez vos idées dans un paragraphe argumenté et illustré d'exemples.

Honoré de Balzac,
Le Père Goriot (1835)

Un défi à la société

HONORÉ DE BALZAC
(1799-1850)
NOTICE BIOGRAPHIQUE P. 464

TEXTE 4

Le père Goriot, un commerçant enrichi pendant la Révolution, s'est totalement sacrifié à ses deux filles, madame de Restaud et madame de Nucingen, qui, grâce à lui, ont pu faire de riches mariages. Très ingrates, elles négligent cependant leur père qui meurt seul et ruiné à la pension Vauquer où il vivait misérablement. La dernière page du roman montre Rastignac, qui a payé les frais d'enterrement du vieillard, accompagnant le corbillard au cimetière du Père-Lachaise à Paris.

Cependant, au moment où le corps fut placé dans le corbillard, deux voitures armoriées[1], mais vides, celle du comte de Restaud et celle du baron de Nucingen, se présentèrent et suivirent le convoi jusqu'au Père-Lachaise. À six heures, le corps du père Goriot fut des-
5 cendu dans sa fosse, autour de laquelle étaient les gens[2] de ses filles, qui disparurent avec le clergé aussitôt que fut dite la courte prière due au bonhomme pour l'argent de l'étudiant. Quand les deux fossoyeurs eurent jeté quelques pelletées de terre sur la bière pour la cacher, ils se relevèrent, et l'un d'eux, s'adressant à Rastignac, lui demanda leur
10 pourboire. Eugène fouilla dans sa poche et n'y trouva rien, il fut forcé d'emprunter vingt sous à Christophe[3]. Ce fait, si léger en lui-même, détermina chez Rastignac un accès d'horrible tristesse. Le jour tombait, un humide crépuscule agaçait les nerfs, il regarda la tombe et y ensevelit sa dernière larme de jeune homme, cette larme arrachée par
15 les saintes émotions d'un cœur pur, une de ces larmes qui, de la terre où elles tombent, rejaillissent jusque dans les cieux. Il se croisa les bras, contempla les nuages, et, le voyant ainsi, Christophe le quitta.

Rastignac, resté seul, fit quelques pas vers le haut du cimetière et vit Paris tortueusement couché le long des deux rives de la Seine,
20 où commençaient à briller les lumières. Ses yeux s'attachèrent presque avidement entre la colonne de la place Vendôme et le dôme des Invalides, là où vivait ce beau monde dans lequel il avait voulu pénétrer. Il lança sur cette ruche bourdonnante un regard qui semblait par avance en pomper le miel, et dit ces mots grandioses : – À nous
25 deux maintenant !

Et pour premier acte du défi qu'il portait à la Société, Rastignac alla dîner chez madame de Nucingen[4].

HONORÉ DE BALZAC, *Le Père Goriot*, 1835.

---

1. Armoriées : ornées des armoiries, c'est-à-dire des blasons, de ces familles nobles.
2. Gens : les domestiques, les valets.
3. Christophe : domestique à la pension Vauquer où vivait le père Goriot ainsi que Rastignac et Vautrin.
4. Delphine de Nucingen : fille du père Goriot et épouse d'un riche banquier, devenue la maîtresse de Rastignac.

ACTIVITÉ TICE
L'ENTERREMENT DU PÈRE GORIOT

Analysez le processus de focalisation dans les textes du corpus à travers des exercices numériques de manipulation et de repérage.

Téléchargez la fiche élève n° 31 « L'enterrement du père Goriot » sur le site du manuel.

PREMIÈRE LECTURE

Quelles impressions produit sur vous cette scène d'enterrement ?

LECTURE ANALYTIQUE

Une cérémonie prosaïque

1. Mettez en relation les indications temporelles qui rythment la cérémonie et le rôle joué par l'argent. Que veut montrer l'auteur d'après vous ?

2. Quelle vision de la société le narrateur exprime-t-il à travers le personnage de Rastignac ?

Illusions perdues

3. Étudiez la dimension symbolique du contexte spatio-temporel de cette fin de roman.

Observez les métaphores : quelle image de la ville de Paris donnent-elles ?

4. Rassemblez les éléments qui indiquent que le personnage a évolué en cette fin de roman.

Un début dans la vie

5. Observez le réseau des oppositions et montrez que cette fin de roman est aussi un début.

ÉCRITURE D'INVENTION

Rastignac se rend chez Delphine de Nucingen et lui relate cet événement. Imaginez son récit.

Gustave Flaubert, *L'Éducation sentimentale* (1869)

Frédéric et madame Arnoux

GUSTAVE FLAUBERT
(1821 - 1880)
NOTICE BIOGRAPHIQUE P. 467

ACTIVITÉ TICE
LA RENCONTRE DE FRÉDÉRIC ET MADAME ARNOUX

Analysez le processus de focalisation dans les textes du corpus à travers des exercices numériques de manipulation et de repérage.

Téléchargez la fiche élève n° 32 « La rencontre_2 » sur le site du manuel.

TEXTE 5

L'Éducation sentimentale est le roman de toute une génération qui connaît, à Paris sous la monarchie de Juillet et à travers l'expérience individuelle du héros, une série de désillusions.
Au début du roman, en septembre 1840, Frédéric Moreau, un jeune bachelier de dix-huit ans, revient de Paris chez sa mère à Nogent-sur-Seine. Sur le pont du bateau, il fait une rencontre décisive.
Cet épisode est la reprise d'un événement obsédant dans la vie et l'œuvre de Flaubert : en 1836, âgé de quinze ans, il fait la rencontre, sur une plage de Trouville, d'Élisa Schlésinger, une jeune femme inoubliable qui le marquera durablement.

Ce fut comme une apparition :

Elle était assise, au milieu du banc, toute seule ; ou du moins il ne distingua personne, dans l'éblouissement que lui envoyèrent ses yeux. En même temps qu'il passait, elle leva la tête ; il fléchit invo-
5 lontairement les épaules ; et, quand il se fut mis plus loin, du même côté, il la regarda.

Elle avait un large chapeau de paille, avec des rubans roses, qui palpitaient au vent, derrière elle. Ses bandeaux[1] noirs, contournant la pointe de ses grands sourcils, descendaient très bas et semblaient
10 presser amoureusement l'ovale de sa figure. Sa robe de mousseline claire, tachetée de petits pois, se répandait à plis nombreux. Elle était en train de broder quelque chose ; et son nez droit, son menton, toute sa personne se découpait sur le fond de l'air bleu.

CLAUDE MONET, *Essai de figure en plein air : femme à l'ombrelle tournée vers la droite,* 1886. Paris, Musée d'Orsay.

Comme elle gardait la même attitude, il fit plusieurs tours
15 de droite et de gauche pour dissimuler sa manœuvre; puis il
se planta tout près de son ombrelle, posée contre le banc, et
il affectait[2] d'observer une chaloupe sur la rivière.

Jamais il n'avait vu cette splendeur de sa peau brune, la
séduction de sa taille, ni cette finesse des doigts que la lumière
20 traversait. Il considérait son panier à ouvrage avec ébahisse-
ment, comme une chose extraordinaire. Quels étaient son
nom, sa demeure, sa vie, son passé? Il souhaitait connaître
les meubles de sa chambre, toutes les robes qu'elle avait portées, les gens qu'elle fréquentait; et le désir de la possession
25 physique même disparaissait sous une envie plus profonde,
dans une curiosité douloureuse qui n'avait pas de limites.

Une négresse, coiffée d'un foulard, se présenta, en tenant
par la main une petite fille, déjà grande. L'enfant, dont les
yeux roulaient des larmes, venait de s'éveiller. Elle la prit sur
30 ses genoux : «Mademoiselle n'était pas sage, quoiqu'elle eût
sept ans bientôt; sa mère ne l'aimerait plus; on lui pardonnait
trop ses caprices.» Et Frédéric se réjouissait d'entendre ces
choses, comme s'il eût fait une découverte, une acquisition.

Il la supposait d'origine andalouse, créole peut-être; elle
35 avait ramené des îles cette négresse avec elle.

Cependant, un long châle à bandes violettes était placé derrière son dos, sur le bordage de cuivre. Elle avait dû, bien des fois, au
milieu de la mer, durant les soirs humides, en envelopper sa taille,
s'en couvrir les pieds, dormir dedans! Mais, entraîné par les franges,
40 il glissait peu à peu, il allait tomber dans l'eau; Frédéric fit un bond
et le rattrapa. Elle lui dit :

– Je vous remercie, Monsieur.

Leurs yeux se rencontrèrent.

– Ma femme, es-tu prête? cria le sieur Arnoux, apparaissant dans
le capot de l'escalier.

GUSTAVE FLAUBERT, *L'Éducation sentimentale*, 1re partie, chapitre 1, 1869.

1. **Bandeaux** : cheveux disposés
en bandes de chaque côté du visage.
2. **Affectait** : faisait semblant.

PREMIÈRE LECTURE

Quels aspects de cette rencontre vous plaisent le plus ?
Pourquoi ?

LECTURE ANALYTIQUE

Une apparition

1. Étudiez le champ lexical du regard. Montrez
son importance dans la naissance de l'amour. Quel est
le point de vue adopté dans la perception de la jeune
femme ? Pourquoi selon vous ?

2. Donnez le sens et les connotations du mot
« apparition ». Mettez en évidence son retentissement
dans le portrait de madame Arnoux. En quoi s'apparente-
t-il à un tableau ?

La rêverie amoureuse

3. Étudiez les différents effets produits par la rencontre
sur le personnage de Frédéric. Que nous révèle-t-elle
de lui-même ?

Le regard du narrateur

4. Quel est le point de vue adopté pour rendre compte
des réactions du jeune homme ? Commentez cet effet
de distance.

5. Y a-t-il réellement échange entre les deux
personnages ? Comment cette scène de rencontre
s'achève-t-elle ? Quelles informations apporte-t-elle
à Frédéric ?

Ivan Tourgueniev, *Premier Amour* (1860)

▸ Le trouble amoureux

Ivan Tourgueniev (1818-1883) est un écrivain russe, auteur de pièces de théâtre, de romans et de nouvelles réalistes et fantastiques. *Premier Amour* est le récit que fait Vladimir Pétrovitch aux invités d'une soirée qui lui en ont fait la demande. La scène se passe au cours de l'été 1833. Le narrateur, alors âgé de seize ans, passe les vacances dans une villa louée par ses parents. Un soir, alors qu'il chasse les corbeaux dans le parc, ses pas le conduisent auprès de la maison voisine où viennent d'emménager de nouveaux occupants.

Je marchais, tête baissée, lorsque je crus entendre un bruit de voix ; je jetai un coup d'œil par-dessus la palissade, et m'arrêtai stupéfait... Un spectacle étrange s'offrait à mes regards.

À quelques pas devant moi, sur une pelouse bordée de framboisiers verts, se
5 tenait une jeune fille, grande et élancée, vêtue d'une robe rose à raies et coiffée d'un petit fichu blanc ; quatre jeunes gens faisaient cercle autour d'elle, et elle les frappait au front, à tour de rôle, avec une de ces fleurs grises dont le nom m'échappe, mais que les enfants connaissent bien : elles forment de petits sachets qui éclatent avec bruit quand on leur fait heurter quelque chose de dur. Les victimes offraient leur
10 front avec un tel empressement, et il y avait tant de charme, de tendresse impérative et moqueuse, de grâce et d'élégance dans les mouvements de la jeune fille (elle m'apparaissait de biais), que je faillis pousser un cri de surprise et de ravissement... J'aurais donné tout au monde pour que ces doigts adorables me frappassent aussi.

Mon fusil glissa dans l'herbe ; j'avais tout oublié et dévorais des yeux cette taille
15 svelte, ce petit cou, ces jolies mains, ces cheveux blonds légèrement ébouriffés sous le fichu blanc, cet œil intelligent à moitié clos, ces cils et cette joue veloutée...

« Dites donc, jeune homme, croyez-vous qu'il soit permis de dévisager de la sorte des demoiselles que vous ne connaissez pas ? » fit soudain une voix, tout contre moi.

Je tressaillis et restai interdit... Un jeune homme aux cheveux noirs coupés
20 très courts me toisait d'un air ironique, de l'autre côté de la palissade. Au même instant, la jeune fille se tourna également de mon côté... J'aperçus de grands yeux gris, sur un visage mobile qu'agita tout à coup un léger tremblement, et le rire, d'abord contenu, fusa, sonore, découvrant ses dents blanches et arquant curieusement les sourcils de la jeune personne... Je rougis piteusement, ramas-
25 sai mon fusil et m'enfuis à toutes jambes, poursuivi par les éclats de rire. Arrivé dans ma chambre, je me jetai sur le lit et me cachai le visage dans les mains. Mon cœur battait comme un fou ; je me sentais confus et joyeux, en proie à un trouble comme je n'en avais encore jamais éprouvé.

IVAN TOURGUENIEV, *Premier Amour*, 1860, traduit du russe par Hofmann.

QUESTIONS

1. Étudiez tous les indices spatio-temporels : le temps (époque, moment, saison, âge, circonstances) ; le lieu.

2. Quel est l'effet immédiat produit par la rencontre ?

3. La rencontre amoureuse joue un rôle inaugural et programme la suite de la narration. Formulez des hypothèses sur la suite de ce récit.

Émile Zola, *L'Assommoir* (1877)

Une rencontre à l'Assommoir

ÉMILE ZOLA
(1840 - 1902)
NOTICE BIOGRAPHIQUE P. 473

TEXTE 6

Au début du roman, Gervaise Macquart est abandonnée, avec ses deux fils, par son compagnon Auguste Lantier. Elle rencontre l'ouvrier Coupeau qui l'invite à prendre un verre à l'Assommoir, un cabaret tenu par le père Colombe, où fonctionne l'alambic, un appareil à distiller l'alcool.

«Oh! c'est vilain de boire!» dit-elle à demi-voix.

Et elle raconta qu'autrefois, avec sa mère, elle buvait de l'anisette, à
5 Plassans[1]. Mais elle avait failli en mourir un jour, et ça l'avait dégoûtée ; elle ne pouvait plus voir les liqueurs.

«Tenez, ajouta-t-elle en montrant
10 son verre, j'ai mangé ma prune ; seulement, je laisserai la sauce[2], parce que ça me ferait du mal.»

Coupeau, lui aussi, ne comprenait pas qu'on pût avaler de pleins ver-
15 res d'eau-de-vie. Une prune par-ci, par-là, ça n'était pas mauvais. Quant au vitriol[3], à l'absinthe et aux autres cochonneries, bonsoir ! il n'en fallait pas. Les camarades avaient beau le
20 blaguer, il restait à la porte, lorsque ces cheulards-là[4] entraient à la mine à poivre[5]. Le papa Coupeau, qui était zingueur comme lui, s'était écrabouillé la tête sur le pavé de la rue Coquenard, en tombant, un jour
25 de ribote[6], de la gouttière du n° 25 ; et ce souvenir, dans la famille, les rendait tous sages. Lui, lorsqu'il passait rue Coquenard et qu'il voyait la place, il aurait plutôt bu l'eau du ruisseau que d'avaler un canon[7] gratis chez le marchand de vin. Il conclut par cette phrase :

«Dans notre métier, il faut des jambes solides.»

30 Gervaise avait repris son panier. Elle ne se levait pourtant pas, le tenait sur ses genoux, les regards perdus, rêvant, comme si les paroles du jeune ouvrier éveillaient en elle des pensées lointaines d'existence. Et elle dit encore, lentement, sans transition apparente :

«Mon Dieu ! je ne suis pas ambitieuse, je ne demande pas grand-
35 chose... Mon idéal, ce serait de travailler tranquille, de manger toujours du pain, d'avoir un trou un peu propre pour dormir, vous savez, un lit, une table et deux chaises, pas davantage... Ah ! je voudrais aussi élever mes enfants, en faire de bons sujets, si c'était possible... Il y a encore un idéal, ce serait de ne pas être battue, si je me remettais

EDGAR DEGAS,
L'Absinthe (détail), 1876.

1. **Plassans** : ville imaginaire de Provence où Zola situe le berceau de la famille Rougon-Macquart.
2. **Sauce** : eau-de-vie, alcool.
3. **Vitriol** : alcool.
4. **Cheulards** : ivrognes, buveurs.
5. **Mine à poivre** : le cabaret (*poivre* signifie poivrot, homme ivre).
6. **Ribote** : ivresse.
7. **Un canon** : un verre de vin.

🖱 **ACTIVITÉ TICE**

LA FOCALISATION DANS LA RENCONTRE DE COUPEAU ET GERVAISE

Analysez le processus de focalisation dans les textes du corpus à travers des exercices numériques de manipulation et de repérage.

Téléchargez la fiche élève n° 33 « La rencontre_3» sur le site du manuel.

GUSTAVE CAILLEBOTTE, *Au café*,
1880. Rouen, musée
des Beaux-Arts.

40 jamais en ménage ; non, ça ne me plairait pas d'être battue... Et c'est
tout, vous voyez, c'est tout... »

Elle cherchait, interrogeait ses désirs, ne trouvait plus rien de
sérieux qui la tentât. Cependant, elle reprit, après avoir hésité :

« Oui, on peut à la fin avoir le désir de mourir dans son lit... Moi,
45 après avoir bien trimé toute ma vie, je mourrais volontiers dans mon
lit, chez moi. »

Et elle se leva. Coupeau, qui approuvait vivement ses souhaits, était
déjà debout, s'inquiétant de l'heure. Mais ils ne sortirent pas tout de
suite ; elle eut la curiosité d'aller regarder, au fond, derrière la barrière
50 de chêne, le grand alambic de cuivre rouge, qui fonctionnait sous le
vitrage clair de la petite cour ; et le zingueur, qui l'avait suivie, lui expliqua comment ça marchait, indiquant du doigt les différentes pièces de
l'appareil, montrant l'énorme cornue d'où tombait un filet limpide d'alcool. L'alambic, avec ses récipients de forme étrange, ses enroulements
55 sans fin de tuyaux, gardait une mine sombre ; pas une fumée ne s'échap-
pait ; à peine entendait-on un souffle intérieur, un ronflement souter-
rain ; c'était comme une besogne de nuit faite en plein jour, par un tra-
vailleur morne, puissant et muet. Cependant, Mes-Bottes[8], accompagné
de ses deux camarades, était venu s'accouder sur la barrière, en atten-
60 dant qu'un coin du comptoir fût libre. Il avait un rire de poulie mal grais-
sée, hochant la tête, les yeux attendris, fixés sur la machine à soûler.

8. **Mes-Bottes :** surnom d'un camarade
de Coupeau.

Tonnerre de Dieu! elle était bien gentille! Il y avait, dans ce gros bedon de cuivre, de quoi se tenir le gosier au frais pendant huit jours. Lui, aurait voulu qu'on lui soudât le bout du serpentin entre les dents, pour
65 sentir le vitriol encore chaud l'emplir, lui descendre jusqu'aux talons, toujours, toujours, comme un petit ruisseau. Dame! il ne se serait plus dérangé, ça aurait joliment remplacé les dés à coudre de ce roussin[9] de père Colombe! Et les camarades ricanaient, disaient que cet animal de Mes-Bottes avait un fichu grelot[10], tout de même. L'alambic, sourdement,
70 sans une flamme, sans une gaieté dans les reflets éteints de ses cuivres, continuait, laissait couler sa sueur d'alcool, pareil à une source lente et entêtée, qui à la longue devait envahir la salle, se répandre sur les boulevards extérieurs, inonder le trou immense de Paris.

ÉMILE ZOLA, *L'Assommoir*, Chapitre 2, 1877.

9. **Roussin** : injure pour désigner un indicateur de police, *la rousse* en argot.
10. **Avait un fichu grelot** : était un fameux bavard.

Sur quelle impression dominante vous laisse le cadre spatial de cette première rencontre ?

Un thème naturaliste

1. Quels détails de ce texte créent une impression de sourde menace ? Classez les traits qui vous semblent annoncer le poids de l'hérédité et l'influence du milieu sur les personnages.

La langue du peuple

2. Repérez les paroles rapportées et identifiez les différents types de discours. Que permet l'emploi de ces différents discours dans le récit naturaliste ?

3. Relevez, dans la conversation, tous les détails réalistes et les indices d'appartenance des personnages à un milieu populaire.

La machine à soûler

4. Observez la description de l'alambic. Relevez les procédés qui l'assimilent à un organisme vivant, à une figure mythologique. Pourquoi ce choix selon vous ?

Dans la Préface de *L'Assommoir*, pour répondre aux attaques dont il est l'objet, Zola écrit : « On s'est fâché contre les mots. Mon crime est d'avoir eu la curiosité littéraire de ramasser et de couler dans un moule très travaillé *la langue du peuple*. »
Dans un paragraphe de commentaire, vous étudierez les différents procédés littéraires mis en œuvre par Zola pour faire entendre cette langue du peuple.

à retenir

Le personnage romanesque épouse les mutations du roman au XIXe siècle. Lointain héritier du héros épique, de plus en plus individualisé dans les œuvres réalistes, il s'émancipe de son modèle héroïque dans une relation de plus grande familiarité et proximité avec le lecteur. Être de papier, il est une représentation fictionnelle qui résulte de différents procédés de caractérisation et d'intégration à la narration. Le personnage est lié au dispositif narratif. Il peut être, par exemple, le personnage narrateur ou destinataire du récit. Globalement, par souci d'objectivité, le roman du XIXe siècle privilégie le récit historique (narration à la troisième personne).
Mais la focalisation interne articule le portrait du personnage et l'action narrative. Le personnage est loin d'être isolé dans le roman. Il entre dans un ensemble organisé (personnages principaux, secondaires, silhouettes, etc.) : ce système des personnages est régi par les contrastes et les complémentaires, les relations d'affinités ou d'oppositions. Actif ou passif, le personnage joue un rôle dans l'action. Il est une force agissante dont le schéma actantiel résume les différents pôles (sujet, objet, adjuvant, opposant, destinateur, destinataire) qu'il peut occuper, parfois simultanément.
Le personnage est caractérisé par les discours rapportés sous différentes formes. Ils révèlent les façons de parler (langage), l'origine sociale, les mentalités et donnent accès à l'intériorité du personnage. Sont également révélateurs les lieux, les milieux, les décors dans lesquels s'inscrit le personnage ainsi que les objets qui lui sont associés.

Le réalisme en peinture

ÉDOUARD MANET, *La Prune*, 1878, huile sur toile
(H. 73,6 cm x L. 50,2 cm) National Gallery, Londres.

La Prune appartient à une série de tableaux que Manet consacre à la vie parisienne. À partir de 1878, il peint de nombreuses scènes de restaurants et cafés, lieux de rencontre qu'il fréquente assidûment avec ses camarades artistes. Il retrouve régulièrement Monet et Renoir à « La Nouvelle Athènes ». On suppose d'ailleurs qu'il s'est ici inspiré de ce café pour le décor.

Déjà critiqué pour le réalisme cru de son *Olympia* et de son *Déjeuner sur l'herbe*, Manet tourne encore le dos aux conventions les plus classiques avec ce portrait. Son sujet ? Ce n'est autre qu'une jeune femme anonyme et de condition modeste, qui pourrait aussi bien être une prostituée qu'une petite employée. On croirait la scène croquée sur le vif tant elle semble réaliste. Mais elle a bien été composée dans l'atelier de l'artiste.

QUESTIONS

1. Comment le peintre a-t-il cadré son portrait ?
2. Comment le peintre traduit-il l'isolement de la jeune femme et les effets de l'alcool ?
3. Vous étudierez l'attitude de la jeune femme et son regard ainsi que l'expression de son visage.

Le roman

LES ORIGINES DU ROMAN, DE L'ANTIQUITÉ AU XVIIᴱ

L'origine du roman remonte à l'Antiquité. On a conservé une dizaine de romans grecs et latins, dont *Chéréas et Callirhoé* dont la datation est inconnue.

Le terme « roman » apparaît au Moyen Âge. Il n'a pas alors le même sens qu'aujourd'hui. On appelait « romans » des œuvres en vers écrites en français. Les premiers romans sont des récits de chevalerie, dont les plus connus sont ceux de Chrétien de Troyes (XIIᵉ siècle).

Au XVIᵉ siècle, François Rabelais écrit un cycle de romans comiques en prose mettant en scène des géants, Gargantua et Pantagruel, en parodiant notamment l'*Odyssée*.

Dans la seconde moitié du XVIIᵉ siècle, le roman se centre sur l'analyse psychologique des personnages, comme dans *La Princesse de Clèves* de Madame de Lafayette. Dans les premières tentatives de définition du genre à cette époque s'affirme l'idée que le propre du roman est la fiction amoureuse. Le roman doit aussi emporter l'adhésion du lecteur par sa vraisemblance.

DE LA NAISSANCE DU ROMAN MODERNE À L'ÂGE D'OR DU ROMAN AU XIXᴱ

Le roman épistolaire, né au XVIIᵉ siècle, s'affirme au XVIIIᵉ avec notamment *La Nouvelle Héloïse* de Jean-Jacques Rousseau (1761) et *Les Liaisons dangereuses* de Choderlos de Laclos (1782). Le siècle des Lumières voit naître le roman moderne et les interrogations sur le genre se poursuivent dans *Jacques le fataliste* de Diderot, un roman qui est aussi une critique du roman.

Le XIXᵉ siècle est l'âge d'or du genre. Les romantiques écrivent des romans aux accents lyriques (*René* de René-François de Chateaubriand, en 1802) et des romans sociaux dénonçant les injustices (*Les Misérables* de Victor Hugo, en 1862). Le réalisme puis le naturalisme en font un document humain qui décrit la réalité, révèle et dénonce les problèmes sociaux.

LES CARACTÉRISTIQUES DU ROMAN

Longtemps considéré comme le parent pauvre de la littérature, le roman n'a pas été codifié comme l'ont été le théâtre ou la poésie. Cette absence de code a donné au roman une grande liberté formelle (romans épistolaires, à la première personne, dialogués, autobiographiques) mais aussi thématique. Tous les sujets, toutes les époques peuvent être abordés, tous les milieux sociaux peuvent être dépeints. Le romancier peut librement choisir le cadre spatio-temporel dans lequel il fait évoluer ses personnages et jouer du point de vue narratif (c'est-à-dire de la façon dont il présente les événements et donne à voir les personnages). À cette extrême liberté dans la forme, s'ajoute une grande variété de registres (comique, lyrique, pathétique, satirique, polémique). Comme le disait Pierre Larousse en 1864, dans l'article « Roman » de son *Dictionnaire*, le succès du genre est pour partie dû au fait « qu'il se prête à toutes les métamorphoses ».

Caricature du romancier Émile Zola, tenant son ouvrage *Les Rougon-Macquart* et saluant la statue de Honoré de Balzac qui le salue en retour.

1. La phrase simple et la phrase complexe

Selon qu'elle s'articule autour d'un ou de plusieurs verbes conjugués, la phrase est dite « simple » ou « complexe ». Les phrases simples sont constituées de propositions indépendantes contenant un seul verbe conjugué. Dans le cas d'une phrase complexe, chacun des verbes conjugués est le centre d'une proposition.

> **EXEMPLES**
> **Phrase simple** : « Ce fut comme une apparition » (Flaubert, *L'Éducation sentimentale*).
> **Phrase complexe** : « Rastignac, resté seul, fit quelques pas vers le haut du cimetière et vit Paris tortueusement couché le long des deux rives de la Seine, où commençaient à briller les lumières. » (Balzac, *Le Père Goriot*).

2. Les types de phrase

a. La phrase déclarative : « Je vous remercie, monsieur » (Flaubert, *L'Éducation sentimentale*).

b. La phrase interrogative : « Que voulez-vous ici, mon enfant ? » (Stendhal, *Le Rouge et le Noir*).

c. La phrase impérative (ou injonctive) : « Allez chez moi m'attendre ; dites qu'on vous donne à déjeuner ; après la messe, j'irai causer avec vous » (Rousseau, *Les Confessions*).

d. La phrase exclamative : « À nous deux, maintenant ! » (Balzac, *le Père Goriot*).

3. Les rythmes dans la phrase

a. Les rythmes réguliers

Le rythme binaire est caractéristique des phrases organisées en deux parties et peut traduire l'équilibre et la symétrie.

> **EXEMPLE** « Vous êtes allé chez notre cousine de Beauséant, et vous y avez flairé le luxe. Vous êtes allé chez madame de Restaud, la fille du père Goriot, et vous y avez flairé la Parisienne » (Balzac, *Le Père Goriot*).

Le rythme ternaire (en trois parties) permet de mettre en évidence les parallélismes et des effets d'amplification.

> **EXEMPLE** « Jamais il n'avait vu cette splendeur de sa peau brune, la séduction de sa taille, ni cette finesse des doigts que la lumière traversait » (Flaubert, *L'Éducation sentimentale*).

b. Les rythmes irréguliers

Lorsque les propositions qui se suivent dans une phrase deviennent de plus en plus longues, on parle de **progression**.

> **EXEMPLE** : « Je cours pour la suivre : je la vois, je l'atteins, je lui parle... Je dois me souvenir du lieu ; je l'ai souvent depuis mouillé de mes larmes et couvert de mes baisers » (Rousseau, *Les Confessions*).

4. Le nom et ses expansions

Les expansions, constitutives du groupe nominal, servent à préciser les caractéristiques du nom et à le qualifier. Plusieurs éléments de nature grammaticale différente peuvent jouer ce rôle. On les trouve fréquemment associés.

a. Les adjectifs qualificatifs épithètes peuvent se situer avant ou après le nom qu'ils qualifient.

> **EXEMPLE** : « de beaux yeux bleus pleins de douceur », (Rousseau, *Les Confessions*).

b. Les compléments du nom sont introduits par une préposition.

> **EXEMPLE** : « Elle avait un large chapeau de paille, avec des rubans roses »
> (Flaubert, *L'Éducation sentimentale*).

c. Les propositions subordonnées relatives sont introduites par un pronom relatif et complètent l'antécédent.

> **EXEMPLE** « Elle prend en souriant la lettre que je lui présente d'une main tremblante, [...] qu'elle lit tout entière et qu'elle eût relu encore si son laquais ne l'eût avertie qu'il était temps d'entrer » (Rousseau, *Les Confessions*).

5. Les formes du discours rapporté

Dans le cadre d'un récit, d'un roman, d'une nouvelle, le narrateur peut rapporter les paroles au discours direct, au discours indirect ou au discours indirect libre.

a. Le discours direct

Le discours direct reproduit des paroles conformes à celles qui ont été prononcées. Les signes typographiques (guillemets et tirets) sont utilisés pour distinguer l'énoncé du reste du récit et l'auteur du discours est identifié par des propositions incises (« dit-il », « s'exclama-t-elle », etc.).

> **EXEMPLE** « Que voulez-vous mon enfant ? [...] – Je viens pour être précepteur, madame, lui dit-il enfin, tout honteux de ses larmes qu'il essuyait au mieux » (Stendhal, *Le Rouge et le Noir*).

b. Le discours indirect

Le discours indirect rapporte les propos d'un locuteur en les intégrant au récit grâce à un verbe de parole suivi d'une subordonnée complétive ou interrogative indirecte. Il veille au respect de la concordance des temps ainsi qu'au changement de personne et d'indicateurs spatio-temporels.

> **EXEMPLE** : « Et elle raconta qu'autrefois, avec sa mère, elle buvait de l'anisette, à Plassans » (Zola, *L'Assommoir*).

c. Le discours indirect libre

Le discours indirect libre reprend les modifications de temps et de personne du discours indirect, mais il rapporte les paroles prononcées sans indiquer le changement de situation d'énonciation. Il conserve ainsi l'expressivité des propos tenus.

> **EXEMPLES**
>
> « Quoi, c'était là ce précepteur qu'elle s'était figuré comme un prêtre sale et mal vêtu, qui viendrait gronder et fouetter ses enfants ! » (Stendhal, *Le Rouge et le Noir*).
>
> « Coupeau, lui aussi, ne comprenait pas qu'on pût avaler de pleins verres d'eau-de-vie. Une prune par-ci, par-là, ça n'était pas mauvais. Quant au vitriol, à l'absinthe et aux autres cochonneries, bonsoir ! il n'en fallait pas. » (Zola, *L'Assommoir*).

EXERCICE 1   **Réécrivez les phrases suivantes au discours direct.**

a) « Et elle raconta qu'autrefois, avec sa mère, elle buvait de l'anisette, à Plassans. » (Zola, *L'Assommoir*).
b) « L'un (des fossoyeurs) s'adressant à Rastignac, lui demanda leur pourboire. Eugène fouilla dans sa poche et n'y trouva rien, il fut forcé d'emprunter vingt sous à Christophe. » (Balzac, *Le Père Goriot*).

EXERCICE 2   **Transposez au discours indirect le dialogue de Julien et Madame de Rênal (p. 267, lignes 34 à 46).**

EXERCICE 3   **Étudiez le type et le rythme des phrases dans le discours de Vautrin (p. 271, lignes 1 à 14).**

EXERCICES SUPPLÉMENTAIRES
À retrouver sur le site du manuel.

Honoré de Balzac, *Le Colonel Chabert* (1832)

Le portrait du colonel Chabert

HONORÉ DE BALZAC
(1799-1850)
NOTICE BIOGRAPHIQUE P. 464

TEXTE 1

Le Colonel Chabert conte l'histoire d'un colonel de l'Empire, tenu pour mort à la bataille d'Eylau (1807) et qui revient à Paris en 1815 après des années d'errance et de souffrances. Il trouve sa femme, héritière de toute sa fortune, remariée, et tente de faire reconnaître son identité dans un monde aux yeux duquel il n'existe plus et dans lequel nul n'a intérêt à le voir reprendre sa place et sa fortune. Il vient consulter un avoué, maître Derville.

Le jeune avoué demeura pendant un moment stupéfait en entrevoyant dans le clair-obscur le singulier client qui l'attendait. Le colonel Chabert était aussi parfaitement immobile que peut l'être une figure en cire de ce cabinet de Curtius[1] où Godeschal[2] avait voulu
5 mener ses camarades. Cette immobilité n'aurait peut-être pas été un sujet d'étonnement, si elle n'eût complété le spectacle surnaturel que présentait l'ensemble du personnage. Le vieux soldat était sec et maigre. Son front, volontairement caché sous les cheveux de sa perruque lisse, lui donnait quelque chose de mystérieux. Ses yeux paraissaient
10 couverts d'une taie transparente : vous eussiez dit de la nacre sale dont les reflets bleuâtres chatoyaient à la lueur des bougies. Le visage pâle, livide, et en lame de couteau, s'il est permis d'emprunter cette expression vulgaire, semblait mort. Le cou était serré par une mauvaise cravate de soie noire. L'ombre
20 cachait si bien le corps à partir de la ligne brune que décrivait ce haillon, qu'un homme d'imagination aurait pu prendre cette vieille tête pour quelque silhouette due au hasard, ou pour
25 un portrait de Rembrandt[3], sans cadre. Les bords du chapeau qui couvrait le front du vieillard projetaient un sillon noir sur le haut du visage. Cet effet bizarre, quoi-
30 que naturel, faisait ressortir, par

Gérard Depardieu est le colonel
Chabert dans l'adaptation
du roman de Honoré de Balzac
par Yves Angelo en 1994.

1. **Curtius** : inventeur, en 1770, d'un salon de figures de cire au Palais Royal.
2. **Godeschal** : clerc, employé à l'étude de maître Derville.
3. **Rembrandt** : peintre et graveur hollandais (1606-1669).
4. **Idiotisme** : idiotie maladive, stupidité.
5. Souvenir d'une expression de Bossuet dans son *Sermon sur la mort* (1662) pour désigner le cadavre : «un je ne sais quoi qui n'a de nom dans aucune langue» et qui définit Chabert lui-même comme un être «innommable».

REMBRANDT, *Autoportrait,*
1660. New York,
Metropolitain
Museum of Art.

ACTIVITÉ TICE
LES PORTRAITS, DE LA
LITTÉRATURE À LA PEINTURE
Créez un diaporama pour
comparer les portraits
des personnages en littérature
et en peinture.

Téléchargez la fiche élève n° 34
« Le portrait de la littérature
à la peinture » sur le site
du manuel.

la brusquerie du contraste, les rides blanches, les sinuosités froides, le sentiment décoloré de cette physionomie cadavéreuse. Enfin l'absence de tout mouvement dans le corps, de toute chaleur dans le
35 regard, s'accordait avec une certaine expression de démence triste, avec les dégradants symptômes par lesquels se caractérise l'idiotisme[4], pour faire de cette figure je ne sais quoi de funeste qu'aucune parole humaine ne pourrait exprimer[5]. Mais un observateur, et surtout un avoué, aurait trouvé de plus en cet homme foudroyé les signes d'une
40 douleur profonde, les indices d'une misère qui avait dégradé ce visage, comme les gouttes d'eau tombées du ciel sur un beau marbre l'ont à la longue défiguré.

HONORÉ DE BALZAC, *Le Colonel Chabert,* 1832.

PREMIÈRE LECTURE

À la première lecture de ce portrait, quelle idée vous faites-vous de la personnalité du colonel Chabert ?

LECTURE ANALYTIQUE

L'organisation du portrait
1. Par quel regard le personnage est-il perçu ?
2. Quel ordre suit le regard qui détaille le personnage et quels éléments sélectionne-t-il ?
Les procédés de la caractérisation
3. Relevez toutes les références à la peinture.

Quelle est leur fonction ?
4. Étudiez le champ lexical de la mort et la métaphore filée du cadavre : dans quel registre ce portrait s'inscrit-il ? Est-il seulement réaliste ? Justifiez votre réponse.

ÉCRITURE D'INVENTION

Choisissez la reproduction d'un portrait peint et décrivez le personnage en suggérant son passé et son destin à partir de ses traits physiques.

Pierre Michon, *Vies minuscules* (1984)
Le père Foucault, un portrait pictural

Vies minuscules, premier ouvrage de l'écrivain contemporain Pierre Michon, évoque la figure de petites gens dont la trajectoire a croisé ou accompagné celle de leur narrateur. Dans la cinquième « Vie » du recueil qui en comporte huit, le narrateur se retrouve à l'hôpital de Clermont-Ferrand après une bagarre dans un bistrot. Il a pour voisin de lit un vieux meunier, le père Foucault, atteint d'un cancer de la gorge et qui refuse obstinément d'aller se faire soigner à Paris. Les médecins tentent, une nouvelle fois, de le convaincre.

Un matin je fus arraché à ma lecture par l'entrée, théâtrale comme celle de capitaines d'une ronde de nuit avec tous leurs troupiers, d'une délégation plus importante que de coutume, qui se rendit tout droit au lit du père Foucault : un médecin à profil aigu, magistral et digne comme un grand inquisiteur[1], un autre plus
5 jeune et athlétique mais mou sous sa barbiche, une poignée d'internes, une nuée pépiante d'infirmières ; on envoyait le ban et l'arrière-ban pour convertir le vieux relaps[2] ; on passait à la question extraordinaire[3]. Le père Foucault était assis à sa place favorite ; il s'était levé, on l'avait fait rasseoir ; et le soleil, qui laissait dans la pénombre les têtes bavardes des médecins restés debout, inondait son crâne dur et
10 sa bouche close, obstinément : on eût dit que les docteurs de la *Leçon d'anatomie*[4] avaient changé de toile, s'étaient massés dans l'ombre derrière *L'Alchimiste*[5] à sa fenêtre, et emplissaient l'espace habituel de son recueillement de leurs puissantes présences empesées de blanc, du brouhaha de leur savoir ; lui, intimidé de ce peu habituel intérêt qu'on lui portait et honteux de n'y point pouvoir répondre, n'osait
15 trop les regarder et, à brefs coups d'œil inquiets, prenait comme conseil encore des tilleuls, de l'ombre chaude de la petite porte fraîche, dont la présence si familière le rassérénait. Ainsi peut-être saint Antoine[6] regardait-il son crucifix et la cruche de sa cabane ; car sans doute ils étaient bien près de l'émouvoir, sinon de le convaincre, ces tentateurs qui lui parlaient d'hôpitaux parisiens splendides comme des palais, de
20 guérison, des êtres raisonnables et de ceux qui, par pure ignorance, ne le sont pas ; d'ailleurs, le médecin-chef était sincère, il avait bon cœur sous sa suffisance professionnelle et son masque de condottiere[7], le vieil entêté lui était sympathique.

PIERRE MICHON, *Vies minuscules*, « Vie du père Foucault », 1984.

1. **Grand inquisiteur** : personnage officiel chargé d'enquêter en matière de foi religieuse. Juge du tribunal de l'Inquisition dans l'Église du XIIIᵉ au XVIᵉ siècle.
2. **Relaps** : qui est retombé dans l'hérésie, c'est-à-dire dans l'erreur.
3. **La question extraordinaire** : la torture, pour obtenir des aveux.
4. **La *Leçon d'anatomie*** : tableau peint par Rembrandt en 1632.
5. ***L'Alchimiste*** : tableau de Rembrandt, titré aussi *Le Philosophe* (1631).
6. **Saint Antoine** : ermite du désert égyptien (IVᵉ siècle), célèbre pour avoir repoussé les nombreuses tentations infligées par le diable. Il a inspiré de nombreux artistes, notamment les peintres.
7. **Condottiere** : chef de guerre dans l'Italie du Moyen Âge.

QUESTIONS

1. Relevez et explicitez toutes les images qui décrivent l'entrée des membres du corps médical dans la chambre du malade.

2. Identifiez toutes les allusions picturales : quelle est leur fonction ?

3. Quel portrait du père Foucault contribuent-elles à suggérer ?

Honoré de Balzac,
Eugénie Grandet (1833)

HONORÉ DE BALZAC
(1799-1850)
NOTICE BIOGRAPHIQUE P. 464

Le portrait du père Grandet

TEXTE 2

Dans *La Comédie humaine*, Balzac souhaite donner un tableau fidèle de la société de son temps : événements politiques, milieux sociaux, univers quotidiens de Paris et de la province. Il a classé *Eugénie Grandet* dans les *Scènes de la vie de province*. Au début du roman, il évoque le riche Grandet, tonnelier à Saumur et père de l'héroïne éponyme.

Monsieur Grandet, encore nommé par certaines gens le père Grandet, mais le nombre de ces vieillards diminuait sensiblement, était en 1789 un maître tonnelier fort à son aise, sachant lire, écrire et compter. Lorsque la République française mit en vente, dans l'ar-
5 rondissement de Saumur, les biens du clergé[1], le tonnelier, alors âgé de quarante ans, venait d'épouser la fille d'un riche marchand de planches. Grandet alla, muni de sa fortune liquide et de la dot, muni de deux mille louis d'or, au district[2], où, moyennant deux cents doubles louis offerts par son beau-père au farouche républicain qui sur-
10 veillait la vente des domaines nationaux, il eut pour un morceau de pain, légalement, sinon légitimement, les plus beaux vignobles de l'arrondissement, une vieille abbaye et quelques métairies. Les habitants de Saumur étant peu révolutionnaires, le père Grandet passa pour un homme hardi, un républicain, un patriote,
15 pour un esprit qui donnait dans les nouvelles idées, tandis que le tonnelier donnait tout bonnement dans les vignes. Il fut nommé membre de l'administration du district de Saumur, et son influence pacifique s'y fit sentir politi-
20 quement et commercialement. Politiquement, il protégea les ci-devant et empêcha de tout son pouvoir la vente des biens des émigrés[3] ; commercialement, il fournit aux armées républicaines un ou deux milliers de pièces de vin blanc,
25 et se fit payer en superbes prairies dépendant d'une communauté de femmes que l'on avait réservée pour un dernier lot. Sous le Consulat, le bonhomme Grandet devint maire, administra sagement, vendangea mieux encore ; sous l'Em-
30 pire, il fut monsieur Grandet. Napoléon n'aimait pas les républicains : il remplaça monsieur Grandet, qui passait pour avoir porté le bonnet rouge, par un grand propriétaire, un homme à particule, un futur baron de l'Empire. Monsieur
35 Grandet quitta les honneurs municipaux sans aucun regret. Il avait fait faire, dans l'intérêt de la ville, d'excellents chemins qui menaient à ses propriétés. Sa maison et ses biens, très avanta-

JEAN-AUGUSTE-DOMINIQUE INGRES, *Jacques-Louis Leblanc, 1823. New York, The Metropolitain Museum of Arts.*

geusement cadastrés[4], payaient des impôts modérés. Depuis le clas-
40 sement de ses différents clos, ses vignes, grâce à des soins constants,
étaient devenues la *tête* du pays, mot technique en usage pour indiquer les vignobles qui produisent la première qualité de vin. Il aurait
pu demander la croix de la Légion d'honneur.

HONORÉ DE BALZAC, *Eugénie Grandet,*
chapitre 1, « Physionomies bourgeoises » 1833.

_____

1. En 1791 commença la vente des biens, ou domaines nationaux, c'est-à-dire des biens
ecclésiastiques confisqués sous la Révolution.
2. **District** : subdivision du département.
3. Cette vente, ordonnée en 1792, concerne les biens de ceux qui ont fui la Révolution et
émigré à l'étranger, parmi eux les nobles, qu'on appelait les «ci-devant» (de la locution
adverbiale signifiant «précédemment»).
4. **Cadastrés** : enregistrés dans un registre public. Le cadastre est l'administration fiscale
des propriétés foncières.

PREMIÈRE LECTURE

À la première lecture, le personnage vous est-il
sympathique ? Justifiez votre réponse.

LECTURE ANALYTIQUE

L'itinéraire de monsieur Grandet

1. S'agit-il à proprement parler d'un « portrait » ?
Comment pourriez-vous nommer autrement cette
évocation du personnage ?

2. Étudiez l'évolution au fil du texte des dénominations
du personnage. Quel est le sens et quelles sont les
étapes de cette évolution ?

Le père Grandet, un type romanesque

3. Rassemblez les traits caractéristiques de Grandet et
montrez qu'il s'agit d'un type que vous identifierez.

VERS LE COMMENTAIRE

Dans un paragraphe organisé, vous étudierez le registre
satirique (voir page 319) de ce portrait. La satire est-elle
explicite ? Sur quels éléments porte-t-elle ? Comment
précisément fonctionne-t-elle ?

Honoré de Balzac,
Le Père Goriot (1835)

Le portrait de Vautrin

HONORÉ DE BALZAC
(1799-1850)
NOTICE BIOGRAPHIQUE P. 464

TEXTE 3

Dans la pension Vauquer, Eugène de Rastignac, un jeune provincial venu
à Paris, comme Balzac, pour faire ses études de droit, rencontre plusieurs
personnages qui l'initient aux règles de la société de la Restauration. Parmi
eux se trouve l'énigmatique Vautrin, personnage récurrent de *La Comédie
humaine*. Ce portrait prend place au début du roman, consacré à la présentation de la pension et de ses habitants.

Entre ces deux personnages[1] et les autres, Vautrin, l'homme de quarante ans, à favoris peints, servait de transition. Il était un de ces gens
dont le peuple dit : Voilà un fameux gaillard ! Il avait les épaules larges, le buste bien développé, les muscles apparents, des mains épais-
5 ses, carrées et fortement marquées aux phalanges par des bouquets
de poils touffus et d'un roux ardent. Sa figure, rayée par des rides pré-
maturées, offrait des signes de dureté que démentaient ses manières
souples et liantes. Sa voix de basse-taille[2], en harmonie avec sa grosse

Vautrin, gravure de Daumier.

gaieté, ne déplaisait point. Il était obligeant et
10 rieur. Si quelque serrure allait mal, il l'avait bientôt
démontée, rafistolée, huilée, limée, remontée, en
disant : Ça me connaît. Il connaissait tout d'ailleurs,
les vaisseaux, la mer, la France, l'étranger, les affaires, les hommes, les événements, les lois, les hôtels
15 et les prisons. Si quelqu'un se plaignait par trop, il
lui offrait aussitôt ses services. Il avait prêté plusieurs fois de l'argent à madame Vauquer et à
quelques pensionnaires ; mais ses obligés seraient
morts plutôt que de ne pas le lui rendre, tant, mal-
20 gré son air bonhomme, il imprimait de crainte par
un certain regard profond et plein de résolution. À
la manière dont il lançait un jet de salive, il annonçait un sang-froid imperturbable qui ne devait pas
le faire reculer devant un crime pour sortir d'une
25 position équivoque. Comme un juge sévère, son
œil semblait aller au fond de toutes les questions,
de toutes les consciences, de tous les sentiments.
Ses mœurs consistaient à sortir après le déjeuner,
à revenir pour dîner, à décamper pour toute la soi-
30 rée, et à rentrer vers minuit, à l'aide d'un passe-
partout que lui avait confié madame Vauquer.
Lui seul jouissait de cette faveur. Mais aussi était-il au mieux avec la
veuve, qu'il appelait maman en la saisissant par la taille, flatterie peu
comprise ! La bonne femme croyait la chose encore facile, tandis que
35 Vautrin seul avait les bras assez longs pour presser cette pesante circonférence. Un trait de son caractère était de payer généreusement
quinze francs par mois pour le *gloria*[3] qu'il prenait au dessert. Des gens
moins superficiels que ne l'étaient ces jeunes gens emportés par les
tourbillons de la vie parisienne, ou ces vieillards indifférents à ce qui

Le Père Goriot, adapté
en 2004 pour France 2,
par Jean-Daniel Verhaeghe.

1. Victorine Taillefer et Eugène
de Rastignac, les deux jeunes gens
qui viennent d'être présentés.
2. **Voix de basse-taille :** voix
intermédiaire entre le baryton et la
basse
3. *Gloria* : café mélangé d'eau-de-vie,
d'alcool.
4. **Juvénal** : poète latin, auteur de *Satires*
où il fustige les mœurs corrompues
de la société romaine de son temps
(60-140 après J.-C.).

40 ne les touchait pas directement, ne se seraient pas arrêtés à l'impression douteuse que leur causait Vautrin. Il savait ou devinait les affaires de ceux qui l'entouraient, tandis que nul ne pouvait pénétrer ni ses pensées ni ses occupations. Quoiqu'il eût jeté son apparente bonhomie, sa constante complaisance et sa gaieté comme une barrière 45 entre les autres et lui, souvent il laissait percer l'épouvantable profondeur de son caractère. Souvent une boutade digne de Juvénal[4], et par laquelle il semblait se complaire à bafouer les lois, à fouetter la haute société, à la convaincre d'inconséquence avec elle-même, devait faire supposer qu'il gardait rancune à l'état social, et qu'il y avait au fond de sa vie un mystère soigneusement enfoui.

HONORÉ DE BALZAC, *Le Père Goriot,* 1835.

PREMIÈRE LECTURE

Sur quelle première impression vous laisse ce portrait de Vautrin ? Quelle image vous faites-vous du personnage ?

LECTURE ANALYPTIQUE

La caractérisation du personnage

1. Étudiez le point de vue du narrateur et les informations contradictoires qu'il nous donne. Comment crée-t-il le mystère du personnage ?

2. Quels sont les objets que le portrait associe au personnage ? Étudiez leur dimension symbolique et romanesque.

Le rôle du portrait dans la construction narrative.

3. Dans la suite du roman, nous apprendrons que Vautrin n'est autre qu'un forçat évadé, Jacques Collin, surnommé Trompe-la-Mort. Étudiez les fonctions de ce portrait au début du roman.

4. Comment cette page prépare-t-elle une suite romanesque ?

VERS LE COMMENTAIRE

Faites le plan détaillé du commentaire du texte.
Vous pourrez adopter le projet de lecture suivant :
un portrait réaliste en forme d'énigme qui annonce
un rebondissement romanesque.

VERS LA DISSERTATION

À propos de Balzac, Baudelaire a écrit : « J'ai maintes fois été étonné que la grande gloire de Balzac fût de passer pour un observateur ; il m'avait toujours semblé que son principal mérite était d'être visionnaire et visionnaire passionné. »
Explicitez ces propos de Baudelaire : vous vous demanderez notamment si le roman de Balzac est une simple copie de la réalité et vous définirez le terme de « visionnaire » employé par Baudelaire. Vous rédigerez un paragraphe argumenté et illustré d'exemples précis empruntés aux textes de ce groupement ainsi qu'à vos lectures personnelles.

à retenir

La caractérisation du personnage s'effectue de façon directe ou indirecte, selon qu'il est perçu de l'extérieur par un narrateur omniscient ou saisi, en focalisation interne, dans le point de vue limité d'un autre personnage. Le romancier, qui souhaite « concurrencer l'état civil » selon le mot de Balzac, le dote d'une identité précise (nom, âge, passé, biographie, généalogie). Le portrait sélectionne des traits significatifs de nature physique, psychologique, morale, sociale, idéologique. Il fait du personnage un type (humain ou social), contribuant fortement à cet effet de réel et de vraisemblance recherché par le romancier.
Le portrait remplit de multiples fonctions : documentaire, informative, explicative, narrative. Il est orienté par une visée argumentative. Il se charge d'une dimension symbolique : dépassant le type humain, il crée de véritables figures, incarnations de grandes forces mythiques.

Portrait impressionniste

1874 : quelques artistes révolutionnent la peinture en exposant leurs toiles dans l'atelier du photographe Nadar, à Paris. Parmi ceux que l'on va rapidement appeler les « impressionnistes », on trouve Monet, Renoir, Cézanne, Degas, Pissaro et une femme Berthe Morisot. Élève, modèle puis belle-sœur de Manet, elle étudie la peinture depuis sa jeunesse et devient une artiste renommée – fait plutôt rare pour une femme au XIXe siècle. Elle participe à la quasi-totalité des expositions impressionnistes, où ses toiles sont souvent saluées par la critique. Comme ses amis peintres, Berthe Morisot aime travailler en plein air et capter les variations de la couleur et de la lumière.

BERTHE MORISOT, *Jeune Femme au tricot*, huile sur toile (H. 50,2 cm x L. 60 cm) vers 1883.
New York, Metropolitain Museum of Art.

QUESTIONS

1. Berthe Morisot recherche-t-elle la ressemblance avec son modèle ?

2. Comment la couleur et la peinture sont-elles posées sur la toile ?

3. Quelle atmosphère, quelles impressions Berthe Morisot cherche-t-elle à traduire ?

Un personnage de roman est une création fictive à laquelle l'auteur prête certaines caractéristiques (physiques et psychologiques) et une fonction dans le déroulement de l'intrigue.

1. Le portrait

a. Le portrait physique concerne non seulement la figure mais aussi le corps, ainsi que tous les signes secondaires de la personnalité : vêtements, expressions, attitudes. Il est riche d'indications sur la fonction du personnage. Portrait en pied, il dénote une intention de magnifier. Portrait comique, il dénote une intention caricaturale. Le portrait obéit également à un ordre précis : de l'allure générale au détail, de bas en haut ou inversement, etc.

> **EXEMPLE** « Son front [...] lui donnait quelque chose de mystérieux. Ses yeux paraissaient couverts d'une taie transparente [...]. Le visage pâle [...] semblait mort » (Balzac, *Le Colonel Chabert*).

b. Le portrait moral présente les caractéristiques psychologiques du personnage : son tempérament, les valeurs qu'il incarne dans le récit, ses sentiments. Lorsque le portrait physique et le portrait moral correspondent, le personnage ne s'en trouve que plus cohérent. Lorsque ceux-ci ne correspondent pas, le personnage réserve des effets de surprise.

> **EXEMPLE** « il avait bon cœur, sous sa suffisance professionnelle et son masque de condottiere » (Pierre Michon, *Vies minuscules*).

2. La fonction des personnages

La fonction des personnages concerne aussi bien le rôle qu'ils jouent dans le récit que le sens que l'auteur souhaite leur donner.

a. La fonction dans le récit

Le personnage existe la plupart du temps pour incarner un but (sa quête), mais aussi entrer en interaction avec les autres personnages, soit pour aider ceux-ci (adjuvant), soit pour leur imposer des obstacles (opposant). C'est ce qu'on appelle le schéma actantiel : la place des personnages dans ce schéma peut évoluer au cours du récit.

> **EXEMPLE** « Sous le Consulat, le bonhomme Grandet devint maire, administra sagement, vendangea mieux encore ; sous l'Empire, il fut monsieur Grandet » (Balzac, *Eugénie Grandet*).

b. La fonction en dehors du récit

Le personnage est investi par son auteur d'une signification.

Il peut incarner un type moral ou encore une espèce sociale. Ce type de personnage permet alors à l'auteur de proposer une vision du monde à travers le personnage.

> **EXEMPLE** « L'embonpoint blafard de cette petite femme est le produit de cette vie, comme le typhus est la conséquence des exhalaisons d'un hôpital » (Balzac, *Le Père Goriot*).

Le personnage peut aussi être proposé comme une représentation de l'homme. Cette représentation peut être idéalisée, faisant du personnage un modèle collectif (héros épique). Cependant, certains personnages semblent, par leur caractère banal voire leur médiocrité, se rapprocher du héros négatif, voire de l'anti-héros.

À travers le personnage se distinguent donc une vision de l'homme, une vision du monde, souvent en conformité avec les valeurs de l'auteur.

EXERCICES SUPPLÉMENTAIRES
À retrouver sur le site du manuel.

EXERCICE Analyser la nature des indications données dans le portrait de groupe des houilleurs (Zola, *Germinal*, p. 257 lignes 6 à 33) de Montsou et tirez-en des conclusions sur les intentions de l'auteur.

« Une partie de campagne » (1881)
Le dispositif des personnages dans une nouvelle naturaliste

GUY DE MAUPASSANT
(1850 - 1893)
NOTICE BIOGRAPHIQUE P. 469

La nouvelle « Une partie de campagne » est issue de l'expérience personnelle de Maupassant sans doute la plus heureuse. Plusieurs de ses récits ont pour cadre ce monde des canotiers qu'il connaît bien et cette joyeuse vie des bords de Seine qu'il a durablement menée tout au long des années 1870, et que les peintres impressionnistes ont également célébrée. Maupassant y trouve ses thèmes favoris : amour de la nature et passion de l'eau, camaraderie virile et goût de l'effort physique (il est lui-même un champion athlétique du canotage), amours libérées des contraintes sociales. « Une partie de campagne » paraît en revue en 1881 puis dans le premier recueil de nouvelles de Maupassant, *La Maison Tellier*, qui offre une même unité d'inspiration et une grande cohérence : détente hors de la ville, élément aquatique, puissance du désir.

On avait projeté depuis cinq mois d'aller déjeuner aux environs de Paris, le jour de la fête de Mme Dufour, qui s'appelait Pétronille[1]. Aussi, comme on avait attendu cette partie impatiemment, s'était-on levé de fort bonne heure ce matin-là.

5 M. Dufour, ayant emprunté la voiture du laitier, conduisait lui-même. La carriole, à deux roues, était fort propre ; elle avait un toit supporté par quatre montants de fer où s'attachaient des rideaux qu'on avait relevés pour voir le paysage. Celui de derrière, seul, flottait au vent, comme un drapeau. La femme, à côté de son époux, s'épanouis-
10 sait dans une robe de soie cerise extraordinaire. Ensuite, sur deux chaises, se tenaient une vieille grand-mère et une jeune fille. On apercevait encore la chevelure jaune d'un garçon qui, faute de siège, s'était étendu tout au fond, et dont la tête seule apparaissait.

Après avoir suivi l'avenue des Champs-Élysées et franchi les forti-
15 fications à la porte Maillot, on s'était mis à regarder la contrée.

En arrivant au pont de Neuilly, M. Dufour avait dit : « Voici la campagne enfin ! » et sa femme, à ce signal, s'était attendrie sur la nature.

Au rond-point de Courbevoie, une admiration les avait saisis devant
20 l'éloignement des horizons. À droite, là-bas, c'était Argenteuil, dont le clocher se dressait ; au-dessus apparaissaient les buttes de Sannois et le Moulin d'Orgemont. À gauche, l'aqueduc de Marly se dessinait sur le ciel clair du matin, et l'on apercevait aussi, de loin, la terrasse de Saint-Germain ; tandis qu'en face, au bout d'une chaîne de collines,
25 des terres remuées indiquaient le nouveau fort de Cormeilles. Tout au fond, dans un reculement formidable, par-dessus des plaines et des villages, on entrevoyait une sombre verdure de forêts.

Le soleil commençait à brûler les visages ; la poussière emplissait les yeux continuellement, et, des deux côtés de la route, se dévelop-

---

1. Pétronille : fêtée le 31 mai.

Les deux jeunes gens portèrent leur couvert quelques pas plus loin et se remirent à manger. Leurs bras nus, qu'ils montraient sans cesse, gênaient un peu la jeune fille. Elle affectait même de tourner la tête et de ne point les remarquer, tandis que Mme Dufour, plus hardie, sollicitée par une
180 curiosité féminine qui était peut-être du désir, les regardait à tout moment, les comparant sans doute avec regret aux laideurs secrètes de son mari.

Elle s'était éboulée sur l'herbe, les jambes pliées à la façon des tailleurs, et elle se trémoussait continuellement, sous prétexte que des fourmis lui étaient entrées quelque part. M. Dufour, rendu maussade par la pré-
185 sence et l'amabilité des étrangers, cherchait une position commode qu'il ne trouva pas du reste, et le jeune homme aux cheveux jaunes mangeait silencieusement comme un ogre.

«Un bien beau temps, monsieur», dit la grosse dame à l'un des canotiers. Elle voulait être aimable à cause de la place qu'ils avaient cédée. «Oui,
190 madame, répondit-il; venez-vous souvent à la campagne?

– Oh! une fois ou deux par an seulement, pour prendre l'air; et vous, monsieur?

– J'y viens coucher tous les soirs.

– Ah! ça doit être bien agréable?
195 – Oui, certainement, madame.»

Et il raconta sa vie de chaque jour, poétiquement, de façon à faire vibrer dans le cœur de ces bourgeois privés d'herbe et affamés de promenades aux champs cet amour bête de la nature qui les hante toute l'année derrière le comptoir de leur boutique.
200 La jeune fille, émue, leva les yeux et regarda le canotier. M. Dufour parla pour la première fois. «Ça, c'est une vie», dit-il. Il ajouta : «Encore un peu de lapin, ma bonne. – Non, merci, mon ami.»

Elle se tourna de nouveau vers les jeunes gens, et montrant leurs bras : «Vous n'avez jamais froid comme ça?» dit-elle.
205 Ils se mirent à rire tous les deux, et ils épouvantèrent la famille par le récit de leurs fatigues prodigieuses, de leurs bains pris en sueur, de leurs courses dans le brouillard des nuits; et ils tapèrent violemment sur leur poitrine pour montrer quel son ça rendait. «Oh! vous avez l'air solides», dit le mari qui ne
210 parlait plus du temps où il rossait les Anglais.

La jeune fille les examinait de côté maintenant; et le garçon aux cheveux jaunes, ayant bu de travers, toussa éperdument, arrosant la robe en soie cerise de la patronne qui se fâcha
215 et fit apporter de l'eau pour laver les taches.

Cependant, la température devenait terrible. Le fleuve étincelant semblait un foyer de chaleur, et les fumées du vin troublaient les têtes.
220 M. Dufour, que secouait un hoquet violent, avait déboutonné son gilet et le haut de son pantalon; tandis que sa femme, prise de suffocations, dégrafait sa robe peu à peu. L'apprenti balançait d'un air gai sa tignasse

PIERRE-AUGUSTE RENOIR, *Pique-nique,* xixe siècle,
Fondation Barnes, Pennsylvanie, É.-U.

ÉDOUARD MANET, *Canotage,* 1874.
New York, Metropolitan Museum of Arts.

280
qu
qu
Lâ
cc
285 pr

el
p
L
290 q
c
l
c
f

295

de lin et se versait à boire coup sur coup. La grand-mère, se sentant grise, se tenait fort raide et fort digne. Quant à la jeune fille, elle ne laissait rien paraître, son œil seul s'allumait vaguement, et sa peau très brune se colorait aux joues d'une teinte plus rose.

Le café les acheva. On parla de chanter et chacun dit son couplet, que les autres applaudirent avec frénésie. Puis on se leva difficilement, et, pendant que les deux femmes, étourdies, respiraient, les deux hommes, tout à fait pochards, faisaient de la gymnastique. Lourds, flasques, et la figure écarlate, ils se pendaient gauchement aux anneaux sans parvenir à s'enlever ; et leurs chemises menaçaient continuellement d'évacuer leurs pantalons pour battre au vent comme des étendards.

Cependant les canotiers avaient mis leurs yoles à l'eau, et ils revenaient avec politesse proposer aux dames une promenade sur la rivière.

« Monsieur Dufour, veux-tu ? je t'en prie ! » cria sa femme. Il la regarda d'un air d'ivrogne, sans comprendre. Alors un canotier s'approcha, deux lignes de pêcheur à la main. L'espérance de prendre du goujon, cet idéal des boutiquiers, alluma les yeux mornes du bonhomme, qui permit tout ce qu'on voulut, et s'installa à l'ombre, sous le pont, les pieds ballants au-dessus du fleuve, à côté du jeune homme aux cheveux jaunes qui s'endormit auprès de lui.

Un des canotiers se dévoua : il prit la mère. « Au petit bois de l'île aux Anglais ! » cria-t-il en s'éloignant.

L'autre yole s'en alla plus doucement. Le rameur regardait tellement sa compagne qu'il ne pensait plus à autre chose, et une émotion l'avait saisi qui paralysait sa vigueur.

La jeune fille, assise dans le fauteuil du barreur, se laissait aller à la douceur d'être sur l'eau. Elle se sentait prise d'un renoncement de pensée, d'une quiétude de ses membres, d'un abandonnement d'elle-même, comme envahie par une ivresse multiple. Elle était devenue fort rouge avec une respiration courte. Les étourdissements du vin, développés par la chaleur torrentielle qui ruisselait autour d'elle, faisaient saluer sur son passage tous les arbres de la berge. Un besoin vague de jouissance, une fermentation du sang parcouraient sa chair excitée par les ardeurs de ce jour ; et elle était aussi troublée dans ce tête-à-tête sur l'eau, au milieu de ce pays dépeuplé par l'incendie du ciel, avec ce jeune homme qui la trouvait belle, dont l'œil lui baisait la peau, et dont le désir était pénétrant comme le soleil.

320 Ils ne parlaient pas de peur de le faire fuir. Ils étaient assis l'un près de l'autre, et, lentement, le bras de Henri fit le tour de la taille de Henriette et l'enserra d'une pression douce. Elle prit, sans colère, cette main audacieuse, et elle l'éloignait sans cesse à mesure qu'il la rapprochait, n'éprouvant du reste aucun embarras de cette caresse, 325 comme si c'eût été une chose toute naturelle qu'elle repoussait aussi naturellement.

Elle écoutait l'oiseau, perdue dans une extase. Elle avait des désirs infinis de bonheur, des tendresses brusques qui la traversaient, des révélations de poésies surhumaines, et un tel amollissement des nerfs et du 330 cœur, qu'elle pleurait sans savoir pourquoi. Le jeune homme la serrait contre lui maintenant; elle ne le repoussait plus, n'y pensant plus.

Le rossignol se tut soudain. Une voix éloignée cria : «Henriette!
– Ne répondez point, dit-il tout bas, vous feriez envoler l'oiseau.»
Elle ne songeait guère non plus à répondre.

335 Ils restèrent quelque temps ainsi. Mme Dufour s'était assise quelque part, car on entendait vaguement, de temps en temps, les petits cris de la grosse dame que lutinait sans doute l'autre canotier.

La jeune fille pleurait toujours, pénétrée de sensations très douces, la peau chaude et piquée partout de chatouillements inconnus. 340 La tête de Henri était sur son épaule; et, brusquement, il la baisa sur les lèvres. Elle eut une révolte furieuse et, pour l'éviter, se rejeta sur le dos. Mais il s'abattit sur elle, la couvrant de tout son corps. Il poursuivit longtemps cette bouche qui le fuyait, puis, la joignant, y attacha la sienne. Alors, affolée par un désir formidable, elle lui rendit 345 son baiser en l'étreignant sur sa poitrine, et toute sa résistance tomba comme écrasée par un poids trop lourd.

Tout était calme aux environs. L'oiseau se remit à chanter. Il jeta d'abord trois notes pénétrantes qui semblaient un appel d'amour, puis, après un silence d'un moment, il commença d'une voix affaiblie des 350 modulations très lentes.

Une brise molle glissa, soulevant un murmure de feuilles, et dans la profondeur des branches passaient deux soupirs ardents qui se mêlaient au chant du rossignol et au souffle léger du bois.

Une ivresse envahissait l'oiseau, et sa voix, s'ac- 355 célérant peu à peu comme un incendie qui s'allume ou une passion qui grandit, semblait accompagner sous l'arbre un crépitement de baisers. Puis le délire de son gosier se déchaînait éperdument. Il avait des pâmoisons prolongées sur un trait, de grands spas- 360 mes mélodieux.

Quelquefois il se reposait un peu, filant seulement deux ou trois sons légers qu'il terminait soudain par une note suraiguë. Ou bien il partait d'une course affolée, avec des jaillissements de gammes, des fré- 365 missements, des saccades, comme un chant d'amour furieux, suivi par des cris de triomphe.

Mais il se tut, écoutant sous lui un gémissement tellement profond qu'on l'eût pris pour l'adieu d'une

EUGÈNE ATGET, *Étang de Corot, ville d'Avray*, 1910.

âme. Le bruit s'en prolongea quelque temps et
370 s'acheva dans un sanglot.

Ils étaient bien pâles, tous les deux, en quittant leur lit de verdure. Le ciel bleu leur paraissait obscurci; l'ardent soleil était éteint pour leurs yeux; ils s'aper-
375 cevaient de la solitude et du silence. Ils marchaient rapidement l'un près de l'autre, sans se parler, sans se toucher, car ils semblaient devenus ennemis irrécon-ciliables, comme si un dégoût se fût élevé entre leurs corps, une haine entre leurs esprits.

De temps à autre, Henriette criait : «Maman!»
380 Un tumulte se fit sous un buisson. Henri crut voir une jupe blanche qu'on rabattait vite sur un gros mol-let; et l'énorme dame apparut, un peu confuse et plus rouge encore, l'œil très brillant et la poitrine orageuse, trop près peut-être de son voisin. Celui-ci devait avoir
385 vu des choses bien drôles, car sa figure était sillonnée de rires subits qui la traversaient malgré lui.

Mme Dufour prit son bras d'un air tendre, et l'on regagna les bateaux. Henri, qui marchait devant,

GUSTAVE CAILLEBOTTE, *Voiliers à Argenteuil*, 1888.
Paris, musée d'Orsay.

toujours muet à côté de la jeune fille, crut distinguer tout à coup
390 comme un gros baiser qu'on étouffait.

Enfin l'on revint à Bezons.

M. Dufour, dégrisé, s'impatientait. Le jeune homme aux cheveux jaunes mangeait un morceau avant de quitter l'auberge. La voiture était attelée dans la cour, et la grand-mère, déjà montée, se désolait
395 parce qu'elle avait peur d'être prise par la nuit dans la plaine, les envi-rons de Paris n'étant pas sûrs.

On se donna des poignées de main, et la famille Dufour s'en alla. «Au revoir!» criaient les canotiers. Un soupir et une larme leur répondirent.

Deux mois après, comme il passait rue des Martyrs, Henri lut sur une
400 porte : *Dufour, quincaillier.*

Il entra.

La grosse dame s'arrondissait au comptoir. On se reconnut aussitôt, et, après mille politesses, il demanda des nouvelles. «Et Mlle Henriette, com-ment va-t-elle?
405 – Très bien, merci, elle est mariée.

– Ah!...»

Une émotion l'étreignit; il ajouta :

« Et... avec qui?

– Mais avec le jeune homme qui nous accompagnait, vous savez bien;
410 c'est lui qui prend la suite.

– Oh! parfaitement.»

Il s'en allait fort triste, sans trop savoir pourquoi, Mme Dufour le rappela.

«Et votre ami? dit-elle timidement.

– Mais il va bien.
415 – Faites-lui nos compliments, n'est-ce pas; et quand il passera, dites-lui donc de venir nous voir...»

CAMILLE PISSARRO, *Le Pont de Boieldieu à Rouen, soleil couchant, temps brumeux*, 1896. Paris, musée d'Orsay.

EXTRAIT 5 « Quelque chose de vertigineux »
Emma a été abandonnée par Rodolphe. Rêvant toujours d'un amour impossible, elle prend prétexte de leçons de piano et se rend régulièrement à Rouen, par la diligence l'*Hirondelle*, pour retrouver Léon Dupuis, son nouvel amant.

Puis, d'un seul coup d'œil, la ville apparaissait.

Descendant tout en amphithéâtre et noyée dans le brouillard, elle s'élargissait au-delà des ponts, confusément. La pleine campagne remontait ensuite d'un mouvement monotone, jusqu'à toucher au
5 loin la base indécise du ciel pâle. Ainsi vu d'en haut, le paysage tout entier avait l'air immobile comme une peinture ; les navires à l'ancre se tassaient dans un coin ; le fleuve arrondissait sa courbe au pied des collines vertes, et les îles, de forme oblongue, semblaient sur l'eau de grands poissons noirs arrêtés. Les cheminées des usines poussaient
10 d'immenses panaches bruns qui s'envolaient par le bout. On entendait le ronflement des fonderies avec le carillon clair des églises qui se dressaient dans la brume. Les arbres des boulevards, sans feuilles, faisaient des broussailles violettes au milieu des maisons, et les toits, tout reluisants de pluie, miroitaient inégalement, selon la hauteur des
15 quartiers. Parfois un coup de vent emportait les nuages vers la côte Sainte-Catherine, comme des flots aériens qui se brisaient en silence contre une falaise.

Quelque chose de vertigineux se dégageait pour elle de ces existences amassées, et son cœur s'en gonflait abondamment comme si
20 les cent vingt mille âmes qui palpitaient là lui eussent envoyé tou-

1. **Hivert** : le conducteur de la diligence.

tes à la fois la vapeur des passions qu'elle leur supposait. Son amour s'agrandissait devant l'espace, et s'emplissait de tumulte aux bourdonnements vagues qui montaient. Elle le reversait au dehors, sur les places, sur les promenades, sur les rues, et la vieille cité nor-
25 mande s'étalait à ses yeux comme une capitale démesurée, comme une Babylone où elle entrait. Elle se penchait des deux mains par le vasistas, en humant la brise ; les trois chevaux galopaient, les pierres grinçaient dans la boue, la diligence se balançait, et Hivert[1], de loin, hélait les carrioles sur la route, tandis que les bourgeois qui avaient
30 passé la nuit au bois Guillaume descendaient la côte tranquillement, dans leur petite voiture de famille.

GUSTAVE FLAUBERT, *Madame Bovary*, IIIᵉ partie, chapitre 5, 1857.

PISTES DE LECTURE

1. Comment est organisée cette description de Rouen ?
2. Selon quels points de vue successifs la ville est-elle perçue ? Quel est l'effet produit ?
3. Quelle est la fonction de cette description ?

LECTURE COMPLÉMENTAIRE

Une vie est un roman de Guy de Maupassant, écrit en 1883. Gustave Flaubert, l'ami, le maître, a exercé une profonde influence sur Maupassant qui lui vouait une affection filiale et lui a dédicacé *Une vie*. C'est Flaubert qui a guidé ses débuts d'écrivain, lui a prodigué ses conseils et l'a introduit dans les milieux littéraires.

Maupassant
Une vie
Édition d'André Fermigier
folio classique

– Analysez et commentez le titre du roman.
– Montrez l'appartenance de Maupassant aux courants réaliste et naturaliste du XIXᵉ siècle. Vous expliquerez l'épigraphe du roman : « L'humble vérité ». Vous commenterez le choix du sujet, des personnages et de l'époque romanesques. Vous prendrez en compte la peinture des différents milieux sociaux, des mœurs et de la vie quotidienne en Normandie. Vous étudierez l'influence du milieu et le poids des déterminismes familiaux et sociaux sur le personnage de Jeanne.
– Caractérisez la vision du monde de Maupassant. Montrez qu'*Une vie* est un roman de l'échec et de la désillusion. Relevez, dans le roman, le poids de l'ennui et les manifestations de la mélancolie. Quelles sont, selon vous, les causes de cet échec ? Trouvez d'autres exemples analogues dans d'autres romans réalistes du XIXᵉ siècle, présents dans ce chapitre.
– Étudiez le « bovarysme » de Jeanne dans *Une vie*. Mettez en évidence la parenté des destins d'Emma Bovary et de Jeanne. Qu'ont-elles en commun ? En quoi cependant diffèrent-elles ?

à retenir

Le personnage d'Emma Bovary est devenu un type : celui de la lectrice naïve, abusée par les lectures romanesques de sa jeunesse et inadaptée à la vie réelle jugée trop médiocre. Le *bovarysme* est une notion définie comme la capacité qu'a l'être humain de se concevoir et de se vouloir autre qu'il n'est – ce que Flaubert exprime en d'autres termes dans sa *Correspondance* : « Il ne faut pas demander des oranges aux pommiers. »

(Lettre du 15 mars 1842.) Néanmoins, Emma est une héroïne pathétique : « Ma pauvre Bovary, sans doute, souffre et pleure dans vingt villages de France à la fois, à cette heure même. » (Lettre du 14 août 1853.) Flaubert a mis beaucoup de lui-même, et du romantisme de sa propre jeunesse, dans son personnage : « Madame Bovary, c'est moi. »

Une évocation picturale

En 1892, Monet s'installe à Rouen. Il peint une trentaine de vues de la cathédrale, sous différents angles et à différents moments de la journée. C'est à cette époque qu'il réalise également cette *Vue générale de Rouen*, où l'on devine, au centre, les flèches de l'édifice religieux.

Heureusement, d'ailleurs, que l'on reconnaît la grande église gothique car malgré le titre, Monet n'a pas réellement représenté Rouen. En bon maître du paysage impressionniste, il préfère évoquer la ville, mettant l'accent sur les nuances de la lumière. Pour cela, il juxtapose de fines touches de peinture : verticales pour la ville, plus horizontales pour le ciel. Au premier plan, sur la droite, quelques touches plus épaisses et foncées suggèrent la boucle de la Seine.

Cette vue de Rouen baigne ainsi dans une atmosphère un peu irréelle. Elle annonce ce que sera le style de Monet au début du XXᵉ siècle, lorsqu'il réalisera des séries de toiles à Londres et à Venise. Les formes se dissoudront alors dans la lumière, jusqu'à disparaître complètement !

CLAUDE MONET, *Vue générale de Rouen*, 1892, huile sur toile (H. 65 cm X L. 100 cm), musée des Beaux-arts de Rouen.

QUESTIONS

1. Comparez le texte de Flaubert (page 324) et ce tableau de Claude Monet. Mettez en évidence les correspondances et les relations de complémentarité que vous observez entre le texte et le tableau.
2. Quels sont les procédés stylistiques de Flaubert qui vous paraissent relever d'une technique impressionniste ?

OUTILS
DE LA LANGUE
ET DE L'ANALYSE
LITTÉRAIRE ▸ **LES FIGURES DE STYLE**

1. Les figures exprimant l'équivalence

Figures	Effet	Exemple
Comparaison	Elle introduit une analogie entre deux réalités, et a recours à un mot comparant.	« Leur existence serait facile et large comme leurs vêtements de soie » (Flaubert, *Madame Bovary*).
Métaphore	Elle introduit également une analogie entre deux réalités, mais sans avoir recours à un mot comparant.	« Elle écoutait monter cette marée d'hommes » (Hugo, *Les Misérables*).
Personnification	Elle consiste à prêter à un objet inanimé les caractéristiques d'une personne animée.	« L'alambic, avec ses récipients de forme étrange, ses enroulements sans fin de tuyaux, gardait une mine sombre » (Zola, *L'Assommoir*).

2. Les figures exprimant l'opposition

Figures	Effet	Exemple
Antithèse	Opposition de deux idées, de deux sensations, de deux sentiments dans une même phrase.	« Pour le gamin toucher le pavé, c'est comme pour le géant toucher la terre » (Hugo, *Les Misérables*).
Chiasme	Construction symétrique : des termes identiques ou de sens apparentés permutent leur position dans la phrase pour créer des effets de parallélisme ou d'opposition.	« Toutes les dames avaient voulu de la carcasse ; la carcasse, c'est le morceau des dames » (Zola, *L'Assommoir*).
Oxymore	C'est une expression associant deux termes dont le sens est contradictoire.	« Cette petite grande âme venait de s'envoler » (Hugo, *Les Misérables*).

3. Les figures exprimant l'atténuation

a. L'euphémisme consiste à remplacer le mot ou l'expression justes par des termes atténués, adoucis.
b. La litote en dit peu pour suggérer davantage.

> EXEMPLE « Leurs yeux se rencontrèrent, souriants, brillants, pleins d'amour. Elle murmura de sa voix gracieuse : – À bientôt monsieur. Il répondit gaiement – À bientôt madame » (Maupassant, *Bel Ami*).

4. Les figures exprimant l'insistance

a. L'hyperbole consiste à employer des termes excessifs en forçant le trait.

> EXEMPLE « C'était une existence au-dessus des autres, entre ciel et terre, dans les orages, quelque chose de sublime » (Flaubert, *Madame Bovary*).

b. L'anaphore consiste à répéter le même mot ou la même construction syntaxique dans une phrase, un vers ou un paragraphe.

> EXEMPLE « Elle le revoyait, elle l'entendait, elle l'entourait de ses deux bras » (Flaubert, *Madame Bovary*).

EXERCICE Relevez et identifiez les figures de style dans les phrases suivantes.
a) « Un roi chantait en bas, en haut mourait un dieu » (Hugo, « Booz endormi »).
b) « Une grande fille de trente-cinq ans » (Zola, *La Joie de vivre*).
c) « Le spectacle était épouvantable et charmant » (Hugo, *Les Misérables*).
d) « Illusion du beau qui est une convention humaine ! Illusion du laid qui est une opinion changeante ! » (Maupassant, *Pierre et Jean*).

EXERCICES SUPPLÉMENTAIRES
À retrouver sur le site du manuel.

Eugène Sue,
Les Mystères de Paris (1842)

Les Mystères de Paris est un roman d'Eugène Sue paru en feuilleton dans le *Journal des Débats* en 1842 et 1843. En voici l'incipit, c'est-à-dire le début.

Un tapis-franc, en argot de vol et de meurtre, signifie un estaminet[2] ou un cabaret du plus bas étage.

Un repris de justice, qui, dans cette langue immonde, s'appelle un *ogre*, ou une femme de même dégradation, qui s'appelle une *ogresse*,
5 tiennent ordinairement ces tavernes, hantées par le rebut de la population parisienne ; forçats libérés, escrocs, voleurs, assassins y abondent.

Un crime a-t-il été commis, la police jette, si cela se peut dire, son filet dans cette fange ; presque toujours elle y prend les coupables.
10 Ce début annonce au lecteur qu'il doit assister à de sinistres scènes ; s'il y consent, il pénétrera dans des régions horribles, inconnues ; des types hideux, effrayants, fourmilleront dans ces cloaques[2] impurs comme les reptiles dans les marais.

Tout le monde a lu les admirables pages dans lesquelles Cooper,
15 le Walter Scott[4] américain, a tracé les mœurs féroces des sauvages, leur langue pittoresque, poétique, les mille ruses à l'aide desquelles ils fuient ou poursuivent leurs ennemis.

On a frémi pour les colons et pour les habitants des villes, en songeant que si près d'eux vivaient et rôdaient ces tribus barbares, que
20 leurs habitudes sanguinaires rejetaient si loin de la civilisation.

Nous allons essayer de mettre sous les yeux du lecteur quelques épisodes de la vie d'autres barbares aussi en dehors de la civilisation que les sauvages peuplades si bien peintes par Cooper.

Seulement les barbares dont nous parlons sont au milieu de nous ;
25 nous pouvons les coudoyer en nous aventurant dans les repaires où ils vivent, où ils se rassemblent pour concerter le meurtre, le vol, pour se partager enfin les dépouilles de leurs victimes.

Ces hommes ont des mœurs à eux, des femmes à eux, un langage à eux, langage mystérieux, rempli d'images funestes, de métaphores
30 dégouttantes[5] de sang.

Comme les sauvages, enfin, ces gens s'appellent généralement entre eux par des surnoms empruntés à leur énergie, à leur cruauté, à certains avantages ou à certaines difformités physiques.

Nous abordons avec une double défiance quelques-unes des
35 scènes de ce récit.

Nous craignons d'abord qu'on ne nous accuse de rechercher des épisodes repoussants, et, une fois même cette licence admise, qu'on

1. **Estaminet** : café, brasserie.
2. **Cloaques** : lieux malsains et malpropres.
3. **J. Fenimore Cooper** (1789-1851) : auteur du *Dernier des Mohicans*.
4. **Walter Scott** (1771-1832) : auteur britannique de romans historiques à succès (*Ivanhoé*).
5. **Dégouttantes** : qui laissent tomber des gouttes.

ne nous trouve au-dessous de la tâche qu'impose la reproduction fidèle, vigoureuse, hardie, de ces mœurs excentriques.

40   En écrivant ces passages dont nous sommes presque effrayé, nous n'avons pu échapper à une sorte de serrement de cœur... nous n'oserions dire de douloureuse anxiété... de peur de prétention ridicule.

En songeant que peut-être nos lecteurs éprouveraient le même ressentiment, nous nous sommes demandé s'il fallait nous arrêter ou per-
45   sévérer dans la voie où nous nous engagions, si de pareils tableaux devaient être mis sous les yeux du lecteur.

Nous sommes presque resté dans le doute ; sans l'impérieuse exigence de la narration, nous regretterions d'avoir placé en si horrible lieu l'explosion du récit qu'on va lire. Pourtant nous comptons un peu
50   sur l'espèce de curiosité craintive qu'excitent quelquefois les spectacles terribles.

EUGÈNE SUE, *Les Mystères de Paris*, 1842.

PLAN PROPOSÉ

I. Un *incipit* sous forme de pacte et de justification
II. La description des bas-fonds parisiens
III. Faire frissonner le lecteur

CONSIGNES

Vous ferez le commentaire de cet extrait des *Mystères de Paris*, en vous interrogeant sur la manière dont le narrateur cherche à capter l'attention du lecteur dès les premières lignes du roman.
Dans une première partie, vous étudierez la présentation du projet romanesque du narrateur.
Dans une seconde partie, vous analyserez la description des bas-fonds parisiens.
Enfin, vous vous interrogerez sur l'angoisse suscitée chez le lecteur.

CORPUS

TEXTE A : Stendhal, *Le Rouge et le Noir*, 1830.
TEXTE B : Émile Zola, *La Joie de vivre*, 1884.
TEXTE C : Guy de Maupassant, *Pierre et Jean*, 1888.

TEXTE A Stendhal, *Le Rouge et le Noir*, 1830.

La petite ville de Verrières peut passer pour l'une des plus jolies de
la Franche-Comté. Ses maisons blanches avec leurs toits pointus de
tuiles rouges s'étendent sur la pente d'une colline, dont les touffes de
vigoureux châtaigniers marquent les moindres sinuosités. Le Doubs
5   coule à quelques centaines de pieds au-dessous de ses fortifications,
bâties jadis par les Espagnols, et maintenant ruinées.

Verrières est abritée du côté du nord par une haute montagne, c'est
une des branches du Jura. Les cimes brisées du Verra se couvrent de
neige dès les premiers froids d'octobre. Un torrent, qui se précipite
10 de la montagne, traverse Verrières avant de se jeter dans le Doubs,
et donne le mouvement à un grand nombre de scies à bois ; c'est une
industrie fort simple et qui procure un certain bien-être à la majeure
partie des habitants plus paysans que bourgeois. Ce ne sont pas cependant les scies à bois qui ont enrichi cette petite ville. C'est à la fabrique
15 des toiles peintes, dites de Mulhouse, que l'on doit l'aisance générale
qui, depuis la chute de Napoléon, a fait rebâtir les façades de presque
toutes les maisons de Verrières.

À peine entre-t-on dans la ville que l'on est étourdi par le fracas
d'une machine bruyante et terrible en apparence. Vingt marteaux
20 pesants, et retombant avec un bruit qui fait trembler le pavé, sont
élevés par une roue que l'eau du torrent fait mouvoir. Chacun de
ces marteaux fabrique, chaque jour, je ne sais combien de milliers
de clous. Ce sont de jeunes filles fraîches et jolies qui présentent aux
coups de ces marteaux énormes les petits morceaux de fer qui sont
25 rapidement transformés en clous. Ce travail, si rude en apparence,
est un de ceux qui étonnent le plus le voyageur qui pénètre pour la
première fois dans les montagnes qui séparent la France de l'Hel-
vétie. Si, en entrant à Verrières, le voyageur demande à qui appartient cette belle fabrique de clous qui assourdit les gens qui montent
30 la grande rue, on lui répond avec un accent traînard : *Eh ! elle est à
M. le maire.*

Pour peu que le voyageur s'arrête quelques instants dans cette
grande rue de Verrières, qui va en montant depuis la rive du Doubs
jusque vers le sommet de la colline, il y a cent à parier contre un qu'il
verra paraître un grand homme à l'air affairé et important[1].

STENDHAL, *Le Rouge et le Noir*, Ire partie, chapitre 1, 1830.

1. Il s'agit de M. de Rênal, le maire
de Verrières.

TEXTE B Émile Zola, *La Joie de vivre*, 1884.

Comme six heures sonnaient au coucou de la salle à manger, Chanteau perdit tout espoir. Il se leva péniblement du fauteuil où il chauffait ses lourdes jambes de goutteux, devant un feu de coke. Depuis deux heures, il attendait Mme Chanteau, qui, après une absence de cinq semai-
5 nes, ramenait ce jour-là de Paris leur petite cousine Pauline Quenu[1], une orpheline de dix ans, dont le ménage avait accepté la tutelle.

– C'est inconcevable, Véronique, dit-il en poussant la porte de la cuisine. Il leur est arrivé un malheur.

La bonne, une grande fille de trente-cinq ans, avec des mains d'homme
10 et une face de gendarme, était en train d'écarter du feu un gigot qui allait être certainement trop cuit. Elle ne gronda pas, mais une colère blêmissait la peau rude de ses joues.

– Madame sera restée à Paris, dit-elle sèchement. Avec toutes ces histoires qui n'en finissent plus et qui mettent la maison en l'air !

15 – Non, non, expliqua Chanteau, la dépêche d'hier soir annonçait le règlement définitif des affaires de la petite... Madame a dû arriver ce matin à Caen, où elle s'est arrêtée pour passer chez Davoine. À une heure, elle reprenait le train ; à deux heures, elle descendait à Bayeux ; à trois heures, l'omnibus du père Malivoire la déposait à Arromanches, et
20 si même Malivoire n'a pas attelé tout de suite sa vieille berline, Madame aurait pu être ici vers quatre heures, quatre heures et demie au plus tard... Il n'y a guère que dix kilomètres d'Arromanches à Bonneville[2].

La cuisinière, les yeux sur son gigot, écoutait tous ces calculs, en hochant la tête. Il ajouta, après une hésitation :

25 – Tu devrais aller voir au coin de la route, Véronique.

Elle le regarda, plus pâle encore de colère contenue.

– Tiens ! pourquoi ?... Puisque monsieur Lazare est déjà dehors, à patauger à leur rencontre, ce n'est pas la peine que j'aille me crotter jusqu'aux reins.

30 – C'est que, murmura Chanteau doucement, je finis par être inquiet aussi de mon fils... Lui non plus ne reparaît pas. Que peut-il faire sur la route, depuis une heure ?

Alors, sans parler davantage, Véronique prit à un clou un vieux châle de laine noire, dont elle s'enveloppa la tête et les épaules. Puis, comme
35 son maître la suivait dans le corridor, elle lui dit brusquement :

– Retournez donc devant votre feu, si vous ne voulez pas gueuler demain toute la journée, avec vos douleurs.

Et, sur le perron, après avoir refermé la porte à la volée, elle mit ses sabots et cria dans le vent :
40 – Ah ! Dieu de Dieu ! en voilà une morveuse qui peut se flatter de nous faire tourner en bourrique !

ÉMILE ZOLA, *La Joie de vivre*, chapitre I, 1884.

---

1. Pauline Quenu : fille de Lisa Macquart, la sœur de Gervaise, et de Quenu, charcutier dans *Le Ventre de Paris* (1873).

2. Bonneville : petite ville de Normandie où se situe l'action du roman.

TEXTE C Guy de Maupassant, *Pierre et Jean*, 1888.

« Zut[1] ! » s'écria tout à coup le père Roland qui depuis un quart d'heure demeurait immobile, les yeux fixés sur l'eau, et soulevant par moments, d'un mouvement très léger, sa ligne descendue au fond de la mer.

5 Mme Roland, assoupie à l'arrière du bateau, à côté de Mme Rosémilly invitée à cette partie de pêche, se réveilla, et tournant la tête vers son mari :

« Eh bien,... eh bien,... Gérôme ! »

Le bonhomme, furieux, répondit :

10 « Ça ne mord plus du tout. Depuis midi je n'ai rien pris. On ne devrait jamais pêcher qu'entre hommes ; les femmes vous font embarquer toujours trop tard. »

Ses deux fils, Pierre et Jean, qui tenaient, l'un à bâbord, l'autre à tribord, chacun une ligne enroulée à l'index, se mirent à rire en même 15 temps et Jean répondit :

« Tu n'es pas galant pour notre invitée, papa. »

M. Roland fut confus et s'excusa :

« Je vous demande pardon, madame Rosémilly, je suis comme ça. J'invite les dames parce que j'aime me trouver avec elles, et puis, dès 20 que je sens de l'eau sous moi, je ne pense plus qu'au poisson. »

Mme Roland s'était tout à fait réveillée et regardait d'un air attendri le large horizon de falaises et de mer. Elle murmura :

« Vous avez cependant fait une belle pêche. »

Mais son mari remuait la tête pour dire non, tout en jetant un coup 25 d'œil bienveillant sur le panier où le poisson capturé par les trois hommes palpitait vaguement encore, avec un bruit doux d'écailles gluantes et de nageoires soulevées, d'efforts impuissants et mous, et de bâillements dans l'air mortel.

Le père Roland saisit la manne[2] entre ses genoux, la pencha, fit couler 30 ler jusqu'au bord le flot d'argent des bêtes pour voir celles du fond, et leur palpitation d'agonie s'accentua, et l'odeur forte de leur corps, une saine puanteur de marée, monta du ventre plein de la corbeille.

GUY DE MAUPASSANT, *Pierre et Jean*, chapitre I, 1888.

---

1. « **Zut !** » : l'interjection, qui paraît aujourd'hui bien banale, était alors récente et servait de signe de ralliement provocateur.
2. **Manne** : grand panier d'osier.

CONSIGNES

I. Après avoir lu attentivement les textes du corpus, vous répondrez d'abord aux questions suivantes (6 points)

1. Comparez la première phrase de ces trois débuts de romans. Distinguez les différentes stratégies du romancier pour entamer son récit.

2. Quelles sont les informations délivrées par *l'incipit* ? Comparez les trois textes et observez la manière de présenter le cadre spatio-temporel et les personnages.

3. Quels sont les textes qui vous semblent programmer une action, donner les indices d'une intrigue à venir ?

4. À partir des trois textes du corpus, distinguez les différentes formes que peut prendre un *incipit* romanesque : statique, dynamique, progressif.

5. De quelle façon chacun de ces trois textes crée-t-il un effet de réel ? Quelles sont dans ces trois ouvertures les marques de l'écriture réaliste ?

6. Quels éléments, dans ces trois débuts de romans, retiennent votre intérêt, suscitent votre curiosité ? Formulez les attentes de lecture qu'ils vous inspirent.

II. Vous traiterez, ensuite, au choix, l'un des sujets suivants (14 points)

Écriture d'invention
Rédigez la dernière page du roman qui vous semble le mieux convenir aux attentes de lecture que vous a inspirées l'*incipit* de *La Joie de vivre* de Zola (texte B).

Écriture de commentaire
Vous ferez, au choix, le commentaire du texte A ou du texte C en vous aidant des projets de lecture suivants :
– Texte A, Stendhal, *Le Rouge et le Noir* : comment le lecteur voyageur est-il conduit à pénétrer dans un univers ambigu ?
– Texte C, Maupassant, *Pierre et Jean* : comment une paisible partie de pêche en famille laisse-t-elle entrevoir un changement de situation ?

Écriture de dissertation
Un critique contemporain écrit : « Même s'il se prétend réaliste, copiste du réel, promenant son miroir le long d'un chemin, le romancier crée un monde imaginaire. » Vous développerez et illustrerez ce propos en prenant appui sur les textes du corpus et sur vos lectures personnelles.

ACTIVITÉ 9   Imaginer un élément perturbateur

Imaginez un élément perturbateur qui dérangera les habitudes de vie décrites à l'exercice précédent. Racontez l'irruption de cet élément dans la vie de la famille.

ACTIVITÉ 10   Rédiger une nouvelle réaliste

Rédigez une nouvelle réaliste complète en donnant une issue à l'événement introduit pour l'exercice précédent.

Les dialogues

ACTIVITÉ 11   Écrire un discours indirect

a) Résumez dans un passage de discours indirect l'échange entre les deux personnages du texte.
b) Quelle version vous paraît la meilleure ? Quel est l'effet du dialogue ?

> *L'action se passe en 1793. Celui qui questionne est un sergent de l'armée des « bleus » (les républicains pendant la révolte des Chouans en Vendée), celle qui répond est une paysanne vendéenne.*
>
> – Et ton mari, madame ? que fait-il ? Qu'est-ce qu'il est devenu ?
> – Il est devenu rien, puisqu'on l'a tué.
> – Où ça ?
> – Dans la haie.
> – Quand ça ?
> – Il y a trois jours.
> – Qui ça ?
> – Je ne sais pas.
> – Comment, tu ne sais pas qui a tué ton mari ?
> – Non.
> – Est-ce un bleu ? Est-ce un blanc ?
> – C'est un coup de fusil.
> – Et il y a trois jours ?
> – Oui.
> – De quel côté ?
> – Du côté d'Ernée. Mon mari est tombé. Voilà.
>
> **VICTOR HUGO**, *Quatrevingt-treize*, 1874.

THÉODORE GÉRICAULT,
Portrait d'homme dit le Vendéen,
1822-1823. Paris, musée du Louvre.

ACTIVITÉ 12   Imaginer un dialogue

Le pub était bondé. J'ai fini par trouver une place à une table partiellement occupée par un couple extraordinaire : un homme, déjà vieux, d'une corpulence gigantesque, le front haut, la tête puissante nimbée d'une abondante chevelure blanche, et une femme d'une trentaine d'années, avec quelque chose de slave et d'asiatique en même temps dans la physionomie, des larges pommettes, des yeux étroits, et des cheveux d'un blond roux nattés en torsade autour de la tête. Elle était silencieuse et posait fréquemment la main sur celle de son compagnon, comme pour l'empêcher de se mettre en colère. Lui parlait sans arrêt, avec un léger accent que je ne parvenais pas à identifier. […]

Il ne tarda pas à m'adresser la parole et nous commençâmes à boire ensemble, à deviser de tout et de rien, de la guerre, de la mort, de Londres, de Paris, de la bière, de la musique, des trains de nuit, de la beauté, de la danse, du brouillard, de la vie.

GEORGES PEREC, *La Vie mode d'emploi*, 1978

Dans ce texte, remplacez le résumé des conversations (à la fin de l'extrait) par des dialogues. Vous ajouterez un passage où deux des trois personnages se disputent, ce qui entraîne la sortie du narrateur. Vous pouvez, dans les répliques de l'homme corpulent, introduire des déformations des mots dues à son accent que vous imaginerez à votre guise.

Noms, titres, incipits

ACTIVITÉ 13 Choisir le nom d'un personnage

Voici un extrait d'annuaire téléphonique (un peu modifié) :

Aubinet, Annie ; Avramito, Pascal ; Ben Barek, Fanny ; De Carvalho, Antonia ; Estienne, Stéphane ; Faggianelli, Kathie ; Garcia, Catherine ; La Hausse du Passage, Antoine ; Leyris, Anne-Béatrice ; Li Chen ; Liberia-Massard, Philippe ; Maaga, Souad ; Mahfoud, Abdelkader ; Michel, Michel ; de Privat-la Morlaie, Adrian ; Renaudin, Pierre-Marie ; Rezninchenkoff, Nadia ; Salver, Christian ; Segal, Jean ; Szyrmann, Agatha.

a) Choisissez dans la liste deux noms d'homme et deux noms de femme qui vous plaisent. Imaginez à quel genre de personnage ils conviendraient. Précisez qui ils sont (âge, métier, lieu de résidence, apparence, goûts etc.) et prenez vos idées en note. Évitez les clichés.

b) Faites-les se rencontrer de manière réaliste, en utilisant les éléments notés.

c) Écrivez un épisode de leur histoire.

ACTIVITÉ 14 Choisir un titre

a) Donnez d'autres titres aux romans *Le Père Goriot*, *Le Rouge et le Noir*, *La Bête humaine* et à d'autres romans que vous avez lus. Justifiez ces changements.

b) Voici des titres imaginés par Charles Baudelaire : *Le Marquis invisible*, *L'Amour parricide*, *Le Crime au collège*, *Les Heureux de ce monde*, *L'Ami du rouge*, *Le Fou raisonnable* et *La Belle aventurière*.

Lesquels vous paraissent pouvoir convenir à des récits réalistes ? Qu'imaginez-vous pour les autres ?

ACTIVITÉ 15 Écrire à partir d'un *incipit*

a) À partir des *incipits* suivants, imaginez la deuxième phrase.

– Je suis jeune, riche et cultivé ; et je suis malheureux, névrosé et seul (Fritz Zorn, *Mars*).
– Aujourd'hui maman est morte (Albert Camus, *L'Étranger*).
– L'abbé Ralon se pencha à la fenêtre (Michel Butor, *Passage de Milan*).
– Hank comptait l'argent empilé devant lui (Chester Himes, *La Reine des pommes*).

b) Choisissez un de ces incipits et écrivez une suite d'une page au moins.

▶ *Le Petit Lieutenant* de Xavier Beauvois, 2005

Tout frais émoulu de son École de police, le jeune lieutenant Antoine Dérouère (Jalil Lespert) arrive de sa province à Paris pour faire ses premiers pas dans une brigade de la Police judiciaire. Là, au côté du commandant Caroline Vaudieu (Nathalie Baye) et de ses hommes, il découvre avec enthousiasme son nouvel environnement. De l'armurerie au stand de tir en passant par la cellule de dégrisement, il arpente le moindre recoin du commissariat et sa première enquête lui donne l'occasion de s'essayer à chaque procédure, de la déposition d'une plainte à l'autopsie d'un cadavre.

Soucieux de décrire la réalité de l'univers policier dans ses manifestations quotidiennes, Xavier Beauvois fait le choix de l'exactitude et le l'austérité dans le traitement sobre de son sujet et le jeu sans affectation de ses acteurs. Il détourne les codes du polar, évacuant la fiction et ses effets spectaculaires au profit d'une représentation quasi documentaire du commissariat et de son activité.

Entre exploration de la part sombre de la société française contemporaine et récit initiatique, *Le Petit Lieutenant* retrouve la manière réaliste du roman balzacien entremêlant descriptions, restitution minutieuse et étude de mœurs. Tel un Rastignac moderne, Antoine met ses rêves de gloire à l'épreuve du réel qui transforme son parcours strictement professionnel en un apprentissage tragique de la misère, de la violence et de la mort.

État des lieux

Entraînement au stand de tir.

Le commandant Caroline Vaudieu et ses hommes sur les lieux d'un crime.

L'affiche du film : dans le cru de la vie.

QUESTIONS

1. Sur quels éléments se structure l'image 1 (cadre, lumière, angle, figures animées et inanimées représentées, organisation de l'espace et des corps dans l'espace, couleur dominante) ? Comment la position hiérarchique du commandant Vaudieu est-elle représentée par la place qu'elle occupe ?

2. L'image 2 représente-t-elle un moment exceptionnel dans le métier de policier ? Quelle phase du tir le réalisateur a-t-il privilégiée ? Quelle est la position des personnages les uns par rapport aux autres ?

3. Dans l'image 3, quel est le rapport des deux corps ? Quelles impressions se dégagent du cadre et de la lumière ? Comment les matières et les couleurs accentuent-elles l'idée d'opposition ? Quelle partie essentielle du corps humain le cadre laisse-t-il hors champ ? À quoi identifie-t-on alors les personnages ?

Un récit initiatique

À l'école de Police, Antoine défile lors de la cérémonie de remise des diplômes.

Antoine fête son intégration à la PJ avec ses nouveaux collègues.

QUESTIONS

4. Comparez les images 4 et 5. Dans chacune d'elles, où se situe Antoine ? D'une image à l'autre, quels changements note-t-on au niveau de l'action, du décor, de la lumière, de la figuration des personnages et de l'organisation des corps dans l'espace ? Quelles impressions se dégagent de chacune d'elles ?

5. Sur quels éléments - lignes et motifs - se structure l'image 6 ? À quel personnage la mise en scène identifie-t-elle Antoine ? Comment la mise en scène remet-elle en question ce rapprochement ? Vers quoi se dirige le regard d'Antoine ? Quel impact a-t-il ? Que peut-il bien signifier ?

Portrait d'Antoine.

Scène d'identification au commissariat.

De l'autre côté du miroir

Vaudieu au travail...

QUESTIONS

6. Quelle étape de l'enquête l'image 7 représente-t-elle ? Comment les deux groupes humains sont-ils répartis dans l'espace ? Quelle est la couleur dominante ? Quelles impressions se dégagent de la mise en scène (cadres, position des corps, couleur, lumière, matière) ? Vers qui/quoi convergent les regards ?

7. Quelle image de Vaudieu renvoient les images 8 et 9 ? Comparez l'angle de prise de vue.

... et dans la vie.

LE MOUVEMENT ROMANTIQUE : UN NOUVEAU RAPPORT AU MONDE

L'invention de la solitude

Alphonse de Lamartine
Méditations poétiques (1820)

**ALPHONSE
DE LAMARTINE**
(1790-1869)
NOTICE BIOGRAPHIQUE P. 468

L'expression du mal-être romantique

TEXTE 1 « L'Isolement »

Paru en 1820, le petit recueil des *Méditations poétiques*, composé de vingt-quatre poèmes, fit l'effet d'une révolution en poésie. Dans sa Préface, le poète déclarait : « Je suis le premier qui ai fait descendre la poésie du Parnasse et qui ai donné à ce qu'on nommait la Muse, au lieu d'une lyre à sept cordes de convention, les fibres mêmes du cœur de l'homme ». Cette conception du lyrisme comme expression d'un moi douloureux est celle du romantisme. Les accents personnels et sincères d'une telle poésie sont sensibles dans « L'Isolement », poème écrit en 1817, à un moment où Lamartine, accablé par la perte d'Elvire, la femme aimée évoquée dans le célèbre poème « Le Lac », s'était retiré dans sa maison solitaire de Milly.

Souvent sur la montagne, à l'ombre du vieux chêne,
Au coucher du soleil, tristement je m'assieds ;
Je promène au hasard mes regards sur la plaine,
Dont le tableau changeant se déroule à mes pieds.

5 Ici, gronde le fleuve aux vagues écumantes,
Il serpente, et s'enfonce en un lointain obscur ;
Là, le lac immobile étend ses eaux dormantes
Où l'étoile du soir se lève dans l'azur.

Au sommet de ces monts couronnés de bois sombres,
10 Le crépuscule encor jette un dernier rayon,
Et le char vaporeux de la reine des ombres
Monte, et blanchit déjà les bords de l'horizon.

Cependant, s'élançant de la flèche gothique[1],
Un son religieux se répand dans les airs,
15 Le voyageur s'arrête, et la cloche rustique
Aux derniers bruits du jour mêle de saints concerts.

Mais à ces doux tableaux mon âme indifférente
N'éprouve devant eux ni charme ni transports,
Je contemple la terre, ainsi qu'une ombre errante :
20 Le soleil des vivants n'échauffe plus les morts. […]

Que ne puis-je, porté sur le char de l'Aurore,
Vague objet de mes vœux, m'élancer jusqu'à toi !

Sur la terre d'exil pourquoi resté-je encore ?
Il n'est rien de commun entre la terre et moi.

25 Quand la feuille des bois tombe dans la prairie,
Le vent du soir s'élève et l'arrache aux vallons ;
Et moi, je suis semblable à la feuille flétrie :
Emportez-moi comme elle, orageux aquilons[2] !

ALPHONSE DE LAMARTINE,
« L'Isolement », *Méditations poétiques*, 1820.

_____

1. **Gothique** : style répandu en Europe du XIIᵉ au XVIᵉ siècle,
entre le style roman et le style renaissance, et caractérisé
par la recherche de la verticalité et de la hauteur ainsi que
par les jeux de lumière. Ce style, déprécié après la Renaissance,
est ensuite réhabilité par le romantisme.
2. **Aquilons** : vents du Nord.

CASPAR DAVID FRIEDRICH,
Le Rêveur, 1835-1840,
Saint-Pétersbourg,
musée de l'Ermitage.

PREMIÈRE LECTURE

Quelle atmosphère domine la présentation
de la nature ? Quels sentiments éprouvez-vous
à la lecture de ce poème ?

LECTURE ANALYTIQUE

La solitude du poète romantique devant le tableau du monde

1. Notez les deux éléments essentiels que propose
la présentation du paysage. Commentez l'heure choisie.
Dites ce qui, dans la description et la situation du
personnage, fait de cette présentation un tableau.
2. Relevez les vers et expressions par lesquels le poète
exprime son indifférence au monde et sa solitude.
Étudiez les procédés d'écriture employés. Utilisez votre
réponse précédente pour commenter le vers 28.

L'aspiration à un ailleurs

3. Quels éléments du paysage sont un appel vers
un ailleurs ? À quel élément de la nature le poète
associe-t-il sa destinée ? Pourquoi, selon vous ?
4. Montrez que cet ailleurs n'est pas clairement défini
mais est associé à des éléments religieux
et mythologiques.

La confidence lyrique et élégiaque

5. Relevez les notations sonores. En quoi contribuent-elles
à l'atmosphère de tristesse ?
6. Observez le titre du poème : dissociez-en les sons.
Relevez dans l'ensemble du poème les mots qui
reprennent ces sons. Faites le lien avec le sens de
ces mots. En utilisant ces observations dites pourquoi
on peut affirmer que les sonorités tissent le sens
du poème.
7. Justifiez la désignation de l'auteur qui définit ce texte
comme une « larme sonore ».
8. Une élégie se définit par sa tonalité de confidence
mélancolique. En utilisant vos réponses aux questions
3, 4, 5 et 6, dites en quoi ce texte est un poème lyrique
et élégiaque.

RECHERCHE

Cherchez le texte de « L'Élégie sur la forêt de Gastine »
de Ronsard. Montrez en quoi la tonalité peut être
comparée à celle du poème de Lamartine.
Opposez les rôles de la nature dans les deux œuvres.
Quelle vision de la nature vous paraît la plus proche
de la sensibilité actuelle ?

Du romantisme de Lamartine à celui de Franz Liszt

Dix ans après les *Méditations poétiques*, Lamartine écrivit au cours d'un voyage en Italie les *Harmonies poétiques et religieuses* où la nature est ressentie comme consolatrice et messagère du divin. Ce recueil inspira des pièces pour le piano à Franz Liszt (1811-1886), musicien romantique hongrois. Le piano, qui avait reçu des perfectionnements techniques, fut en raison de ses possibilités d'expression (du *piano* au *forte*) l'instrument favori des romantiques.

Portrait de Franz Liszt.

À peine sur mon front quelques jours ont glissé,
Il me semble qu'un siècle et qu'un monde ont passé ;
Et que, séparé d'eux par un abîme immense,
Un nouvel homme en moi renaît et recommence.
5 Ah ! c'est que j'ai quitté pour la paix du désert
La foule où toute paix se corrompt ou se perd ;
C'est que j'ai retrouvé dans mon vallon champêtre,
Les soupirs de ma source et l'ombre de mon hêtre,
Et ces monts, bleus piliers d'un cintre[1] éblouissant,
10 Et mon ciel étoilé d'où l'extase descend ! [...]

Voici le gai matin qui sort humide et pâle
Des flottantes vapeurs de l'aube orientale,
Le jour s'éveille avec les zéphyrs assoupis,
La brise qui soulève ou couche les épis,
15 Avec les pleurs sereins de la tiède rosée
Remontant perle à perle où la nuit l'a puisée,
Avec le cri du coq et le chant des oiseaux,
Avec les bêlements prolongés des troupeaux,
Avec le bruit des eaux dans le moulin rustique,
20 Les accords de l'airain dans la chapelle antique,
La voix du laboureur ou de l'enfant joyeux
Sollicitant le pas du bœuf laborieux.

ALPHONSE DE LAMARTINE, « Bénédiction de Dieu dans la solitude »,
Harmonies poétiques et religieuses, 1830.

—————

1. Cintre : courbure, arc.

ÉCOUTEZ SUR DEEZER.COM

1. Écoutez la première partie de la pièce « Bénédiction de Dieu dans la solitude » de Liszt, interprétée par François-René Duchâble. Que ressentez-vous ?
Ce morceau est-il pour vous source d'apaisement ou d'inquiétude ? Pourquoi ?
2. Écoutez les sons graves du début du thème : qu'expriment-ils selon vous ?
3. Lisez à voix haute l'extrait du poème de Lamartine. Établissez des liens entre les images sonores de Liszt et les descriptions du texte.

Alfred de Musset, *Nuits* (1835-1837)

ALFRED DE MUSSET
(1810-1857)
NOTICE BIOGRAPHIQUE P. 470

D. CRETI, *Observation astronomique, Jupiter* (détail), Pinacothèque du Vatican.

1. **Églantines** : fleurs de l'églantier, rosier sauvage.

Le double, une figure du moi romantique

TEXTE 2 « La nuit de décembre »

L'ensemble des quatre *Nuits* fut composé entre mai 1835 et octobre 1837 et traduit une crise morale et sentimentale majeure de l'auteur. Trois de ces poèmes, les *Nuits* de mai, d'août et d'octobre, se présentent comme des dialogues entre le poète et une figure de sa propre inspiration : la Muse. Ce thème du double, cher aux auteurs romantiques allemands, pour qui il exprime une inquiétude sur l'identité du moi, est repris et réinterprété par Musset dans « La nuit de décembre », composée fin 1835.

LE POÈTE

Du temps que j'étais écolier,
Je restais un soir à veiller
Dans notre salle solitaire.
Devant ma table vint s'asseoir
5   Un pauvre enfant vêtu de noir,
Qui me ressemblait comme un frère.

Son visage était triste et beau :
À la lueur de mon flambeau,
Dans mon livre ouvert il vint lire.
10   Il pencha son front sur ma main,
Et resta jusqu'au lendemain,
Pensif, avec un doux sourire.

Comme j'allais avoir quinze ans
Je marchais un jour, à pas lents,
15   Dans un bois, sur une bruyère.
Au pied d'un arbre vint s'asseoir
Un jeune homme vêtu de noir,
Qui me ressemblait comme un frère.

Je lui demandai mon chemin ;
20   Il tenait un luth d'une main,
De l'autre un bouquet d'églantines[1].
Il me fit un salut d'ami,
Et, se détournant à demi,
Me montra du doigt la colline.

25   À l'âge où l'on croit à l'amour,
J'étais seul dans ma chambre un jour,
Pleurant ma première misère.
Au coin de mon feu vint s'asseoir
Un étranger vêtu de noir,
30   Qui me ressemblait comme un frère.

Il était morne et soucieux ;
D'une main il montrait les cieux,
Et de l'autre il tenait un glaive.
De ma peine il semblait souffrir,
35 Mais il ne poussa qu'un soupir,
Et s'évanouit comme un rêve.

À l'âge où l'on est libertin,
Pour boire un toast en un festin,
Un jour je soulevais mon verre.
40 En face de moi vint s'asseoir
Un convive vêtu de noir,
Qui me ressemblait comme un frère.

Il secouait sous son manteau
Un haillon[2] de pourpre en lambeau,
45 Sur sa tête un myrte[3] stérile.
Son bras maigre cherchait le mien,
Et mon verre, en touchant le sien,
Se brisa dans ma main débile[4].

GUSTAVE MOREAU,
Muse et poète, XIXe siècle, Paris, musée Gustave Moreau.

Un an après, il était nuit ;
50 J'étais à genoux près du lit
Où venait de mourir mon père.
Au chevet du lit vint s'asseoir
Un orphelin vêtu de noir,
Qui me ressemblait comme un frère.

55 Ses yeux étaient noyés de pleurs ;
Comme les anges de douleurs,
Il était couronné d'épine ;
Son luth à terre était gisant,
Sa pourpre de couleur de sang,
60 Et son glaive dans sa poitrine.

Je m'en suis si bien souvenu,
Que je l'ai toujours reconnu
À tous les instants de ma vie.
C'est une étrange vision,
65 Et cependant, ange ou démon,
J'ai vu partout cette ombre amie. [...]

Qui donc es-tu, spectre de ma jeunesse,
     Pèlerin que rien n'a lassé ?
Dis-moi pourquoi je te trouve sans cesse
70   Assis dans l'ombre où j'ai passé.

---

2. Haillon : vêtement usé.
3. Myrte : arbuste qui pousse
     dans les contrées méridionales.
4. Débile : faible.

Qui donc es-tu, visiteur solitaire,
　　Hôte assidu de mes douleurs ?
Qu'as-tu donc fait pour me suivre sur terre ?
Qui donc es-tu, qui donc es-tu, mon frère,
75　　Qui n'apparais qu'au jour des pleurs ?

LA VISION

– Ami, notre père est le tien.
Je ne suis ni l'ange gardien,
Ni le mauvais destin des hommes.
Ceux que j'aime, je ne sais pas
80　De quel côté s'en vont leurs pas
Sur ce peu de fange où nous sommes.

Je ne suis ni dieu ni démon,
Et tu m'as nommé par mon nom
Quand tu m'as appelé ton frère ;
85　Où tu vas, j'y serai toujours,
Jusques au dernier de tes jours,
Où j'irai m'asseoir sur ta pierre.

Le ciel m'a confié ton cœur.
Quand tu seras dans la douleur,
90　Viens à moi sans inquiétude.
Je te suivrai sur le chemin ;
Mais je ne puis toucher ta main,
Ami, je suis la Solitude.

ALFRED DE MUSSET, « La nuit de décembre »,
Nuits, 1835-1837.

ACTIVITÉ TICE
PUZZLES POÉTIQUES

Identifiez des formes et
des procédés poétiques en
reconstituant au traitement de
texte des poèmes romantiques
et surréalistes dont les vers
ont été mélangés ou modifiés.

Téléchargez la fiche élève n° 38
« Puzzles poétiques »
sur le site du manuel.

PREMIÈRE LECTURE

Expliquez quelle est la rencontre fictive sur laquelle repose le poème.

LECTURE ANALYTIQUE

Une autobiographie poétique

1. Dites quelles sont les étapes de la rencontre. Pourquoi peut-on parler de récit à propos de l'ensemble du texte ? Quels sont les comportements successifs du poète aux différents âges de sa vie ?

2. Relevez les allusions à la poésie.

3. Quel est le type de vers principalement utilisé ? Quel rythme donne-t-il au récit ? Relevez un passage utilisant un autre type de vers. Pourquoi cette variation ? Repérez une forme de refrain. Quel est son effet sur le lecteur ?

4. En utilisant vos réponses précédentes, dites pourquoi on peut affirmer que ce texte est une autobiographie poétique.

Une vision symbolique

5. Quels sont les objets tenus par le double ? Que symbolisent-ils ?

6. Quels sont les attitudes et les gestes successifs de la vision ? Expliquez leur sens.

7. Pourquoi peut-on dire que ce texte présente une incarnation paradoxale de la solitude ? Relevez des passages du texte à l'appui de votre réponse.

8. En quoi l'identité du double renvoie-t-elle à une attitude romantique ?

RECHERCHE

Pourquoi peut-on dire que les strophes 3 et 4 présentent une allégorie de la poésie (c'est-à-dire une représentation humaine de cet art) ?
Cherchez des tableaux ou des sculptures allégoriques représentant la musique, la grammaire, les mathématiques.

Les formes poétiques

LES POÈMES À FORME FIXE

a. La ballade (de *baller*, « danser », en ancien français) est née à la fin du Moyen Âge. Elle est redécouverte au XIXe siècle par les romantiques. Sa particularité est la répétition du dernier vers de chaque strophe, le refrain.

b. Le rondeau (de *ronde*) est un poème de trois strophes. Deux schémas sont possibles : 5/3/5 ou 4/2/4 vers. Le premier hémistiche du premier vers constitue le refrain : on le retrouve à la fin de la deuxième et de la troisième strophe. Cette forme est privilégiée pour l'expression de sentiments légers.

c. Le sonnet est inventé en Italie au XVe siècle. Il s'agit d'un poème de quatorze vers, le plus souvent des décasyllabes ou des alexandrins, répartis en deux quatrains et un sizain (que l'on peut décomposer en deux tercets). On oppose souvent la symétrie et l'équilibre des quatrains au rythme impair et syncopé des tercets pour produire des effets de sens.

LES FORMES RÉGULIÈRES MAIS VARIABLES

a. L'ode (du grec *odè*, « chant ») est à l'origine un poème lyrique accompagné de musique. Genre poétique élevé, il sert notamment à chanter les louanges d'une personne. Sa forme n'est pas fixe : elle est composée de strophes de longueur variable, le plus souvent en octosyllabes (mais pas toujours). Pierre de Ronsard, s'inspirant du grec Pindare, fut le premier poète français à pratiquer cette forme poétique, ses *Odes* paraissant en 1550.

b. L'élégie (du grec *elegeia*, probablement « chant funèbre » à l'origine) est héritée de la poésie grecque et latine. Progressivement, ce genre s'est trouvé associé à l'expression de la douleur amoureuse. À la Renaissance, le terme renvoie à une poésie exprimant des sentiments forts et douloureux, et non à une forme précise. On parle notamment de registre élégiaque pour qualifier les œuvres exprimant la tristesse amoureuse. L'élégie est ensuite prisée par les poètes romantiques, qui renouvellent l'expression poétique des sentiments.

c. L'hymne est un poème chanté à la gloire d'un personnage ou d'une idée abstraite. Il a souvent une valeur sacrée, et est intégré dans les rites des cultes dédiés aux dieux ou aux héros. Le poète grec Homère compose de nombreux hymnes. À la Renaissance, Pierre de Ronsard chante dans ses *Hymnes* les louanges des rois et des princes, mais aussi des valeurs abstraites, comme la Justice. Au XIXe siècle, ce genre est repris par les romantiques et par Charles Baudelaire, avec par exemple un « Hymne à la Beauté » dans *Les Fleurs du mal*.

GUSTAVE COURBET,
Charles Baudelaire à sa table de travail,
1848. Montpellier, musée Fabre.

d. La fable est un récit allégorique le plus souvent versifié : elle met en scène des personnages stéréotypés (la plupart du temps des animaux) pour délivrer un sens moral. Elle a donc pour visée d'instruire le lecteur. Dans l'Antiquité, les deux plus fameux fabulistes furent le Grec Ésope et le Latin Phèdre. Au XVIIᵉ siècle, La Fontaine s'est inspiré de ces deux auteurs pour composer son propre recueil de fables, dédié au fils de Louis XIV. Il y critique les défauts de ses contemporains et les abus du pouvoir sous une forme plaisante.

LES FORMES LIBRES

a. Le poème en prose est une forme poétique apparue au XIXᵉ siècle, avec *Gaspard de la nuit* d'Aloysius Bertrand, publié en 1842. Véritable révolution esthétique, le poème en prose ne présente ni vers ni strophe. Les *Nouvelles Histoires extraordinaires* d'Edgar Allan Poe inspirent certains des *Petits Poèmes en prose* de Charles Baudelaire. Ce dernier apprécie cette « prose poétique musicale sans rythme et sans rime, assez souple et assez heurtée pour s'adapter aux mouvements lyriques de l'âme, aux ondulations de la rêverie, aux soubresauts de la conscience ». La modernité du poème en prose en fait également une forme propre à accueillir des thèmes moins nobles et plus quotidiens que la poésie en vers.

b. Le vers libre ne respecte pas les règles de versification classique : le nombre de syllabes importe peu, il ne rime pas toujours avec un autre vers, et ne forme pas de strophe. Cependant, il garde certains traits du vers classique : alinéas, blanc entre les paragraphes, majuscule en début de vers, des échos sonores, des enjambements. Arthur Rimbaud est l'un des premiers à employer cette forme au XIXᵉ siècle, dans deux poèmes de ses *Illuminations*. Au XXᵉ siècle, cette forme devient très répandue, et est utilisée par Guillaume Apollinaire, Louis Aragon ou Paul Éluard.

Dessin de Paul Verlaine représentant Rimbaud, à Paris, 1872.

c. Le calligramme est un poème dont la forme dessine l'objet dont il parle. Ce terme signifie étymologiquement « belles lettres » en grec. Si certains auteurs de l'Antiquité, de la Renaissance ou du XIXᵉ siècle ont proposé des formes de calligrammes, c'est Guillaume Apollinaire qui, au début du XXᵉ siècle, invente ce terme. Il compose de nombreux poèmes de ce type. Les mots d'un poème évoquant une fleur sont disposés sur la page de manière à dessiner le végétal. Plus tard, le surréaliste André Breton pratique également cette forme poétique.

La mandoline
l'œillet et le bambou

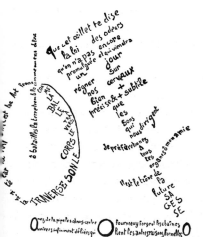

GUILLAUME APOLLINAIRE, « La mandoline, l'œillet et le bambou », *Calligrammes*, Éd. Gallimard, 1918.

François-René de Chateaubriand, *René* (1802)

Le désir d'être un autre

FRANÇOIS-RENÉ DE CHATEAUBRIAND
(1768-1848)
NOTICE BIOGRAPHIQUE P. 465

TEXTE 1

Chateaubriand fut un précurseur du romantisme. Il créa avec René un héros représentatif du sentiment de lassitude et d'impuissance à vivre propre à son époque. L'intention de l'auteur fut incomprise et René, pourtant conçu comme un anti-modèle, exerça à l'inverse sur la jeune génération de 1830 une fascination que Chateaubriand désapprouva.

Mais comment exprimer cette foule de sensations fugitives que j'éprouvais dans mes promenades ? Les sons que rendent les passions dans le vide d'un cœur solitaire ressemblent au murmure que les vents et les eaux font entendre dans le silence d'un désert : on en
5   jouit, mais on ne peut les peindre.

L'automne me surprit au milieu de ces incertitudes : j'entrai avec ravissement dans les mois des tempêtes. Tantôt j'aurais voulu être un de ces guerriers errant au milieu des vents, des nuages et des fantômes, tantôt j'enviais jusqu'au sort du pâtre que je voyais réchauf-
10 fer ses mains à l'humble feu de broussailles qu'il avait allumé au coin d'un bois. J'écoutais ses chants mélancoliques, qui me rappelaient que dans tout pays le chant naturel de l'homme est triste, lors même qu'il exprime le bonheur. Notre cœur est un instrument incomplet, une lyre où il manque des cordes, et où nous sommes forcés de ren-
15 dre les accents de la joie sur le ton consacré aux soupirs.

Le jour, je m'égarais sur de grandes bruyères terminées par des forêts. Qu'il fallait peu de choses à ma rêverie ! une feuille séchée que le vent chassait devant moi, une cabane dont la fumée s'élevait dans la cime dépouillée des arbres, la mousse qui tremblait au souffle du
20 nord sur le tronc d'un chêne, une roche écartée, un étang désert où le jonc flétri murmurait ! Le clocher solitaire, s'élevant au loin dans la vallée, a souvent attiré mes regards ; souvent j'ai suivi des yeux les oiseaux de passage qui volaient au-dessus de ma tête. Je me figurais les bords ignorés, les climats lointains où ils se rendent ; j'aurais voulu
25 être sur leurs ailes. Un secret instinct me tourmentait, je sentais que je n'étais moi-même qu'un voyageur, mais une voix du ciel semblait me dire : « Homme, la saison de ta migration n'est pas encore venue ; attends que le vent de la mort se lève, alors tu déploieras ton vol vers ces régions inconnues que ton cœur demande.
30 « Levez-vous vite, orages désirés, qui devez emporter René dans les espaces d'une autre vie ! » Ainsi disant, je marchais à grands pas,

le visage enflammé, le vent sifflant dans ma chevelure, ne sentant ni pluie ni frimas, enchanté, tourmenté, et comme possédé par le démon de mon cœur.

FRANÇOIS-RENÉ DE CHATEAUBRIAND, René, 1802.

PREMIÈRE LECTURE

a. Vous sentez-vous parfois dans le même état d'esprit que René ? Dans quelles circonstances ?

b. Quel rôle vous semble jouer la nature dans le texte ?

LECTURE ANALYTIQUE

L'homme romantique

1. Qu'est-ce qui confère à ce texte une dimension poétique ?

2. Le narrateur peut-il facilement analyser ses émotions ? Justifiez votre réponse.

3. Dites quels sont les deux personnages évoqués dans le deuxième paragraphe. En quoi incarnent-ils des rêves contradictoires ?

4. À quoi cette contradiction aboutit-elle ? Quels sont les deux voyages possibles pour le héros romantique ?

5. En quoi le dernier paragraphe est-il un portrait du poète romantique ?

La nature, le « paysage état d'âme »

6. Relevez les phrases où Chateaubriand montre une nature qui parle. Qu'apporte ce langage de la nature à l'homme romantique ?

7. Montrez que la saison choisie, le paysage et les spectacles qui s'y déroulent contribuent à exprimer la mélancolie du narrateur.

Une prose romantique et poétique

8. Quel est le sujet de la seconde phrase du texte ? Relevez une allitération dans le début de la phrase. Faites le lien avec le sens.

9. Dans le second paragraphe, trouvez une phrase qui évoque le chant. Pourquoi peut-on dire qu'elle s'applique au texte ?

10. En utilisant vos réponses précédentes, dites quels thèmes et quels procédés de la poésie lyrique on retrouve dans ce passage.

ORAL

Chateaubriand est considéré comme un maître du style, dont les phrases, particulièrement travaillées, visent à créer un effet.

Recopiez la dernière phrase du texte. Indiquez par des barres verticales les endroits où il faut marquer une pause. Soulignez les syllabes sur lesquelles la voix devra monter.

Dans une phrase longue (ou période) on distingue deux parties : la protase, première partie, à la fin de laquelle la voix monte, et l'apodose, seconde partie, à la fin de laquelle la voix descend. Où commence l'apodose dans la phrase ?

On appelle « cadence majeure » une phrase ou un membre de phrase dont les groupes sont de plus en longs, et « cadence mineure » un élément dont les groupes sont de plus en plus courts. Dites quelle est la cadence de l'apodose. Quel est l'effet produit ?

Exercez-vous à lire la phrase en tenant compte des éléments précédents pour donner une idée de l'attitude morale et physique de René.

LECTURE COMPLÉMENTAIRE

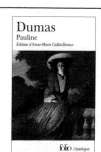

Vous pourrez lire *Pauline* d'Alexandre Dumas.

Ce roman est un peu à part dans la production de l'auteur. Il est centré sur les malheurs d'une héroïne victime d'un persécuteur qui l'attire et l'effraie. Elle est secourue par un consolateur qu'elle traite comme un frère. Ce court récit rassemble de nombreux thèmes propres à la sensibilité romantique.

1. Faites la liste des voyages des divers personnages et du narrateur Dumas. Proposez des rapprochements avec ce que vous savez du goût de l'exotisme à cette époque.

2. Quel personnage est un aventurier ? Laquelle de ses aventures renvoie à l'orientalisme alors à la mode ?

3. Cherchez un passage où un personnage contemple la nature. Faites un rapprochement avec un texte poétique de la séquence. Les tonalités sont-elles identiques ?

4. En quoi peut-on rapprocher Horace de personnages présents dans les poèmes ? En quoi est-il différent ?

L'engagement romantique

VICTOR HUGO
(1802 - 1885)
NOTICE BIOGRAPHIQUE P. 468

TEXTE 3 « **Aux morts du 4 décembre** »

Le 2 décembre 1851, Louis Napoléon Bonaparte s'empare du pouvoir par la force. Le poème évoque les jours de grande violence qui ont suivi le coup d'État.

Jouissez du repos que vous donne le maître.
Vous étiez autrefois des cœurs troublés peut-être,
   Qu'un vain songe poursuit ;
L'erreur vous tourmentait, ou la haine, ou l'envie ;
5 Vos bouches, d'où sortait la vapeur de la vie,
   Étaient pleines de bruit.

Faces confusément l'une à l'autre apparues,
Vous alliez et veniez en foule dans les rues,
   Ne vous arrêtant pas,
10 Inquiets comme l'eau qui coule des fontaines,
Tous, marchant au hasard, souffrant les mêmes peines,
   Mêlant les mêmes pas.

Peut-être un feu creusait votre tête embrasée,
Projets, espoirs, briser l'homme de l'Élysée,
15   L'homme du Vatican,
Verser le libre esprit à grands flots sur la terre ;
Car dans ce siècle ardent toute âme est un cratère
   Et tout peuple un volcan.

Vous aimiez, vous aviez le cœur lié de chaînes,
20 Et le soir vous sentiez, livrés aux craintes vaines,
   Pleins de soucis poignants,
Ainsi que l'Océan sent remuer ses ondes,
Se soulever en vous mille vagues profondes
   Sous les cieux rayonnants.

25 Tous, qui que vous fussiez, tête ardente, esprit sage,
Soit qu'en vos yeux brillât la jeunesse, ou que l'âge
   Vous prît et vous courbât,
Que le destin pour vous fût deuil, énigme ou fête,
Vous auriez dans vos cœurs l'amour, cette tempête,
30   La douleur, ce combat.

NADAR, Portrait de Napoléon III,
fin du XIXᵉ siècle.

Grâce au quatre décembre, aujourd'hui, sans pensée,
Vous gisez étendus dans la fosse glacée
    Sous les linceuls épais ;
Ô morts, l'herbe sans bruit croît sur vos catacombes,
35 Dormez dans vos cercueils ! Taisez-vous dans vos tombes !
    L'empire, c'est la paix.

Jersey, décembre 1852.

VICTOR HUGO, *Les Châtiments*, I, 4, 1853.

Pensez-vous que Victor Hugo remercie l'Empire d'avoir rétabli la paix ? Justifiez votre réponse.

LECTURE ANALYTIQUE

Un éloge de l'Empire ?

1. Que fait croire la première strophe ? Que comprend-on à la fin du poème ? Concluez : à quel registre appartient cette première strophe ?

2. Comment les hommes sont-ils dépeints dans les deux premières strophes ? Quels termes sont utilisés ?

Un éloge funèbre

3. Relevez un jeu sur les mots entre le titre et un vers de la fin du poème. Pourquoi peut-on dire que ce procédé fait du texte un éloge funèbre ?

4. Relevez les occurrences du pronom indéfini « tous » et commentez sa place ; comment ce « tous » est-il explicité ? Quel est le message de Hugo ?

5. Qu'espèrent les révoltés ? Contre qui se battent-ils ?

Quels idéaux sont les leurs ? Relevez les images qui servent à les décrire et commentez-les.

6. Montrez comment la dernière strophe est construite à l'inverse de la première et en opposition avec elle. Quel est le message du texte ? Pourquoi peut-on dire qu'il s'agit d'un poème engagé ?

ORAL

Exposé sur l'engagement des écrivains romantiques

7. Cherchez quelles ont été les fonctions officielles de Chateaubriand. Son expérience politique l'a-t-elle satisfait ?

8. Quelle a été l'évolution des idées politiques de Victor Hugo tout au long de sa vie ? Quelles fonctions officielles a-t-il occupées ? Pourquoi a-t-il refusé de revenir en France alors que Napoléon III lui proposait une amnistie et une reconnaissance officielle ?

9. À quelle élection Lamartine a-t-il été candidat ? Quel a été son rôle dans la révolution de 1848 ?

10. Concluez sur l'implication politique de certains auteurs romantiques.

TEXTE COMPLÉMENTAIRE

William Blake, *Les Chants de l'Innocence et de l'Expérience* (1794)

Le poète, témoin de son temps

William Blake (1757-1827), graveur, peintre et poète anglais, ouvre la voie aux écrivains romantiques par l'originalité de son écriture, et les thèmes de sa poésie visionnaire et engagée.

À Londres, on employait des enfants comme ramoneurs parce qu'ils étaient assez petits pour s'introduire dans les cheminées. Le travail était malsain et dangereux : les enfants se trouvaient parfois coincés, respiraient la suie et en mouraient souvent.

     Le Ramoneur
Quand ma mère est morte, j'étais très jeune,
Et mon père m'a vendu avant que je sache
Crier « ...amoneur ! ...amoneur ! », alors
Vos cheminées je nettoie et dans la suie je dors.

VICTOR HUGO,
Ma destinée, dessin, 1857.
Paris, musée Victor Hugo.

---

3. **Ciron** : insecte microscopique.
4. **Alcyon** : martin-pêcheur.

ACTIVITÉ TICE
UN HÉMISTICHE AVEC TWITTER
Utilisez la plateforme de micro-blogging Twitter pour compléter des hémistiches, c'est-à-dire des demi-vers.

Téléchargez la fiche élève n° 45 « Un hémistiche avec Twitter » sur le site du manuel.

5   Me prit par les cheveux dans sa main qui grandit,
     M'emporta sur le haut du rocher, et me dit :
     Sache que tout connaît sa loi, son but, sa route ;
     Que, de l'astre au ciron³, l'immensité s'écoute ;
     Que tout a conscience en la création ;
10   Et l'oreille pourrait avoir sa vision,
     Car les choses et l'être ont un grand dialogue.
     Tout parle ; l'air qui passe et l'alcyon⁴ qui vogue,
     Le brin d'herbe, la fleur, le germe, l'élément.
     T'imaginais-tu donc l'univers autrement ?
15   Crois-tu que Dieu, par qui la forme sort du nombre,
     Aurait fait à jamais sonner la forêt sombre,
     L'orage, le torrent roulant de noirs limons,
     Le rocher dans les flots, la bête dans les monts,
     La mouche, le buisson, la ronce où croît la mûre,
20   Et qu'il n'aurait rien mis dans l'éternel murmure ?
     Crois-tu que l'eau du fleuve et les arbres des bois,
     S'ils n'avaient rien à dire, élèveraient la voix ?
     Prends-tu le vent des mers pour un joueur de flûte ?
     Crois-tu que l'océan, qui se gonfle et qui lutte,
25   Serait content d'ouvrir sa gueule jour et nuit
     Pour souffler dans le vide une vapeur de bruit,
     Et qu'il voudrait rugir, sous l'ouragan qui vole,
     Si son rugissement n'était une parole ?

Crois-tu que le tombeau, d'herbe et de nuit vêtu,
30   Ne soit rien qu'un silence ? et te figures-tu
Que la création profonde, qui compose
Sa rumeur des frissons du lys et de la rose,
De la foudre, des flots, des souffles du ciel bleu,
Ne sait ce qu'elle dit quand elle parle à Dieu ?
35   Crois-tu qu'elle ne soit qu'une langue épaissie ?
Crois-tu que la nature énorme balbutie,
Et que Dieu se serait, dans son immensité,
Donné pour tout plaisir, pendant l'éternité,
D'entendre bégayer une sourde-muette ?
40   Non, l'abîme est un prêtre et l'ombre est un poète ;
Non, tout est une voix et tout est un parfum ;
Tout dit dans l'infini quelque chose à quelqu'un ;
Une pensée emplit le tumulte superbe.
Dieu n'a pas fait un bruit sans y mêler le Verbe.
45   Tout, comme toi, gémit ou chante comme moi ;
Tout parle. Et maintenant, homme, sais-tu pourquoi
Tout parle ? Écoute bien. C'est que vents, ondes, flammes
Arbres, roseaux, rochers, tout vit ! Tout est plein d'âmes.

VICTOR HUGO, *Les Contemplations*, volume II,
« Au bord de l'infini », 1843-1855.

PREMIÈRE LECTURE

Quel rapport voyez-vous entre le titre du poème
et le sens du texte ?

LECTURE ANALYTIQUE

Un message de l'au-delà

1. Qui parle ? Où ? À qui ? Justifiez vos trois réponses.
Quelle vision crée, au début du texte, une atmosphère
fantastique ?

2. Relevez les impératifs et les tournures interrogatives,
commentez leur nombre et leur répartition ; définissez
le ton du texte : quel type de relation s'établit entre
celui qui parle et celui qui écoute ?

L'éternel murmure

3. Relevez les notations auditives du texte.

4. Qui parle dans la nature ?

5. Expliquez le vers 44. En quoi l'ensemble du poème
en est-il un commentaire ?

6. Cherchez l'étymologie du mot « panthéisme »
et définissez ce courant de pensée. En quoi le sens
de ce texte peut-il s'y rattacher ?

VERS LA DISSERTATION

Pierre Reverdy, poète du xxe siècle, a écrit : « Aucun mot,
aucune chose n'est propre à la poésie. »

En utilisant les textes étudiés, rédigez un développement
argumenté pour soutenir la thèse de Reverdy. Formulez la
thèse opposée. Trouvez des arguments pour la défendre.

à retenir

Le recueil des *Contemplations* est une œuvre de
maturité qui montre la puissance artistique de
l'auteur. Si quelques poèmes du début éclairent
le recueil d'une tonalité idyllique (« Elle était
déchaussée »), l'auteur témoigne avant tout d'une
sensibilité aux misères morales et sociales de son
temps (« Où vont tous ces enfants ») que raviment
les souffrances intimes (« Demain, dès l'aube »). *Les*

Contemplations s'achèvent par une méditation qui
unit à l'interrogation mystique sur la présence de
Dieu dans le monde (« Ce que dit la bouche d'ombre »)
une réflexion sur les pouvoirs du langage poétique,
reflet du divin (« Réponse à un acte d'accusation »).
Illustrant le pouvoir de la langue, le recueil montre
une grande maîtrise de l'écriture poétique dont il
utilise tous les registres et toutes les formes.

Charles Baudelaire, *Les Fleurs du mal* (1859)

« L'Albatros », métaphore du poète

CHARLES BAUDELAIRE
(1821-1867)
NOTICE BIOGRAPHIQUE, P. 464

TEXTE 2 « L'Albatros »

Charles Baudelaire, par son œuvre poétique et sa réflexion sur l'art, est un artiste majeur de la fin du XIXe siècle. Ce poème extrait des *Fleurs du mal* daté de 1859 trouve son inspiration dans un fait observé lors du voyage en bateau que fit Baudelaire en 1841, sur l'injonction de sa famille.

Souvent, pour s'amuser, les hommes d'équipage
Prennent des albatros, vastes oiseaux des mers[1],
Qui suivent, indolents[2] compagnons de voyage,
Le navire glissant sur les gouffres amers.

5 À peine les ont-ils déposés sur les planches,
Que ces rois de l'azur, maladroits et honteux,
Laissent piteusement leurs grandes ailes blanches
Comme des avirons traîner à côté d'eux.

Ce voyageur ailé, comme il est gauche et veule[3] !
10 Lui, naguère si beau, qu'il est comique et laid !
L'un agace son bec avec un brûle-gueule[4],
L'autre mime, en boitant, l'infirme qui volait !

Le Poète est semblable au prince des nuées
Qui hante la tempête et se rit de l'archer ;
15 Exilé sur le sol au milieu des huées,
Ses ailes de géant l'empêchent de marcher.

CHARLES BAUDELAIRE, « L'Albatros », *Les Fleurs du mal*, 1859.

1. **L'albatros** est le plus grand oiseau des mers ; avec plus de trois mètres d'envergure ; il est totalement blanc excepté le bout des ailes, qui est noir. Il vole plusieurs mois sans se poser, parcourant des milliers de kilomètres.
2. **Indolents** : nonchalants, tranquilles.
3. **Veule** : sans énergie.
4. **Brûle-gueule** : pipe à tuyau très court.

PREMIÈRE LECTURE

Cet oiseau vous paraît-il bien choisi comme image du poète ? Justifiez votre réponse.

LECTURE ANALYTIQUE

Le dévoilement progressif du symbole

1. Montrez que le poème est construit en deux parties. Quel est le sujet de chacune d'elles ?
2. Dites à quel moment le lecteur comprend l'association faite entre le poète et l'oiseau. Quelle particularité physique de l'oiseau est alors reprise pour désigner l'artiste ?
3. Quel est l'intérêt d'une telle construction ? Donnez deux éléments d'explication. En quoi contribue-t-elle au plaisir du lecteur ?

Splendeur de l'oiseau et du poète

4. Relevez toutes les expressions qui désignent l'albatros dans sa splendeur. Commentez les notations visuelles.
5. Quel vers décrit l'oiseau en vol en le personnifiant ? Quel don du poète est ainsi défini ?

L'oiseau pris, le poète exilé

6. Commentez l'attitude des marins. Quel sentiment les pousse à capturer l'oiseau ? Qu'éprouvent-ils en jouant avec lui ? Qui représentent-ils symboliquement ?
7. Relevez les expressions qui décrivent l'oiseau captif. Analysez successivement les notations visuelles et psychologiques.

8. Comment la déchéance de l'oiseau est-elle décrite ? Comment se trouve définie la condition du poète dans le monde ?

ÉCRITURE D'INVENTION

En reprenant la structure du poème de Baudelaire, écrivez un texte en prose : sous la forme d'un animal dont vous raconterez une aventure, vous représenterez une figure de l'homme : le scientifique, l'aventurier, l'artiste, le religieux, le philosophe…

Charles Cros, *Le Coffret de santal* (1873)

Le désespoir du poète

CHARLES CROS
(1842-1888)
NOTE BIOGRAPHIQUE, P. 466

TEXTE 3 « Le but »

L'inspiration de Charles Cros est double. Certains textes ont une tonalité drôle et grinçante. D'autres laissent s'exprimer une sensibilité blessée.

Le long des peupliers je marche, le front nu,
Poitrine au vent, les yeux flagellés[1] par la pluie.
Je m'avance hagard vers le but inconnu.

Le printemps a des fleurs dont le parfum m'ennuie,
5 L'été promet, l'automne offre ses fruits, d'aspects
Irritants ; l'hiver blanc, même, est sali de suie.

Que les corbeaux, trouant mon ventre de leurs becs,
Mangent mon foie, où sont tant de colères folles,
Que l'air et le soleil blanchissent mes os secs,

Et, surtout, que le vent emporte mes paroles !

CHARLES CROS, « Le but », *Le Coffret de santal*, 1873.

1. Flagellés : battus.

ACTIVITÉS TICE
CHARLES CROS, POÉSIE
ET ILLUSTRATION

Créez un photogramme ou une animation pour illustrer le poème de Charles Cros.

Téléchargez la fiche élève n° 47 « Charles Cros, poésie et illustration » sur le site du manuel.

À LA MANIÈRE DE CHARLES CROS
Écrivez un poème à la manière de Charles Cros en vous inspirant d'un film d'animation.

Téléchargez la fiche élève n° 48 « À la manière de Charles Cros » sur le site du manuel.

CASPAR DAVID FRIEDRICH, *L'Arbre aux corbeaux*,
XIXe siècle. Paris, musée du Louvre.

Stéphane Mallarmé, *Poésies* (1865)

Le renouvellement d'un thème romantique

STÉPHANE MALLARMÉ
(1842-1898)
NOTE BIOGRAPHIQUE, P. 469

TEXTE 5 « Brise marine »

Stéphane Mallarmé fut d'abord connu du public par l'étude que lui consa-cra Verlaine dans *Les Poètes maudits* (1884). « Brise marine », écrit à l'âge de vingt-trois ans, reprend le thème romantique du désenchantement.

> La chair est triste, hélas ! et j'ai lu tous les livres.
> Fuir ! là-bas fuir ! Je sens que des oiseaux sont ivres
> D'être parmi l'écume inconnue et les cieux !
> Rien, ni les vieux jardins reflétés par les yeux
> 5 Ne retiendra ce cœur qui dans la mer se trempe
> Ô nuits ! ni la clarté déserte de ma lampe
> Sur le vide papier que la blancheur défend
> Et ni la jeune femme allaitant son enfant.
> Je partirai ! Steamer[1] balançant ta mâture,
> 10 Lève l'ancre pour une exotique nature !
>
> Un Ennui, désolé par les cruels espoirs,
> Croit encore à l'adieu suprême des mouchoirs !
> Et, peut-être, les mâts, invitant les orages,
> Sont-ils de ceux qu'un vent penche sur les naufrages
> 15 Perdus, sans mâts, sans mâts, ni fertiles îlots...
> Mais, ô mon cœur, entends le chant des matelots !

> **STÉPHANE MALLARMÉ**, « Brise marine », *Poésies*, 1865.

1. Steamer : bateau à vapeur.

PREMIÈRE LECTURE

Formulez une hypothèse concernant l'état d'esprit du poète au moment de l'écriture du poème.

LECTURE ANALYTIQUE

Le rejet du quotidien

1. Que veut « fuir » le poète ? Relevez et commentez les expressions évoquant ces différents éléments. Quels sentiments lui inspirent-ils ?

2. Relevez les négations et les tournures exprimant le refus.

3. Comment et pourquoi le mot « ennui » est-il mis en valeur ?

Le rêve d'un ailleurs

4. Étudiez l'emploi des modes et des temps ainsi que la ponctuation utilisée pour exprimer cette aspiration.

5. Quel spectacle vu, entendu ou rêvé, fait naître le désir de liberté ? Relevez et commentez tous les passages évoquant ce spectacle.

6. Quelles expressions évoquent à la fin du poème les doutes ou les craintes du poète ? Expliquez comment la métaphore correspondant au désir d'évasion se trouve ici reprise et inversée.

Le poème comme outil de libération

7. Relevez les oppositions lexicales et métaphoriques dans l'ensemble du poème. Montrez qu'elles en éclairent le sens.

8. Étudiez les rythmes qui brisent la régularité de l'alexandrin pour exprimer le désir de rupture (coupes, enjambements, rejets...).

VERS LE COMMENTAIRE

Rédigez l'une des parties d'un commentaire dont le premier axe sera le rejet du quotidien et le second, le rêve d'un ailleurs. Utilisez les réponses aux questions 7 et 8 pour nourrir vos analyses.

Figures rêvées et désenchantement

ARTHUR RIMBAUD
(1854-1891)
NOTE BIOGRAPHIQUE, P. 471

TEXTE 6 « Enfance IV »

Les *Illuminations* sont des poèmes en prose qui se présentent comme des « enluminures » : des visions colorées, parfois vues par les yeux d'un enfant.

Je suis le saint, en prière sur la terrasse, – comme les bêtes pacifiques paissent jusqu'à la mer de Palestine.

Je suis le savant au fauteuil sombre. Les branches et la pluie se jettent à la croisée de la bibliothèque.

5 Je suis le piéton de la grand'route par les bois nains ; la rumeur des écluses couvre mes pas. Je vois longtemps la mélancolique lessive d'or du couchant.

Je serais bien l'enfant abandonné sur la jetée partie à la haute mer, le petit valet, suivant l'allée dont le front touche le ciel.

10 Les sentiers sont âpres. Les monticules se couvrent de genêts. L'air est immobile. Que les oiseaux et les sources sont loin ! Ce ne peut être que la fin du monde, en avançant.

ARTHUR RIMBAUD, « Enfance IV », *Illuminations*, 1875.

PREMIÈRE LECTURE

Quand vous étiez enfant, dans quelle figure d'adulte aimiez-vous vous imaginer ?

LECTURE ANALYTIQUE

Les jeux et les rêves de l'enfance

1. Qu'est-ce qui invite à lire ce poème comme un texte autobiographique ?

2. À quels personnages l'enfant s'identifie-t-il successivement ? Pour chacun des rôles qu'il choisit, dites quelle attitude il adopte.

3. Commentez la description du paysage : en quoi le regard de l'enfant embellit-il la réalité ?

L'aventure attirante et inquiétante

4. Dans les lignes 5 à 7, quelles évocations du réel ajoutent une dimension inquiétante ?

5. Pourquoi le rêve d'être orphelin est-il introduit par un conditionnel ? Quel est le sentiment exprimé ?

6. Quels sont les deux éléments du paysage décrits dans les lignes 8 et 9. Selon quel point de vue ? Que veut faire comprendre Rimbaud ?

La fin de l'enfance, la fin d'un monde

7. Que représentent les oiseaux et les sources ?

8. Quels termes ont une tonalité différente de celle de l'ensemble du poème dans la dernière strophe ? Qu'en déduisez-vous ? Commentez le rythme de la dernière phrase.

à retenir

En 1884 et 1888 Paul Verlaine publie une étude intitulée *Les Poètes maudits*. Il y présente longuement trois auteurs contemporains, Corbière, Rimbaud et Mallarmé, et parle de lui-même sous l'anagramme de Pauvre Lélian. L'image tragique du poète maudit est héritière du romantisme (« El Desdichado » de Gérard de Nerval). À partir des éléments biographiques donnés par Verlaine, cette figure prend la dimension d'un mythe : elle renvoie au poète qui se sent dès sa jeunesse incompris, en opposition avec la société (« L'Albatros » de Baudelaire). D'une intelligence, d'une sensibilité et d'une lucidité supérieures qui l'entraînent parfois vers la folie, le poète ressent avec une grande douleur les injustices de la société et son propre rapport au monde. Se conduisant parfois de façon provocatrice et autodestructrice (drogue, alcool), il écrit des textes qui paraissent souvent difficiles à ses contemporains et son génie est rarement reconnu à son époque.

LEXIQUE : LE POUVOIR POÉTIQUE DES MOTS, POLYSÉMIE, DÉNOTATION ET CONNOTATION

1. Polysémie

Les mots tirent leur pouvoir évocateur du fait qu'ils sont porteurs de plusieurs sens et de plusieurs idées : ils sont polysémiques. On appelle **champ sémantique** l'ensemble des sens que peut avoir un mot (les divers sens propres et les sens figurés).

> **EXEMPLE**
> « désert » dans le poème de Mallarmé « Brise marine » signifie sans végétation, nu/abandonné, sans vie/vide.

2. Dénotation

Les mots ont un sens dénoté, premier, qui est donné dans le dictionnaire. Par exemple soleil : astre ; automne : saison.

3. Connotation

• Les mots placés dans un certain contexte ont souvent un sens connoté qui dépend de la sensibilité et de l'univers culturel du poète et de son lecteur. Certains mots ont une connotation positive (par exemple le mot « soleil » peut évoquer l'été, les vacances, les jeux de plein air, la mer), d'autres comme « automne » peuvent connoter la tristesse, la fin de la vie.

• La dimension connotée du lexique permet de donner aux textes une dimension symbolique.

> **EXEMPLES**
>
> Dans « L'Albatros », les termes « vastes », « rois de l'azur », « grandes ailes blanches », « prince des nuées » sont connotés positivement avec une idée de pureté et de beauté. Ils renvoient, « au-delà de l'oiseau », à la grandeur du poète.
>
> Dans « Chanson d'automne », Verlaine joue sur les connotations de tristesse et de souffrance qui s'attachent aux mots « vent mauvais » et « feuille morte », pour faire de l'automne la saison qui correspond à sa détresse.

EXERCICE Dans le poème de Verlaine, dites quels sont les sens connotés des expressions en gras et justifiez les choix lexicaux du poète. (Paul Verlaine adressa ce poème à sa femme Mathilde).

> Écoutez la chanson bien douce
> Qui ne **pleure** que pour vous plaire.
> Elle est discrète, elle est légère :
> Un **frisson d'eau** sur de la mousse !
>
> 5 La voix vous fut connue (et chère !),
> Mais à présent elle est **voilée**
> Comme une **veuve désolée**,
> Pourtant comme elle encore fière,
>
> Et dans **les longs plis de son voile**
> 10 Qui palpite aux brises **d'automne**,
> Cache et montre au cœur qui s'étonne
> La vérité comme une étoile.
>
> **PAUL VERLAINE**, *Sagesse*, 1881.

EXERCICES SUPPLÉMENTAIRES
À retrouver sur le site du manuel.

Poèmes saturniens (1866), entre l'ombre et la lumière

PAUL VERLAINE
(1844-1896)
NOTE BIOGRAPHIQUE, P. 472

FÉLIX VALLOTTON (tableau attribué à), *Verlaine devant un verre d'absinthe.*

Œuvre de jeunesse, les *Poèmes saturniens* (1866) marquent l'entrée de Verlaine dans le monde de la littérature. Ce recueil révèle déjà l'originalité profonde du poète, tiraillé en permanence entre l'envie d'une vie calme et des pulsions irrépressibles qui le conduisent du côté de l'alcoolisme, de la marginalité, de la provocation et du refus des conventions.

Composition du recueil
• **Un poème d'ouverture** dans lequel Verlaine brosse un bref mais saisissant autoportrait psychologique.
• **Un « Prologue »** qui affirme le désir du beau, suivi de quatre sections.

Quatre sections
Melancholia, qui comprend huit poèmes. Verlaine y expose un état d'âme caractérisé par une profonde **« angoisse »** (titre de la pièce qui clôt cette section) et une quête de l'identité à travers le souvenir.

Eaux-fortes, comprenant cinq poèmes, favorise les contrastes, peint des univers sombres, nocturnes et lunaires.

Paysages tristes, le cœur du recueil, est composé de sept poèmes, et révèle l'épanouissement d'une poésie originale où sentiments et sensations, monde intérieur et extérieur, créent un paysage poétique et mental.

Caprices, la dernière section, comprenant dix-sept poèmes, est une vaste composition de poèmes provocateurs (dont « Monsieur Prudhomme »), d'évocations musicales du souvenir, de tableaux sombres et de portraits de personnages historiques.

• **Un « Épilogue »** agressif et sarcastique, composé de trois pièces, affirme des orientations esthétiques fondées sur un refus de l'inspiration facile et l'éloge du travail poétique.

MARC CHAGALL, *femme et rose*, 1929.

TEXTE 1 « Mon rêve familier », la femme rêvée

Ce sonnet, placé dans la première section, *Melancholia*, paraît pour la première fois le 28 avril 1866 dans une revue de poésie, *Le Parnasse contemporain*.

Je fais souvent ce rêve étrange et pénétrant
D'une femme inconnue, et que j'aime, et qui m'aime,
Et qui n'est, chaque fois, ni tout à fait la même
Ni tout à fait une autre, et m'aime et me comprend.

5   Car elle me comprend, et mon cœur, transparent
Pour elle seule, hélas ! cesse d'être un problème
Pour elle seule, et les moiteurs de mon front blême,
Elle seule les sait rafraîchir, en pleurant.

Est-elle brune, blonde ou rousse ? – Je l'ignore.
10 Son nom ? Je me souviens qu'il est doux et sonore,
Comme ceux des aimés que la Vie exila.

Son regard est pareil au regard des statues,
Et, pour sa voix, lointaine, et calme, et grave, elle a
L'inflexion des voix chères qui se sont tues.

PAUL VERLAINE, « Mon rêve familier »,
Poèmes saturniens, 1866.

PREMIÈRE LECTURE

Verlaine qualifie son rêve de « familier », « étrange et pénétrant » : parmi ces trois adjectifs, lequel vous paraît le plus approprié ? À votre tour trouvez trois adjectifs pour caractériser ce poème. Justifiez vos choix.

LECTURE ANALYTIQUE

Souffrance du poète

1. Comment le poète perçoit-il le monde ?
2. Quelle expression du deuxième quatrain montre une souffrance physique ?

La femme consolatrice

3. Quelle expression désigne un amour réciproque ? Commentez sa construction.
4. Étudiez le lexique de la tendresse. Qu'apporte la femme au poète ? Met-elle fin ou non à sa souffrance ? Relevez une figure de style à l'appui de votre dernière réponse.
5. Étudiez le rythme des deux quatrains et montrez en quoi il ressemble à celui d'une berceuse. En quoi cela renvoie-t-il au sens du texte ?

La femme inaccessible

6. Relevez dans le premier quatrain les éléments qui font de la femme un être difficile à décrire. Établissez une relation avec le titre.
7. Dans les tercets, énumérez les éléments cités qui pourraient faire l'objet d'une description. Montrez, en étudiant le lexique et la construction des phrases, par quels moyens cette description est évitée. Quel est l'effet produit ?
8. Dans le dernier tercet, qu'apporte la comparaison du vers 12 ? À quoi est assimilée la femme dans le dernier vers ? Comment le rythme et les sonorités évoquent-ils sa voix ?

ORAL

Verlaine voulait pour la poésie « de la musique avant toute chose » (vers 1 d'« Art poétique », dans *Jadis et naguère*, 1884). Apprenez par cœur ce poème ; travaillez la diction de l'alexandrin en respectant les liaisons, la prononciation des « e », leur omission quand ils sont muets, la diérèse du dernier vers. Mettez en valeur le rythme en respectant les césures, les enjambements, les types de phrase, de façon à rendre sensible le sentiment exprimé par Verlaine.

TEXTE 2 « Marine[1] », un paysage en furie

Ce poème parut d'abord dans la revue *Le Parnasse contemporain* le 28 avril 1866. Il est inséré dans la section *Eaux-fortes* des *Poèmes Saturniens*. Les « eaux-fortes » sont des gravures sur métal où l'acide permet d'inciser la planche qui servira ensuite aux impressions.

ANONYME, Gravure fin XVIe - début XVIIe siècle.

L'Océan sonore
Palpite sous l'œil
De la lune en deuil
Et palpite encore,

5   Tandis qu'un éclair
Brutal et sinistre
Fend le ciel de bistre[2]
D'un long zigzag clair,

Et que chaque lame[3],
10 En bonds convulsifs,
Le long des récifs,
Va, vient, luit et clame,

Et qu'au firmament,
Où l'ouragan erre,
15 Rugit le tonnerre
Formidablement.

PAUL VERLAINE, « Marine », *Poèmes saturniens*, 1866.

_____

1. Marine : une marine désigne un tableau qui représente la mer,
un paysage marin, souvent une tempête.
2. Bistre : matière noire.
3. Lame : ondulation de la mer sous l'action du vent, qui s'amincit à son sommet.

PREMIÈRE LECTURE

Après votre lecture, répondez à cette suite de questions : si ce poème était une couleur ? un moment de la journée ? un animal ? un sentiment ?

LECTURE ANALYTIQUE

Un éclairage dramatique et violent

1. Quels sont les éléments de la nature qui éclairent la mer ? Comment sont-ils successivement qualifiés ? Quel est l'effet produit ?

2. Relevez dans la strophe 4 une allitération et commentez-la.

3. Quels termes de la strophe 2 sont empruntés à l'art de la gravure et se réfèrent à cette technique ?
Mettez votre réponse en relation avec le titre de la section et celui du poème.

Un océan monstrueux

4. Commentez la majuscule du mot « Océan ».

5. Relevez les verbes qui servent à décrire l'océan. À quels sens est-il fait appel ?

6. Analysez la longueur des vers employés et les coupes du vers 12. En quoi le travail sur le rythme vient-il à l'appui de la description ?

7. À quelles figures mythologiques l'océan déchaîné fait-il penser ? Quelles sont les expressions qui créent cette association ?

8. En reprenant vos réponses, dites ce qui fait la force évocatrice de ce poème. À quel état d'âme vous semble-t-il correspondre ?

VERS LE COMMENTAIRE

Préparez le plan détaillé d'un commentaire de ce poème en utilisant comme axes de lecture les titres de la lecture analytique.

TEXTE 3 « Chanson d'automne », le chant de la tristesse

« Chanson d'automne » est sans doute un des poèmes les plus connus de Verlaine, pour l'usage qu'en a fait la Résistance. Il est tiré de la section *Paysages tristes* du recueil et met en relation, comme l'ont fait les romantiques, une saison et un état d'âme.

> Les sanglots longs
> Des violons
> De l'automne
> Blessent mon cœur
> 5 D'une langueur
> Monotone.
>
> Tout suffocant
> Et blême, quand
> Sonne l'heure,
> 10 Je me souviens
> Des jours anciens
> Et je pleure ;
>
> Et je m'en vais
> Au vent mauvais
> 15 Qui m'emporte
> Deçà, delà,
> Pareil à la
> Feuille morte.

VINCENT VAN GOGH, *Sous-bois avec lierre*, 1889.

PAUL VERLAINE, « Chanson d'automne »,
Paysages tristes, in *Poèmes saturniens*, 1866.

PREMIÈRE LECTURE

a. Connaissez-vous des poèmes de l'époque romantique qui évoquent la mélancolie de l'automne ? Lequel pouvez-vous citer ?

b. Selon vous, quelle strophe exprime le mieux la sensation de tristesse ?

LECTURE ANALYTIQUE

« Une saison mentale »

1. Par quel sens le poète perçoit-il l'automne ? Relevez dans la strophe 1 la métaphore qui décrit la saison.

2. Relevez dans la dernière strophe la comparaison qui renvoie au poète. Expliquez-en le sens ; montrez quel est le lien avec la métaphore précédente.

3. Expliquez le sens propre et le sens figuré de l'expression « vent mauvais » ; concluez sur la dimension symbolique de la description de l'automne.

Une âme désolée

4. À quoi est due la tristesse du poète ? Quelle perception auditive fait naître la souffrance ? Pourquoi ? Quelle est la valeur symbolique de ce son ?

5. Relevez et commentez les adjectifs qui décrivent l'état physique du poète. De quel mot de la dernière strophe pouvez-vous les rapprocher ? Que dire alors de l'état d'âme du poète ?

Une chanson triste

6. Quels sont les vers employés et l'organisation des rimes ? En quoi cela fait-il du poème une « chanson » ?

7. Quelles sont les allitérations et les assonances qui traversent le poème ? Quel élément caractéristique de l'automne font-elles entendre ? Quel sentiment naît d'une telle musique ? En quoi cela permet-il de faire entendre la plainte du poète ?

8. Étudiez le rythme de la dernière strophe et expliquez en quoi il décrit à la fois une perception visuelle et un état moral en exprimant tout le symbole du poème.

Serge Gainsbourg,
« Je suis venu te dire que je m'en vais » (1974)
▶ Une chanson triste

Je suis venu te dire que je m'en vais
Et tes larmes n'y pourront rien changer
Comme dit si bien Verlaine au vent mauvais
Je suis venu te dire que je m'en vais
5   Tu te souviens de jours anciens et tu pleures
'Tu suffoques, tu blêmis à présent qu'a sonné l'heure
Des adieux à jamais
Ouais je suis au regret
De te dire que je m'en vais
10 Oui je t'aimais, oui mais
Je suis venu te dire que je m'en vais
Tes sanglots longs n'y pourront rien changer
Comme dit si bien Verlaine au vent mauvais
Je suis venu te dire que je m'en vais
15 Tu te souviens des jours heureux et tu pleures
Tu sanglotes, tu gémis à présent qu'a sonné l'heure
Des adieux à jamais
Ouais je suis au regret
De te dire que je m'en vais
Car tu m'en as trop fait.

SERGE GAINSBOURG,
« Je suis venu te dire que je m'en vais »,
Vu de l'extérieur, 1974.

QUESTIONS

1. Quelles sont les références implicites
et explicites au poème de Verlaine ?
2. En quoi Gainsbourg s'éloigne-t-il de
la tonalité du poème de Verlaine ?
3. Dans la version originale de cette
chanson, interprété par Serge Gainsbourg,
on entend sangloter Jane Birkin. En quoi cela
constitue-t-il un changement de perspective
par rapport au poème de Paul Verlaine ?

Affiche du film *Gainsbourg,
vie héroïque*, réalisé par Joann Sfar en 2010.

Caricature de Daumier.

1. **Charmille** : haie de charmes (petits arbres).
2. **Cossu** : riche.
3. **Pansu** : gros, ventru.
4. **Maroufles** : hommes grossiers.
5. **Coryza** : inflammation de la muqueuse nasale.

TEXTE 4 « Monsieur Prudhomme », le bourgeois contre les poètes

La dernière section du recueil, *Caprices*, comporte plusieurs poèmes moqueurs où Verlaine tourne en dérision certaines figures de son temps. Monsieur Prudhomme est un personnage caricatural créé par Henri Monnier en 1830 et représentant le bourgeois français du XIXᵉ siècle.

Il est grave : il est maire et père de famille.
Son faux-col engloutit son oreille. Ses yeux
Dans un rêve sans fin flottent insoucieux,
Et le printemps en fleur sur ses pantoufles brille.

5   Que lui fait l'astre d'or, que lui fait la charmille¹
Où l'oiseau chante à l'ombre, et que lui font les cieux,
Et les prés verts et les gazons silencieux ?
Monsieur Prudhomme songe à marier sa fille

Avec monsieur Machin, un jeune homme cossu².
10 Il est juste-milieu, botaniste et pansu³.
Quant aux faiseurs de vers, ces vauriens, ces maroufles⁴,

Ces fainéants barbus, mal peignés, il les a
Plus en horreur que son éternel coryza⁵,
Et le printemps en fleur brille sur ses pantoufles.

PAUL VERLAINE, « Monsieur Prudhomme », *Caprices*, in *Poèmes saturniens*, 1866.

PREMIÈRE LECTURE

En quoi ce poème est-il différent des autres poèmes du parcours de lecture ?

LECTURE ANALYTIQUE

La peinture caricaturale d'une catégorie sociale
1. Par quel jeu de mot est décrit le statut social et familial de monsieur Prudhomme ? Quelles sont les préoccupations sociales et familiales de monsieur Prudhomme ? Est-il un être tourmenté ?
2. Quels sont les deux éléments du costume décrits ? Quelle en est la valeur symbolique ? Quel autre élément de la description rend le personnage peu attirant ?

Le poète banni
3. Quelle est la figure de style employée pour désigner les poètes ? Commentez la connotation des expressions employées et la place de cette description dans le

poème : qui entend-on alors parler ?
4. Quels sont les thèmes évoqués dans le second quatrain ? Quelle image de la poésie est ainsi donnée ?

VERS LA DISSERTATION

Voici deux définitions de l'adjectif « lyrique », tirées du dictionnaire *Le Petit Robert*, 2006 :
1) Destiné à être chanté avec accompagnement de musique. 2) Se dit de la poésie qui exprime des sentiments intimes au moyen de rythmes et d'images propres à communiquer au lecteur l'émotion du poète.
Pensez-vous que les poèmes que vous avez lus correspondent à cette double définition du mot « lyrique » ?
Soulignez les mots importants du sujet. Quelles sont les deux notions essentielles à la définition du lyrisme. Quels poèmes peuvent illustrer votre analyse.

à retenir

Poèmes saturniens est le premier recueil de Verlaine et il contient déjà la plupart des thématiques que le poète développera. Son lyrisme refuse de se limiter à l'expression d'un moi tourmenté (comme chez les romantiques) et son vers n'est pas réduit à un objet esthétique mais prône l'expression d'une liberté et d'une recherche d'absolu. Les paysages verlainiens, mélancoliques, sont des symboles et l'expression d'une quête, d'une sensibilité qui cherche à saisir une réalité complexe.
Le recueil se caractérise par une extrême diversité des thèmes (caricature sociale, expression et évocation des sentiments) et des formes, et convoque les autres arts pour faire appel à tous les sens.

Un paysage poétique mis en musique

CLAUDE DEBUSSY au piano.

« Clair de lune » est le premier poème du recueil des *Fêtes galantes* de Paul Verlaine. Ce poème a été mis en musique en 1887 par Gabriel Fauré et en 1905 par Claude Debussy.

Votre âme est un paysage choisi
Que vont charmant masques et bergamasques[1]
Jouant du luth et dansant et quasi
Tristes sous leurs déguisements fantasques.

Tout en chantant sur le mode mineur
L'amour vainqueur et la vie opportune,
Ils n'ont pas l'air de croire à leur bonheur
Et leur chanson se mêle au clair de lune,

Au calme clair de lune triste et beau,
Qui fait rêver les oiseaux dans les arbres
Et sangloter d'extase les jets d'eau,
Les grands jets d'eau sveltes parmi les marbres.

VERLAINE, « Clair de lune », *Fêtes galantes*, 1869.

_____

1. Bergamasque : danse originaire de Bergame (Italie)

ÉCOUTER SUR DEEZER. COM
Écoutez la pièce pour piano intitulée *Clair de lune* de Claude Debussy. Retrouvez-vous dans la musique la même atmosphère que dans le poème de Verlaine ? Justifiez votre réponse.

Écoutez la mise en musique que propose Gabriel Fauré du poème « Clair de lune » dans l'interprétation de la soprano Barbara Hendricks.
1. Après avoir écouté toute la mélodie, réécoutez le début. Quel est l'effet obtenu par la phrase musicale d'introduction jouée au piano seul ?
2. À la fin de la chanson, réécoutez le dernier vers : Comment la mélodie mime-t-elle le mouvement du jet d'eau ?

QUESTIONS

1. Relevez dans la description les expressions qui renvoient à la nature. Dites où et quand se passe la scène.
2. Quelles expressions renvoient à la fête, à la musique. Que font les personnages ?
3. À quel double sentiment la description des personnages est-elle associée ? Relevez les expressions qui y renvoient.
4. Le paysage décrit l'est-il pour lui-même ou sert-il à représenter autre chose ? Relevez le vers qui permet de répondre. Que peut-on en déduire sur la signification du texte ?

1. Les figures d'équivalence

Figures	Effet	Exemple
Comparaison	La comparaison est l'évocation d'un élément (le comparé) par un autre (le comparant), en fonction d'un élément de ressemblance (le motif). L'outil de comparaison est exprimé (*comme, pareil à*…). La comparaison permet de faire imaginer les comparés, elle est explicite et donc s'impose à l'esprit.	Le poète (*comparé*) est pareil au (*outil*) prince des nuées (*comparant*), (Baudelaire, « L'Albatros »).
Métaphore	La métaphore est une comparaison exprimée sans outil grammatical. Parfois même un seul élément (comparant, comparé ou motif) est énoncé. Si elle est développée sur tout un paragraphe, la métaphore est dite filée. La métaphore propose des visions originales ; comme elle est plus elliptique que la comparaison, elle est souvent plus mystérieuse et complexe et sollicite intensément l'imaginaire.	Au firmament / où l'ouragan erre / rugit le tonnerre / formidablement, (Verlaine, « Marine »). Le sens figuré du verbe « rugit » associe métaphoriquement l'orage à une bête fauve.
Métonymie	La métonymie consiste à désigner le tout par un de ses éléments ; le contenant par le contenu, par exemple des personnes par un lieu qu'elles fréquentent. La métonymie permet de varier de façon expressive les désignations.	« Je sens que les oiseaux sont ivres D'être parmi l'écume inconnue et les cieux », (Stéphane Mallarmé). Écume signifie « mer » : une partie est utilisée pour désigner le tout
Périphrase	Une périphrase est le fait de désigner un objet ou une personne par une formule décrivant sans nommer. La périphrase introduit une dimension poétique souvent méliorative.	Les albatros sont les « rois de l'azur » dans le poème de Baudelaire, « L'Albatros ».
Personnification	La personnification consiste à prêter les traits ou les actions d'une personne à des animaux ou à des choses (ce qui, dans le dernier cas donne vie à l'objet décrit).	« Les branches et la pluie se jettent à la croisée de la bibliothèque ». (Rimbaud, « Enfance IV »).
Allégorie	L'allégorie présente une idée sous la forme d'une personne ce qui lui donne une forte valeur symbolique.	« Et mon luth constellé / Porte le soleil noir de la Mélancolie ». (Nerval, « El Desdichado »).

2. Les figures d'insistance ou d'atténuation

Figures	Effet	Exemple
Énumération	L'énumération est une accumulation d'éléments de même fonction grammaticale qui produit un effet rythmique et de renforcement du sens.	« Et rien, ni la clarté…ni les vieux jardins… ni la jeune femme ». (Mallarmé, « Brise Marine »).
Anaphore	L'anaphore est la répétition d'une même expression en tête de vers. Elle entraîne une mise en valeur.	« **Pour elle seule**, hélas, cesse d'être un problème **Pour elle seule**, et les moiteurs de mon front blême. » (Verlaine, « Mon rêve familier »).
Hyperbole	L'hyperbole est une forme de l'exagération.	Je suis le démagogue horrible et débordé Et le dévastateur du vieil A B C D. (Hugo, « Réponse à une acte d'accusation »).
Litote	La litote est une tournure qui consiste à dire le moins pour signifier le plus.	Elles ne m'ont pas trouvé beau. (Verlaine, « Gaspard Hauser »).

3. Les figures d'opposition

Figures	Effet	Exemple
Antithèse	L'antithèse est une opposition forte de deux mots ou expressions dans une même phrase qui met en valeur chacun des termes de l'opposition.	« Lui naguère si beau, qu'il est comique et laid, » (Baudelaire, « L'Albatros »).
Oxymore (ou alliance de mots)	L'oxymore (ou alliance de mots) est une opposition de deux termes au sein d'un même groupe nominal qui crée un contraste poétique.	« le soleil noir de la Mélancolie» (Nerval,« El Desdichado »).
Chiasme	Un chiasme est la construction croisée qui inverse dans l'ordre de la phrase deux groupes de mots de même nature ou de même fonction. Le chiasme unit ou oppose les éléments.	« Les nuages couraient sur la lune enflammée/ Comme sur l'horizon on voit fuir la fumée ». (Vigny, « La Mort du loup »).

EXERCICE   Identifiez dans les vers suivants les figures de rhétorique.

a. Je ne songeais pas à Rose ; Rose au bois vint avec moi. (Hugo)
b. le soleil s'est noyé dans son sang qui se fige. (Baudelaire)
c. Qui donc a fait pleurer les saules riverains. (Apollinaire)
d. Le monde ressemblait à ce miroir maudit. (Aragon)
e. Petit-Poucet rêveur, j'égrenais dans ma course / Des rimes. (Rimbaud)
f. La musique souvent me prend comme une mer. (Baudelaire)

EXERCICES SUPPLÉMENTAIRES
À retrouver sur le site du manuel.

André Breton, *Nadja* (1928)

ANDRÉ BRETON
(1896-1966)
NOTICE BIOGRAPHIQUE P. 465

La magicienne du hasard

TEXTE 1

André Breton, après des études de médecine, s'intéresse à la psychanalyse ; il fonde avec Aragon et Soupault le mouvement surréaliste, qui cherche à explorer les ressources artistiques de l'inconscient. Il est à la fois poète et théoricien du surréalisme. *Nadja*, écrit en 1928, est le récit d'une rencontre amoureuse. Le poète croise dans la rue une jeune femme qui le surprend et l'attire. Ils commencent à errer dans Paris et Nadja manifeste une perception étonnante du monde extérieur.

Le regard de Nadja fait maintenant le tour des maisons. « Vois-tu là-bas cette fenêtre ? Elle est noire comme toutes les autres. Regarde bien. Dans une minute elle va s'éclairer. Elle sera rouge. » La minute passe. La fenêtre s'éclaire. Il y a, en effet, des rideaux rouges. (Je
5 regrette, je n'y peux rien, que ceci passe peut-être les limites de la crédibilité. Cependant, à pareil sujet, je m'en voudrais de prendre parti : je me borne à convenir que de noire, cette fenêtre est alors devenue rouge, c'est tout.) J'avoue qu'ici la peur me prend, comme aussi elle commence à prendre Nadja. « Quelle horreur ! Vois-tu ce qui passe
10 dans les arbres ? Le bleu et le vent, le vent bleu. Une seule autre fois j'ai vu sur ces mêmes arbres passer ce vent bleu. C'était là, d'une fenêtre de l'hôtel Henri IV, et mon ami, le second dont je t'ai parlé, allait partir. Il y avait aussi une voix qui disait : Tu mourras, tu mourras. Je ne voulais pas mourir mais j'éprouvais un tel vertige... Je serais cer-
15 tainement tombée si l'on ne m'avait pas retenue. » Je crois qu'il est grand temps de quitter ces lieux. [...]

Je ne veux plus me souvenir, au courant des jours, que de quelques phrases, prononcées devant moi ou écrites d'un trait sous mes
20 yeux par elle, phrases qui sont celles où je retrouve le mieux le ton de sa voix et dont la résonance en moi demeure si grande.

« Avec la fin de mon souffle qui est le commencement du vôtre. »
25 « Si vous vouliez, pour vous je ne serais rien, ou qu'une trace. »

« La griffe du lion étreint le sein de la vigne. »

« Le rose est mieux que le noir, mais les deux s'accordent. »

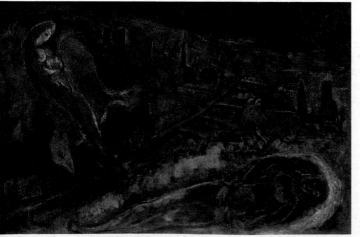

MARC CHAGALL, *Les Ponts de la Seine,* 1954, Hambourg, Hambuger Kunsthalle.

30   « Devant le mystère, Homme de pierre, comprends-moi. »

     « Tu es mon maître. Je ne suis qu'un atome qui respire au coin de tes lèvres ou qui expire. Je veux toucher la sérénité d'un doigt mouillé de larmes. »

     « Pourquoi cette balance qui oscillait dans l'obscurité d'un trou
35 plein de boulets de charbon ? »

     « Ne pas alourdir ses pensées du poids de ses souliers. »

     « Je savais tout, j'ai tant cherché à lire dans mes ruisseaux de larmes. »

ANDRÉ BRETON, *Nadja*, 1928.

PREMIÈRE LECTURE

À quels moments ce récit peut-il, selon vous, se rapprocher d'un poème ?

LECTURE ANALYTIQUE

Les pouvoirs de Nadja

1. Où se trouve le couple au début du texte ? À quel moment de la journée ? En quoi ces éléments de réel favorisent-ils l'irruption de l'irrationnel ?

2. Quels sont les faits étonnants rapportés dans la première partie du texte ? Pensez-vous qu'ils doivent être considérés comme surnaturels ? Justifiez votre réponse.

3. Comment la perception de la réalité par Nadja est-elle présentée comme une communication avec un au-delà caché ?

Nadja, une muse

4. Comment le narrateur ressent-il sa rencontre avec Nadja ?

5. Relevez dans les premières paroles de Nadja la description d'un élément réel par une image déroutante et poétique.

6. Relevez dans ces paroles les expressions métaphoriques ; expliquez-les.

7. En reprenant vos réponses précédentes, dites quel peut être le rôle de Nadja dans la vie et l'œuvre du poète.

TEXTE COMPLÉMENTAIRE

André Breton, *Manifeste du surréalisme* (1924)
De nouvelles formes d'écriture

Fortement traumatisés par leur expérience de soldats pendant la Première Guerre mondiale, et cherchant à retrouver du sens à la vie humaine, influencés par les travaux de Freud et la nouvelle approche proposée par la psychanalyse, marqués par la lecture d'un livre du psychiatre Pierre Janet, *L'Automatisme psychologique*, André Breton et Philippe Soupault cherchent ensemble à inventer des formes d'écriture et à imaginer une nouvelle dimension de l'art. Breton publie en 1924 le premier *Manifeste du surréalisme* où il définit la démarche de l'écriture automatique.

Secrets de l'art magique surréaliste.
Composition surréaliste écrite, ou premier et dernier jet.
Faites-vous apporter de quoi écrire, après vous être établi en un lieu aussi favorable que possible à la concentration de votre esprit sur lui-même. Placez-vous dans l'état
5 le plus passif, ou réceptif, que vous pourrez. Faites abstraction de votre génie, de vos talents et de ceux de tous les autres. Dites-vous bien que la littérature est un des

plus tristes chemins qui mènent à tout. Écrivez vite sans sujet préconçu, assez vite
pour ne pas retenir et ne pas être tenté de vous relire. La première phrase viendra
toute seule, tant il est vrai qu'à chaque seconde il est une phrase étrangère à notre
10 pensée consciente qui ne demande qu'à s'extérioriser. Il est assez difficile de se prononcer sur le cas de la phrase suivante ; elle participe sans doute à la fois de notre
activité consciente et de l'autre, si l'on admet que le fait d'avoir écrit la première
entraîne un minimum de perception. Peu doit vous importer, d'ailleurs ; c'est en
cela que réside, pour la plus grande part, l'intérêt du jeu surréaliste. Toujours est-
15 il que la ponctuation s'oppose sans doute à la continuité absolue de la coulée qui
nous occupe, bien qu'elle paraisse aussi nécessaire que la distribution des nœuds
sur une corde vivante. Continuez autant qu'il vous plaira. Fiez-vous au caractère
inépuisable du murmure. Si le silence menace de s'établir pour peu que vous ayez
commis une faute, une faute, peut-on dire, d'inattention, rompez sans hésiter avec
20 une ligne claire. À la suite du mot dont l'origine vous semble suspecte, posez une
lettre quelconque, la lettre l, et ramenez l'arbitraire en imposant cette lettre pour
initiale au mot qui suivra.

ANDRÉ BRETON, *Manifestes du surréalime*, Paris, 1924.

ACTIVITÉ TICE
UN PANORAMA DU SURRÉALISME

Présentez sous la forme
d'une page Netvibes
les éléments les plus
représentatifs du surréalisme.

Téléchargez la fiche élève n°49
« Un panorama du
surréalisme » sur le site
du manuel.

QUESTIONS

1. Expliquez quelle contradiction apparente renferme la deuxième phrase. Quel sens
peut-on lui donner ?
2. Quelles phrases vous semblent ironiques ou provocatrices ?
3. De quel « murmure » l'auteur veut-il parler ?
4. En quoi cette façon d'écrire est-elle une remise en question des démarches
traditionnelles ?
5. Quel est le but recherché ?

Paul Éluard,
Les Dessous d'une vie (1927)
La femme unique et multiple

PAUL ÉLUARD
(1895-1952)
NOTICE BIOGRAPHIQUE P. 467

TEXTE 2 « La Dame de carreau »

Paul Éluard participa activement au mouvement surréaliste pendant 10 ans
à partir de sa fondation en 1924. *Les Dessous d'une vie*, recueil publié en
1927, appartient à cette période de recherche artistique.

Tout jeune, j'ai ouvert mes bras à la pureté. Ce ne fut qu'un battement d'ailes au ciel de mon éternité, qu'un battement de cœur amoureux qui bat dans les poitrines conquises. Je ne pouvais plus tomber.

Aimant l'amour. En vérité, la lumière m'éblouit.

5   J'en garde assez en moi pour regarder la nuit, toute la nuit, toutes les nuits.

Toutes les vierges sont différentes. Je rêve toujours d'une vierge.

PABLO PICASSO, *Portrait de Nusch*, 1941.
Paris, musée Picasso.

À l'école, elle est au banc devant moi, en tablier noir. Quand elle se retourne pour me demander la solution d'un problème, l'innocence
10 de ses yeux me confond à un tel point que, prenant mon trouble en pitié, elle passe ses bras autour de mon cou.

Ailleurs, elle me quitte. Elle monte sur un bateau. Nous sommes presque étrangers l'un à l'autre, mais sa jeunesse est si grande que son baiser ne me surprend point.

15 Ou bien, quand elle est malade, c'est sa main que je garde dans les miennes, jusqu'à en mourir, jusqu'à m'éveiller.

Je cours d'autant plus vite à ses rendez-vous que j'ai peur de n'avoir pas le temps d'arriver avant que d'autres pensées me dérobent à moi-même.

20 Une fois, le monde allait finir et nous ignorions tout de notre amour. Elle a cherché mes lèvres avec des mouvements de tête lents et caressants. J'ai bien cru, cette nuit-là, que je la ramènerais au jour.

Et c'est toujours le même aveu, la même jeunesse, les mêmes yeux purs, le même geste ingénu de ses bras autour de mon cou, la même
25 caresse, la même révélation.

Mais ce n'est jamais la même femme.

Les cartes ont dit que je la rencontrerai dans la vie, mais sans la reconnaître.

Aimant l'amour.

PAUL ÉLUARD, « La Dame de carreau »,
Les Dessous d'une vie ou la pyramide humaine, 1926.

PREMIÈRE LECTURE

a. Qu'est-ce qui fait de ce texte un poème en prose ?
b. Quelle est la valeur célébrée par ce texte ? Est-ce pour vous une dimension importante de l'existence ? Pourquoi ?

LECTURE ANALYTIQUE

Une carte insaisissable

1. Comment la femme aimée est-elle désignée ? Pourquoi n'est-elle jamais nommée ?
2. Quel rapport y a-t-il entre le titre et l'avant-dernière phrase ? Quelle relation est étudiée entre un jeu de cartes et la vie ?
3. Combien de rencontres amoureuses sont évoquées ? Que peut-on savoir du cadre temporel de ces rencontres ? Quelles circonstances de la vie sont mises en scène dans ces rencontres successives ?

Amoureux de l'amour

4. Relevez les mots renvoyant à la notion de pureté et les gestes amoureux qui y sont associés. Quel est le moment amoureux qui est évoqué à chaque fois ?

5. Quelles expressions expriment selon vous l'idée que l'amour est synonyme de vie, de lumière, d'éternité ? Quels passages renvoient au contraire à la souffrance et l'absence de sens ? Relevez deux métaphores qui s'opposent selon cette logique.
6. Quelle figure de style montre la permanence de la foi en l'amour au-delà des différentes rencontres ?
7. De quel passage la dernière phrase est-elle la reprise ? Expliquez en quoi elle donne son sens au poème ; déduisez-en ce que représente la dame de carreau.

RECHERCHE

Recherchez sur Daily Motion la première partie du film en trois parties de Bertrand Tavernier et Jean Aurenche, *Philippe Soupault et le surréalisme* (1982).
L'écrivain Philippe Soupault, co-fondateur du mouvement surréaliste, raconte ses souvenirs et se rend sur les lieux de Paris qu'il fréquenta avec les surréalistes.
Après avoir regardé ce documentaire de 53 minutes, proposez pour une revue de cinéma un article critique dans lequel vous présenterez un résumé du film et une opinion critique.

Louis Aragon,
Les Yeux d'Elsa (1942) | La femme miroir du monde

LOUIS ARAGON
(1897-1982)
NOTE BIOGRAPHIQUE, P. 464

TEXTE 3

Louis Aragon publie en 1942 *Les Yeux d'Elsa* où s'exprime son amour pour la romancière Elsa Triolet.

Tes yeux sont si profonds qu'en me penchant pour boire
J'ai vu tous les soleils y venir se mirer
S'y jeter à mourir tous les désespérés
Tes yeux sont si profonds que j'y perds la mémoire

5 À l'ombre des oiseaux c'est l'océan troublé
Puis le beau temps soudain se lève et tes yeux changent
L'été taille la nue au tablier des anges
Le ciel n'est jamais bleu comme il l'est sur les blés

Les vents chassent en vain les chagrins de l'azur
10 Tes yeux plus clairs que lui lorsqu'une larme y luit
Tes yeux rendent jaloux le ciel d'après la pluie
Le verre n'est jamais si bleu qu'à sa brisure

Mère des Sept Douleurs[1] ô lumière mouillée
Sept glaives ont percé le prisme des couleurs
15 Le jour est plus poignant qui point entre les pleurs
L'iris troué de noir plus bleu d'être endeuillé

Tes yeux dans le malheur ouvrent la double brèche
Par où se reproduit le miracle des Rois
Lorsque le cœur battant ils virent tous les trois
20 Le manteau de Marie[2] accroché dans la crèche

Une bouche suffit au mois de Mai des mots
Pour toutes les chansons et pour tous les hélas
Trop peu d'un firmament pour des millions d'astres
Il leur fallait tes yeux et leurs secrets gémeaux

25 L'enfant accaparé par les belles images
Écarquille les siens moins démesurément
Quand tu fais les grands yeux je ne sais si tu mens
On dirait que l'averse ouvre des fleurs sauvages

Cachent-ils des éclairs dans cette lavande où
30 Des insectes défont leurs amours violentes
Je suis pris au filet des étoiles filantes
Comme un marin qui meurt en mer en plein mois d'août

1. **Mère des Sept Douleurs** : le culte de la Vierge aux sept douleurs, *mater dolorosa*, date du XIIIe siècle ; il évoque sept moments particulièrement douloureux de la vie de Marie (par exemple la fuite en Égypte ou la crucifixion).
2. **Le manteau de Marie** : ce manteau est bleu.

ACTIVITÉ TICE
DÉCOUVERTE DU SURRÉALISME EN PEINTURE

Partez à la découverte des œuvres les plus emblématiques du mouvement surréaliste à travers la visite virtuelles des musées.

Téléchargez la fiche élève n° 50 « Découverte du surréalisme en peinture » sur le site du manuel.

J'ai retiré ce radium de la pechblende[3]
Et j'ai brûlé mes doigts à ce feu défendu
35 Ô paradis cent fois retrouvé reperdu
Tes yeux sont mon Pérou ma Golconde[4] mes Indes

Il advint qu'un beau soir l'univers se brisa
Sur des récifs que les naufrageurs enflammèrent
Moi je voyais briller au-dessus de la mer
40 Les yeux d'Elsa les yeux d'Elsa les yeux
d'Elsa

LOUIS ARAGON, *Les Yeux d'Elsa* (extrait), 1942.

---

3. **Pechblende** : minerai renfermant une forte proportion d'uranium (radium).
4. **Golconde** : ville d'Inde, ancienne capitale de sultanat réputée prodigieusement dotée de richesses, désormais en ruine.

MAURICE TABARD, *Tête au chapeau œil doublé*, épreuve sur sels d'argent, surimpression, 1929.

PREMIÈRE LECTURE

Quelle est la couleur des yeux d'Elsa ? Comment le devinez-vous ?

LECTURE ANALYTIQUE

Une métaphore surréaliste

1. Quelle métaphore ouvre le poème pour décrire les yeux d'Elsa ? Montrez qu'elle n'est pas clairement énoncée et expliquez comment elle s'établit dans la première strophe.

2. Trouvez quelle image décrit les paupières et expliquez-la.

3. Relevez dans l'ensemble du poème les métaphores qui décrivent les yeux d'Elsa en faisant allusion à leur couleur.

La femme qui pleure devant le malheur du monde

4. Quelles expressions renvoient à la souffrance et au malheur ?

5. Quels vers dans la dernière strophe évoquent indirectement la guerre ?

6. Quels quatrains décrivent la femme en train de pleurer ? Commentez l'allitération qui traverse la strophe. À quel personnage de la chrétienté Elsa est-elle associée ? Pourquoi ?

La femme consolatrice

7. Dans le dernier vers du poème, quel sentiment la répétition traduit-elle ?

8. Relevez les mots appartenant au champ lexical de la lumière et expliquez-en le sens symbolique.

9. Trouvez d'autres associations métaphoriques qui expriment l'idée de l'espoir.

VERS LE COMMENTAIRE

Rédigez le paragraphe de commentaire qui correspond à votre réponse à la question 1.

Le cubisme

PABLO PICASSO, *La Femme qui pleure*, 1937.

Cette *Femme qui pleure* est la dernière et la plus aboutie d'une série de neuf toiles et vingt-sept dessins que Picasso consacre au même thème. Sa maîtresse, Dora Maar, en est le modèle tout trouvé : l'artiste espagnol ne savait en effet peindre Dora autrement qu'en larmes. Son visage grave et profond n'évoquait pour lui que douleur et tristesse, il l'explore inlassablement à travers ce cycle de portraits.

C'est également pour lui l'occasion de renouveler encore sa manière de peindre. Picasso poursuit le travail qu'il a entrepris en inventant le cubisme quelque trente ans plus tôt, avec *Les Demoiselles d'Avignon*. Ce portrait est schématisé, composé de formes géométriques juxtaposées. L'artiste cubiste joue aussi sur les points de vue : le visage, vu simultanément de face et de profil, est entièrement reconstruit pour offrir une vision globale de la femme. Mais l'œuvre est également teintée de surréalisme, avec ces couleurs très expressives et ces larmes démesurées, qui contaminent tout le bas du portrait. Quant aux yeux, cernés de cils minutieusement posés sur ce visage déformé, ils semblent échapper à la déconstruction systématique du visage. Ils n'en sont que plus émouvants.

QUESTIONS

1. Quelles lignes de la peinture peuvent être rapprochées de l'image des glaives au vers 14 du poème d'Aragon ?

2. Établissez d'autres rapprochements entre le tableau et la troisième strophe du poème d'Aragon.

Paul Éluard,
Mourir de na pas mourir (1924) | L'amour fou d'une femme

PAUL ÉLUARD
(1895-1952)
NOTICE BIOGRAPHIQUE P. 467

TEXTE 4 « L'amoureuse »

Le recueil *Mourir de ne pas mourir* est dominé par l'expression du lyrisme amoureux et l'éloge de la femme aimée ; si le recueil abonde en images surprenantes et énigmatiques (marques du mouvement surréaliste), la versification reste en revanche traditionnelle et s'appuie essentiellement sur l'alexandrin et l'octosyllabe.

Elle est debout sur mes paupières
Et ses cheveux sont dans les miens,
Elle a la forme de mes mains,
Elle a la couleur de mes yeux,
Elle s'engloutit dans mon ombre
5 Comme une pierre dans le ciel.

Elle a toujours les yeux ouverts
Et ne me laisse pas dormir.
Ses rêves en pleine lumière
Font s'évaporer les soleils,
10 Me font rire, pleurer et rire,
Parler sans avoir rien à dire.

PAUL ÉLUARD, « L'Amoureuse »,
Mourir de ne pas mourir, 1924.

MAN RAY,
Le violon d'Ingres, 1925. Berlin.

PREMIÈRE LECTURE

D'après ce poème et le précédent (p. 408), justifiez l'importance du thème des yeux dans la poésie amoureuse.

LECTURE ANALYTIQUE

Le discours de l'amoureux

1. Observez la syntaxe et la longueur des phrases, ainsi que leur enchaînement. Que constatez-vous ?

2. Commentez les verbes conjugués, leur nombre, leur temps : quelle est l'impression produite ?

3. Commentez les infinitifs des deux derniers vers : définissez l'état amoureux.

4. En reprenant vos réponses précédentes, concluez sur les caractéristiques du discours amoureux.

Une amoureuse envahissante

5. Quelle figure de style traduit la force de la présence de l'amoureuse, qui n'est pas nommée ?

6. Étudiez les images qui expriment l'idée de fusion : lesquelles correspondent à une réalité possible ? Lesquelles introduisent une dimension surréelle ?

7. Quels vers traduisent la pesanteur de l'obsession amoureuse ? Parmi les images relevées, laquelle est particulièrement audacieuse ? Pourquoi ?

ÉCRITURE

Rédigez un texte poétique en reprenant les anaphores : Elle/Et/Elle/Elle/Elle.
Finissez avec un vers commençant par « Comme ».

André Breton, *Manifeste du surréalisme* (1929)
▶ L'image surréaliste

Dans cet extrait du second *Manifeste du surréalisme*, André Breton fait une analyse des différentes sortes d'images surréalistes puis donne des exemples qu'il emprunte aux œuvres des poètes de ce mouvement et à leurs précurseurs.

Pour moi, la plus forte [image] est celle qui présente le degré d'arbitraire le plus élevé, je ne le cache pas ; celle qu'on met le plus longtemps à traduire en langue pratique, soit qu'elle recèle une dose énorme de contradiction apparente, soit que l'un de ses termes en soit curieusement dérobé, soit que, s'annonçant sensation
5 nelle, elle ait l'air de se dénouer faiblement (qu'elle ferme brusquement l'angle de son compas), soit qu'elle tire d'elle-même une justification *formelle* dérisoire, soit qu'elle soit d'ordre hallucinatoire, soit qu'elle prête très naturellement à l'abstrait le masque du concret, ou inversement, soit qu'elle implique la négation de quelque propriété physique élémentaire, soit qu'elle déchaîne le rire. En voici, dans
10 l'ordre, quelques exemples :

Le rubis du champagne. Lautréamont.

Beau comme la loi de l'arrêt du développement de la poitrine chez les adultes dont la propension à la croissance n'est pas en rapport avec la quantité de molécules que leur organisme s'assimile. Lautréamont.

15 *Une église se dressait éclatante comme une cloche.* Philippe Soupault.

Dans le sommeil de Rrose Sélavy il y a un nain sorti d'un puits qui vient manger son pain la nuit. Robert Desnos.

Sur le pont la rosée à tête de chat se berçait. André Breton.

Un peu à gauche, dans mon firmament deviné, j'aper
20 *çois – mais sans doute n'est-ce qu'une vapeur de sang et de meurtre – le brillant dépoli des perturbations de la liberté.* Louis Aragon.

Dans la forêt incendiée,
les lions étaient frais. Robert Vitrac.

25 *La couleur des bas d'une femme n'est pas forcément à l'image de ses yeux, ce qui a fait dire à un philosophe qu'il est inutile de nommer : « Les céphalopodes ont plus de raisons que les quadrupèdes de haïr le progrès. »* Max Morise.

Qu'on le veuille ou non, il y a là de quoi satisfaire à plusieurs exigences de l'esprit.

ANDRÉ BRETON, *Manifeste du surréalisme,* 1929.

Photographie de Dora Maar, 1934. Paris, musée national d'Art moderne.

QUESTION

Le texte de Breton propose l'analyse des différents types d'images surréalistes et donne un exemple pour chacun de ces types. Mettez en relation l'analyse et l'exemple et justifiez le rapport établi.

Louis Aragon,
Le Roman inachevé (1956)

Le poète et l'engagement

LOUIS ARAGON
(1897-1982)
NOTE BIOGRAPHIQUE, P. 464

TEXTE 5   « Les mots qui ne sont pas d'amour »

Dans le groupe des poètes surréalistes, l'engagement politique ou son refus furent sources de vifs conflits. Louis Aragon et Paul Éluard adhérèrent au Parti communiste et participèrent comme Robert Desnos à la Résistance pendant la Seconde Guerre mondiale.

Tes monstres n'ont pas triomphé
Le chant ne remue pas les pierres
Il est la voix de la matière
Il n'y a que de faux Orphées[1] [...]

5   Ce ne sont pas les mots d'amour
Qui détournent les tragédies
Ce ne sont pas les mots qu'on dit
Qui changent la face des jours

Le malheur où te voilà pris
10   Ne se règle pas au détail
Il est l'objet d'une bataille
Dont tu ne peux payer le prix

Apprends qu'elle n'est pas la tienne
Mais bien la peine de chacun
15   Jette ton cœur au feu commun
Qu'est-il de tel que tu y tiennes

Seulement qu'il donne une flamme
Comme une rose du rosier
Mêlée aux flammes du brasier
20   Pour l'amour de l'homme et la femme

Va Prends leur main Prends le chemin
Qui te mène au bout du voyage
Et c'est la fin du moyen âge
Pour l'homme et la femme demain

25   Cela fait trop longtemps que dure
Le Saint-Empire des nuées
Ah sache au moins contribuer
À rendre le ciel moins obscur

Qui sont ces gens sur les coteaux
30   Qu'on voit tirer contre la grêle

---

1. Orphées : poètes, par allusion au héros de la mythologie grecque, qui charmait par sa lyre et son chant les bêtes sauvages. Il réussit même à pénétrer dans le royaume des morts (légende d'Eurydice).

Mais va partager leur querelle
Qu'il ne pleuve plus de couteaux

Peux-tu laisser le feu s'étendre
Qui brûle dans les bois d'autrui
35 Mais pour un arbre et pour un fruit
Regarde-toi Tu n'es que cendres

Chaque douleur humaine sens-
La pour toi comme une honte
Et ce n'est vivre au bout du compte
40 Qu'avoir le front couleur du sang

Chaque douleur humaine veut
Que de tout ton sang tu l'étreignes
Et celle-là pour qui tu saignes
Ne sait que souffler sur le feu

LOUIS ARAGON, « Les mots qui
ne sont pas d'amour »,
Le Roman inachevé, 1956.

PREMIÈRE LECTURE

Pensez-vous que ce soit le rôle d'un poète que de défendre des causes ?

LECTURE ANALYTIQUE

Une remise en cause de l'acte poétique

1. Relevez les expressions qui désignent la poésie amoureuse. Commentez le titre. Expliquez le vers 4.

2. Relevez les vers qui désignent la femme aimée. Que pouvez-vous en déduire ?

3. D'où vient le sentiment exprimé par le poète ?

Un monde en lutte

4. Quelles images décrivent les gens engagés dans la lutte ?

5. Quelle métaphore filée décrit la violence du monde ?

Le devoir d'engagement

6. Quelles métaphores décrivent l'engagement du poète dans l'action ?

7. Qu'est-ce qui, selon le poète, donne un sens à la vie ? Quel espoir fonde-t-il sur l'action ?

8. En utilisant les questions 1, 6 et 7, dites quelle réponse Aragon donne à la question de première lecture et quelle vision il propose du pouvoir de la poésie.

RECHERCHE

Quel fut l'engagement dans l'action politique d'Aragon, Éluard et Desnos ? Trouvez pour chacun d'eux un texte poétique qui soit le reflet de cet engagement.
Préparez-en une lecture que vous ferez à la classe.

à retenir

Le surréalisme donne aux images une force nouvelle. Il part de l'écriture automatique, de l'exploration des rêves et des hasards du réel dont il théorise les nouvelles possibilités artistiques (*Nadja* d'André Breton). Les poètes cherchent, par l'association inattendue de réalités éloignées, à créer une « étincelle » poétique qui donne une nouvelle perception du monde. Cette révolution poétique est au service de l'expression du sentiment amoureux (*Les Yeux d'Elsa* d'Aragon, « L'amoureuse » d'Éluard) ou de l'engagement devant les souffrances du monde (*Les Mots qui ne sont pas d'amour* d'Aragon). On retrouve dans la peinture et les arts plastiques l'écho de ces recherches.

Poésie et musique

Ces poèmes de Paul Éluard furent mis en musique par le compositeur Francis Poulenc (1899-1963) dans une *Cantate profane, Un soir de neige.*

De grandes cuillers de neige

De grandes cuillers de neige
Ramassent nos pieds glacés
Et d'une dure parole
Nous heurtons l'hiver têtu

Chaque arbre a sa place en l'air
Chaque roc son poids sur terre
Chaque ruisseau son eau vive
Nous nous n'avons pas de feu

La bonne neige

La bonne neige le ciel noir
Les branches mortes la détresse
De la forêt pleine de pièges
Honte à la bête pourchassée
La fuite en flèche dans le cœur

Les traces d'une proie atroce
Hardi au loup et c'est toujours
Le plus beau loup et c'est toujours
Le dernier vivant que menace
La masse absolue de la mort

Bois meurtri

Bois meurtri bois perdu d'un voyage en hiver
Navire où la neige prend pied
Bois d'asile bois mort où sans espoir je rêve
De la mer aux miroirs crevés

Un grand moment d'eau froide a saisi les noyés
La foule de mon corps en souffre
Je m'affaiblis je me disperse
J'avoue ma vie j'avoue ma mort j'avoue autrui

Bois meurtri bois perdu
Bois d'asile bois mort

La nuit le froid la solitude

La nuit le froid la solitude
On m'enferma soigneusement
Mais les branches cherchaient
Leur voie dans la prison
Autour de moi l'herbe trouva le ciel
(On verrouilla le ciel)
Ma prison s'écroula
Le froid vivant le froid brûlant
M'eut bien en main.

Francis Poulenc.

ÉCOUTER SUR DEEZER.COM
Écoutez la cantate profane de Francis Poulenc

En quoi le texte des poèmes évoque-t-il la souffrance et les sentiments que pouvaient éprouver les résistants ? Quelles images vous paraissent les plus émouvantes ?
Écoutez le dernier air de la *Cantate profane* de Francis Poulenc, « La nuit, le froid, la solitude ». En quoi la musique et ses harmonies renvoient-elle à cette souffrance ?

Le surréalisme

LA NAISSANCE DU SURRÉALISME

L'atrocité de la Première Guerre mondiale marque profondément les esprits et prouve l'échec de la raison qui n'a pu empêcher ces massacres. L'art tient compte de ce traumatisme, en explorant les zones obscures de l'esprit que la raison humaine ne peut atteindre.

En 1916, Tristan Tzara fonde le mouvement Dada. Les dadaïstes rejettent l'art bourgeois et la rationalité du langage. André Breton, Louis Aragon, Paul Éluard et Philippe Soupault ont d'abord participé à ce mouvement avant de prendre leurs distances et de fonder le surréalisme.

En 1924, André Breton, le chef de file du mouvement, rédige le *Manifeste du surréalisme*, qui expose les théories du groupe. Il revendique la « toute-puissance du rêve » et définit l'écriture surréaliste comme un « automatisme psychique pur ».

SALVADOR DALÍ, Téléphone-homard ou Téléphone aphrodisiaque, 1936. Museum für Kommunikation, Francfort.

LE RÊVE ET L'INCONSCIENT

Les surréalistes se sont intéressé aux travaux du psychanalyste Sigmund Freud, qui décrit le rêve comme une des manifestations de l'inconscient. Celui-ci devient un thème très présent dans la poésie surréaliste.

Les surréalistes affectionnent les œuvres collectives, qui permettent de libérer la créativité de chacun au contact du groupe. L'un de leurs jeux favoris est le « cadavre exquis », qui consiste à écrire le début d'une phrase ou tracer le début d'un dessin, avant de plier la feuille et de la passer à son voisin, qui doit prolonger l'ensemble sans voir la contribution de ses prédécesseurs.

DE LA LIBÉRATION DE L'ART À L'ENGAGEMENT

Par de telles audaces, les surréalistes cherchent à produire une révolution littéraire. La syntaxe, la ponctuation et la versification sont remises en question : les surréalistes privilégient le vers libre sans ponctuation. Ils recherchent un bouleversement esthétique et refusent un art figé.

La poésie n'est pas la seule forme d'expression propre à mener cette révolution : les auteurs surréalistes écrivent aussi des romans, comme *Nadja* d'André Breton ou *Le Paysan de Paris* de Louis Aragon. Des peintres (Max Ernst), des photographes (Man Ray) ou des cinéastes (Luis Buñuel, Jean Cocteau) participent également à ce mouvement.

Le groupe des surréalistes peint par Max Ernst.
Max Ernst, *Au rendez-vous des amis*, 1922.
Wallraf-Richartz Museum, Cologne.

L'ART ET L'ENGAGEMENT POLITIQUE

Comme les romantiques avant eux, les surréalistes ne conçoivent pas l'art comme indépendant du combat politique. Le rejet de l'art bourgeois s'inscrit dans le contexte plus large de la lutte des classes. Les surréalistes veulent concilier la poésie et l'action. Certains adhèrent au Parti communiste. Lors de la Seconde Guerre mondiale, plusieurs écrivains surréalistes s'engagent dans la Résistance.

LE REGISTRE LYRIQUE, LE REGISTRE ÉLÉGIAQUE, LE REGISTRE PATHÉTIQUE

1. Le registre lyrique

• Le mot « lyrisme » vient de la lyre, instrument du héros grec Orphée, poète musicien, et d'Apollon, dieu grec des arts ; il souligne le lien existant entre la poésie, longtemps chantée ou accompagnée d'un instrument, et la musique.

• Un texte appartient au registre lyrique s'il porte les marques de l'expression des sentiments. Le propos est d'exprimer les sentiments du poète : joie (*Les Yeux d'Elsa*), souffrance (« El Desdichado »), indifférence (« Le but »), doute (« Les mots qui ne sont pas d'amour »), etc.

• Les thèmes de la poésie lyrique sont variés, notamment l'amour, la célébration de la nature, la fuite du temps, l'engagement, la poésie, le chant.

Les marques du registre lyrique sont :
– l'emploi de la première personne (pronoms personnels, adjectifs et pronoms possessifs) ;
– la présence de modalisateurs ;
– la présence d'un lexique exprimant les sentiments ;
– l'utilisation de phrases exclamatives et interrogatives pour montrer la vivacité des sentiments ressentis.

> **EXEMPLES**
> Emploi de la première personne dans *Les Yeux d'Elsa* de Louis Aragon :
> « Tes yeux sont si profonds qu'en **me** penchant pour boire/J'ai vu tous les soleils y venir se mirer. »
> Présence de modalisateurs chez Lamartine :
> « **À peine** sur mon front quelques jours ont passé/**Il me semble** qu'un siècle et qu'un monde ont passé »
> Lexique des sentiments chez Verlaine :
> Car **elle me comprend**, et mon **cœur**, transparent/Pour elle seule **hélas** cesse d'être **un problème**
> Utilisation des phrases exclamatives chez Vigny :
> **Hélas !** ai-je pensé, malgré ce grand nom d'Hommes/**Que** j'ai honte de nous, esclaves que nous sommes !

2. Le registre élégiaque

On parle de registre élégiaque pour caractériser des poèmes exprimant la plainte (deuil, déploration, solitude) ; c'est un des aspects du registre lyrique. (Le poème de Verlaine « Chanson d'automne » appartient au registre élégiaque.)

3. Le registre pathétique

Le registre pathétique (adjectif issu de la racine grecque *path*, signifiant « souffrir ») est employé pour faire naître un sentiment de forte pitié. Il est en lien avec les thèmes de l'injustice, la souffrance, l'expression des malheurs humains. Dans son poème « Melancholia », Victor hugo a recours au registre pathétique pour dénoncer le travail des enfants.

EXERCICE | **Dans cet extrait d'un poème d'Éluard, relevez les marques caractéristiques du registre lyrique.**

> La courbe de tes yeux fait le tour de mon cœur,
> Un rond de danse et de douceur,
> Auréole du temps, berceau nocturne et sûr,
> Et je ne sais plus tout ce que j'ai vécu
> C'est que tes yeux ne m'ont pas toujours vu.
>
> **PAUL ÉLUARD**, « La courbe de tes yeux »,
> *Capitale de la douleur*, Éd. Gallimard, 1926.

Corps et biens (1930), un laboratoire poétique

ROBERT DESNOS
(1900-1945)
NOTE BIOGRAPHIQUE, P. 466

Rébus dessiné par Robert Desnos.

Le recueil *Corps et biens* comporte douze ensembles (marqués par des titres) qui couvrent une décennie (1919-1929) et suivent la chronologie d'une vie et de ses expériences poétiques. Avec *Corps et biens*, le lecteur pénètre dans un véritable laboratoire, sorte de « fabrique poétique » où il peut observer l'évolution d'une écriture. Sans proposer un véritable schéma d'organisation, on peut distinguer cinq grandes parties.

• Dans « Le Fard des Argonautes » et « L'Ode à Coco » (1919) le poète détourne une légende du côté de la farce, recourant au burlesque du quotidien et à l'allusion parodique (« coco » : cocaïne) ; dans ces deux pièces, l'humour et la provocation caractérisent l'écriture de Desnos.

• « Rrose Sélavy » (1922-1923) présente cent cinquante aphorismes où Desnos révèle sa virtuosité verbale à travers des jeux sur les mots et sur les sonorités (« Ô mon crâne étoile de nacre qui s'étiole » ; « La solution d'un page est-elle la pollution d'un sage ? »).

• « L'Aumonyme » et « Langage cuit » (1923) proposent une exploration méthodique du phénomène d'homonymie, avec des formes libres et variées.

• « À la Mystérieuse » (1926) et « Les Ténèbres » (1927) sont deux ensembles qui font ressurgir une thématique traditionnelle autour de la figure de la femme aimée (Yvonne George, jamais nommée mais dont le nom apparaît dans le poème acrostiche « Infinitif ») ; ici c'est le lyrisme amoureux qui s'exprime.

• Cinq poèmes datés de 1929 : « Sirène Anémone » ; « L'Aveugle » ; « Mouchoir au Nadir » ; « De silex et de feu » ; « Le Poème à Florence » proposent un retour vers des formes apparemment plus classiques où « l'alexandrin faux, chevillé et creux » se mêle aux vers libres.

SALVADOR DALÍ, *L'Âne pourri*, 1928.
Paris, musée national d'Art moderne.

---

1. **Idéal maîtresse** : publié d'abord en mars 1928
dans *La Révolution surréaliste*.
2. **Pitchpin** : espèce de pin très dur employé
dans la construction.
3. **Myosotis** : petite fleur bleue qui symbolise souvent la mémoire, le souvenir.

TEXTE 1 « Idéal maîtresse », une tentative aux limites des possibilités du langage

La fonction première du langage, c'est la nomination du monde ; résultat mystérieux d'un arbitraire et d'un consensus, il permet la communication entre les hommes ; mais dès lors que l'on sape les codes admis, le langage ouvre des perspectives nouvelles : c'est précisément l'ambition des surréalistes et particulièrement de Robert Desnos. Poème de l'ensemble « Langage cuit », « Idéal maîtresse »[1] est à la fois un exercice de style et une exploration de la matière verbale.

Je m'étais attardé ce matin-là à brosser les dents
d'un joli animal que, patiemment, j'apprivoise. C'est
un caméléon. Cette aimable bête fuma, comme à l'ordinaire, quelques cigarettes, puis je partis.

5   Dans l'escalier je la rencontrai. « Je mauve », me dit-
elle et tandis que moi-même je cristal à pleine ciel-je
à son regard qui fleuve vers moi.

Or, il serrure et, maîtresse ! Tu pitchpin[2] qu'a joli
vase je me chaise si les chemins tombeaux.

10 L'escalier, toujours l'escalier qui bibliothèque et la
foule au bas plus abîme que le soleil ne cloche.

Remontons ! mais en vain, les souvenirs se sardine !
à peine, à peine un bouton tirelire-t-il. Tombez, tombez ! En voici le verdict : « La danseuse sera fusillée à

15 l'aube en tenue de danse avec ses bijoux immolés au
feu de son corps. Le sang des bijoux, soldats ! »

Eh quoi, déjà je miroir. Maîtresse tu carré noir et si
les nuages de tout à l'heure myosotis[3], ils moulins dans
la toujours présente éternité.

ROBERT DESNOS, « Idéal maîtresse », *Corps et biens*, 1930.

PREMIÈRE LECTURE

Quelle image vous paraît la plus étrange ?

LECTURE ANALYTIQUE

Une reprise des recherches surréalistes
1. Relisez la phrase « La danseuse… corps ». Expliquez en quoi cette phrase fait penser à un puzzle.
2. Relevez des moments qui semblent procéder d'associations automatiques. À quelles recherches surréalistes cela renvoie-t-il ?
3. D'où vient la dimension énigmatique du titre ?

Un langage poussé à ses limites
4. Relevez dans le deuxième paragraphe les expressions où le verbe a été remplacé par un substantif ; montrez, en relevant des expressions analogues, que ce procédé est la loi de perturbation du texte.

5. Repérez les phrases qui ont un sens, même absurde, repérez celles qui de prime abord n'ont aucun sens ; trouvez un exemple de perte du sens entraîné par un bouleversement au niveau du lexique, puis un exemple d'obscurcissement du sens par une destruction de la cohérence syntaxique.

Un sens pourtant
6. Relevez les verbes qui ont pour sujet « je » et les impératifs, puis les verbes à la deuxième personne. Établissez les actions et le trajet du poète ; dites qui il rencontre. Quels éléments de cette rencontre prennent pour vous un sens ?
7. En quoi le caméléon peut-il apparaître comme le symbole du langage pour les surréalistes ? Que signifie dès lors « brosser les dents du caméléon » et l'« apprivoiser » ?

Si les mots peuvent changer de nature (cf. « Idéal maîtresse »), alors tous les retournements sont possibles : « Un jour qu'il faisait nuit » (qui appartient aussi à l'ensemble « Langage cuit ») signale d'emblée par sa contradiction absurde un désordre recherché (le titre initial du recueil était « Désordre formel » !) qui s'étend à tout le poème et crée un monde étrange loin de toute logique. L'écriture de Desnos détourne le sens des mots vers une construction poétique qui lui est propre et créé un monde onirique comme l'ont fait des peintres surréalistes.

MAX ERNST, *Fleurs de coquillages,*
1929. Paris, musée national
d'Art moderne

Il s'envola au fond de la rivière.

Les pierres en bois d'ébène, les fils de fer en or et la croix sans branche.

Tout rien.

5   Je la hais d'amour comme tout un chacun.

Le mort respirait de grandes bouffées de vide.

Le compas traçait des carrés et des triangles à cinq côtés.

Après cela il descendit au grenier.

Les étoiles de midi resplendissaient.

10 Le chasseur revenait carnassière pleine de poissons sur la rive au milieu de la Seine.

Un ver de terre marque le centre du cercle sur la circonférence.

En silence mes yeux prononcèrent un bruyant discours.

15 Alors nous avancions dans une allée déserte où se pressait la foule.

Quand la marche nous eut bien reposé nous eûmes le courage de nous asseoir puis au réveil nos yeux se fermèrent et l'aube versa sur nous les réservoirs de la nuit.

La pluie nous sécha.

ROBERT DESNOS, « Un jour qu'il faisait nuit »,
Corps et biens, 1930.

PREMIÈRE LECTURE

En quoi ce texte dépeint-il un monde à l'envers ? Quelle signification lui donnez-vous ?

LECTURE ANALYTIQUE

Un langage qui désorganise le monde

1. Étudiez conjointement le titre et le dernier vers. Montrez quel est leur fonctionnement et dites quel est l'effet produit.

2. Trouvez dans le poème au moins cinq exemples d'oxymores ou d'antithèses.

3. Montrez que l'espace et le temps sont désorganisés.

Une promenade hallucinée

4. Quel genre de texte annonce l'expression « un jour que » ? La suite du poème est-elle narrative ? Correspond-elle à ce genre ? Justifiez votre réponse.

5. À qui pense le poète ? Avec qui se promène-t-il ?

Où et quand ? Que font les personnages ? Décrivez leur trajet.

6. En quoi les vers 5, 13 et 14 sont-ils l'expression du sentiment amoureux ?

7. Quels vers donnent la dimension d'un rêve à cette promenade ? Quelles impossibilités logiques deviennent possibles ? Comment est présenté le moment du réveil et du retour au monde réel ? Faites un rapprochement avec l'intérêt accordé au rêve par les surréalistes.

ÉCRITURE D'INVENTION

Les cadavres exquis

Un « cadavre exquis » est un court texte écrit à plusieurs sur le modèle du puzzle (cf. question 3). Un premier scripteur rédige une phrase, un second continue sans savoir ce que le premier a écrit mais en respectant une consigne grammaticale, un troisième continue. Écrivez, à deux ou trois, plusieurs cadavres exquis. Lisez les textes obtenus.

TEXTE 3 **« Vieille clameur », le cri désespéré du poète**

Au détournement du sens recherché dans les cinq premiers ensembles de *Corps et biens* succèdent les poèmes d'une partie composée de deux ensembles, « À la Mystérieuse » (1926) et « Les Ténèbres ». Le jeu avec les mots et la recherche d'images chocs laissent la place à l'expression du sentiment amoureux. Le travail surréaliste sur la langue renouvelle les thèmes de la tradition lyrique.

Une tige dépouillée dans ma main c'est le monde
La serrure se ferme sur l'ombre et l'ombre met son œil à la serrure
Et voilà que l'ombre se glisse dans la chambre
La belle amante que voila l'ombre plus charnelle que ne l'imagine
5   perdu dans son blasphème le grand oiseau de fourrure blanche
       perché sur l'épaule de la belle de l'incomparable putain qui
       veille sur le sommeil
Le chemin se calme soudain en attendant la tempête
Un vert filet à papillon s'abat sur la bougie
10 Qui es-tu toi qui prends la flamme pour un insecte
Un étrange combat entre la gaze et le feu
C'est à vos genoux que je voudrais passer la nuit
C'est à tes genoux
De temps à autre sur ton front ténébreux et calme en dépit des
15   apparitions nocturnes, je remettrai en place une mèche
      de cheveux dérangée
Je surveillerai le lent balancement du temps et de ta respiration
Ce bouton je l'ai trouvé par terre
Il est en nacre
20 Et je cherche la boutonnière qui le perdit
Je sais qu'il manque un bouton à ton manteau
Au flanc de la montagne se flétrit l'edelweiss
L'edelweiss qui fleurit dans mon rêve et dans tes mains quand elles
      s'ouvrent :

25 Salut de bon matin quand l'ivresse est commune quand le fleuve
      adolescent descend d'un pas nonchalant les escaliers de
      marbre colossaux avec son cortège de nuées blanches et
      d'orties
La plus belle nuée était un clair de lune récemment transformé
30   et l'ortie la plus haute était couverte de diamants
Salut de bon matin à la fleur du charbon la vierge au grand cœur qui
      m'endormira ce soir
Salut de bon matin aux yeux de cristal aux yeux de lavande aux yeux
      de gypse[1] aux yeux de calme plat aux yeux de sanglot aux yeux de
35   tempête
Salut de bon matin salut
La flamme est dans mon cœur et le soleil dans le verre
Mais jamais plus hélas ne pourrons-nous dire encore
Salut de bon matin tous ! crocodiles yeux de cristal orties vierge
      fleur du charbon vierge au grand cœur.

          ROBERT DESNOS, « Vieille clameur », *Corps et biens*, 1930.

1. Gypse : sulfate hydraté de calcium naturel, communément appelé « pierre à plâtre ».

Qui pousse un cri dans ce poème ? Pourquoi cette clameur est-elle vieille ?

LECTURE ANALYTIQUE

Un amour perdu

1. Relevez dans les vers 1 à 4 les images qui décrivent la femme comme un fantôme.

2. Commentez la dimension symbolique des vers 1, 8, 9 et 10 : qu'éprouve le poète ?

3. À quoi s'oppose le « mais » du vers 37 ? En utilisant les trois derniers vers, dites sur quel sentiment le poème s'achève. En quoi ce sentiment est-il déjà présent dans le titre ?

La « clameur » de l'amoureux

4. Quel objet ravive le souvenir de la femme aimée ? Commentez.

5. Qu'exprime l'emploi des déterminants possessifs aux vers 11 et 12 ?

6. De quels soins amoureux le poète rêve-t-il d'entourer la femme aimée ?

7. Relevez une anaphore entre les vers 24 et 35. Que veut célébrer le poète ?

8. Quelles notations dans ce passage renvoient au blanc et à la lumière ? Quel mot évoque la noirceur ? Que pouvez-vous conclure sur la signification connotée de ces couleurs ?

9. Relevez les oppositions dans les vers 31 à 34. Mettez-les en rapport avec le sentiment ambigu exprimé dans le poème.

 TEXTE 4 « Mouchoirs au Nadir[1] », permanence de l'espoir

« Mouchoirs du Nadir » appartient à l'ensemble des poèmes écrits en 1929. À ceux qui s'étonnaient de sa forme strophique en quatrains et en alexandrins, Robert Desnos, provocateur, répondit par avance en invoquant la liberté : « Car n'est-ce point une preuve de liberté, en 1930, que de pouvoir, quand cela lui chante, écrire en alexandrins ? [...] Étant entendu que l'alexandrin gagne à être malmené et que, le vers étant libre, l'alexandrin n'est plus qu'un des cas particuliers du vers libre. » (« Prière d'insérer », *Corps et biens*). Mais il est indéniable aussi que le poète s'éloigne des jeux verbaux du début du recueil et qu'une sombre gravité envahit son écriture.

Comme l'espace entre eux devenait plus opaque
Le signe des mouchoirs disparut pour jamais
Eux c'était une amante aux carillons de Pâques
Qui revenait de Rome et que l'onde animait

5 Eux c'était un amant qui partait vers la nuit
Érigée sur la route au seuil des capitales
Eux c'était la rivière et le miroir qui fuit
la porte du sépulcre[2] et le cœur du crotale[3]

Combien d'oiseaux combien d'échos combien de flammes
10 Se sont unis aux fond des lits de cauchemars
Combien de matelots ont-ils brisé leurs rames
En les trempant dans l'eau hantée par les calmars

Combien d'appels perdus à travers les déserts
Avant de se briser aux portes de la ville
15 Combien de prêtres morts pendus à leurs rosaires[4]
Combien de trahisons dans les guerres civiles

---

1. Nadir : point de la sphère céleste opposé au zénith ; c'est la position du soleil à minuit.

2. Sépulcre : tombeau, monument funéraire.

3. Crotale : serpent venimeux d'Amérique.

4. Rosaires : chapelets religieux composés de quinze dizaines de petits grains.

Le signe des mouchoirs qui se perd dans les nuages
Aux ailes des oiseaux fait ressembler le lin[5]
Les filles à minuit contemplent son image
20 Vol de mouette apparue dans le miroir sans tain[6]

Les avirons ne heurtent plus les flots du port
Les cloches vendredi ne partent plus pour Rome
Tout s'est tu puisqu'un soir l'au revoir et la mort
Ont échangé le sel le vin et la pomme

25 Les astres sont éteints au zénith[7] qui les porte
Ô Zénith ô Nadir ô ciel tous les chemins
conduisent à l'amour marqué sur chaque porte
Conduisent à la mort marquée dans chaque main

Ô Nadir je connais tes parcs et ton palais
30 Je connais ton parfum tes fleurs tes créatures

Tes sentiers de vertige où passent les mulets
Du ciel les nuages blancs du soir à l'aventure

5. Lin : fibre textile dont peuvent être faits les mouchoirs.
6. Tain : mélange d'étain et de mercure servant à l'étamage des miroirs.
7. Zénith : point le plus haut de la course apparente d'un astre ; c'est la position du soleil à midi.

MAX ERNST, *Le jardin de la France*, 1962. Paris, centre Georges Pompidou.

MAURICE DENIS, *Les Arbres ou les Hêtres de Kerduel*, 1893. Paris, musée d'Orsay.

Ô Nadir dans ton lit de torrent et cascades
Le négatif de celle aimée la seule au ciel
35 Se baigne et des troupeaux lumineux de dorades
Paissent l'azur sous les arceaux de l'arc-en-ciel

Ni vierge ni déesse et posant ses deux pieds
Sur le croissant de lune et l'anneau des planètes
Dans le ronronnement de tes rouages d'acier
40 Hors du champ tumultueux fouillé par les lunettes

Vieux Nadir ô pavé au col pur des amantes
Est-ce dans ta volière au parc des étincelles
Qu'aboutissent les vols de mouchoirs et la menthe
L'herbe d'oubli dans tes gazons resplendit-elle ?

ROBERT DESNOS, *Corps et biens*, 1930.

PREMIÈRE LECTURE

Quand peut-on agiter un mouchoir ? Que signifie traditionnellement ce geste ?

LECTURE ANALYTIQUE

La mort de l'amour au Zénith

1. Qui représente le pronom « eux » ? Quelles métaphores renvoient ensuite à ces mêmes personnes ? Expliquez comment.

2. Relevez deux évocations de la fête de Pâques. Montrez que cela correspond à la mort et à la vie.

3. Que s'est-il passé à Pâques entre les deux amants (pour répondre, relisez les deux premiers quatrains et la strophe 6) ?

4. Quelles évocations négatives font écho à la disparition de l'aimée ? Au moyen de quelle anaphore ?

L'amour retrouvé au Nadir

5. Que désigne le Nadir ?

6. Comment faut-il comprendre l'expression « le négatif de celle aimée » (strophe 9) ?

7. Montrez que l'interrogation qui clôt le poème est synonyme d'espoir. Qu'espère voir le poète ?

8. Dites ce qui fait du Nadir une région enchantée : quelles images évoquent les étoiles ? Lesquelles sont une inversion du réel ? Lesquelles apparentent ce monde au paradis ?

VERS LA DISSERTATION

Relisez les textes suivants : *Nadja*, « La Dame de carreau », *Les Yeux d'Elsa*, « L'Amoureuse», « Vieille clameur », « Mouchoir au Nadir ».

a. Dites quel est le texte qui vous paraît décrire le mieux le sentiment amoureux. Justifiez votre réponse.

b. Trouvez cinq adjectifs pour qualifier ce sentiment dans l'ensemble des textes.

c. Relevez cinq désignations de la femme aimée.

d. Relevez cinq images qui donnent une idée métaphorique de l'amour.

e. Relevez cinq verbes dont « je » est le sujet (« je » désignant le poète).

f. À l'aide de vos réponses, rédigez un texte explicatif pour définir le sentiment amoureux tel que le présentent les textes. Puis, dans un paragraphe argumenté, vous direz si vous partagez cette conception de l'amour.

LECTURE COMPLÉMENTAIRE

BORIS VIAN, *L'Écume des jours*

Boris Vian, comme beaucoup d'artistes de son temps, fut influencé par les recherches surréalistes des vingt années précédentes. L'intrigue du roman est très simple : une jeune couple est confronté à la maladie et à la mort mais l'univers où se déroule l'histoire est très fantaisiste.

Lisez ce roman.

---

1. Expliquez comment les héros vivent dans un monde où l'irréel fait son apparition : étudiez les situations des personnages, leurs actions, les objets qui les entourent. En quoi cela renvoie-t-il aux préoccupations des écrivains surréalistes ?

2. Expliquez comment l'on retrouve dans le roman des procédés d'écriture présents dans les textes surréalistes que vous avez étudiés : vous commenterez le lexique et la syntaxe (néologismes, jeux de mots, emplois impropres, construction des phrases…).

3. Expliquez comment est mise en œuvre la métaphore du rétrécissement de l'univers de Colin. Quelle en est la signification symbolique ? Expliquez de même l'image du nénuphar.

Le recueil *Corps et biens* est le bilan d'une période, celle de la naissance d'un groupe (cf. le *Manifestes du surréalisme* de 1924 et celui de 1929), de ses expériences (sommeil hypnotique, écriture automatique, dont on voit les traces dans « Idéale maîtresse »), de ses recherches sur les pouvoirs d'expression du langage (alliances de mots, associations métaphoriques étonnantes…). Il se caractérise par un lyrisme à la fois élégiaque et visionnaire qui célèbre la quête amoureuse. On y lit l'expression d'une angoisse existentielle alimentée par le sentiment d'un monde qui se dérobe au sens et auquel l'amour ne parvient pas à donner une cohérence (« Vieille clameur ») sinon dans un au-delà rêvé (« Mouchoir au Nadir »).

La photographie surréaliste

Man Ray (1890-1976) participa au mouvement surréaliste. Il fut peintre, photographe, cinéaste.

MAN RAY, *Man Ray embrassant Kiki*, rayographie, 1922.

« L'homme rayon » porte bien son nom ! Emmanuel Rudnitsky, alias Man Ray, est un artiste américain qui a longtemps vécu en France. Influencé par le dadaïsme, il apprend la photographie pour reproduire les œuvres de Duchamp qu'il admire et qui devient son ami. Mais lorsqu'il arrive à Paris, Man Ray se laisse séduire par les surréalistes. Libéré des codes et des techniques traditionnelles, ces artistes laissent parler leur inconscient. Il se sent incroyablement libre grâce à cet art onirique et spontané.

En créant le rayographe, Man Ray va devenir l'un des piliers de ce mouvement. Son invention est justement plus spontanée que calculée ! Alors qu'il développe des clichés dans sa chambre noire, il réalise que des images peuvent s'imprimer sur le papier photographique sans même avoir recours à l'appareil photo... C'est ainsi qu'il réalise cette image d'un baiser. Il s'y met en scène avec sa maîtresse, la célèbre Kiki de Montparnasse. On a un peu de mal à les reconnaître, à cause de ces deux mains presque blanches qui sont plaquées sur leur visage, très schématisé. Le procédé du rayographe n'est évidemment pas aussi précis qu'une photographie. On pourrait penser que Man Ray et Kiki se sont égarés dans le cabinet d'un radiologue. Mais c'est en un sens ce que Man Ray recherche : une radiographie de l'âme.

QUESTIONS

1. D'après sa légende, comment cette photographie a-t-elle été réalisée ?

2. En quoi cette photographie exprime-t-elle des idées contradictoires ?

3. À partir de votre réponse à la question 2, établissez un lien avec le poème de Desnos.

UNE RÉVOLUTION DANS LE LANGAGE AU SERVICE DE L'EXPRESSION POÉTIQUE

Victor Hugo appelait à une révolution dans le langage : « Plus de mots sénateurs, plus de mots roturiers.» À la fin du XIXe siècle, le jeu avec le langage dans la création poétique se traduit par une prise de liberté avec le lexique, la syntaxe, la ponctuation, qui se poursuit au XXe siècle.

1. Libération du lexique

a. Néologismes, « mots nouveaux » inventés, et mots détournés.

> **EXEMPLE**
> « Même amour mort, **mames**, mord »(Desnos)
> « Or il **serrure** et, **maîtresse** ! » (Desnos)

b. Mots étrangers, vocabulaire technique

> **EXEMPLES**
> Mots étrangers : « **Steamer** balançant ta mâture » (Mallarmé)
> Vocabulaire technique : « J'ai tiré ce **radium** de la **pechblende** » (Aragon)

2. Les jeux sur la syntaxe

La syntaxe rigoureuse et régulière de la langue classique se trouve assouplie et le poète joue avec elle.

a. La parataxe : la phrase se construit sans subordination, les liens logiques ne sont pas formulés.

> **EXEMPLE**
> « La nuit le froid la solitude / on m'enferma soigneusement » (Éluard)

b. Une syntaxe fluide où les propositions peuvent être morcelées, déplacées, pour mettre en valeur le sens ou pour donner à la phrase plus de musicalité, comme dans la première strophe du poème de Paul Verlaine « Mon rêve familier ».

c. La ponctuation

La ponctuation est remise en cause. À partir de la fin du XIXe siècle, elle disparaît parfois dans la poésie et c'est au lecteur de rétablir le sens les pauses voulues. La suppression de la ponctuation introduit parfois une pluralité de sens qui ajoute à la dimension poétique du texte, par exemple dans *Les Yeux d'Elsa* de Louis Aragon.

EXERCICE 1 Identifiez dans les extraits suivants les jeux avec le lexique.

a. Je crois donc... que tu viens... / Ouraganer la paix de mon éternité (Roux)
b. Tout l'affreux passé saute, piaule, miaule et glapit
Dans le brouillard rose et jaune et sale des Soho
Avec des indeeds et des all right et des haôs. (Verlaine)

EXERCICE 2 Tristan Corbière donne avec humour un rôle démesuré à la ponctuation avant qu'elle ne disparaisse de l'expression poétique. Commentez sa valeur expressive dans le texte suivant.

Le crapaud

Un chant ; comme un écho, tout vif
Enterré là, sous le massif...
– Ça se tait ; Viens, c'est là, dans l'ombre...
– Un crapaud ! – Pourquoi cette peur,
Près de moi, ton soldat fidèle !
Vois-le, poète tondu, sans aile,
Rossignol de la boue... – Horreur !

– Il chante. – Horreur ! ! – Horreur pourquoi ?
Vois-tu pas son œil de lumière...
Non, il s'en va, froid, sous sa pierre.
Bonsoir – ce crapaud-là, c'est moi.

TRISTAN CORBIÈRES, *Amours jaunes*,

EXERCICES SUPPLÉMENTAIRES
À retrouver sur le site du manuel.

Théophile Gautier, « Méditation » (1830)

Théophile Gautier n'a que dix-neuf ans lorsqu'il écrit ce poème. Il fréquente déjà les cercles romantiques et cherche à s'y faire connaître. Dans « Méditation », il s'approprie un thème souvent abordé par les poètes.

> *Ce monde où les meilleures choses*
> *Ont le pire destin.* MALHERBE.

Virginité du cœur, hélas ! si tôt ravie !
Songes riants, projets de bonheur et d'amour,
Fraîches illusions du matin de la vie,
Pourquoi ne pas durer jusqu'à la fin du jour ?

5 Pourquoi ?... Ne voit-on pas qu'à midi la rosée
De ses larmes d'argent n'enrichit plus les fleurs,
Que l'anémone frêle, au vent froid exposée,
Avant le soir n'a plus ses brillantes couleurs ?

Ne voit-on pas qu'une onde, à sa source limpide,
10 En passant par la fange y perd sa pureté ;
Que d'un ciel d'abord pur un nuage rapide
Bientôt ternit l'éclat et la sérénité ?

Le monde est fait ainsi : loi suprême et funeste !
Comme l'ombre d'un songe au bout de peu d'instants,
15 Ce qui charme s'en va, ce qui fait peine reste :
La rose vit une heure et le cyprès cent ans.

THÉOPHILE GAUTIER, « Méditation », 1830.

CONSIGNES

Vous ferez le commentaire littéraire de ce poème de Théophile Gautier. Votre projet de lecture sera : en quoi le texte propose-t-il une réflexion sur la brièveté du bonheur ?

Vous adopterez le plan suivant :

I. Le thème du passage du temps : les oppositions entre débuts et fins ; la nature éphémère des objets décrits ; la portée métaphorique du poème.

II. De la plainte romantique à la méditation : un lexique de la perte ; une syntaxe au service de la méditation, de l'exclamation à l'assertion en passant par la question ; une nature sensible et personnifiée, image du destin des hommes.

1. Voici différentes citations issues de ce poème (a). Associez à chacune de ces citations la description du procédé (b) et l'interprétation qui correspond (c).

2. Rédigez une phrase pour chaque citation, dans laquelle vous intégrerez la description du procédé que vous lui avez associée. Ex : les nombreuses négations associées aux verbes [description], comme par exemple « ne pas durer » « n'enrichit plus » ou « n'a plus » [citation] soulignent la disparition inévitable des choses [interprétation].

3. Classez chacun de ces éléments de commentaire en fonction du plan qui vous est donné dans la consigne.

4. À partir de la fiche méthode p. 449, rédigez l'introduction du commentaire. Vous pouvez vous aider du chapeau et de la consigne pour présenter le texte. Recopiez ensuite votre introduction.

5. À partir des réponses à la question 2, rédigez le commentaire. Vous pouvez étoffer chaque sous-partie à l'aide d'autres exemples commentés que vous pouvez relever dans le poème.

6. À partir de la fiche méthode p. 449, rédigez la conclusion.

Citations issues du poème (a)	Description du procédé (b)	L'interpréation (c)
« hélas ! si tôt ravie ! / loi suprême et funeste ! » ; « Pourquoi ne pas durer jusqu'à la fin du jour / Pourquoi ? » ; « matin / fin du jour » ; « source limpide / fange » ; « une heure / cent ans » ; « s'en va / reste » ; « charme / peine » ; « Le monde est fait ainsi » ; « ne pas durer / n'enrichit plus / n'a plus » ; « fleurs / frêle / froid » ; « Ne voit-on pas » ; « perd / ternit » : « hélas ! si tôt ravie ! » ; « Pourquoi... ? Pourquoi... ? » ; « Le monde est ainsi fait : loi suprême » ; « ce qui charme s'en va, ce qui fait peine reste » ; « la rosée... de ses larmes d'argent » ; « l'anémone... au froid exposée » ; « une onde... En passant par la fange y perd sa pureté » ; « d'un ciel d'abord pur un nuage rapide. Bientôt ternit l'éclat de la sérénité ».	antithèses (3) ; antithèse mise en valeur à la fin des hémistiches (2) ; présent de vérité générale ; modalité exclamative ; négations ; interro-négation ; allitération en [fl / fr] ; verbes à connotation négative ; anaphore d'un adverbe ; interrogatif / exclamation / questions / assertion / personnification (avec un jeu sur le sens propre et figuré de certains mots s'appliquant à des éléments inanimés et à des êtres animés)	expression de l'incompréhension et de la révolte ; mise en valeur d'une opposition ; Imitation sonore de la fragilité ; valeur métaphorique du poème ; disparition progressive des choses ; résignation indignée ; opposition entre le commencement et la fin ; la méditation : de l'expression de la plainte à celle de la perplexité pour aboutir à une vérité ; la nature, image de la fragilité humaine

Alfred de Musset,
Poésies nouvelles (1850)

Musset a été écrit ce poème alors qu'il se séparait de Mademoiselle Despréaux, actrice qui avait fait jouer les pièces de son amant à la Comédie-Française.

Adieu

Adieu ! je crois qu'en cette vie
Je ne te reverrai jamais.
Dieu passe, il t'appelle et m'oublie ;
En te perdant je sens que je t'aimais.

5 Pas de pleurs, pas de plainte vaine.
Je sais respecter l'avenir.
Vienne la voile qui t'emmène,
En souriant je la verrai partir.

Tu t'en vas pleine d'espérance,
10 Avec orgueil tu reviendras ;
Mais ceux qui vont souffrir de ton absence,
Tu ne les reconnaîtras pas.

Adieu ! tu vas faire un beau rêve
Et t'enivrer d'un plaisir dangereux ;
15 Sur ton chemin l'étoile qui se lève
Longtemps encor éblouira tes yeux.

Un jour tu sentiras peut-être
Le prix d'un cœur qui nous comprend,
Le bien qu'on trouve à le connaître,
20 Et ce qu'on souffre en le perdant.

ALFRED DE MUSSET, *Poésies nouvelles*, 1850.

CONSIGNES

Vous ferez le commentaire de ce poème d'Alfred de Musset et vous suivrez le projet de lecture suivant : en quoi ce texte peut-il être lu comme un adieu à un être cher ? Vous prendrez comme premier axe les modalités de la prise de conscience du poète, et comme second axe, l'expression contenue de sa souffrance.

CORPUS
TEXTE 1 Alfred de Musset, « Tristesse », *Poésies* (1830-1840)

TEXTE 2 Paul Verlaine, « Ariette oubliée III »,
Romance sans paroles (1874)

TEXTE 3 Paul Éluard, « La poésie doit avoir pour but la vérité
pratique », *Poèmes politiques* (1948)

TEXTE A « Tristesse »

Génie précoce, Musset (1810-1857) atteint avant l'âge de trente ans
le sommet de son art et connaît ensuite le déclin et la solitude.

J'ai perdu ma force et ma vie,
Et mes amis et ma gaieté ;
J'ai perdu jusqu'à la fierté
Qui faisait croire à mon génie.

5 Quand j'ai connu la Vérité,
J'ai cru que c'était une amie ;
Quand je l'ai comprise et sentie,
J'en étais déjà dégoûté.

Et pourtant elle est éternelle,
10 Et ceux qui se sont passés d'elle
Ici-bas ont tout ignoré.

Dieu parle, il faut qu'on lui réponde.
Le seul bien qui me reste au monde
Est d'avoir quelquefois pleuré.

ALFRED DE MUSSET, « Tristesse »,
Poésies, 1830-1840.

TEXTE B « La poésie doit avoir pour but la vérité pratique »

L'expérience de la Résistance et l'engagement au Parti communiste conduisent Paul Éluard (1895-1952) à s'interroger sur le rôle de la poésie dans la vie politique.

À mes amis exigeants

Si je vous dis que le soleil dans la forêt
Est comme un ventre qui se donne dans un lit
Vous me croyez vous approuvez tous mes désirs

Si je vous dis que le cristal d'un jour de pluie
5   Sonne toujours dans la paresse de l'amour
Vous me croyez vous allongez le temps d'aimer

Si je vous dis que sur les branches de mon lit
Fait son nid un oiseau qui ne dit jamais oui
Vous me croyez vous partagez mon inquiétude

10   Si je vous dis que dans le golfe d'une source
Tourne la clé d'un fleuve entr'ouvrant la verdure
Vous me croyez encore plus vous comprenez

Mais si je chante sans détours ma rue entière
Et mon pays entier comme une rue sans fin
15   Vous ne me croyez plus vous allez au désert

Car vous marchez sans but sans savoir que les hommes
Ont besoin d'être unis d'espérer de lutter
Pour expliquer le monde et pour le transformer

D'un seul pas de mon cœur je vous entraînerai
20   Je suis sans forces j'ai vécu je vis encore
Mais je m'étonne de parler pour vous ravir
Quand je voudrais vous libérer pour vous confondre
Aussi bien avec l'algue et le jonc de l'aurore
Qu'avec nos frères qui construisent leur lumière.

PAUL ELUARD, « La poésie doit avoir pour but la vérité pratique »,
Deux poètes aujourd'hui, 1948.

TEXTE C « Ariette oubliée III »

Dans ce recueil de textes, paradoxalement intitulé *Romances sans paroles*, Verlaine (1844-1896) met en œuvre sa conception essentiellement musicale de la poésie.

Il pleure dans mon cœur
Comme il pleut sur la ville ;
Quelle est cette langueur
Qui pénètre mon cœur ?

5   Ô bruit doux de la pluie
Par terre et sur les toits !
Pour un cœur qui s'ennuie
Ô le chant de la pluie !

Il pleure sans raison
10   Dans ce cœur qui s'écœure.
Quoi ! nulle trahison ?....
Ce deuil est sans raison.

C'est bien la pire peine
De ne savoir pourquoi
15   Sans amour et sans haine
Mon cœur a tant de peine !

PAUL VERLAINE, « Ariette oubliée III », *Romances sans paroles*, 1874.

CONSIGNES

I. Après avoir lu attentivement les textes du corpus, vous répondrez d'abord à la question suivante (4 points).
D'après ces textes, la poésie parle-t-elle exclusivement des sentiments ou traite-t-elle d'autres sujets ? Votre réponse se fondera sur quelques exemples précis. Elle devra être organisée et synthétique.

II. Vous traiterez ensuite, au choix, l'un des sujets suivants (16 points).

1. Écriture d'invention
Vous décidez d'ouvrir un blog consacré à la poésie dans lequel seront publiés vos propres textes et ceux d'autres internautes que vous aurez choisi de faire paraître, ainsi que des réactions critiques de lecteurs.
Rédigez la page d'ouverture. Vous y expliquez le type de textes que vous désirez accueillir, le plaisir que vous souhaitez procurer aux lecteurs et aux auteurs du blog, la manière dont vous ferez place aux critiques qui s'exprimeront et votre conception de la poésie.

2. Écriture de commentaire
Vous commenterez le texte de Verlaine (texte B).

3. Écriture de dissertation
Le poète romantique Percy Shelley affirme (dans *Défense de la poésie*) : « Le poète est un rossignol qui, assis dans l'obscurité, chante pour égayer de doux sons sa propre solitude.» Pensez-vous, comme Shelley, que la poésie est un chant uniquement destiné à exprimer les sentiments du poète solitaire ou estimez-vous qu'elle peut avoir d'autres destinataires, d'autres effets et d'autres fonctions ?
Vous développerez votre argumentation en vous appuyant sur les textes du corpus, les œuvres que vous avez étudiées en classe et celles que vous avez lues.

Le langage poétique

ACTIVITÉ 1   Comprendre le langage poétique

Dans *Qu'est-ce que la littérature* ? le philosophe Jean-Paul Sartre explique ainsi le fonctionnement des mots propre au langage poétique : « Florence est ville et fleur et femme, elle est ville-fleur et ville-femme et fille-fleur tout à la fois. Et l'étrange objet qui paraît ainsi possède la liquidité du *fleuve*, la douce ardeur fauve de l'*or* et, pour finir, s'abandonne avec *décence* et prolonge indéfiniment par l'affaiblissement continu de l'*e* muet son épanouissement plein de réserve. À cela s'ajoute l'effort insidieux de la biographie. Pour moi, Florence est aussi une certaine femme, une actrice américaine qui jouait dans les films muets de mon enfance et dont j'ai tout oublié sauf qu'elle était longue comme un long gant de bal et toujours un peu lasse et toujours chaste, et toujours mariée et incomprise, et que je l'aimais, et qu'elle s'appelait Florence. »

a) Divisez le texte en deux parties. Sur quel aspect des mots porte la réflexion dans la première partie ? Qu'ajoute la seconde partie ?

b) Dans la première phrase, dites quelles affirmations sont vraies sans tenir compte du fonctionnement du langage poétique. Justifiez les autres affirmations.

c) Montrez que dans la dernière phrase, l'auteur met en œuvre certains procédés du langage poétique. Qu'est-ce qui peut faire penser au texte de Verlaine « Mon rêve familier » (page 396) ?

Vue de Florence.

ACTIVITÉ 2   Écrire avec des mots imaginaires

Voici des mots rares ou techniques.

Noms : *malacostracés, tanagra, pou-de-soie, rapoutitsa*.
Verbes : *égriser, enter, langueyer*.
Adjectifs : *sternutatoire, terraqué, clastique*.

a) Imaginez pour chacun d'eux une signification liée à sa sonorité et aux associations d'idées qu'elle provoque, sur le modèle proposé par Sartre.

b) Écrivez un texte dans lequel vous utiliserez quatre de ces mots de manière à faire comprendre le sens que vous leur prêtez. Exemples : pour le mot *rapoutitsa*, « Une raspoutitsa aux cheveux gris avançait péniblement dans la neige » ; ou « Devant moi s'élevait une magnifique raspoutitsa aux colonnes de marbre et au toit d'or. »

Les thèmes de la poésie

ACTIVITÉ 3   Écrire sur des sentiments

a) Relisez « La nuit de décembre » de Musset, p. 349. Le poème présente une personnification de la solitude. Rappelez quelle apparence le poète a donné à ce sentiment.

b) Proposez à votre tour une figure végétale, animale ou humaine pour un des sentiments suivants : la joie, la nostalgie, l'angoisse, la curiosité.

c) Faites la description du personnage imaginé.

ACTIVITÉ 4   Écrire sur un paysage, un état d'âme

a) Relisez « L'Isolement » de Lamartine, p. 346 et l'extrait de *René* de Chateaubriand, p. 360.

b) Inventez à votre tour une géographie intérieure qui vous corresponde. Faites la description précise du paysage.

ACTIVITÉ 5   Écrire sur l'amour

Écrivez un poème/collage en empruntant des phrases ou des groupes de mots aux différents poèmes consacrés à l'expression du sentiment amoureux et en les agençant à votre guise. Composez-en un autre qui pourra, si vous le voulez, reprendre au surréalisme son goût des alliances de termes inattendues.

ACTIVITÉ 6   Écrire sur le temps présent

a) Relisez « *Melancholia* » (p. 374) et « Aux morts du 4 décembre » (p. 366), de Victor Hugo.

b) Trouvez deux faits d'actualité qui éveillent en vous de l'indignation.

c) Cherchez pour l'un d'eux quel personnage pourrait incarner parfaitement soit une victime; soit un responsable de cette situation.

d) Adressez à ce personnage un message indigné dans lequel vous recourrez à l'exclamation et à l'interrogation (fausses questions), à une métaphore, à une comparaison, à une anaphore, à une antithèse, à l'ironie, à l'interjection « ô », et, si vous le jugez utile, à d'autres procédés.

e) Écrivez en vers quatre lignes de votre texte.

ACTIVITÉ 7 — Définir la poésie

a) Relevez les mots ou expressions renvoyant à la musique, à la voix, aux sons en général dans les textes suivants : *René* de Chateaubriand (page 360), « Ce que dit la bouche d'ombre » de Victor Hugo (page 379), « El Desdichado » de Nerval (page 385), « Chanson d'automne » de Verlaine (page 398).

b) En utilisant le plus possible des éléments relevés, donnez une définition de la poésie ou faites un éloge de celle-ci.

La syntaxe poétique

ACTIVITÉ 8 — Inventer pour écrire un poème

a) Relisez le texte « Idéal maîtresse » de Robert Desnos (page 419).

b) Relevez-y les verbes inventés comme « je mauve ». Décrivez selon votre fantaisie trois des actions que ces verbes expriment.

c) Inventez à votre tour sept verbes. Employez-les dans un texte poétique.

ACTIVITÉ 9 — Écrire un poème en utilisant des tournures syntaxiques

a) Relisez le poème « Enfance IV » de Rimbaud (page 393).

b) Imitez-le en utilisant la quadruple répétition de la tournure syntaxique « Je suis » en début de paragraphe, suivie de l'emploi, à la même place, de « Je serais ».

Les sonorités et leurs répétitions

ACTIVITÉ 10 — Utiliser des sonorités pour écrire un poème

a) Relisez le poème « Chanson d'automne » de Verlaine (page 398) et rappelez les échos sonores que l'on y trouve.

b) Reprenez *violon, automne, cœur*, et cherchez d'autres mots avec lesquels ils présentent des assonances. Écrivez un poème en utilisant ces rapprochements de sonorités.

ACTIVITÉ 11 — Travailler des allitérations pour écrire un poème

On trouve dans *René* de Chateaubriand : « le visage enflammé, le vent sifflant dans ma chevelure » ; dans « L'Isolement » de Lamartine : « et le char vaporeux de la reine des ombres » ; dans « Enfance IV » de Rimbaud : « comme les bêtes pacifiques paissent jusqu'à la mer de Palestine ».

Expliquez sur quels sons portent les allitérations et quel est l'effet de chacune d'elles. Puis proposez deux séries d'allitérations sur les consonnes de votre choix. Intégrez-les à un court texte poétique.

ACTIVITÉ 12 — Écrire un poème titré « La Solitude »

Relisez « L'Isolement » de Lamartine et rappelez votre réponse à l'activité 4 (page 428). Puis trouvez des mots qui ont une ressemblance sonore avec le mot solitude. Écrivez un texte court et si possible rimé qui utilisera ces termes et dont le titre sera « La Solitude ».

GASPAR DAVID FRIEDRICH, *Les Trois Âges de l'homme*, 1834-1835.

ACTIVITÉ 13 — Écrire à partir d'une répétition

À la fin du texte *Les Yeux d'Elsa* d'Aragon on trouve le vers : « Les yeux d'Elsa les yeux d'Elsa les yeux d'Elsa ».

a) Quel effet produit cette répétition ?

b) Cherchez dans les textes poétiques deux groupes de mots non répétés qui vous plaisent.

c) Prononcez-les à haute voix plusieurs fois de suite en donnant un sens à cette répétition.

d) Intégrez l'un d'entre eux à un court texte poétique.

ACTIVITÉ 14 — Écrire un quatrain monorime

Voici des mots à la rime dans plusieurs poèmes différents :
– Pensées/bruit/croisées/nuit (« Demain dès l'aube », Victor Hugo),
– nu/pluie/inconnu/m'ennuie (« Le but », Charles Cros),
– consolé/Italie/désolé/s'allie (« El Desdichado », Nerval),
– orphelin/tranquille/villes/malin, (« Gaspard Hauser », Verlaine),
– livres/ivres/espoir/mouchoirs (« Brise Marine », Mallarmé).

Amusez-vous à échanger les associations de rimes (en croisant bruit/nuit de Hugo avec espoir/mouchoirs de Mallarmé par exemple) et intégrez un des nouveaux ensembles ainsi formés à un quatrain en vers réguliers.

ACTIVITÉ 15 | Écrire un poème avec des jeux de mots et des allitérations

a) « ELégant cantique de Salomé Salomon » est un texte surréaliste de Robert Desnos tiré du recueil *Corps et biens* (1930)

Mon mal meurt mais mes mains miment
Nœuds, nerfs non anneaux. Nul nord
Même amour mol ? mames, mord
Nus nénés nonne ni Nine.
Où est Ninive sur la mappemonde ?

Ma mer, m'amis, me murmure :
« nos nils noient nos nuits nées neiges »
Meurt momie ! môme : âme au mur.
Néant nié nom ni nerf n'ai-je !

Aime haine
Et n'aime
haine aime
aimai ne

M N
N M
N M
M N

ROBERT DESNOS, « Élégant cantique de Salomé Salomon »,
Corps et biens 1930.

a) Expliquez le procédé dominant du texte.
b) Imitez l'auteur : avec les sons L et R écrivez un texte fantaisiste fondé sur des allitérations et des jeux de mots.

Dessin de Robert Desnos, Paris,
Bibliothèque Jacques Doucet.

ACTIVITÉ 16 | Utiliser des métaphores

a) Cherchez des métaphores pour désigner le temps, l'hiver, la solitude, ou tout autre élément sur lequel vous avez envie d'écrire.

b) Rédigez un poème en utilisant les métaphores que vous aurez imaginées.

ACTIVITÉ 17 | Écrire à partir d'« El Desdichado »

a) Relisez le poème de Robert Desnos « Un jour qu'il faisait nuit » (p. 420). Quelle est la figure de style qui organise le texte ?
b) Reprenez les sept premiers vers d'« El Desdichado » de Nerval. Recopiez le premier hémistiche de chaque vers et faites-le suivre d'un second hémistiche qui le contredise pour écrire un texte imitant celui de Robert Desnos.

ACTIVITÉ 18 | Jouer avec les comparaisons

Voici des débuts de comparaisons prises dans divers poèmes que vous avez lus.
« Maudits comme… » « Mes chansons comme… » (Hugo), « Le poète est semblable à… » (Baudelaire), « Son regard est pareil à » (Verlaine), « Et moi je suis semblable à… », « Tes yeux sont si profonds que… » (Aragon), « La terre est bleue comme… » (Éluard).
Complétez ces comparaisons, de façon sérieuse et poétique d'abord, puis de façon fantaisiste.

ACTIVITÉ 19 | Écrire à partir d'une figure de style

Voici un texte de Jacques Prévert tiré du recueil *Paroles*.

Le message

La porte que quelqu'un a ouverte
La porte que quelqu'un a refermée
La chaise où quelqu'un s'est assis
Le chat que quelqu'un a caressé
Le fruit que quelqu'un a mordu
La lettre que quelqu'un a lue
La chaise que quelqu'un a renversée
La porte que quelqu'un a ouverte
La route où quelqu'un court encore
Le bois que quelqu'un a traversé
La rivière où quelqu'un se jette
L'hôpital où quelqu'un est mort

JACQUES PRÉVERT, *Paroles*, Éd. Gallimard, 1976.

a) Quelle est la figure de style qui organise le poème ? Commentez son effet en utilisant les notions de répétitions et de changement.

b) Reprenez la figure utilisée avec les tournures : *Le*, *La* ou *Il y a* et utilisez-la pour produire un effet.

ACTIVITÉ 20 Écrire un poème en alexandrins

Relisez l'extrait de *René* de Chateaubriand. Choisissez un passage du texte et transformez-le pour en faire un poème en alexandrins tout en lui conservant à peu près le même sens.

ACTIVITÉ 21 Écrire un poème avec un refrain

Dans un des textes de Verlaine, choisissez deux vers qui vous plaisent et faites-en un refrain. Écrivez deux strophes après lesquelles votre refrain pourra trouver place.

ACTIVITÉ 22

Voici deux *haikai* (pluriel de *haiku*), poèmes à forme fixe de la tradition japonaise composés de trois vers .

En principe, ces textes tirent leur force d'évocation de la juxtaposition d'éléments renvoyant à la saison, donc au temps long, et d'autres qui sont de tout petits détails vus avec précision.

L'hiver est sec
Le corbeau noir
Le héron blanc

Claire lune automnale
Les lapins traversent
Le lac Suwa

BUSON (1715-1785), traduction de Maurice Coyaud, Les Belles-Lettres.

a) Relisez « L'Isolement » de Lamartine (page 346). Transformez le texte ou une de ses parties en haiku.

b) Faites de même pour « Rêverie » de Victor Hugo (page 363).

ACTIVITÉ 23 Créer des images surréalistes

Relisez le parcours de lecture sur Robert Desnos.

Écrivez des images surréalistes en prenant un élément dans un texte et en lui associant un autre élément de votre invention pour créer des images-choc.

La « méthode » surréaliste

ACTIVITÉ 24 Écriture automatique

a) Relisez le texte extrait du *Manifeste du Surréalisme* (page 405).

b) Fermez les yeux et laissez venir une phrase, même absurde. Notez-la. Si une seconde phrase se présente, écrivez-la aussi même si elle ne semble pas avoir de rapport avec la première. Continuez ainsi. En cas de panne, choisissez un des mots déjà écrits, associez-lui un autre mot auquel le premier vous fait penser et continuez à partir de là.

c) Relisez l'ensemble et modifiez-le pour qu'il ait le plus possible de signification. Lisez votre texte à la classe.

ACTIVITÉ 25 Écrire un cadavre exquis

Selon le principe du « cadavre exquis », un élève écrit une phrase puis il cache ce qu'il a écrit en repliant la feuille qu'il passe à son voisin. Celui-ci fait de même avant de passer la feuille à un autre camarade. On fait cela pour une dizaine de participants puis on lit l'ensemble comme un texte.

Cadavre exquis.

▶ *Un chien andalou* de Luis Buñuel, 1929.

> « *Il était une fois... un balcon dans la nuit.*
> *Un homme aiguise son rasoir près du balcon.*
> *L'homme regarde le ciel au travers des vitres et voit...*
> *Un léger nuage avançant vers la lune qui est dans son plein.*
> *Puis une tête de jeune fille, les yeux grands ouverts. Vers l'un des yeux s'avance la lame du rasoir.*
> *Le léger nuage passe maintenant devant la lune.*
> *La lame de rasoir traverse l'œil de la jeune fille en le sectionnant.* »

Ainsi commence *Un chien andalou*, le poème cinématographique de Luis Buñuel, réalisé en 1929 d'après un scénario coécrit avec Salvador Dalí. Composé comme un rêve, le film est une suite de visions horrifiques et poétiques, érotiques et morbides qui invite à une transformation radicale du regard et de la représentation. Poussé dans ses retranchements plastiques par une écriture qui n'obéit qu'à la nécessité poétique, le cinéma s'avère ici capable de toutes les métamorphoses et incarne alors, selon la formule de Breton, « l'œil surhumain qui sonde le désir ».

Le film forge la matière du nouveau langage poétique prôné dans le *Manifeste du surréalisme* de 1924. *Un chien andalou* stimule en effet l'envers de la logique et repose sur cet « automatisme psychique pur par lequel on se propose d'exprimer, soit verbalement, soit par écrit, soit de toute autre manière, le fonctionnement réel de la pensée ». En renonçant à la fois à la narration classique et à la bienséance, le film libère ses images et dénonce toute compromission politique, esthétique et morale. Par ailleurs, les audacieuses associations visuelles annulent la frontière entre l'imaginaire et le réel.

Elle et lui à la fenêtre

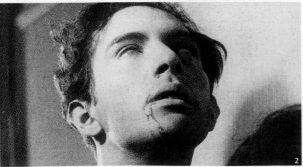

Le regard du désir

Regarder autrement

Les amants enterrés dans le sable

QUESTIONS

1. Où se trouvent les personnages de l'image 1 ? Quel élément les sépare du monde ? Vers quoi se dirigent leurs regards ?

2. Dans l'image 2, quels sentiments exprime le personnage ? Quel genre de créature évoque-t-il ? Que voit-il ?

3. Où se situent les personnages de l'image 3 ? Dans quelle position et dans quel état se trouvent-ils ? Quelle impression se dégage de cette scène ?

Le désir et la mort

Le baiser dans le caniveau

L'homme blessé et la femme aux épaules nues

QUESTIONS

4. Que représente la scène de l'image 4 ? Qu'évoquent le paysage et les personnages ? Que symbolisent les deux corps ?

5. Dans l'image 5, que font les deux personnages ? Le décor convient-il à la scène ? Quelle est la signification de ce geste ?

Le surréalisme, une entreprise de libération

Les charognes de deux ânes gisent dans deux pianos à queue

Derrière la porte

QUESTIONS

6. Dans l'image 7, que fait la jeune femme ? Quelle est la signification des fourmis ? Quelle impression déduisez-vous de cette scène ? Que symbolisent la main et la porte, ainsi que l'effort pour les repousser ?

CLAUDE MONET, *Glycines,* huile sur toile (H. 100 cm x L. 200 cm),
1917-1920. Paris, coll. E. Tériade.

MÉTHODE BAC

La question de corpus, présentation

Au baccalauréat, la question de corpus est un exercice de synthèse commun à toutes les séries. Elle est notée sur 4 points pour les séries générales, 6 points pour les séries technologiques. **Il faut obligatoirement répondre à cette question**, quel que soit le sujet que vous choisirez (écriture d'invention, commentaire ou dissertation). **La réponse portera sur tous les textes.**

CORPUS

TEXTE A Molière, *Le Misanthrope*, 1666
TEXTE B La Fontaine, *Fables*, 1668
TEXTE C La Bruyère, *Les Caractères*, 1672

TEXTE A

ACASTE

Parbleu, je ne vois pas, lorsque je m'examine,
Où prendre aucun sujet d'avoir l'âme chagrine.
J'ai du bien[1], je suis jeune, et sors d'une maison
Qui se peut dire noble, avec quelque raison ;
5 Et je crois, par le rang que me donne ma race,
Qu'il est fort peu d'emplois, dont je ne sois en passe[2].
Pour le cœur, dont, sur tout, nous devons faire cas,
On sait, sans vanité, que je n'en manque pas ;
Et l'on m'a vu pousser, dans le monde, une affaire,
10 D'une assez vigoureuse, et gaillarde manière.
Pour de l'esprit, j'en ai, sans doute, et du bon goût,
À juger sans étude, et raisonner de tout ;
À faire aux nouveautés, dont je suis idolâtre,
Figure de savant, sur les bancs du théâtre ;
15 Y décider, en chef, et faire du fracas
À tous les beaux endroits qui méritent des Ah !
Je suis assez adroit, j'ai bon air, bonne mine,
Les dents belles, surtout, et la taille fort fine.
Quant à se mettre bien, je crois, sans me flatter,
20 Qu'on serait mal venu de me le disputer.
Je me vois dans l'estime, autant qu'on y puisse être,
Fort aimé du beau sexe, et bien auprès du maître[3] :
Je crois, qu'avec cela, mon cher Marquis, je croi[4],
Qu'on peut, par tout pays, être content de soi.

MOLIÈRE, *Le Misanthrope*, 1666.

---

1. Du bien : des richesses.
2. que je ne sois capable d'occuper.
3. Du maître : du roi, Louis XIV.
4. Je croi : rime « pour l'œil » avec « soi ».

TEXTE B « La Grenouille qui veut se faire aussi grosse que le Bœuf »

> Une Grenouille vit un Bœuf
> Qui lui sembla de belle taille.
> Elle qui n'était pas grosse en tout comme un œuf,
> Envieuse s'étend, et s'enfle, et se travaille
> 5   Pour égaler l'animal en grosseur,
> Disant : « Regardez bien, ma sœur,
> Est-ce assez ? dites-moi : N'y suis-je point encore ?
> — Nenni. — M'y voici donc ? — Point du tout. — M'y voilà ?
> — Vous n'en approchez point. » La chétive pécore[1]
> 10   S'enfla si bien qu'elle creva.
>
> Le monde est plein de gens qui ne sont pas plus sages :
> Tout Bourgeois veut bâtir comme les grands Seigneurs,
> Tout petit Prince a des Ambassadeurs,
> Tout Marquis veut avoir des Pages.

JEAN DE LA FONTAINE, *Fables*, I, 1668.

—————————
1. Pécore : idiote.

TEXTE C

Les hommes, dans le cœur, veulent être estimés, et ils cachent avec soin l'envie qu'ils ont d'être estimés ; parce que les hommes veulent passer pour vertueux, et que vouloir tirer de la vertu tout autre avantage que la même
5 vertu, je veux dire l'estime et les louanges, ce ne serait plus être vertueux, mais aimer l'estime et les louanges, ou être vain[1] : les hommes sont très vains, et ils ne haïssent rien tant que de passer pour tels.

JEAN DE LA BRUYÈRE, *Les Caractères*, « De l'homme », 65, 1688.

—————————
1. Vain : vaniteux, prétentieux et futile.

QUESTION DE CORPUS

Quel défaut ces trois textes dénoncent-ils ? Quels sont les moyens employés par les auteurs pour en faire la critique ?

Méthode

Pour répondre à la question du corpus, voici une méthode en trois étapes.

ÉTAPE 1 **Analyse de la question**
Vous devez entourer les mots importants du sujet. Ici, les mots importants sont : *défaut, dénoncent, moyens* et *critique*.
Vous devez ensuite reformuler la question en explicitant ce qui est implicite : « Ces trois textes ont pour visée de dénoncer un défaut, qu'il faut identifier. Ils ont donc une portée argumentative. Les auteurs emploient des moyens littéraires différents qu'il faut analyser. »

ÉTAPE 2 **Lecture du corpus**
Avant tout, repérez ce qui est commun à tous les textes. Ici, les dates, qui correspondent à l'époque classique, le thème (la vanité), et la visée (argumentative).
Ensuite, cherchez ce qui les différencie. Ils sont différents par leur genre (théâtre, fable et maxime) et donc par la forme de leur argumentation (directe ou indirecte).
Il faut éviter de répondre à la question en étudiant les textes dans l'ordre, cela vous gêne dans le repérage des points communs et des différences.

ÉTAPE 3 **Rédaction de la réponse**
Après avoir repéré ces points communs et ces différences, il faut rédiger votre réponse de manière synthétique et organisée, en une trentaine de lignes. La difficulté est d'éviter deux erreurs opposées : donner trop de détails, car on perd de vue ce que vous voulez dire, et rester dans les généralités, car on n'a plus d'analyse des textes.

EXEMPLE DE RÉPONSE

Les auteurs classiques pensaient que leurs œuvres devaient avoir une portée morale et permettre aux hommes de s'instruire et de corriger leurs défauts. La vanité, mélange d'orgueil et de futilité, était un vice dont il fallait absolument se prémunir. C'est pour cela que de nombreux auteurs, dont Molière, La Fontaine et La Bruyère, l'ont critiquée dans leurs œuvres.

Dans *Les Caractères*, La Bruyère dénonce explicitement ce vice. Son texte a une portée morale évidente : le présent de vérité générale montre que la vanité est présente chez tous les hommes. Cette généralisation permet de rapprocher ce texte du genre de la maxime, qui relève de l'argumentation directe.

Molière et La Fontaine, au contraire, ont choisi des formes d'argumentation indirecte. Acaste est un personnage secondaire du *Misanthrope* : il s'agit d'un marquis vaniteux qui n'en a pas conscience, puisqu'il dit « Quant à se mettre bien, je crois, sans me flatter, / Qu'on serait mal venu, de me le disputer. » Il semble parfaitement correspondre à la définition de la vanité donnée par La Bruyère. Molière en fait un personnage ridicule : il s'agit d'une satire des courtisans futiles. Mais cette dénonciation n'est pas directe : c'est au spectateur de comprendre, grâce à la mise en scène, qu'il s'agit d'une caricature et qu'il faut absolument éviter de ressembler à ce personnage.

Enfin, La Fontaine a recours à la fable, un court récit plaisant délivrant une morale. Pour critiquer la vanité, il met en scène des animaux qui représentent en réalité les défauts des hommes. La grenouille, envieuse et vaniteuse, veut passer pour ce qu'elle n'est pas. Le lecteur comprend le sens allégorique du récit grâce à la moralité, dont les verbes sont au présent de vérité générale, comme dans le texte de La Bruyère. Cette fable a donc une portée universelle, et le constat de La Fontaine sur l'homme est pessimiste, comme celui de La Bruyère.

Le mouvement du classicisme ne se définit donc pas uniquement par la forme des œuvres : un même thème peut être abordé dans des genres très différents, et les auteurs disposent de stratégies de persuasion variées.

Écriture d'invention, présentation

Cet exercice peut prendre des formes très différentes, c'est ce qui en fait la difficulté. En effet, on peut vous demander de rédiger des textes de genres et de registres très variés. La plupart des consignes sont souvent implicites : à vous de comprendre ce que l'on attend de vous, à partir de l'analyse du sujet et du texte sur lequel l'exercice prend appui.

Attention : votre liberté est loin d'être totale, et on compte au moins cinq consignes, explicites ou implicites, communes à la majorité des sujets :

– **le respect du genre** : si vous devez écrire la suite d'une scène de théâtre, il faudra en respecter les codes (présentation du dialogue, didascalies, etc.) ;

– **le respect du registre** : si vous devez écrire la suite d'un texte tragique, il faudra que votre texte le soit aussi ;

– **le niveau de langue** : si vous écrivez la suite d'une scène tragique, la langue sera soutenue. S'il s'agit d'une farce, la langue sera familière ;

– **le style** : vous devez vous inspirer des procédés stylistiques du texte d'origine (figures de style, types de phrases, syntaxe, etc.) ;

– **le contexte spatio-temporel** : votre texte s'inscrit dans un contexte, qui vous est généralement donné par le texte du corpus. Il faut donc éviter les incohérences et les anachronismes.

Il faut analyser le sujet, puis réfléchir à un plan de votre texte. Il faut également que vous ayez recours à des procédés stylistiques propres au genre demandé.

■ Méthode pour écrire un article

EXEMPLE DE CONSIGNE : Vous êtes un journaliste devant rédiger un article sur l'inauguration de la rue « du 4 décembre 1852 » à Paris. Lors de cette cérémonie, le maire de Paris a lu le poème de Victor Hugo « Aux morts du 4 décembre » (p. 366). Vous expliquerez dans votre article en quoi cette poésie rend hommage à toutes les formes de résistance.

Les consignes implicites

– vous devez commencer votre article par les informations factuelles, répondant aux questions « qui, quoi, quand, où ? » : *Hier, à Paris, lors de la cérémonie d'inauguration de la rue du 4 décembre 1852, le maire de Paris a rendu hommage à toutes les formes de résistance contre l'oppression...*

– les verbes doivent appartenir au système du présent (présent, passé composé, futur de l'indicatif), comme dans un article de journal ;

– le registre du texte devra être pathétique ;

– le niveau de langue sera courant, voire soutenu, mais certainement pas familier ;

– vous devrez expliquer le poème de Victor Hugo et montrer en quoi il est particulièrement émouvant.

■ Méthode pour écrire une lettre

EXEMPLE DE CONSIGNE : Dans les *Lettres persanes*, Usbek dénonce l'indécence des Françaises dans une lettre à sa favorite Roxane (p. 215). Celle-ci lui répond sans cacher l'envie que lui inspire la liberté des Européennes. Rédigez cette lettre.

Les consignes implicites

– vous devez respecter les codes de la lettre intime : date, lieu, destinataire, formules affectives, signature ;

– la visée de cette lettre est argumentative : Roxane cherche à convaincre ou persuader Usbek qu'il a beaucoup à apprendre de ce qu'il voit en Europe. Il faudra donc formuler des arguments et employer des outils stylistiques de persuasion ;

– il s'agit également d'une lettre d'amour : il faudra employer des termes à connotation affective.

■ Méthode pour écrire un discours

EXEMPLE DE CONSIGNE : Robespierre plaide contre la peine de mort dans un discours (p. 226) alors que Victor Hugo (p. 227) et Albert Camus (p. 228) choisissent l'écrit pour exprimer leur indignation. Rédigez un discours contre la peine de mort en reprenant les idées, les arguments et les exemples qui vous semblent les plus convaincants dans les trois textes.

Les consignes implicites

– un discours est un texte proclamé à l'oral, et adressé à un public nombreux : il faut donc prendre en compte cette situation d'énonciation et adopter un style éloquent ;

– l'enjeu de ce discours est grave : le niveau de langue et le registre seront adaptés à ce sujet ;

– vous devez formuler des arguments logiques pour convaincre, mais également faire appel aux sentiments du public, pour le persuader ;

– vous pouvez vous servir de la fiche sur l'éloquence (p. 189) pour organiser votre discours.

■ Méthode pour écrire un dialogue de théâtre

EXEMPLE DE CONSIGNE : En vous inspirant du dialogue entre Monsieur Purgon et Argan (p. 99), écrivez un dialogue en prose mettant en scène deux personnages qui confrontent des opinions opposées sur les bienfaits des cures thermales. L'un d'entre eux prétendra qu'il s'agit d'une thérapie efficace, tandis que l'autre affirmera qu'il s'agit d'une imposture.

Les consignes implicites

– il s'agit de pasticher une scène, c'est-à-dire de l'imiter, en la transposant à notre époque. Vous devez donc adopter une langue plus moderne, sans qu'elle soit relâchée ;

– il faut respecter la présentation d'un dialogue théâtral : le nom des personnages doit précéder chaque réplique, vous pouvez employer des didascalies, mais il ne doit pas y avoir de récit dans votre devoir ;

– vous devez confronter deux points de vue divergents. Les personnages doivent chacun proposer des arguments. Essayez d'en trouver trois par personnages. Ils devront également réfuter ceux de leur interlocuteur ;

– vous devez également réfléchir à des procédés de persuasion : la logique n'est pas le seul outil argumentatif.

■ Méthode pour écrire un dialogue de récit

EXEMPLE DE CONSIGNE : Au lieu de montrer sa complicité avec son amant, Mme de Marelle reproche à Georges du Roy d'avoir fait un mariage d'intérêt (p. 316) et le menace d'exposer leur liaison au grand jour. Écrivez un dialogue dans lequel Georges du Roy se justifie.

Les consignes implicites

– il faut respecter les codes typographiques d'un dialogue de roman. Des guillemets ouvriront la première réplique du dialogue et en fermeront la dernière. Vous passerez à la ligne à chaque nouvelle réplique, que vous ouvrirez par un tiret. Les verbes de parole seront insérés dans des incises et précéderont leur sujet ;

– vous pouvez insérer de courts passages de récit dans votre dialogue, mais pas de didascalies (il ne s'agit pas d'un dialogue théâtral) ;

– il s'agit d'un dialogue argumentatif. Vous devez réfléchir à des outils stylistiques de persuasion employés par Georges du Roy. Mme de Marelle réfutera ses arguments à l'aide de la logique.

■ Méthode pour écrire une fable

> **EXEMPLE DE CONSIGNE :** À la manière de Jean de La Fontaine, qui se moque de la vanité dans « La Grenouille qui veut se faire aussi grosse que le Bœuf » (texte B, p. 443), écrivez une fable, en prose ou en vers, dénonçant un défaut humain, représenté sous la forme d'un animal. Votre fable comprendra un récit et une courte moralité.

Les consignes implicites

– vous devez respecter les codes de la fable : votre texte doit être assez court, son registre plaisant, à la fois satirique et comique ;
– le récit de votre fable doit être écrit au passé, mais la moralité doit être au présent, afin d'avoir une portée générale ;
– il doit y avoir un rapport symbolique entre l'animal que vous choisissez et le défaut qu'il représente. Un lion peut symboliser la colère ou la rage, un renard la malhonnêteté, un paon l'orgueil, etc ;
– vous devez ménager une chute dans votre récit, qui doit s'achever par un effet de surprise comique.

■ Méthode pour écrire un conte

> **EXEMPLE DE CONSIGNE :** Si l'amour rend aveugle, le mariage rend la vue. Riquet, après avoir épousé la princesse (p. 224) est victime d'une malédiction, qui le rend de nouveau laid aux yeux de son épouse. Écrivez la suite du conte de Perrault, en prenant soin de donner à votre récit une portée allégorique et morale.

Les consignes implicites

– vous devez respecter les codes du conte merveilleux : le récit sera au passé simple et mettra en scène des êtres imaginaires aux pouvoirs surnaturels ;
– vous devez vous inspirer de l'humour malicieux de Perrault, qui se moque gentiment de ses héros ;
– le caractère de Riquet et celui de la princesse doivent être cohérents avec ce qu'en dit Perrault ;
– vous pouvez proposer une moralité explicitant la portée allégorique de votre récit.

■ Méthode pour réécrire un récit en changeant de point de vue

> **EXEMPLE DE CONSIGNE :** Vous réécrirez la scène de première rencontre entre Jean-Jacques et Mme de Warens (p. 268) en adoptant le point de vue de cette dernière.

Les consignes implicites

– le changement de point de vue peut impliquer des changements grammaticaux mais dans ce cas votre texte sera toujours à la première personne ;
– vous devez réfléchir à ce que Mme de Warens peut penser de Jean-Jacques lors de cette première rencontre, à l'état d'esprit qui est le sien à ce moment, à ce qui est visible ou non du trouble du jeune homme.

■ Méthode pour écrire la suite d'un récit ou insérer un épisode dans un récit

> **EXEMPLE DE CONSIGNE :** « Georges Duroy, un bel indécis » (p. 315). Imaginez la suite de ce texte.

Les consignes implicites

– vous devez respecter l'atmosphère du roman de Maupassant ;
– il faut tenter, autant que possible, d'imiter le style de Maupassant : le genre de phrases, les figures de style, le niveau de langue, le temps des verbes seront similaires à ceux de l'extrait de *Bel-Ami* ;
– vous devez respecter le point de vue adopté par le narrateur.

Le commentaire, conseils généraux

Voici une méthode en sept étapes pour préparer et rédiger le commentaire. Les principes généraux s'appliquent à tous les types de textes. Des exemples plus spécifiques vous sont ensuite proposés pour commenter un texte de théâtre, de poésie, un extrait de roman ou de nouvelle ou un texte argumentatif.

ÉTAPE 1 **Repérer le plus évident de manière synthétique dans une première lecture**

Vos réactions de lecteur sont nécessairement pertinentes : c'est celles que l'auteur a voulu faire naître. **Le but de votre commentaire est de comprendre par quels moyens l'auteur a suscité les réactions que vous avez eues, puis de le faire comprendre à votre lecteur. Vous observerez attentivement le paratexte qui vous permettra de situer l'époque du texte et la sensibilité dans laquelle il s'inscrit** (xviiᵉ siècle, romantisme...) et aussi de **situer l'extrait dans l'œuvre** (à l'aide du texte de présentation).

ÉTAPE 2 **Revenir au texte de manière analytique avec les notions acquises**

Les notions à mettre en œuvre quel que soit le genre auquel appartient le texte sont : l'énonciation, la visée, la syntaxe et le lexique, les types de discours et les registres, les figures de style, la composition du texte.

Vous noterez les éléments qui paraissent pertinents à étudier, avec quelques citations, en regroupant les idées qui paraissent liées et en nommant les procédés repérés.

ÉTAPE 3 **S'interroger sur le sens et la visée du texte en utilisant les notations précédentes**

Vous rédigerez sous la forme d'une suite de remarques les éléments les plus importants que vous avez relevés à l'étape 2, en éliminant ce qui ne paraît pas exploitable.

ÉTAPE 4 **Formuler un projet de lecture qui permette d'annoncer les axes de lecture dans l'introduction**

Formuler un projet de lecture est également un des moyens d'éviter la paraphrase : **vous posez une question à laquelle votre commentaire doit répondre.** Mais il faut veiller à ce que cette question ne soit pas trop proche du plan que vous annoncerez ensuite, elle doit être plus générale.

ÉTAPE 5 **Formuler des axes de lecture**

Vos axes de lecture doivent résumer une idée que vous avez eue au sujet du texte, et non répéter celui-ci par de la paraphrase. La difficulté est souvent de trouver un second axe lorsqu'on a énoncé ce qui paraît le plus important. Il convient alors de revenir au texte et de l'explorer à nouveau.

ÉTAPE 6 **Faire un plan et y intégrer les citations utiles**

Il faut montrer, dans les différentes sous-parties, la pertinence des idées, des axes dans le détail de l'analyse. Les citations seront les arguments qui viennent à l'appui de vos affirmations. C'est alors que l'étude des procédés sera menée.

ÉTAPE 7 **Rédiger l'introduction et le développement puis, après relecture de cet ensemble, rédiger la conclusion**

1. Rédiger des analyses précises dans le développement

Après avoir donné les titres des sous-parties et relevé les citations qui leur correspondent, il faut analyser les éléments cités pour aller au-delà de la simple désignation du procédé. La démarche est toujours en trois temps :

– d'abord **nommer le procédé**, ensuite **citer le texte**, enfin, **analyser le texte cité**.

2. Rédiger des transitions dans le développement

Il s'agit de passer de façon fluide d'une partie à l'autre du commentaire.

Dans une transition, la première partie est consacrée à ce qui précède et la seconde, à ce qui suit.

■ Le commentaire, méthode pour rédiger une introduction

Elle doit être rédigée après l'écriture du plan. On la construit en quatre parties.

1) Une première phrase, en rapport avec le projet de lecture, que l'on va formuler et qui porte soit sur l'œuvre d'où est extrait le texte (pour la mort de Gavroche : « *Les Misérables* est un roman engagé dans lequel l'auteur veut faire un tableau complet des misères de son temps pour faire appel aux consciences »), soit sur l'auteur (pour *Clair de lune* : « Verlaine met en pratique dans son œuvre une conception avant tout musicale de la poésie »).

2) Une deuxième phrase, qui présente l'extrait à commenter.

Pour la scène de l'aveu de Phèdre à Hippolyte : « Il s'agit de la scène célèbre où Phèdre ne parvient plus à cacher son trouble et avoue avec force et désespoir son amour à Hippolyte. »

3) La formulation du projet de lecture.

4) L'annonce du plan (le « je » est interdit, il peut être remplacé par « nous » ou « on »).

> **EXEMPLE**
> Nous verrons comment, dans un premier temps, l'auteur vise à persuader son lecteur en faisant appel à ses émotions. Ensuite nous analyserons les moyens qu'il emploie pour le convaincre en recourant à des arguments rationnels. Enfin nous étudierons la manière dont, par un jeu sur l'énonciation, il parvient à convaincre par la raison en même temps qu'il s'adresse à la sensibilité du lecteur.

■ Le commentaire, méthode pour rédiger la conclusion

La conclusion répond à la question de la problématique en résumant parties et sous-parties du commentaire. On ajoute à la fin une phrase qui **ouvre sur un autre point de vue**.

> **EXEMPLE DE CONCLUSION : pour le poème *Clair de lune* de Verlaine (p. 401)**
> Ainsi ce poème se présente d'abord comme l'évocation symbolique d'une âme. Il présente un paysage intérieur que met en place la métaphore initiale du « paysage choisi », le jeu des sonorités qui rappellent et renforcent cette signification symbolique, la dualité entre gaieté et tristesse dans le lexique et les sonorités. Mais ce texte propose aussi une leçon de poésie. Tout d'abord l'importance du thème du chant est manifeste, avec le lexique des sons et le travail sur les sonorités rappelant le mot chanson, la présence de répétitions jouant un rôle de refrain. Ensuite le poème définit une tonalité originale, celle que revendiqué Verlaine : le mode mineur, le mélange de discordance et d'harmonie. Il s'agit peut-être là d'un art poétique, la musique de Verlaine étant idéalement définie par le « sanglot d'extase » des jets d'eau.
> Le travail du poète n'est-il pas alors tout à fait identifié à celui d'un musicien ? Et ne risque-t-il pas de perdre son pouvoir dans sa confrontation à un art dont la puissance émotionnelle peut l'emporter ?

■ Méthode pour préparer le commentaire d'un texte narratif

ÉTAPE 1 **Repérer le plus évident de manière synthétique dans une première lecture**

Vous rédigerez sous la forme d'une suite de remarques les éléments les plus importants que vous avez relevés à l'étape 2, en éliminant ce qui ne paraît pas exploitable.

– **Analyser l'effet sur le lecteur** : sentiments, atmosphère, informations données, origine du plaisir de lecture.

– **Repérer le sujet et le thème** : personnage(s), paroles rapportées, actions, attitudes, sentiments ou sensations, moment, lieu.

Scène d'action, scène d'amour, portrait, description, scène dialoguée, moment de suspens.

– **Situer l'extrait** : situation initiale ou finale, péripétie (rebondissement de l'action), incipit ou clausule.

– **Identifier la nature de l'œuvre** : conte, nouvelle, roman historique, à thèse, autobiographie, récit fantastique, récit caractéristique d'un courant littéraire (roman romantique, réaliste ou naturaliste).

– **Comprendre la visée du texte** : analyse psychologique, critique sociale, vision politique, message moral, signification symbolique.

ÉTAPE 2 **Revenir au texte de manière analytique avec les notions acquises**

1) Identifier les modalités de la narration et de la focalisation

« Je » : s'agit-il d'une narration autobiographique d'un narrateur héros ou témoin ? Relève-t-on des interventions du narrateur ?

« Il » : la focalisation est-elle interne, externe ? s'agit-il d'une focalisation zéro ? d'un narrateur omniscient ?

> **EXEMPLE** : on différenciera entre le récit de la bataille de Waterloo chez Stendhal (p. 252) où la focalisation interne livre de la scène une vision fragmentée et chaotique, et le récit de Hugo (p. 254) où un narrateur omniscient donne une vue d'ensemble et une dimension épique au même événement.

2) Observer le déroulement chronologique et les temps verbaux

Relever les **expressions** marquant le déroulement chronologique. Analyser l'emploi et la valeur des **temps verbaux**.

> **EXEMPLE** : formes en *-rait* dans l'extrait de madame Bovary « Elle était emportée » (p. 322) pour exprimer le futur imaginé par l'héroïne : « ils s'arrêteraient », auquel succèdent des imparfaits pour montrer l'absence d'événements : « rien ne surgissait ».

3) Analyser la composition de l'extrait

Étudier les **étapes de la narration**, l'alternance de **passages narratifs** et de **passages descriptifs** ou de **portraits**, la place et le rôle du dialogue.

> **EXEMPLE** : dans les scènes de rencontre amoureuse comme celle de Julien avec madame de Rênal (p. 267), les actions, les éléments descriptifs et les paroles échangées montrent les raisons et les manifestations de l'attirance naissante.

4) Étudier les registres

Déterminer les registres dominants : **épique** (Waterloo par Hugo, la fin de *Germinal*), **comique**, **satirique** (les noces paysannes d'Emma Bovary, la fin de *Bel-Ami* de Maupassant), **pathétique**, **polémique** (l'attitude de l'officier Merlin dans *Un chasseur de lions*, d'Olivier Rolin), tragique (la mort de Gavroche).

5) Analyser le lexique et la syntaxe

Étudier les **réseaux (champs) lexicaux** remarquables (antithèse des lexiques du jeu et de la mort dans le récit de la mort de Gavroche), les **niveaux de langue**, le **vocabulaire** qui peut être simple (extrait de *L'Assommoir*, la misère décrite par les miséreux avec leur vocabulaire : « l'écrasement du pauvre monde »), mais aussi savant, ou mélanger différents types de langage (argot, langage technique...).

6) Étudier la syntaxe : la longueur des phrases, ou des périodes, les types de phrases, la structuration en paragraphes.

▌ EXEMPLE : dans le texte de Pierre Michon (p. 286), la phrase longue permet de rapprocher
▌ des éléments hétérogènes.

Repérer le style direct, indirect, indirect libre (fréquent chez Zola, il permet de restituer le langage intérieur du personnage tout en gardant le fil du récit).

Analyser les figures de styles

Étudier les métaphores (fin de *Germinal*, métaphore de la germination), les comparaisons, les allégories, les répétitions, les anaphores, les hyperboles (dans les récits épiques), les antithèses et les oxymores (Gavroche : « le nain invulnérable »).

ÉTAPE 3 **S'interroger sur le sens et la visée du texte en utilisant les notations précédentes**
Rédaction sous la forme d'une suite de remarques des éléments les plus importants relevés dans la lecture analytique du texte.

ÉTAPE 4 **Formuler un projet de lecture qui permette l'annonce des axes de lecture dans l'introduction**

▌ EXEMPLE : le récit de la mort de Gavroche (p. 255)
Quelle signification l'auteur donne-t-il à ce récit de la mort d'un enfant ?

ÉTAPE 5 **Trouver des axes de lecture**

EXEMPLE : le récit de la mort de Gavroche (p. 255)
Premier axe : un récit à suspens d'une grande efficacité dramatique.
Deuxième axe : la mort d'un enfant, une scène tragique et symbolique.

ÉTAPES 6 ET 7 **Voir les conseils généraux**

■ Méthode pour préparer le commentaire d'un texte de théâtre

Avant tout, ne pas oublier que le texte s'intègre à un ensemble qui constitue le spectacle théâtral

ÉTAPE 1 **Repérer le plus évident de manière synthétique dans une première lecture**
- **Analyser l'effet sur le lecteur et le spectateur** : rire, pitié, suspens, étonnement.
- **Situer la scène** : lieu et moment de l'action, situation dans l'intrigue de la pièce (exposition, nœud, péripétie, dénouement).
- **repérer la tonalité dominante du texte** : noble (tragédie, vers) ou bas (comédie, prose ou vers), mélangé ; autre tonalité.

ÉTAPE 2 **Revenir au texte de manière analytique, avec les notions acquises**

1) Identifier la fonction de la scène dans la pièce

a) Scène qui fait avancer l'action (coup de théâtre, péripétie, élément nouveau) ou **scène qui sert à mieux caractériser les personnages** et ce qu'ils éprouvent.

> **EXEMPLE** : *Le Cid*, acte III, scène 4 (p. 49) : il ne s'agit pas d'une scène d'action mais d'un moment d'expression du sentiment amoureux.

b) Scène destinée à émouvoir, à informer, à faire rire.

c) Scène conventionnelle (déclaration d'amour, dépit amoureux, dispute, retrouvailles, quiproquo, récit dans la tragédie classique) ou **scène originale**.

Dans le cas d'une scène conventionnelle, rechercher comment cette convention donne lieu à un traitement particulier.

> **EXEMPLE** : Le récit de Néron dans *Britannicus* (p. 69), qui est une déclaration d'amour, une scène d'aveu, se caractérise par le fait que Néron éprouve du plaisir en faisant ressurgir les scènes fascinantes qu'il évoque.

2) Situer le lecteur et le spectateur
Le lecteur et le spectateur peuvent en savoir autant, ou plus ou moins que chacun des personnages (dans *Tartuffe*, à la scène 5 de l'acte IV, le spectateur sait que Orgon est caché sous la table alors que Tartuffe l'ignore) ; ils peuvent éprouver un sentiment de crainte, d'incompréhension ou d'amusement par rapport aux personnages et à l'action.

3) Étudier le pouvoir de la parole, le dynamisme et la composition de la scène
• Observer la **longueur des répliques** : un personnage peut parler plus, ou moins, que les autres (dans *Horace*, acte IV, scène 5, le flot de paroles de Camille révèle sa rage). Le silence a une signification ainsi que l'**évolution des prises de parole** dans le déroulement de la scène (dans *Amphitryon 38*, acte II, scène 2, la tirade finale d'Alcmène lui permet de se faire écouter et admirer de Jupiter).
• Être attentif à la **tension** qui peut être croissante ou décroissante, vive ou feutrée entre les personnages.
Étudier l'**évolution de l'action** de la scène et la **composition** de celle-ci (par exemple, ce sont des jeux de symétrie qui structurent la scène 4 de l'acte II de *Dom Juan*).
• Analyser le **pouvoir de la parole** (le récit de Rodrigue, dans *Le Cid*, fait de lui un héros, le place au-dessus des lois et de la justice ; un serviteur peut dominer son maître grâce à la parole, comme Dorine lorsqu'elle se moque d'Orgon dans *Le Tartuffe*).

4) Analyser les prises de parole des personnages
• Repérer et comprendre le **rôle des tirades** et des stichomythies.
• Observer quels sont le(s) **destinataire(s) des répliques** : un personnage peut parler à un autre personnage que celui auquel il semble s'adresser (Tartuffe fait mine de parler à son serviteur et s'adresse en réalité à Dorine dans la scène 2 de l'acte III) ; un personnage peut dire à un personnage-complice quelque chose que ne comprend pas le destinataire apparent, il parle au spectateur (double destination du texte de théâtre) dans un aparté, un monologue.

5) Étudier l'enchaînement des répliques : un mot, une idée, un mot d'esprit peuvent prendre plus de sens du fait du dialogue qui les a fait naître.

6) Analyser le langage des personnages

• Observer l'emploi du vouvoiement ou du tutoiement (étudier les passages de l'un à l'autre dans la même scène : « Phèdre : Ah ! cruel, tu m'as trop entendue. » Phèdre se met à tutoyer Hippolyte lorsqu'elle lui avoue son amour).

• Étudier les **types de phrases** (questions et exclamations révélant l'agitation intérieure, comme dans *Andromaque*, acte V, scène 1, monologue d'Hermione), les **niveaux de langue** (style « noble » de Matamore dans *l'Illusion comique*, acte II, scène 2, ou changements de niveau de langue dans *Ubu roi*).

• Observer les **mots mis en valeur** : à la rime, faisant l'objet d'un rejet.

• Étudier des **lexiques révélateurs** comme celui de l'amour (*flamme, soupirs, fers, feux, cœur, cruel, ingrat*), de l'honneur (*valeur, cœur, gloire, sang*), de la religion (dans la déclaration d'amour de Tartuffe). Observer la **fréquence de certains mots** comme « cruel » chez Racine, qui révèle le caractère destructeur de la passion. Étudier le comique de mots (*Le Malade imaginaire* : « un crime de lèse-faculté »).

• Rechercher des indications (dans le texte ou dans les didascalies) de **gestes** ou d'**attitudes** destinés à mettre en valeur le fonctionnement du langage dans la scène.

7) Étudier les figures de style et les registres

• Analyser les **parallélismes de constructions**, les **anaphores** et les **répétitions** (dans le récit de Rodrigue : « Nous les pressons sur l'eau, nous les pressons sur terre »), les **antithèses** (expression du dilemme dans *Le Cid*, scène des stances), les **chiasmes** et les **oxymores**, les **hyperboles** (dans le discours du Soldat fanfaron), les **métaphores** et les **comparaisons**, les **allitérations** et les **assonances** (*Andromaque*, folie d'Oreste, acte V, scène 5 : « Pour qui sont ces serpents qui sifflent sur vos têtes ? »).

• Repérer les **registres dominants** : pathétique (Racine, *Iphigénie*, acte IV, scène 4, tirade de Clytemnestre), tragique, épique (récit de Rodrigue, *Le Cid*, acte IV, scène 3), lyrique, comique.

ÉTAPE 3 **S'interroger sur le sens et la visée du texte en utilisant les notations précédentes**
Rédigez sous la forme d'une suite de remarques des éléments les plus importants relevés à l'étape 2.

ÉTAPE 4 **Formuler un projet de lecture qui permette d'annoncer les axes de lecture dans l'introduction**

❚ EXEMPLE : Le récit de Néron dans *Britannicus* (p. 69).
Cette célèbre scène d'amour est-elle conventionnelle ?

ÉTAPE 5 **Trouver des axes de lecture**

EXEMPLE : le récit de Néron dans *Britannicus* (p. 69).
Premier axe : une scène de déclaration amoureuse conventionnelle.
Second axe : une scène de déclaration amoureuse originale.

ÉTAPES 6 ET 7 **Voir les conseils généraux**

EXEMPLES rédigés de paragraphes de commentaire (étape 7)
EXEMPLE 1 : le pouvoir de la parole dans l'action d'une tragédie :
            Le Cid, acte IV, scène 3 (p. 52), le récit de Rodrigue.

On utilise l'ensemble des réponses aux questions de lecture analytique.

Cette tirade a pour thème la bataille au cours de laquelle Rodrigue devient Le Cid. Le jeune homme rend son récit particulièrement vivant, ce qui donne à voir la scène et met en valeur le rôle de chef que s'est donné Rodrigue (« Ils demandent le chef, je me nomme, ils se rendent ») et son autorité est immédiatement reconnue. Il a visiblement plaisir à raconter et le roi, à l'entendre.

On met ces éléments en rapport avec l'action de la pièce :

Après cette scène, Rodrigue échappera à la justice puisque le roi lui assure qu'il n'écoutera Chimène que pour « la consoler » et qu'il ne condamnera jamais celui qui est devenu son meilleur guerrier et un héros d'épopée : le Cid. C'est le récit qui a, pour les spectateurs, transformé Rodrigue. À partir de cette scène, on sait que la pièce ne finira pas par une mort, l'épique a empêché le tragique.

EXEMPLE 2 : le système des prises de parole des personnages dans une scène de comédie :
            Le Malade imaginaire, acte III, scène 5 (p. 99)

On utilise essentiellement les réponses aux questions 3 à 6 de la lecture analytique.

On étudie le principe d'enchaînement des répliques : Monsieur Purgon parle à Argan mais n'attend aucune réponse (Argan se voit systématiquement couper la parole), c'est donc un discours qui vise à annuler son destinataire. On y trouve des reproches : « C'est une action exorbitante ! », des annonces péremptoires : « Je vous déclare que je romps tout commerce avec vous », et même une malédiction : « Et je veux qu'avant quatre jours vous deveniez dans un état incurable ». La parole de Monsieur Purgon a donc une valeur d'action, et c'est la seule qui ait cette fonction. Ce sont ses répliques qui déterminent celles des deux autres personnages.

Argan suit comme il peut cette dynamique, il se défend des accusations et surtout, n'est jamais entendu. Il s'exprime pour montrer sa soumission par des justifications : « Ce n'est pas moi », et des accusations enfantines : « C'est lui… », pour montrer son obéissance : « Faites-le venir, je le prendrai » et, pour se lamenter : « Ah ! Miséricorde ! »

Les répliques d'Argan illustrent toutes la faiblesse alors que celles de Monsieur Purgon montrent toutes la domination. C'est de ce décalage que naît une partie du comique de la scène.

Quant à Toinette, elle ponctue d'une approbation ironique chaque déclaration vengeresse de Monsieur Purgon : « Il a tort », « Cela est vrai », « Il ne le mérite pas ». Ses répliques interviennent mécaniquement, et de cela vient une partie du comique.

■ Méthode pour préparer le commentaire d'un texte poétique

Avant tout, se rappeler que la poésie se définit en opposition avec la prose par une réflexion sur le langage et un usage particulier de celui-ci.

ÉTAPE 1 | Repérer le plus évident de manière synthétique

– **Analyser l'effet sur le lecteur** : plaisir à la musicalité, aux images suscitées, à l'univers évoqué.
– **Constater ce qui reste en mémoire** : des images, des thèmes, des idées, des groupes de mots.
– **Observer la forme** : forme fixe ou libre, vers, vers libre, prose, strophes.

ÉTAPE 2 **Revenir au texte de manière analytique, avec les notions acquises**

1) Analyser les thèmes

Repérer les thèmes traditionnels, comme l'amour, le passage du temps, le rôle du poète ; chercher comment la tradition est reprise et transformée.

> **EXEMPLES**
>
> Le thème de l'amour, aussi ancien que la poésie, est renouvelé par les images surréalistes comme dans *Les Yeux d'Elsa* (p. 411) ; le thème de la nature est réinterprété par les romantiques : paysage – état d'âme pour Lamartine.
>
> **Repérer les thèmes novateurs** (comme le thème de la misère dans *Melancholia* de Victor Hugo, et dans *Le Ramoneur* de William Blake (p. 367)
>
> **Identifier les poèmes qui ont pour thème le chant, ou la poésie** elle-même : *El Desdichado* de Gérard de Nerval, *Réponse à un acte d'accusation*, de Victor Hugo.

2) Étudier l'énonciation

- Se demander ce que représente précisément **le « je » du poète** (*je* autobiographique dans la *Nuit de décembre* de Musset ; *je* du père endeuillé dans *Demain dès l'aube...* de Victor Hugo ; *je* de l'amoureux , dans *Les Yeux d'Elsa* (p. 408) ; *je* du poète qui expose une conception de son art dans *Réponse à un acte d'accusation*, de Victor Hugo).
- Repérer l'intervention d'un **autre énonciateur** (la Vision, dans la *Nuit de décembre*, de Musset),
- Analyser ce que désignent *vous* ou *tu* (le destinataire du poème, la fille morte du poète dans *Demain dès l'aube*, *Aux morts du 4 décembre*, de Hugo).

3) Étudier le lexique

- Observer si le lexique est **concret ou abstrait** (le mélange des deux est à commenter : « J'ai ouvert mes bras à la pureté », Eluard, *La dame de Carreau*), **simple** (*Demain dès l'aube*, de Hugo) ou **savant** (*Réponse à un acte d'accusation*, de Hugo)
- Étudier les **champs lexicaux** (la couleur bleue dans *Les Yeux d'Elsa*, d'Aragon ; le voyage, dans l'extrait de *René*, de Chateaubriand)
- Repérer l'alliance surprenante de termes, propre à la poésie, et qui crée un effet de surprise.

> **EXEMPLES**
>
> « la mélancolique lessive d'or du couchant », Rimbaud, *Enfance IV* (p. 393) : le mot lessive, prosaïque, est associé à des termes nobles et poétiques.
>
> Les images surréalistes fonctionnent souvent sur un effet de décalage: « L'été taille la nue au tablier des anges », Aragon, *Les Yeux d'Elsa* (p. 408).

4) Analyser les types de discours et les registres

- Distinguer les discours **narratif** (*La Mort du loup*, de Vigny), **argumentatif** (Hugo, *Melancholia*), **descriptif**.
- Repérer les registres dominants : **lyrique** (dans de nombreux poèmes romantiques où l'expression du moi et le goût de la musicalité sont fondamentaux, avec parfois une tonalité élégiaque, comme dans *L'Isolement* de Lamartine), **épique** (utilisé plaisamment par Hugo dans *Réponse à un acte d'accusation* avec une métaphore filée de la guerre), **polémique** (Hugo, *Aux morts du 4 décembre*).

5) Étudier la versification et la composition des strophes

- Commenter l'effet du choix de l'alexandrin, de l'octosyllabe ou d'autres vers. L'alexandrin est employé dans les genres « nobles », il est le vers du sonnet (*El Desdichado*, de Nerval). Il peut signaler une volonté de s'inscrire dans la tradition.

6) Analyser la syntaxe et la ponctuation

• Étudier la **longueur des phrases** et des propositions, les **types de phrases** (exclamatives, à la fin de *L'Isolement*, de Lamartine, de l'extrait de *René*, de Chateaubriand, dans *Brise marine*, de Mallarmé, pour exprimer le désir d'évasion dans toute son intensité ; **interrogatives**, dans *El Desdichado*, de Nerval, dans *L'Étranger* de Baudelaire, pour exprimer une perplexité).

• Observer la **ponctuation** et analyser son rôle ou les raisons de son absence.

7) Étudier les sonorités et les figures de style

• Observer la **répétition des sons** (plus de dix occurrences du son « é » dans la première strophe de *Mon rêve familier*, de Verlaine, ce qui renvoie aux sons de ce titre), les **rimes**, le retour des mêmes sons dans le vers (« Les sanglots longs/Des violons/De l'automne » : **assonance** en *o*, **allitération** en *l*, le retour des mêmes sons apporte un effet musical).

• La création d'images est un procédé aussi essentiel à la poésie que le travail sur les sons (flux et heurts d'images chez les surréalistes, comme dans *Les Yeux d'Elsa*, d'Aragon).

• Étudier les **métaphores** (métaphore filée de la guerre dans *Réponse à un acte d'accusation* de Hugo, « chocs » de **métaphores** chez les surréalistes : « des troupeaux lumineux de dorades/Paissent l'azur sous les arceaux de l'arc-en-ciel », Desnos, *Mouchoirs au nadir*) ; **les comparaisons** (plus explicites, elles ont une dimension d'insistance : « Tes yeux sont si profonds qu'en me penchant pour boire », Aragon, *Les Yeux d'Elsa* ; développées, elles peuvent devenir des allégories : *L'Albatros*), les **personnifications**, les **antithèses**, les **chiasmes** (qui ont une dimension oratoire : « qui tue, œuvre insensée/La beauté sur les fronts, dans les cœurs la pensée » Hugo,), **les oxymores** (qui créent un effet de choc dû au rapprochement des contraires, dans *Un jour qu'il faisait nuit*, de Desnos).

• Analyser les figures de la répétition, procédé essentiel de la poésie : **anaphores** (*Enfance IV* de Rimbaud), **parallélismes** de construction (qui ont une valeur structurante, et parfois oratoire : « Qui produit la richesse en créant la misère, qui se sert d'un enfant ainsi que d'un outil ! » Hugo, *Où vont tous ces enfants*).

ÉTAPE 3 | **S'interroger sur les sens et la visée du texte en utilisant les notations précédentes**
Rédigez sous la forme d'une suite de remarques des éléments les plus importants relevés à l'étape 2.

EXEMPLES rédigés de prises de mots (étape 3) : Verlaine, *Clair de Lune* (page 401)

Thème et énonciation. Il s'agit d'une évocation d'où le poète est absent (pas de *je*) : l'essentiel est donc dans la vision créée. La personne *vous*, présente au début, sert à indiquer le caractère imaginaire du paysage, son rôle de représentation d'un état d'âme.

Lexique. Le vocabulaire est dominé par le champ lexical de la musique et de la danse et celui de la fête (carnaval) mais ce lexique coexiste avec la mention de la tristesse. Il s'agit donc d'une contradiction, d'une dualité.

Versification. Le vers choisi est le décasyllabe, peu employé après le Moyen Âge, il s'agit peut-être d'une référence à la poésie d'autrefois qui situe l'évocation dans un passé indéfini.

Syntaxe. La syntaxe montre des vers liés et non saccadés, le poème étant composé de deux phrases en tout, ce que confirme l'absence de ponctuation dans le cours des vers. Il s'agit de donner une impression d'harmonie.
L'enjambement des vers 3/4 et les répétitions des vers 8/9 et 10/11, découpées par des virgules, introduisent des éléments plus saccadés.

Figures de style. Peu de figures : simplicité voulue de l'écriture mais dans le premier vers, mise en place de la dimension métaphorique de l'ensemble.
Les oiseaux et les jets d'eau sont personnifiés : ces deux éléments renvoyant au lexique des sons, donc au texte et à sa musique.

ÉTAPE 4 **Formuler un projet de lecture qui permette d'annoncer les axes dans l'introduction**

On peut se demander si cette évocation a pour seule visée de donner à voir un paysage état d'âme.

ÉTAPE 5 **Trouver des axes de lecture**

EXEMPLE : Verlaine, *Clair de Lune*
Premier axe : un paysage qui est une évocation symbolique de l'âme.
Second axe : une évocation qui propose une leçon de poésie.

ÉTAPE 6 **Faire un plan en y intégrant les citations utiles**

EXEMPLE rédigé de mise en forme du plan (étape 6) : Verlaine, *Clair de Lune* (page 401)

I. Un paysage qui est une évocation symbolique de l'âme

A. Un paysage intérieur

– Une métaphore initiale met en place une signification symbolique : « Votre âme est un paysage choisi » : le texte évoquera par des notations visuelles et sonores la tonalité d'une âme.

– Des sentiments sont prêtés aux êtres qui peuplent ce paysage : « fantasques », « Tristes », « ils n'ont pas l'air de croire à leur bonheur », « rêver », « sangloter ».

– Ces êtres sont des apparences : des masques, ou des éléments de la nature appartenant à l'univers du paysage de l'âme.

– Les assonances en *a* et *i* de la première strophe renvoient à la métaphore initiale : âme = paysage choisi (*où ces deux sons sont présents*).

B. Une dualité entre gaieté et tristesse

– Le lexique maintient en permanence la coexistence de ces deux sentiments : tristes/fantasques ; chantant/sur le mode mineur ; « Ils n'ont pas l'air de croire à leur bonheur » ; « triste et beau », « sangloter d'extase »

– Le rythme dansant du vers 3 : « Jouant du luth et dansant et quasi » est opposé au mot « Tristes » mis en valeur par l'enjambement au début du vers suivant. Les répétitions : « au clair de lune/Au calme clair de lune ; les jets d'eau/Les jets d'eau » introduisent à la fois une allure de chanson mais aussi une pause, une saccade qui peut mimer un sanglot.

II. Une évocation qui propose une leçon de poésie

A. Importance du thème du chant

– Lexique des sons, qui renvoie à la poésie : « jouant du luth et dansant « ; « Tout en chantant sur le mode mineur» ; « leur chanson »; « sangloter ».

– Travail sur le sens par les sonorités : assonances en *a* et *i* de la première strophe qui rappellent les mots *âme, paysage* et *choisi* qui donnent le sens de l'évocation.

– Ressemblance avec une chanson par les répétitions de la dernière strophe.

B. Définition d'une tonalité propre à Verlaine

– Présence du « mode mineur » du texte : mélange de gaieté et de tristesse dans le lexique. Mélange de l'harmonie : peu de ponctuation (deux phrases en tout, aucun signe de ponctuation en cours de vers) et de la saccade (dans les enjambements et les répétitions de la dernière strophe).

– Formulation de l'idéal poétique grâce à l'oxymore « sanglot d'extase » qui donne le plaisir de la musique mais rappelle aussi les pleurs.

■ **Méthode pour préparer le commentaire d'un texte argumentatif**

ÉTAPE 1 | **Repérer le plus évident de manière synthétique**

1) Repérer le thème et le propos
Domaine (moral, politique, social, philosophique) concerné ; **sujet abordé** (le mensonge, l'injustice, l'esclavage, le beau) ; **thèse** défendue et thèse rejetée (il est parfois nécessaire de mentir/il ne faut jamais mentir ; la peine de mort doit être abolie/maintenue ; la propriété est un bien/ un mal ; le beau est le même pour tous les humains/le beau est relatif).

2) Analyser les moyens d'action sur le destinataire
Appel à la raison : **convaincre**, ou appel aux émotions : **persuader**. De nombreux textes mobilisent à la fois des stratégies destinées à convaincre et à persuader.

3) Identifier la forme littéraire : essai, discours, maxime, dialogue, scène de théâtre, lettre, article, fable, conte philosophique, pamphlet, satire.

4) Comprendre le contexte du débat : les Lumières et les questions de l'autorité politique, la Querelle des anciens et des modernes au XVIIe siècle, le débat sur la peine de mort à diverses époques, sincérité et mensonge dans la société du XVIIe siècle, le relativisme au XVIIIe siècle.

ÉTAPE 2 | **Revenir au texte de manière analytique avec les notions acquises**

1) Analyser l'énonciation
– **L'énonciateur peut être absent** (c'est le cas dans les maximes), ce qui renforce la valeur de ce qui est dit en lui donnant une valeur universelle et l'apparence de l'objectivité.
– **Un « je » peut être présent**, préciser à qui il renvoie : **l'auteur** (La Fontaine, *Lettre à l'Académie*) ; **un personnage** « étranger » (Montesquieu, *Lettres persanes*, Voltaire, *Micromégas*, *Essai sur les mœurs*) ; **un énonciateur** qui a un regard particulier sur la question débattue (l'esclave dans *Candide*, de Voltaire) ; **un anti-modèle**, stratégie propre à l'ironie (l'esclavagiste, dans *L'Esprit des lois*, de Montesquieu).
– **Un « nous » peut être présent**, déterminer qui il inclut et qui il exclut. Il peut renvoyer à l'énonciateur (La Fontaine, *Le loup et l'agneau* : « nous l'allons montrer tout à l'heure ») ; à un **ensemble** où l'énonciateur et le destinataire sont inclus (Babeuf : « De temps immémorial on nous répète avec hypocrisie ») ; à une **catégorie** dans laquelle s'inclut l'énonciateur par opposition à d'autres personnes (Voltaire, *Essai sur les mœurs* : le « nous » renvoie aux Européens opposés aux « sauvages ») ;
– **Le destinataire** peut être désigné précisément (formule d'appel, dans les *Lettres persanes*, jeu orientaliste sur les lieux et les noms « Usbek à Roxane, Au sérail d'Ispahan ») ou par un « vous » (qu'on rend acteur de l'argumentation en l'incluant dans le discours : Voltaire, *Beau, beauté* : « Demandez à un crapaud, interrogez »).

2) Étudier les types de phrases
Repérer les phrases déclaratives (très assertives dans les maximes), interrogatives (qui permettent d'associer le destinataire à la réflexion), injonctives, exclamatives (pour exprimer des sentiments forts, persuader).

3) Analyser les types d'arguments
Identifier l'appel à la logique (dans *Le loup et l'agneau* : cause/conséquence, mise en valeur de la parfaite logique du discours de l'agneau pour mieux montrer l'arbitraire du plus fort), l'appel aux valeurs (Diderot, *Supplément au voyage de Bougainville* : opposition des fausses valeurs

des Européens aux vraies valeurs des Taïtiens), **l'appel aux faits** (dans *Le loup et l'agneau* : « je n'étais pas né »).
– **Repérer l'analogie** (Voltaire : la conception du beau chez le crapaud et chez l'homme, le choix du comparant est celui de l'animal réputé pour sa laideur), **la dissociation** (dans les textes sur la Querelle des anciens et des modernes, distinction entre les bonnes et les mauvaises manières d'imiter les anciens), **la définition** (qui permet de remettre en question des habitudes de pensée).

4) Étudier les types de discours et les registres
– **Distinguer la narration et l'argumentation** (le rôle de la narration dans la fable, le conte philosophique).
– Observer les registres dominants : **polémique** (Voltaire, *Traité sur la tolérance*), **pathétique** (Voltaire, *Relation de la mort du chevalier de La Barre*) ; **satirique** (*Lettres persanes* de Montesquieu).

5) Analyser les formes littéraires
– **La lettre** : étudier l'énonciation, la situation mise en place, le statut des lettres (vraies : madame de Sévigné, ou fausses : *Lettres persanes*).
– **La fable** : étudier les personnages présentés, ce qu'ils représentent, les moyens narratifs de l'argumentation.
– **La scène de théâtre** : étudier les personnages et ce qu'ils incarnent dans les thèses en présence (Don Juan défend l'hypocrisie et Molière précise que c'est un méchant homme qui parle), analyser la façon de parler des personnages (Sganarelle par sa maladresse discrédite sa thèse).
– **Le dialogue** : étudier le dispositif des personnages (dans le texte de Madame de Scudéry chacun incarne un type que son prénom explique).
– **Le discours** : étudier le contexte et l'énonciation (discours authentique : Pascal ; ou de fiction : le vieillard tahitien).
– **L'article d'encyclopédie ou de dictionnaire** : étudier comment le discours qui est censé être objectif utilise la caution de vérité du genre pour argumenter.

6) Étudier les figures de style
– Relever les **métaphores**, les **comparaisons**, les **analogies**, les **oxymores** (figure de l'ironie dans les textes de Voltaire), les **anaphores** et les **parallélismes** de construction comme formes d'insistance, les antithèses (pour mettre en balance des conséquences opposées), **les questions oratoires**.

ÉTAPE 3 **S'interroger sur la visée et le sens du texte en utilisant les notations précédentes**
Rédigez sous la forme d'une suite de remarques des éléments les plus importants relevés à l'étape 2.

ÉTAPE 4 **Formuler une problématique qui permette l'annonce du plan dans l'introduction**

▮ **EXEMPLE** : Voltaire, *Relation de la mort du chevalier de La Barre* (p. 196)
Quels sont les moyens de l'argumentation dans le texte ?

ÉTAPE 5 **Trouver des axes de lecture**

EXEMPLE : Voltaire, *Relation de la mort du chevalier de La Barre* (p. 196)
Premier axe : un texte argumentatif qui vise d'abord à persuader.
Second axe : un texte argumentatif qui implique le destinataire en s'adressant en même temps à sa raison et à ses émotions.

ÉTAPES 6 ET 7 **Voir les conseils généraux**

La dissertation, la présentation

La dissertation littéraire est un exercice d'argumentation. Il s'agit de défendre un point de vue raisonné à propos d'un problème littéraire ou artistique, grâce à des arguments illustrés par des exemples, issus du corpus et de votre culture personnelle.

Il existe deux types de sujets :
– certains demandent une démarche dialectique qui appelle un **plan fondé sur l'opposition d'une thèse et d'une antithèse**. Ils permettent de développer deux opinions contraires. Parfois, on peut trouver ensuite une synthèse, qui permet de montrer comment dépasser cette contradiction.

> **EXEMPLE 1** : Est-il plus efficace de défendre une idée grâce à l'argumentation directe ou indirecte ?

– certains demandent un **développement thématique** : il faut répondre à la question en classant les arguments du plus évident au moins évident.

> **EXEMPLE 2** : De quels moyens littéraires dispose un auteur pour défendre ou réfuter une idée ?

■ Méthode pour le travail préparatoire

1. Analyse du sujet et problématisation (brouillon)

– Encadrez les mots essentiels du sujet et formulez une définition.
– **Repérez les connecteurs logiques** : expriment-ils un paradoxe, une opposition ?
– Reformulez le sujet avec vos propres mots en explicitant ce qui était implicite, et en exprimant le problème que pose cette question (c'est-à-dire son enjeu principal).
– **Déterminez la démarche à adopter** : faut-il adopter un raisonnement dialectique ou thématique ?

	EXEMPLE 1	EXEMPLE 2
Encadrer les mots essentiels et les connecteurs logiques	Est-il plus efficace de défendre une idée grâce à l'argumentation directe ou indirecte ?	De quels moyens littéraires dispose un auteur pour défendre une idée ?
Définir les mots essentiels	**Plus efficace** : on peut juger l'efficacité d'un texte en fonction de sa capacité à faire réagir le lecteur. **Argumentation directe** : la thèse et les arguments sont explicites, l'auteur s'engage directement. **Argumentation indirecte** : la thèse et les arguments sont implicites et sont souvent dissimulés au sein d'un récit. L'auteur ne montre pas directement son engagement.	**Moyens littéraires** : cette notion est vaste ; elle peut désigner les genres littéraires, les types d'argumentation ou les procédés stylistiques et rhétoriques d'un texte. **Défendre** : ce verbe implique l'idée de combat, d'engagement de l'auteur, mais également une volonté de persuasion.
Analyse des connecteurs logiques	**Ou** : cette conjonction de coordination implique une opposition, qui permet de déterminer la thèse et l'antithèse du devoir.	**Pour** : la préposition indique un but. Il faut donc montrer comment la forme littéraire est mise au service du fond, c'est-à-dire l'idée défendue.
Reformulation et problématisation	Un auteur peut-il plus facilement faire adhérer un lecteur à ses idées en s'engageant explicitement et en exposant des arguments clairement exprimés, au risque de brusquer le lecteur, ou est-ce plus efficace d'être plus subtil et moins direct, au risque de ne pas être compris ?	Comment la forme littéraire d'un texte permet à son auteur de défendre une thèse auprès du lecteur ?
Type de raisonnement	Dialectique	Thématique

2. Recherche des arguments et organisation du plan (brouillon)

Une fois que vous avez déterminé le type de raisonnement demandé, vous pouvez vous demander ce que vous répondriez. Votre devoir doit présenter des idées directrices (les grandes parties) que vous devez démontrer à l'aide d'arguments.

	Plan dialectique	Plan thématique
Idées directrices	Une **thèse** et une **antithèse** (et éventuellement une troisième partie permettant de dépasser cette opposition).	Il faut deux ou trois **idées directrices** organisées de la plus évidente à la moins évidente. Chaque partie répond à la question sous un angle différent.
Arguments	Il faut trouver **deux ou trois arguments** par partie. Afin d'être certain que votre argument est valable, vous devez le formuler **sous la forme d'une phrase causale.**	Il faut trouver **deux ou trois arguments** par partie, classés **du plus évident au moins évident.** Vous pouvez également vérifier la validité d'un argument en le formulant sous la forme d'une phrase avec un complément de moyen.
Exemple	**I. L'argumentation directe est efficace (thèse)** A. car la thèse est plus clairement exprimée. B. car l'auteur s'implique personnellement et est donc plus persuasif. **II. L'argumentation indirecte l'est parfois davantage (antithèse)** A. car elle est moins brutale envers le lecteur. B. car elle est souvent plus plaisante ou plus amusante.	**I. Un auteur dispose de différentes formes d'argumentation.** A. Un auteur peut convaincre grâce à l'argumentation directe. B. Il peut aussi persuader grâce à l'argumentation indirecte. **II. Un auteur peut susciter différents sentiments.** A. Il peut persuader grâce à l'indignation. B. Il peut persuader grâce au rire.

Si les idées ne vous viennent pas à l'esprit, vous pouvez réfléchir d'abord aux exemples.

3. Recherche des exemples (brouillon)

– **Relisez chaque texte du corpus** en vous interrogeant sur leur lien avec la question posée : vont-ils dans le sens de la question, ou s'agit-il de contre-exemples ? Quel aspect de la question éclairent-ils ? Illustrent-ils un ou plusieurs de vos arguments ?

– **Faites la liste de tous les textes étudiés** en classe qui peuvent permettre de répondre au sujet.

– **Faites la liste de toutes vos lectures** personnelles en rapport avec le sujet.

– **Classez les œuvres** : lesquelles semblent fonctionner de la même manière ? Lesquelles s'opposent ? Essayez d'associer au moins un exemple par idée argument.

■ Méthode pour rédiger une dissertation

A. L'introduction (rédigée au brouillon)

Elle comporte quatre parties :

– **une amorce générale** qui permet d'introduire le sujet. On peut **partir d'un exemple**, notamment d'un texte du corpus. On peut **utiliser le paratexte**, ou **ses connaissances**. Ici, cette phrase peut porter sur la visée morale de la littérature telle qu'elle est conçue au XVIIe siècle, ou sur la diversité des formes littéraires de l'argumentation, ou encore sur la dimension critique de la littérature ;

– **une présentation** du sujet, qui en définit les termes essentiels ;

– **une problématique**, qui consiste à reformuler la question posée en en explicitant les sous-entendus ;

– **une annonce de plan** très claire.

EXEMPLE

Des textes très différents peuvent défendre une même idée. Par exemple, les auteurs du XVIIe siècle ont pu dénoncer la vanité grâce au théâtre, à la fable ou à la satire.

Certains privilégient ainsi les formes d'argumentation directe : ils cherchent ainsi à faire adhérer le lecteur à leur pensée en exprimant explicitement leur thèse et leurs arguments, sans passer par le détour d'une histoire inventée. D'autres privilégient l'argumentation indirecte : leur message est transmis implicitement, à travers une histoire qui semble parfois innocente et des personnages auxquels le lecteur peut s'identifier.

Malgré cette différence de moyens, la fin est la même : faire évoluer l'opinion du lecteur, et participer ainsi à l'évolution des mentalités et de la société. On peut alors s'interroger sur l'efficacité de ces différentes formes argumentatives : un lecteur est-il plus enclin à adhérer à une thèse défendue explicitement ou implicitement ?

Si l'engagement direct d'un auteur peut paraître efficace pour influencer l'esprit du lecteur, il semble parfois plus judicieux d'amener le lecteur à changer d'avis sans le brusquer, grâce à l'argumentation indirecte.

B. Le développement (rédigé directement)

– Il doit être organisé en **paragraphes argumentés** (un par argument). Sautez une ligne entre chaque paragraphe, trois lignes entre chaque grande partie. Chaque paragraphe doit commencer par une formulation claire de l'argument que vous développez, puis présentez au moins un exemple précis.

– Il faut une **transition** entre vos parties.

– Les titres des parties n'apparaissent pas.

– Tout doit être rédigé ; vos exemples seront insérés dans des phrases (et non entre parenthèses).

EXEMPLE

L'argumentation directe est efficace, car la thèse est clairement exprimée. En effet, l'auteur ne cherche pas à dissimuler ses idées, son but est explicite et ses arguments apparaissent de manière évidente. Ainsi, le lecteur ne peut pas se tromper sur les intentions de l'auteur et son raisonnement a plus de chances de le convaincre. La Bruyère, par exemple, dénonce sans détour la vanité des hommes dans Les Caractères. Le lecteur ne peut pas ignorer sa thèse, qui est énoncée explicitement, sous la forme d'une vérité générale : « les hommes sont très vains, et ils ne haïssent rien tant que de passer pour tels ». La Bruyère ne se cache pas derrière des personnages ou une histoire : son avis personnel nous est livré directement et nous pouvons ainsi être facilement convaincus.

L'argumentation directe est efficace, aussi parce que l'auteur s'implique personnellement et prend le lecteur à partie. Or, plus une personne s'implique dans ce qu'elle dit, plus celui à qui elle s'adresse risque d'être persuadé, tandis qu'un texte dans lequel l'auteur est moins présent a une moins grande force de persuasion. On peut citer par exemple le pamphlet de Sieyès, Qu'est-ce que le tiers état ?, dont le titre même est une question rhétorique interpellant le lecteur. Dans ce texte, Sieyès emploie un registre polémique incitant le lecteur à vivement réagir et à se révolter. La relation entre l'auteur et le lecteur instaurée par l'argumentation directe permet donc de défendre des idées efficacement.

L'argumentation directe semble donc disposer d'atouts permettant de persuader ou convaincre un lecteur, en l'incitant vivement à réfléchir et à prendre position, en réaction à l'engagement de l'auteur. Mais ce dernier ne risque-t-il pas de brusquer le lecteur en étant trop direct, et donc de perdre son adhésion ?

En effet, il semble parfois plus judicieux d'user de détours pour persuader quelqu'un. L'argumentation indirecte peut ainsi être efficace, car le lecteur n'est pas rudement pris à partie par l'auteur, comme cela peut être le cas pour l'argumentation directe. Le lecteur pourrait se sentir visé par La Bruyère lorsque celui-ci dénonce la vanité des hommes, il risquerait alors de ne pas adhérer à la thèse défendue. En revanche, Molière, en mettant en scène le personnage ridicule d'Acaste, défend la même idée que La Bruyère, mais ce marquis est tellement ridicule et comique que le lecteur ne peut s'identifier à lui. Il ne se sent donc pas directement visé par Molière et prend conscience de la vanité des hommes. C'est ce qui a permis à Molière de critiquer les courtisans dans ses pièces, alors que le public de la Cour était justement composé de tels personnages ! Mais le décalage comique empêchait le spectateur de penser qu'il était la cible de l'auteur. Ainsi, l'argumentation indirecte est-elle parfois plus efficace que l'argumentation directe pour défendre une idée.

De plus, l'argumentation indirecte peut permettre de transmettre une thèse plus facilement car elle est souvent plaisante ou amusante. En faisant sourire ou rire le lecteur, l'auteur acquiert sa bienveillance et apparaît plus sympathique. Le rire a souvent pour effet de désamorcer les critiques ou les contradictions, sans froisser le lecteur. Les fables de La Fontaine sont ainsi de courts récits plaisants, parfois drôles, mettant en scène des animaux qui représentent les défauts des hommes. Elles ont une portée morale, qui est souvent exprimée sous la forme d'une moralité. Le lecteur prend du plaisir à lire ces petites histoires, et il ne se rend pas compte qu'il est en train de réfléchir et d'acquérir un esprit critique. « La Grenouille qui veut se faire aussi grosse que le Bœuf » met ainsi en scène une grenouille stupide et ridicule, qui finit par exploser à force de gonfler. Ce récit critique en réalité le fonctionnement de la société et des individus, qui cherchent toujours à être ce qu'ils ne sont pas et ne peuvent pas être. La réflexion est ainsi plus profonde que ce qu'il semble, et le lecteur est persuadé tout en prenant du plaisir à la lecture.

C. La conclusion (rédigée au brouillon avant d'être copiée au propre)

Elle comporte :

– un **bilan** ferme de votre réflexion.

– une **ouverture**, un **élargissement**, sur la littérature ou l'art en général.

> **EXEMPLE**
>
> L'argumentation directe et l'argumentation indirecte sont donc deux stratégies très différentes pour défendre une idée auprès du lecteur. L'une est efficace par sa clarté et par sa capacité à faire vivement réagir le lecteur, l'autre l'est par son pouvoir de séduction et la connivence qu'elle instaure entre l'auteur et le lecteur. Peut-être est-ce pour cette raison que de nombreux lecteurs préfèrent aujourd'hui lire des textes de fiction plutôt que des essais trop théoriques.

ARAGON (Louis)

Louis Aragon (1897-1982). Louis Andrieux, qui prendra le pseudonyme de Louis Aragon, fait ses études à Paris et est mobilisé en 1918 comme médecin militaire. Au front, il rencontre André Breton ; après la guerre ils fondent avec Philippe Soupault le mouvement surréaliste ; il publie des recueils poétiques – *Feu de joie* (1920), *Le Mouvement perpétuel* (1925) – et surtout *Le Paysan de Paris* (1926), un roman surréaliste qui entraîne le lecteur dans la découverte d'un Paris merveilleux.

Avec les surréalistes qui choisissent de mettre leur conception de l'art au service d'une cause politique, il s'engage au Parti communiste. Quand ses amis, déçus des orientations politiques et de la place réservée aux intellectuels, prennent leurs distances, Aragon demeure fidèle à son engagement initial, ce qui entraîne sa rupture avec le groupe surréaliste en 1932.

Auteur fécond, Aragon publie dans l'entre-deux-guerres plusieurs romans majeurs (*Les Cloches de Bâle*, 1934 ; *Les Beaux Quartiers*, 1936 ; *Aurélien*, 1944). Pendant la Seconde Guerre mondiale, il entre dans la Résistance avec sa compagne romancière Elsa Triolet et participe à de nombreuses revues clandestines ; deux recueils poétiques sont publiés durant cette période : *Le Musée Grévin* (1943) et *La Diane française* (1944) où il met sa poésie au service d'une cause (la résistance à l'occupation allemande) lui donnant une fonction de combat liée aux circonstances. Après la guerre, il acquiert une grande renommée. Deux recueils poétiques, où son lyrisme trouve sa plénitude, font l'éloge de l'amour qu'il porte à Elsa Triolet : *Elsa* (1959) et *Le Fou d'Elsa* (1963).

BABEUF (Gracchus)

Gracchus Babeuf (1760-1797). Inspiré par les idées de Rousseau, il milite pour l'égalité, se mobilisant aux côtés des paysans et ouvriers picards. Pendant la Révolution, il soutient les sans-culottes et forme la conjuration des égaux contre le Directoire. Son but est la collectivisation des terres et des moyens de production pour obtenir la « parfaite égalité » et « le bonheur commun ». Le prénom qu'il se choisit est un hommage aux Gracques, initiateurs d'une réforme agraire dans la Rome antique. Le complot découvert, il est condamné à mort et exécuté.

BALZAC (Honoré de)

Honoré de Balzac (1799-1850). Balzac interrompt ses études de droit en 1819, fréquente les milieux littéraires et cherche fortune mais ses tentatives commerciales dans l'édition et l'imprimerie sont des désastres financiers. À partir de 1830, il collabore à de nombreux journaux et écrit des romans de mœurs qui entrent dans ses *Scènes de la vie privée* : *Le Colonel Chabert* (1832), *Eugénie Grandet* (1833), *Le Père Goriot* (1835). C'est en 1834, pendant la rédaction de ce roman, qu'il invente un principe d'une grande cohérence : le retour de ses personnages d'un roman à l'autre. En 1842, il groupe ses romans dans un ensemble organisé qui se veut la réplique de toute la société de son temps, auquel il donne le titre général de *La Comédie humaine*. En 1850, il épouse Mme Hanska, une comtesse polonaise, grande admiratrice de son œuvre, à laquelle il est lié depuis 1833. Mais il meurt quelques mois après, épuisé par ses incessants tracas financiers et l'immensité de la tâche accomplie.

BAUDELAIRE (Charles)

Charles Baudelaire (1821-1867). Son enfance est marquée par la disparition de son père en 1827 et le remariage l'année suivante de sa mère avec le commandant Aupick, qui devient plus tard général et sénateur. Il ne s'entend pas avec son beau-père qui lui « vole » l'affection de sa mère.

Après une scolarité chaotique, il obtient son baccalauréat à Paris en 1839 et mène pendant plus de deux ans une vie de bohème à laquelle sa famille met un terme en l'embarquant à Bordeaux sur un paquebot à destination de Calcutta (1841) ; mais Baudelaire interrompt son voyage au bout de quelques mois et rentre à Paris pour exiger sa part de l'héritage paternel.

Pendant trois ans, il vit une existence facile de dandy et débute une longue et tumultueuse liaison amoureuse avec Jeanne Duval, une comédienne de boulevard, qui lui inspire de nombreux poèmes (« À une dame créole », « La chevelure »). En 1844, son patrimoine est placé sous tutelle judiciaire, ce qui l'oblige à travailler pour vivre ; il devient journaliste et critique d'art et à ce titre suit les différents Salons de peinture à partir de 1845 et l'Exposition universelle de 1855. Il commence aussi à publier des poésies.

Le 25 juin 1857, *Les Fleurs du mal* paraissent et deux mois plus tard, Baudelaire est condamné pour « outrage à la morale publique et aux bonnes mœurs » et doit supprimer six pièces du recueil. En 1861 paraît une seconde édition des *Fleurs du mal* avec 35 nouvelles pièces. Il s'exile pendant deux ans en Belgique. En mars 1866, à Namur, une attaque cérébrale le laisse hémiplégique et il est atteint de différents troubles, jusqu'à sa mort le 31 août 1867.

BOILEAU (Nicolas)

Nicolas Boileau (1636-1711). Il suit des études de droit et devient avocat. Bien qu'il abandonne rapidement cette profession, sa maîtrise de la rhétorique et de l'argumentation se retrouveront dans ses œuvres. À la mort de son père, grâce à l'héritage légué, Boileau se consacre en effet à la littérature. Fréquentant les salons intellectuels, il observe les défauts de ses contemporains, dont il se moquera dans les *Satires*. Son œuvre la plus célèbre est l'*Art poétique*, poème dans lequel il énonce les règles du classicisme. Il prend fermement position pour les Anciens, auteurs revendiquant l'héritage antique, lors de la querelle les opposant aux Modernes. Il meurt en 1711 après s'être fortement rapproché des milieux jansénistes.

BRETON (André)

André Breton (1896-1966). Après des études secondaires sans problème au lycée Chaptal à Paris, il commence en 1914 des études de médecine lorsque la guerre éclate ; mobilisé comme infirmier dans un hôpital militaire à Nantes, il découvre les travaux de Freud utilisés pour soigner les traumatismes des soldats, notamment le recours à un discours produit par associations libres créant des images non contrôlées par la conscience.

Passionné par la poésie, il rencontre Pierre Reverdy, adresse ses poèmes à Apollinaire et fonde en 1919 avec Philippe Soupault et Louis Aragon la revue *Littérature*. Celle-ci s'attache à une nouvelle définition de l'art et de la littérature mettant en avant la production d'une parole poétique libérée des contraintes formelles et laissant libre cours à l'imaginaire. En 1920, il publie *Les Champs magnétiques*, ensemble de textes écrits avec Philippe Soupault selon le principe de l'écriture automatique.

À cette époque, il participe au mouvement Dada avant de s'en éloigner définitivement en 1921. En 1924, Breton publie le *Manifeste surréaliste* dans lequel il définit les formes et les objectifs du mouvement, qui se résument dans une formule empruntée à Karl Marx, « Changer le monde ».

Plusieurs poètes et écrivains participent activement à ce mouvement (Aragon, Desnos, Éluard, Crevel, Péret, Soupault, Vitrac) mais c'est André Breton qui en est le véritable animateur. Il opère en 1927 un rapprochement du mouvement avec le Parti communiste avant de s'en éloigner, sans pour autant abandonner ses convictions politiques et sa volonté de placer l'art au cœur du quotidien.

En octobre 1926, il rencontre une femme marginale et étrange qui lui inspire un récit surréaliste en prose, *Nadja* (1928). À la fin de l'année 1929, il publie un *Second Manifeste du surréalisme*.

CHATEAUBRIAND (François René de)

François-René de Chateaubriand (1768-1848). Il est né par une « nuit de tempête » à Saint-Malo où sa mère lui « infligea la vie ». C'est ainsi que le grand écrivain, précurseur du romantisme, romancier, mémorialiste et homme politique, évoque sa naissance. Après une enfance délaissée en Bretagne, au château de Combourg où s'éveille sa sensibilité, il devient officier et part à Paris. Il est témoin des excès de la Révolution qui décime sa famille et le contraignent à l'exil en Angleterre. Il revient en France en 1800, connaît la gloire littéraire en publiant deux écrits destinés à être insérés dans une œuvre plus vaste et philosophique, le *Génie du christianisme* : *Atala*, roman voulant illustrer « les harmonies de la religion chrétienne avec les scènes de la nature et les passions du cœur humain » et inspiré par son voyage aux Amériques en 1791, puis *René*, récit autobiographique et fiction romanesque où s'exprime déjà une sensibilité caractéristique du romantisme.

D'abord rallié à Bonaparte puis opposant à l'Empire, favorable à la Restauration puis déçu par Louis XVIII, Chateaubriand mène une double carrière politique (il a été ambassadeur et ministre) et littéraire, avant de se consacrer entièrement à sa carrière d'écrivain à partir de 1830. Il publie une relation de ses voyages, *Itinéraire de Paris à Jérusalem*, une épopée en prose reprenant les thèmes du *Génie du christianisme*, *Les Martyrs*, et sa grande œuvre publiée selon son désir après sa mort, les *Mémoires d'outre-tombe*, immense récit autobiographique, lyrique, épique où il raconte sa vie et son temps avec « l'art de choisir et de cacher » qui caractérise selon lui la démarche et la réussite artistique.

CORNEILLE (Pierre)

Pierre Corneille (1606-1684). Après de brillantes études, il renonce à une carrière d'avocat pour se consacrer au théâtre. Ses premières pièces sont des comédies, dont plusieurs obtiennent un certain succès : *Mélite* en 1629, *La Suivante* et *La Place royale* en 1633, et surtout *L'Illusion comique* en 1636. Il écrit aussi une tragédie à sujet mythologique : *Médée*. Corneille est élu dans le groupe des « Cinq Auteurs », pensionnés par Richelieu et chargés de composer des pièces collectives. En 1637, c'est la publication du *Cid*, tragi-comédie qui remporte un triomphe auprès du public mais qui suscite les critiques de certains auteurs et de l'Académie pour ne pas avoir respecté les règles théâtrales. Affecté par cette querelle, Corneille garde le silence pendant trois ans avant de produire en 1640 *Horace*, tragédie parfaitement régulière cette fois-ci et qui tire son sujet de l'histoire romaine, comme de nombreuses pièces de l'auteur par la suite.

Vient alors une série de tragédies très bien accueillies, avec *Cinna* (1641), *Polyeucte* (1642) et *La Mort de Pompée* (1643), ainsi qu'une comédie, *Le Menteur* (1643). Corneille est élu à l'Académie française en 1647. Après ces grands succès, il connaît des échecs qui l'éloignent à nouveau de la scène pendant quelques années. Il y revient en 1659 avec une tragédie, *Œdipe*, et des textes théoriques sur le théâtre (ses *Trois Discours sur l'art dramatique*). Ses dernières œuvres ne remportent pas le succès escompté : le public parisien lui préfère le jeune Racine, dont la pièce *Bérénice* l'emporte sur son *Tite et Bérénice* en 1670. Corneille cesse d'écrire après l'échec de *Suréna*, en 1674.

CROS (Charles)

Charles Cros (1842-1888). Homme de science anticonformiste, inventeur méconnu du phonographe, du télégraphe automatique, de la photographie couleur, il fréquente les milieux littéraires, où son talent est reconnu par Verlaine. Il se lie d'amitié avec Manet et anime avec verve des cercles littéraires. En 1873, il publie dans l'indifférence générale *Le Coffret de santal* (un second recueil, *Le Collier de griffes*, ne sera publié que vingt ans après sa mort). Ses deux œuvres révèlent une sensibilité dominée par le mal-être dans une expression à l'esthétique raffinée et aux accents humoristiques.

DESNOS (Robert)

Robert Desnos (1900-1945). Il est né dans le « ventre de Paris » et passe toute son enfance dans le quartier des Halles, lieu vivant et historique qui éveille très tôt le goût du jeune garçon pour l'imaginaire, le dessin et les récits populaires. Après des études écourtées au lycée Turgot, il quitte sa famille et vit de petits métiers tout en commençant à noter ses rêves, à écrire et à publier dans des revues. Ainsi, il rencontre d'autres jeunes écrivains appartenant à un mouvement artistique contestataire appelé Dada : Louis Aragon, Benjamin Péret, Tristan Tzara viennent de fonder la revue *Littérature* et cherchent à donner un autre sens à l'art et notamment à l'écriture.

Après son service militaire, Robert Desnos se lie avec Paul Éluard, André Breton et Philippe Soupault, mais aussi avec les peintres Picasso et Miró ; il pratique l'écriture automatique et participe de manière active à des séances de sommeil hypnotique, sorte de rêve éveillé. Il prend alors une part prépondérante à la naissance du mouvement surréaliste : dans le *Manifeste du surréalisme* (15 octobre 1924), André Breton souligne le rôle de Desnos qui « parle surréaliste à volonté ».

En 1927, son ouvrage *La Liberté ou l'amour* est censuré et condamné par le tribunal correctionnel de la Seine ; c'est aussi l'année où il s'éloigne de Breton, Aragon, Éluard et Péret engagés au Parti communiste.

Dans *le Second Manifeste du surréalisme* en décembre 1929, il est officiellement exclu par André Breton au prétexte qu'il refusait de s'engager dans l'action politique. L'année suivante paraît *Corps et biens* tandis que la rupture avec le groupe surréaliste est consommée. Il se tourne alors vers le journalisme, la radio et même la publicité.

Mobilisé en 1939, il est fait prisonnier puis, libéré. Il rentre à Paris et continue son activité de poète avec la publication de deux recueils, *Trente Chantefables pour les enfants sages* (1944) et *État de veille* (1943). Entré dans un réseau de résistance à l'occupation allemande, il est arrêté en février 1944 par la Gestapo et déporté au camp de Buchenwald, puis de camp en camp jusqu'à la libération du camp de Térézin, en Tchécoslovaquie où il meurt d'épuisement le 8 juin 1945.

DIDEROT (Denis)

Denis Diderot (1713-1784). Penseur des Lumières, il est le maître d'œuvre de l'*Encyclopédie*, chantier qui l'occupe pendant vingt ans. Il rompt très tôt avec sa famille qui le destinait à la prêtrise pour gagner Paris où il devient l'ami de Rousseau. Si ses positions antireligieuses lui valent d'être incarcéré à Vincennes, ses travaux lui permettent d'obtenir la protection de Catherine II de Russie. Critique d'art, il contribue également à moderniser le roman (*Jacques Le Fataliste*) et à développer au théâtre le drame bourgeois. Sa forme d'expression privilégiée reste le dialogue qui incite à une réflexion personnelle mouvante.

ÉLUARD (Paul)

Paul Éluard (1895-1952). Eugène Grindel, de son vrai nom, prend le pseudonyme de Paul Éluard en 1916. Après la guerre, il participe au mouvement de refus et de provocation Dada animé par Tristan Tzara ; c'est aussi à cette époque qu'il se lie avec André Breton, Louis Aragon et Philippe Soupault et plusieurs peintres (Picasso, Max Ernst, Salvador Dalí). En 1924, il participe activement au mouvement surréaliste dont le *Manifeste* publié en octobre marque la naissance officielle. Revendiquant la liberté en toutes choses, la vie sentimentale d'Éluard est compliquée et inspire plusieurs poèmes du recueil *Capitale de la douleur* qui paraît en 1926. Sa femme Gala (qui le quitte en 1929 pour Salvador Dalí) lui inspire une dernière œuvre, *L'Amour, la poésie* (1929). Sa rencontre avec Maria Benz (surnommée Nusch) donne enfin un sens apaisé à sa vie, ce dont témoignent plusieurs œuvres qui paraissent alors : *La Vie immédiate* (1932) et *Facile* (1935). Par ailleurs, son engagement politique au Parti communiste (auquel il avait adhéré en 1926 avec Breton et Aragon) connaît des phases chaotiques : exclu en 1933, ce qui l'éloigne d'Aragon, il s'en rapproche de nouveau au moment de la guerre d'Espagne (1936) et publie *Cours naturel* (1938) où il engage son verbe poétique dans un soutien aux républicains espagnols. Ainsi dans le poème « La Victoire de Guernica », il dénonce le bombardement de la ville et le massacre de la population. La Seconde Guerre mondiale amplifie cet engagement ; il entre dans la Résistance et met sa poésie au service des « circonstances » : un de ses poèmes, « Liberté », est largué par l'aviation anglaise par milliers d'exemplaires au-dessous du territoire occupé. Après la Libération, il profite de son immense notoriété pour prôner la paix et revendiquer une expression littéraire au service de l'action.

ESCHYLE

Eschyle (525-456 av. J.-C.). C'est le premier auteur tragique grec. Né de famille noble, il se met à écrire très jeune pour le théâtre et est plusieurs fois lauréat. On le considère comme le fondateur de la tragédie grecque car il a donné au genre sa structure, à savoir une alternance entre des passages chantés par le chœur et des passages de dialogue et d'action. Il ne nous reste que sept des quatre-vingt-dix pièces qu'il a écrites. Il a choisi ses sujets dans les légendes primitives de la Grèce.

FLAUBERT (Gustave)

Gustave Flaubert (1821-1880). Né dans le milieu de l'hôpital de Rouen où son père était médecin, Flaubert exerce sa passion de l'écriture dans des récits autobiographiques – *Mémoires d'un fou* (1838), *Novembre* (1842) – qui témoignent de l'exaltation romantique de sa jeunesse. En 1841, il entreprend à Paris des études de droit qu'une maladie nerveuse interrompt en 1844. Il se retire alors près de Rouen, dans sa propriété de Croisset, menant une vie solitaire et studieuse qui se confond avec la création littéraire et qu'interrompent de brefs séjours à Paris et quelques voyages dont celui d'Orient (1849-1851). La publication de *Madame Bovary* en 1857 lui vaut un procès pour immoralité et assure sa notoriété que prolonge la parution de *Salammbô* en 1862. Mais l'insuccès de *L'Éducation sentimentale* (1869) et des chagrins de tous ordres assombrissent ses dernières années qu'éclaire toutefois la publication de *Trois Contes* (1877), salué comme un chef-d'œuvre. À sa mort, en 1880, il laisse inachevé l'immense roman *Bouvard et Pécuchet* et une abondante *Correspondance* qui témoigne de son ambition esthétique.

GIRAUDOUX (Jean)

Jean Giraudoux (1882-1944). Il mène à la fois une carrière de diplomate et d'écrivain. Il publie d'abord des romans avant de se consacrer au théâtre où il connaît le succès. Plusieurs de ses pièces reprennent des mythes antiques : *Amphitryon 38*, mis en scène par Louis Jouvet en 1929, *La guerre de Troie n'aura pas lieu* en 1935 ou encore *Électre* en 1938.

HÉRODOTE

Hérodote (vers -484 ; vers -425). Il est considéré comme le « père de l'histoire » (Cicéron). Il appartient à une famille aristocratique. Dans l'intention d'écrire ses *Histoires*, il visite les cités, les grands sanctuaires et les champs de bataille de la Grèce et de Lydie, les colonies grecques de la mer Noire, L'Égypte, Cyrène et la Grande Grèce. Il est un conteur de grande qualité.

HUGO (Victor)

Victor Hugo (1802-1885). Il est né à Besançon d'un père général d'Empire. Dès 1809, sa famille s'installe à Paris où il entame une grande carrière poétique et connaît ses premiers succès avec les *Odes* (1822). Devenu chef de file du cénacle romantique, il pose les principes du drame romantique (Préface de *Cromwell*, 1827) qui triomphe en 1830 à la fameuse « bataille » d'*Hernani*. Après la mort de sa fille aînée Léopoldine en 1843, qui sera au cœur de son grand chef-d'œuvre lyrique, *Les Contemplations* (1856), il se consacre à l'action politique. Il dénonce le coup d'État de Louis-Napoléon Bonaparte (2 décembre 1851) et s'exile dans les îles de Jersey et Guernesey où il devient la figure légendaire de l'opposition républicaine. Il y compose ses œuvres maîtresses : poésie satirique (*Les Châtiments*, 1853) et épique (*La Légende des siècles*, 1859-1883). En 1870, au lendemain de la proclamation de la IIIᵉ République, il rentre triomphalement à Paris. Sa mort, en 1885, donne lieu à une immense cérémonie nationale et populaire en forme d'apothéose.

JARRY (Alfred)

Alfred Jarry (1873-1907). Il est essentiellement connu pour le personnage du père Ubu, dont il raconte les aventures à travers une Pologne imaginaire dans une série de pièces : *Ubu roi*, *Ubu enchaîné* et *Ubu cocu*. Jarry n'a que quinze ans quand il s'inspire de l'un de ses professeurs particulièrement grotesque pour créer Ubu, un homme bête, poltron et méchant qui symbolise à lui seul « tout le ridicule de l'homme ». Il est célèbre pour ses inventions langagières, jouant sur la déformation des mots et sur une certaine grossièreté, comme le fameux « Merdre ! » qui ouvre la pièce et fait scandale à l'époque.

LA BRUYÈRE (Jean de)

La Bruyère (1645-1696). Écrivain moraliste, avocat et précepteur du duc de Bourbon, il peut observer la Cour de près et connaît le succès en rassemblant ses réflexions dans les célèbres *Caractères* (1688), galerie de portraits à clefs (permettant d'identifier les personnes tournées en ridicule). Ami de Bossuet, il est élu à L'Académie française et prend parti pour les Anciens dans la querelle des Anciens et des Modernes.

LA FONTAINE (Jean de)

Jean de La Fontaine (1621-1695). Il passe ses premières années à Château-Thierry. Proche de Fouquet, il reste à l'écart de la Cour, fréquentant toutefois le salon de Mme de La Sablière. Il est reçu à l'Académie française et prend parti pour les Anciens dans la Querelle. Connu essentiellement pour ses recueils de fables inspirées d'Ésope, textes souvent plus complexes qu'il n'y paraît, il est également l'auteur de contes licencieux.

LAMARTINE (Alphonse de)

Alphonse de Lamartine (1790-1869). Très jeune, il est attiré par la littérature et devient un fervent admirateur de Chateaubriand. Devenu adulte et pour éviter de servir Napoléon, il passe plusieurs années en Italie (Florence, Rome et Naples) où il assouvit sa passion pour l'Antiquité tout en menant une vie de dilettante. À son retour en France, son père lui procure la charge de maire de Milly, début d'une longue carrière politique. À l'automne 1816, alors qu'il se trouve en cure à Aix-les-bains pour soigner ses troubles nerveux, il rencontre une jeune femme mariée, Julie Charles. C'est un coup de foudre et le début d'une brève passion. Lamartine lui adresse quelques poèmes où s'exprime avec lyrisme sa crainte de leur amour menacé et son angoisse de la fuite du temps, car celle qu'il nomme Elvire souffre d'une tuberculose et meurt en décembre 1817. Meurtri et désespéré, il publie en mars 1820, un recueil de vingt-quatre poèmes, *Méditations poétiques,* qui témoigne de cette expérience douloureuse ; l'ouvrage obtient d'emblée un succès retentissant. Débute alors une décennie faste, mar quée par une carrière diplomatique en Italie, son mariage avec Mary-Ann Birch, la publication de ses œuvres poétiques qui sont autant de jalons du mouvement romantique : *Nouvelles Méditations poétiques* (1823), *La mort de Socrate* (1823) et les *Harmonies poétiques* (1830), et enfin son élection à l'Académie française en 1830. Peu à peu, la vie politique l'accapare (il est député de 1833 à 1851). Après la chute de Louis-Philippe, dont il est un farouche opposant, il devient ministre des Affaires étrangères puis chef du gouvernement provisoire ; à ce titre, il signe le 27 avril 1848 le décret d'abolition de l'esclavage.

MALLARMÉ (Stéphane)

Stéphane Mallarmé (1842-1898). Après ses études secondaires en pension au lycée de Sens, il compose ses premiers poèmes, influencés par sa découverte des *Fleurs du mal* de Baudelaire ; installé un temps à Londres où il se marie en 1863, il obtient son certificat d'aptitude à l'enseignement de l'anglais et devient professeur au collège de Tournon dans l'Ardèche. Il consacre son temps libre à la poésie. Rêvant d'absolu, de pureté et de beauté, il assigne à la création poétique l'ambition de traduire ses rêves d'absolu, malgré un doute incessant. En 1864, il commence *Hérodiade*, une œuvre poétique inspirée de la légende de Salomé mais qui restera inachevée. En 1866, la revue *Parnasse contemporain* publie dix de ses poèmes (dont « Brise marine ») mais sa notoriété reste confidentielle. La parution d'un article, *Poètes maudits,* que lui consacre Paul Verlaine et le roman de Joris-Karl Huysmans *À Rebours*, dont le personnage principal, des Esseintes, admire les poèmes de Mallarmé lui donnent enfin une reconnaissance publique.

MAUPASSANT (Guy de)

Guy de Maupassant (1850-1893). Sa mère est une amie d'enfance de Flaubert qui le conseille et le guide dans ses débuts littéraires. La mésentente de ses parents, assortie de violentes querelles et d'une séparation en 1862, déchire son enfance. La guerre franco-prussienne, qui le mobilise en 1870, exerce sur lui un traumatisme durable. De là provient en partie son pessimisme radical. À partir de 1872, il est employé comme fonctionnaire dans différents ministères jusqu'en 1880 : la publication de « Boule de suif » dans *Les Soirées de Médan*, un recueil de nouvelles d'écrivains naturalistes autour de Zola, lui assure le suc-

cès. Mais il commence à ressentir les premières atteintes d'une maladie qui, accompagnée de vives souffrances et de troubles mentaux, va le conduire à la folie et à la mort en 1893, dans la clinique du docteur Blanche à Paris. Malgré tout, les années de 1880 à 1890 sont d'une fulgurante et exceptionnelle fécondité. Outre de nombreuses chroniques journalistiques et des journaux de voyage, il écrit six romans dont *Une vie* (1883), *Bel-Ami* (1885), *Pierre et Jean* (1888). Il laisse aussi quelque trois cents contes et nouvelles, réalistes et fantastiques (*Le Horla*, 1887), qui font de lui le grand maître de la nouvelle française.

MOLIÈRE

Jean-Baptiste Poquelin, dit Molière (1622-1673). Il est le plus grand auteur de comédies du XVIIᵉ siècle. Très jeune, il décide de devenir comédien et crée sa troupe de « L'illustre théâtre » avec sa compagne Madeleine Béjart. La troupe parcourt la France en jouant farces et comédies. De retour à Paris en 1658, elle gagne la protection des grands : le prince de Conti, le frère de Louis XIV, puis le roi lui-même. Auteur tragique médiocre, Molière se consacre alors exclusivement à la comédie, écrivant lui-même ses pièces : *Les Précieuses ridicules* (1659) puis *L'École des femmes* (1662) remportent un triomphe. Néanmoins, Molière subit les attaques des critiques et de l'entourage du roi, notamment quand il ose se moquer des faux dévots avec *Le Tartuffe* (1664). L'année suivante, *Dom Juan* provoque un nouveau scandale, mais Louis XIV accorde malgré tout son soutien à la compagnie en l'élisant « troupe du roi ». Molière renouvelle le genre de la comédie en le déclinant sous toutes ses formes : grande comédie (*Le Misanthrope* en 1666), comédie-ballet (*Le Bourgeois gentilhomme* en 1670) ou farce (*Les Fourberies de Scapin* en 1671) et en faisant une satire féroce et drôle de ses contemporains. Très malade, il meurt alors qu'il interprète le rôle d'Argan dans *Le Malade imaginaire*.

MONTESQUIEU

Montesquieu (1689-1755). Charles-Louis de Secondat, baron de la Brède et de Montesquieu se passionne d'abord pour les sciences auxquelles il consacre plusieurs essais. En 1721, il publie anonymement *Les Lettres persanes* qui sont une satire de la société française. En 1728, il entreprend une série de voyages en Europe qui lui permettent de comparer le système politique français à ceux des pays voisins. Cette réflexion nourrit son œuvre majeure, *L'Esprit des lois*, publiée anonymement en 1748. L'ouvrage fait l'objet d'attaques et de critiques mais exerce une influence profonde à son époque. Les auteurs de la Constitution de 1791, dans les premières années de la Révolution française s'en inspireront. Montesquieu a également participé à la rédaction de l'*Encyclopédie*.

MUSSET (Alfred de)

Alfred de Musset (1810-1857). Il publie à l'âge de dix-neuf ans un recueil, *Contes d'Espagne et d'Italie* (1829), qui lui assure un succès immédiat retentissant. Il se lance dans l'écriture théâtrale mais il connaît ses premiers déboires avec l'échec cuisant de sa première pièce, *La Nuit vénitienne* (1830), ce qui le conduit vers l'écriture de « pièces à lire » (*Un spectacle dans un fauteuil*, 1832). Son indépendance et son refus de mettre son art au service d'une action sociale ou politique l'éloignent des autres romantiques.

Sa liaison amoureuse et malheureuse avec George Sand (1833-1835) accentue son caractère pessimiste et désabusé. Dès lors son œuvre se fait l'écho de ses émotions et de sa souffrance, à travers notamment ses comédies (*Les Caprices de Marianne*, 1833 ; *On ne badine pas avec l'amour*, 1834) et son drame historique *Lorenzaccio* (1834), où le personnage de Lorenzo, se perd dans la débauche pour accomplir sa mission (supprimer un tyran). Mais c'est surtout son œuvre poétique qui porte le mieux l'expression de sa douleur, devenue source de création. Malade et désabusé, Musset poursuit malgré tout une carrière littéraire, consacrée par son entrée à l'Académie française en 1852.

NERVAL (Gérard de)

Gérard de Nerval (1808-1855). Il ne connaîtra jamais sa mère qui meurt en Silésie où elle avait suivi son mari, médecin dans l'armée du Rhin. L'absence de cette figure maternelle hante sa vie et son œuvre. Élevé dans le Valois par son grand-oncle Antoine Boucher, cette région (Mortefontaine, Senlis, Ermenonville) devient un lieu privilégié où s'insère son œuvre et notamment les figures féminines des *Filles du feu*, Adrienne et Sylvie (il prend le pseudonyme de Nerval en souvenir d'un lieu familial de cette région). Il fait ses études au collège Charlemagne à Paris où il commence à écrire des poèmes. Romantique de la première heure, il fréquente le Cénacle de Victor Hugo. À partir de 1834, il collabore comme

journaliste à différents journaux, et voyage en Europe. I trouve dans une passion malheureuse pour une actrice, Jenny Colon, la figure féminine idéale qui hante ses récits (*Les Filles du feu*, 1854 ; *Aurélia*, 1855) et provoque sans doute cet état particulier qu'il décrit comme « l'épanchement du songe dans la vie réelle ». Au début de l'année 1841, il est frappé par une crise de folie dont il se remet difficilement. Il entreprend un voyage en 1843 qui donne lieu à un récit, *Voyage en Orient* (1851). Dans un recueil de douze sonnets, *Les Chimères* (1854), il tente de conjurer ses démons et ses angoisses, mais le 26 janvier 1855, on le découvre pendu à une grille près de la place du Châtelet à Paris.

PERRAULT (Charles)

Charles Perrault (1628-1703) se consacre d'abord à la poésie avec des œuvres de circonstance qui lui valent les faveurs de Colbert. Il entre à l'Académie française en 1671. Lors de la Querelle des Anciens et des Modernes, il s'engage pour le renouveau et devient le chef de file des Modernes. Il publie en 1697 les *Contes de ma mère l'oie* qui sont inspirés de récits de la tradition orale mis au goût de son époque.

PLAUTE

Plaute (254-184 av. J.- C.). C'est un dramaturge comique latin dont la vie est mal connue. Il a dû faire partie d'une troupe d'acteurs avant de devenir lui-même auteur de théâtre. On possède vingt de ses comédies dont certaines ont inspiré Molière, comme *Amphitryon* ou *La Marmite* (source de *L'Avare*).

RACINE (Jean)

Jean Racine (1639-1699). Il est un des plus grands dramaturges de l'époque classique. Ses tragédies mettent le plus souvent en scène des personnages de l'Antiquité ou de la Bible (pour les deux dernières), déchirés par des passions violentes et soumis à une fatalité qui les écrase. On peut y voir l'influence de son éducation austère chez les jansénistes, qui condamnaient les passions et croyaient en la prédestination de l'homme. Ses œuvres les plus célèbres sont : *Andromaque* (1667), *Britannicus* (1669), *Bérénice* (1670), *Phèdre* (1677) et *Athalie* (1691).

RIMBAUD (Arthur)

Arthur Rimbaud (1854-1891). Né à Charleville dans une famille bourgeoise, il se révèle un brillant élève, doué pour le latin et la poésie. Mais à l'adolescence, il rejette avec violence l'ordre établi et opère sa première rupture avec la société en fuguant à plusieurs reprises à Paris et en Belgique (été 1870, hiver 1871). Être révolté, il s'enthousiasme pour la Commune de Paris (période révolutionnaire du 18 mars au 28 mai 1871) ; il abandonne l'école et se tourne vers la poésie. Dans deux lettres, dites du « Voyant » (la première adressée à son ancien professeur de rhétorique, Georges Izambard ; la seconde à son ami Paul Demeny), Rimbaud définit son ambition poétique. Sur l'invitation de Verlaine (à qui il avait envoyé ses poèmes, notamment « Le Bateau ivre »), il revient à Paris où il mène une vie chaotique dans les milieux littéraires qui bientôt le rejettent en raison de ses provocations et de son arrogance. Les deux poètes partent alors pour la Belgique où Rimbaud rédige à dix-huit ans ses *Derniers Vers* (1872) puis Londres où il compose les premiers textes des *Illuminations* (1873-1875). Sa relation passionnelle avec Verlaine s'achève brutalement à Bruxelles le 10 juillet 1873, lorsque ce dernier le blesse de deux coups de pistolet ; Verlaine en prison, Rimbaud repart pour la maison familiale de Roche où il termine son recueil *Une Saison en enfer* (1873). C'est déjà la fin d'une foudroyante carrière poétique ; commence alors une période d'errance en Europe avant son départ en 1880 pour l'Abyssinie où il exerce différentes activités commerciales sans grande réussite. Il meurt à l'âge de 37 ans.

ROUSSEAU (Jean-Jacques)

Jean-Jacques Rousseau (1712-1778). Écrivain suisse, il rédige des articles sur la musique pour l'*Encyclopédie*, avant de se brouiller avec les encyclopédistes (Voltaire surtout). Il s'illustre en répondant à des sujets de concours dans des textes comme le *Discours sur l'origine et les fondements de l'inégalité parmi les hommes* où il expose ses idées philosophiques. En 1762 il publie *Du contrat social* et l'*Émile* est condamné pour ses idées religieuses. À la fin de sa vie l'auteur s'exile et ses derniers livres, *Les Confessions* et *Les Rêveries du promeneur solitaire*, où s'exprime une sensibilité pré-romantique, consacrent la naissance de l'autobiographie.

SARTRE (Jean-Paul)

Jean-Paul Sartre (1905-1980). Grand intellectuel du XXᵉ siècle, il publie des romans (*La Nausée* en 1938), des pièces de théâtre (*Les Mouches* en 1943, *Huis clos* en 1944), une autobiographie (*Les Mots* en 1964) et de nombreux textes critiques (sur Baudelaire et Flaubert par exemple), obtenant le prix Nobel de littérature en 1964, qu'il refuse. C'est aussi un philosophe, un des grands penseurs de « l'existentialisme » : il considère l'homme comme un être libre, qui ne dépend d'aucun dieu. Sartre est aussi un homme de gauche engagé (contre la guerre d'Algérie, contre la guerre du Vietnam et soutient, mouvement de Mai 68). Avec sa compagne Simone de Beauvoir, il forme un couple mythique qu'on croise souvent dans les cafés parisiens du quartier de Saint-Germain-des-Prés.

SCUDÉRY (Madeleine de)

Madeleine de Scudéry (1607-1701). Surnommée Sappho, cette représentante de la préciosité crée son propre salon littéraire après avoir fréquenté l'hôtel de Rambouillet. Ses Samedis rassemblent la plupart des célébrités de l'époque. Elle est également l'auteur à succès de longs romans à clé (*Le Grand Cyrus*, *La Clélie*, où figure la fameuse carte de Tendre) et publie à part des *Conversations* qui deviennent des sortes de manuels de la société galante. Restée célibataire jusqu'à sa mort, refusant d'entrer à l'Académie française, c'est une femme d'une grande indépendance d'esprit.

SÉVIGNÉ (Mme de)

Mme de Sévigné (1626-1696). Elle est issue d'une famille noble originaire de Bourgogne, les Rabutin-Chantal. Orpheline à sept ans, puis veuve et mère de deux enfants, elle ne peut vivre à la cour du roi Louis XIV mais entretient des relations amicales avec de nombreux courtisans. Pendant toute sa vie, Mme de Sévigné correspond pour se « consoler et s'amuser » avec sa fille et ses proches. Ses lettres qui à l'origine n'étaient pas destinées à la publication sont souvent lues à haute voix en société et sont éditées à partir de 1725.

SIEYÈS (Emmanuel-Joseph)

Sieyès (1748-1836), homme d'État et homme d'Église, rédacteur du *Serment du Jeu de paume*, fait comprendre toute l'importance du tiers état et est à l'origine des plus importantes mesures de la Révolution française. Il vote la mort de Louis XVI et prend une part essentielle à la révolution du 18 Brumaire. Membre du Directoire, il doit s'exiler à la Restauration.

STENDHAL

Stendhal (1783-1842). De son vrai nom Henri Beyle, Stendhal est né à Grenoble. Après une enfance triste, marquée par la mort de sa mère, et en rupture avec son milieu familial, il s'installe à Paris en 1799. Il se destine à une carrière scientifique mais, sur un coup de tête, s'engage en 1800 dans l'armée de Bonaparte. Il découvre ainsi l'Italie, sa patrie d'élection, pays de la musique, de la beauté et de l'amour qui sont les composantes du bonheur stendhalien. Il poursuit une carrière dans l'armée et l'intendance, suit les troupes napoléoniennes et participe à la campagne de Russie (1812). En 1814, la Restauration interrompt cette carrière ; fixé à Milan, Stendhal écrit des ouvrages de critique littéraire et d'esthétique et un essai d'analyse psychologique, *De l'amour* (1822). En 1830, paraît son premier chef-d'œuvre romanesque, *Le Rouge et le Noir*. Consul à Civita-Vecchia, il écrit ensuite des récits autobiographiques : *Souvenirs d'égotisme* (1832), *Vie de Henry Brulard* (1835-1836), et *La Chartreuse de Parme* (1839).

VERLAINE (Paul)

Paul Verlaine (1844-1896) est né à Metz où son père officier est en garnison dans un régiment du génie ; ses premières années sont marquées par de fréquents changements de villes au gré des affectations de son père. Lorsque celui-ci démissionne de l'armée, en 1851, la famille s'installe à Paris. Très tôt, Verlaine écrit des vers et en envoie même, à quatorze ans, à Victor Hugo. Il obtient son baccalauréat en 1862, mais renonce à poursuivre ses études et obtient un emploi administratif à la Ville de Paris. En 1866, il publie sept poèmes dans la revue du *Parnasse contemporain* et son premier recueil, *Poèmes saturniens*, où se révèle d'emblée la sensibilité exacerbée d'un être porté à la tristesse. En 1869, il publie un court recueil, *Les Fêtes galantes*, évocation de peintres du XVIIIᵉ siècle. Il épouse Mathilde Mauté en 1870 mais vit ensuite avec Arthur Rimbaud pendant deux années qui sont chaotiques et faites d'errance entre la Belgique et l'Angleterre et qui s'achèvent par une dispute à Bruxelles au cours de laquelle Verlaine tire deux coups de pistolet sur Rimbaud. Condamné à deux années de prison à Mons, il parvient à faire paraître le recueil *Romances sans paroles* (1874), dans lequel une série d'*Ariettes oubliées* rappelle son goût pour la musique et la mélodie. En 1880, la parution de *Sagesse*, empreint d'un lyrisme mystique, marque sa récente conversion religieuse et une relative sérénité. Il publie en 1882 *Art poétique* dans la revue *Paris-Moderne* qui devient aussitôt une sorte de manifeste pour les jeunes poètes d'alors. On retrouve ce poème dans son dernier recueil majeur, *Jadis et Naguère* (1884), où s'exprime la profonde dualité du poète entre élévation spirituelle et sensualité dominatrice. Paul Verlaine aime à se définir par une anagramme de son nom et de son prénom, « pauvre Lélian ».

VIGNY (Alfred de)

Alfred de Vigny (1797-1863). Né à Loches (en Touraine) dans une famille noble désargentée, il est élevé dans le culte de la noblesse et du métier des armes auquel il se destine. À la Restauration, il devient sous-lieutenant et commence à fréquenter les salons littéraires parisiens. En 1824, il publie un poème épique, *Eloa*, qui reçoit un accueil favorable. L'année suivante, il s'installe à Paris et épouse une jeune Anglaise, Lydia Bunbury. Vivant de sa pension militaire après avoir été réformé pour cause de maladie, il se consacre entièrement à la littérature et publie en 1826, un roman historique, *Cinq-Mars*, et un recueil poétique *Poèmes antiques et modernes*, composition de trois livres où se trouvent déjà les thématiques de son œuvre à venir : la solitude, l'expression du sentiment amoureux et les interrogations métaphysiques sur la condition humaine. Dans les années 1830, Vigny s'impose comme une figure majeure du mouvement romantique derrière son chef de file, Victor Hugo. Mais sa nature pessimiste, renforcée par une succession d'épreuves personnelles, l'incite à s'isoler du monde et à mener comme il le dit « une vie d'ermite ». C'est durant cette période de profond doute qu'il compose les poèmes qui seront publiés après sa mort dans un recueil intitulé *Destinées* (1864). Il soutient la révolution de 1848 mais connaît une désillusion aux élections législatives où il est sévèrement battu. Amer, il abandonne la vie publique et meurt en solitaire à Paris.

VOLTAIRE

Voltaire (1694-1778). De son vrai nom François-Marie Arouet, il est le chef de file du parti philosophique, incarnant le combat des Lumières pour le progrès, la justice et la liberté, contre les différents visages du fanatisme. Déiste en matière religieuse, il est, sur le plan politique, pour une monarchie libérale, modérée et éclairée. Il joue toute sa vie un rôle auprès des élites, s'engageant dans des causes célèbres. Il est toutefois embastillé et contraint à l'exil et trouve refuge à Ferney en Suisse.

ZOLA (Émile)

Émile Zola (1840-1902). Fils d'un ingénieur italien, Zola passe toute sa jeunesse à Aix-en-Provence où il se lie d'amitié avec le peintre Cézanne. Installé en 1858 à Paris, il assure sa subsistance en exerçant différents métiers dans la presse et la critique. Après un premier livre (*Contes à Ninon*, 1864), il conçoit le cycle romanesque des *Rougon-Macquart*, sous-titré *Histoire naturelle et sociale d'une famille sous le Second Empire*. Cette vaste fresque, qui se veut la description scientifique complète de toute la société, comporte vingt romans publiés de 1871 à 1893. Zola, en relation avec les préoccupations scientifiques de son temps, s'y montre attentif aux facteurs héréditaires et à l'influence des milieux sur l'individu. Après le succès de *L'Assommoir* (1877), consacré par *Germinal* en 1885, il devient le chef de file du naturalisme dont il se fait le théoricien (*Le Roman expérimental*, 1880). Soutien de Manet et des futurs peintres impressionnistes, il s'illustre aussi au premier rang des défenseurs du capitaine Dreyfus par son célèbre réquisitoire, « J'accuse » (*L'Aurore*, 13 janvier 1898).

Lexique
des notions

Les auteurs du manuel

Les œuvres étudiées dans le manuel

Les œuvres picturales

Les œuvres musicales

Les films

Crédits textes

P. 19, Eschyle, *Agamemnon*, traduit par Olivier Py, Actes Sud, 2008. **P. 20**, Aristote, *Poétique*, traduit par Jacques Schérer, *Esthétique théâtrale*, Éd Sédes, 1982. **P. 20**, Jacqueline de Romilly, *La Tragédie grecque*, Éd. P.U.F, 1970. **P. 23** Eschyle, *Les Choéphores*, traduit par Olivier Py, Actes Sud, 2008. La mise en scène d'Olivier Py de *L'Orestie* à l'Odéon-Théâtre de l'Europe en 2008 est disponible en DVD, Éd. Actes Sud. **P. 24** Bernard-Marie Koltès, Éd. de Minuit, 1990. **P. 31**, Jean-Paul Sartre, *Les Mouches* recueilli dans *Huit Clos*, Éd. Gallimard, 1943. **P. 33**, Plaute, *Amphitryon*, traduit par Henri Clouard, Éd. Garnier Classique, 1971. **P. 36**, Jean Giraudoux, *Amphitryon 38*, Fondation J. et Jean Giraudoux, 1929. **P. 40**, Plaute, Le Soldat fanfaron, traduit du latin par Henri Clouard, Éd. Classiques Garnier, 1936. **P. 61**, Max Rouquette, *Médée*, Éd. Espaces 34, 2003. **P. 71**, Roland Barthes, article « Ravissement », *Fragment d'un discours amoureux*, Coll. Tel Quel, Éd. du Seuil, 1977. **P. 93**, Lorenzo da Ponte, livret de *Don Giovanni* de Mozart, traduit de l'italien par Michel Orcel, Éd. Garnier-Flammarion, 1994. **P. 148**, Hérodote, *Enquêtes*, traduit du grec par Andrée Braguet, Éd. Gallimard, 1985. **P. 150**, Claude Lévi-Strauss, *Race et histoire*, Éd. Denoël, 1952. **P. 159**, Didier Daeninckx, *Cannibale*, Éd. Verdier, 1998. **P. 160**, Pierre Bourdieu, *Sur la télévision*, Éd. Raison d'agir, 2008. **P. 167-168**, Ray Bradbury, *Chroniques martiennes*, Éd. Denoël, 2007. **P. 179**, Georges Orwell, *La ferme aux animaux*, traduit par Jean Quéval, Éd. Ivréa/Champ libre, Paris 1995 et 1981. **P. 195**, Andocide, *Discours sur les mystères*, traduit du grec par Georges Dalmeyda, Éd. des Belles Lettres, Paris. **P. 198**, Platon, *Apologie de Socrate*, traduction de Luc Brisson, GF Flammarion, 1999. **P. 229**, Albert Camus, « Réflexion sur la guillotine », in Albert Camus, Arthur Koestler, *Réflexions sur la peine capitale*, Éditions Gallimard, 1957. **P. 246**, Guiseppe Tomasi di Lampedusa, *Le Guépard*, traduit de l'italien par Jean-Paul Mangarano, Éd. du Seuil, 1959. **P. 262**, Olivier Rolin, *Un chasseur de lions*, Éd. du Seuil, 2008, Point 2009. **P. 286**, Pierre Michon, *Vies minuscules*, Éd. Gallimard, 1984. **P. 367**, William Blake, *Les Chants de l'Innocence et de l'Expérience*, traduit de l'anglais par A. Suied, Éd. Arfuyen, 2002. **P. 399**, Serge Gainsbourg, « Je suis venu te dire que je m'en vais », *Vue de l'extérieur*, Mélody Nelson Publishind, 1974. **P. 404**, André Breton, *Nadja*, Éd. Gallimard, 1928. **P. 405**, André Breton, *Manifeste du surréalisme*, Éd. J.-J. Pauvert, département de la librairie Arthème Fayard, 1962 et 1979. **P. 406**, Paul Éluard, *Les dessous d'une vie, ou la pyramide humaine*, Bibliothèque de la Pléiade, Éd. Gallimard, 1926. **P. 408**, Louis Aragon, *Les Yeux d'Elsa*, Éd. Serghers, 1942. **P. 411**, Paul Éluard, Mourir de ne pas mourir, Bibliothèque de la Pléiade, Éd. Gallimard, 1926. **P. 412**, André Breton, Manifeste du surréalisme, Éd. J.-J. Pauvert, département de la librairie Arthème Fayard, 1962 et 1979. **P. 413**, Louis Aragon, *Le Roman Inachevé*, Éd. Gallimard, 1956. **P. 418 à 426**, Robert Desnos, *Corps et biens*, Éd. Gallimard, 1930. **P. 433**, Paul Éluard, *Deux poètes d'aujourd'hui*, Bibliothèque de la Pléiade, Éd. Gallimard, 1948. **P. 436**, Robert Desnos, *Corps et biens*, Éd. Gallimard, 1930. **P. 436**, Jacques Prévert, *Paroles*, Éd. Gallimard, 1976.

Crédits photos

N° de projet : 10180938
Dépôt légal : Août 2011
Imprimé en Italie par Rotolito Lombarda